U0866903

曹禺全集

·5·

北京出版集团
北京十月文艺出版社

主编：王风

本卷责任编委：李雅娟

学术顾问：钱理群　方锡德

编委会：（以学位授予时序排列）

钱理群　北京大学中文系

方锡德　北京大学中文系

王　风　北京大学中文系

李宪瑜　首都师范大学文学院

段美乔　中国社会科学院文学研究所

陈改玲　浙江理工大学史量才新闻与传播学院

丁　文　中国社会科学院大学文学院

祝宇红　同济大学人文学院

马俊江　浙江师范大学人文学院

田　露　天津工业大学人文学院

王鸿莉　北京市社会科学院满学研究所

李　斌　中国社会科学院郭沫若纪念馆

李雅娟　华中科技大学人文学院

王　倩　北京十月文艺出版社

约20世纪40年代初

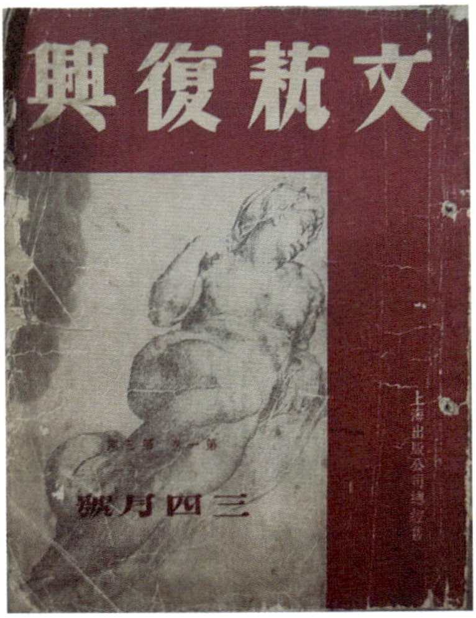

1946年4月—6月《桥》初刊《文艺复兴》
第1卷第3、4、5期

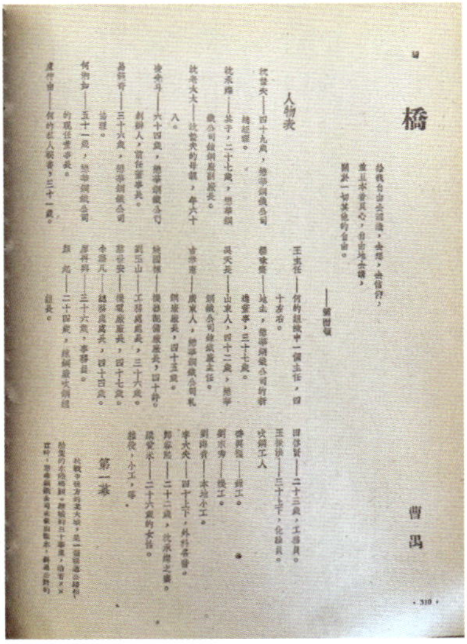

橋

曹禺

給我自由去閱讀，去想，去信仰，
並且本着良心，自由地去講，
[illegible]於一切其他的自由。

——彌爾頓

人物表

沈蟄夫——四十九歲，總華鋼鐵公司總經理。
沈承燦——其子，二十七歲，總華鋼鐵公司[illegible]廠副廠長。
沈老太太——沈蟄夫的母親，年六十八。
[illegible]——六十四歲，總華鋼鐵公司創辦人，前任董事長。
[illegible]——三十六歲，總華鋼鐵公司協理。
[illegible]——五十一歲，總華鋼鐵公司的現任董事長。
[illegible]——何的私人秘書，三十一歲。
王主任——何的組織中一個主任，四十左右。
[illegible]——地主，總華鋼鐵公司的董事，三十七歲。
[illegible]——山東人，四十二歲，總華鋼鐵公司[illegible]廠主任。
[illegible]——廣東人，總華鋼鐵公司軋鋼廠廠長，四十三歲。
[illegible]——[illegible]廠廠長，四十許。
劉玉山——工務處處長，三十六歲。
[illegible]——[illegible]廠廠長，四十七歲。
[illegible]——總務處處長，四十四歲。
[illegible]——三十六歲，事務員。
[illegible]——二十四歲，[illegible]吹鋼組組長。
[illegible]——二十三歲，工務員。
[illegible]——三十上下，化驗員。
吹鋼工人
[illegible]——[illegible]工。
[illegible]——[illegible]工。
[illegible]——[illegible]小工。
李大夫——四十上下，外科醫生。
[illegible]——二十二歲，沈承燦之妻。
[illegible]——二十六歲的女傭。
[illegible]，小工，等。

第一幕

[illegible]

· 310 ·

初刊首页

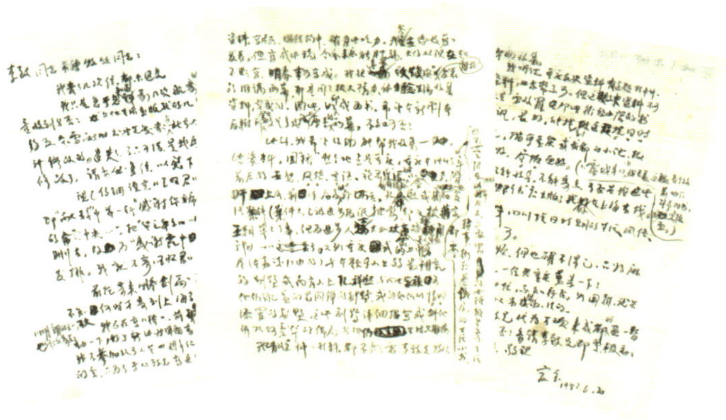

1982年6月20日曹禺致李致，
为续写《桥》请其代为搜集材料

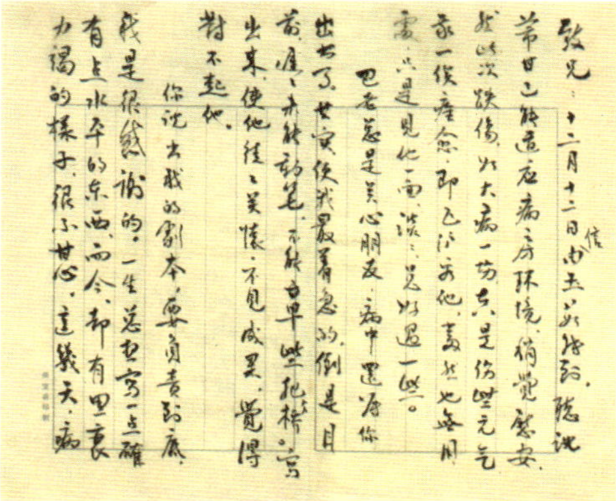

1982年12月22日曹禺致李致函首页，
提及巴金催促其完成《桥》

1956年6月在北京前门饭店与巴金合影

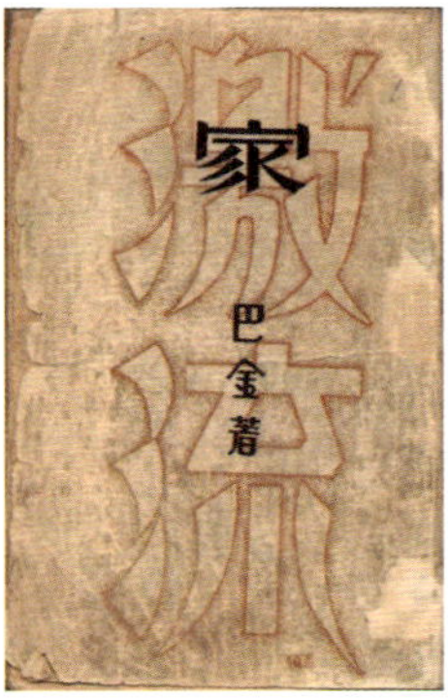

巴金小说《家》
1933年5月开明书店初版

曹禺剧本《家》
1955年8月
上海新文艺出版社新1版

20世纪40年代话剧《家》剧照

1955年重庆话剧团演出《家》剧照

中央日報　中華民國二十七年十月二十九日

中華全國戲劇界抗敵協會主辦

中華民國第一屆戲劇節

征集寒衣話劇聯合公演

四幕國防劇

全民總動員

編劇　曹禺　宋之的

導演團　張道藩　余上沅　曹禺　宋之的　沈西苓　應雲衛

執行導演　應雲衛

日期　十月廿九日晚起至十一月一日止共四天

廿九日一場午後七時。

三十，三十一，一日，日夜兩場日場午後二時，夜場午後七時。

地點　國泰大戲院

票價

演員陣容

王臨澧　夏靈炳　啓事

我倆因意見不合于中華民國二十七年十月二十三日得靈炳親兩徵此脫離夫妻關係聽憑各人自由不得干涉特此登報聲明

王臨澧啓

1938年10月
第一届戏剧节《全民总动员》
重庆公演广告

第一届戏剧节重庆公演剧照

1941年4月国立戏剧专科学校
第四十一届公演《黑字二十八》剧照

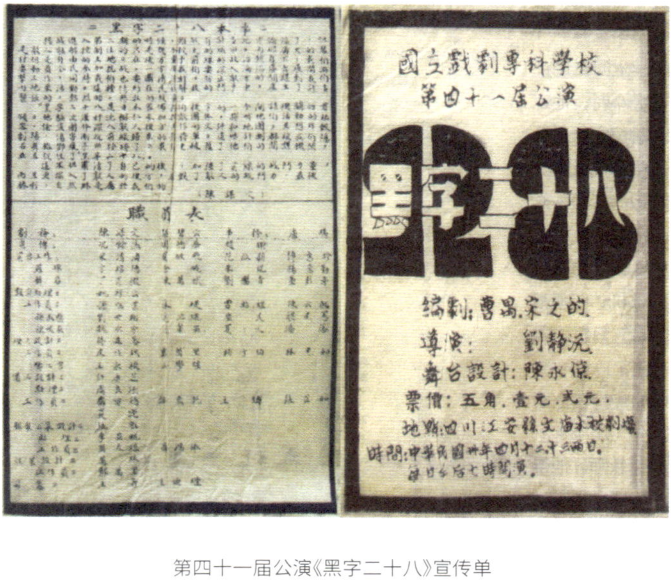

第四十一届公演《黑字二十八》宣传单

20世纪80年代前期四川人民出版社、四川文艺出版社“曹禺戏剧集”部分书影

目　录

版本叙录

李雅娟

《桥》

1943年6月29日，曹禺赴西北考察，至9月初返回重庆。期间到过玉门油田，西北之行让他首度接触到现代工业，萌生创作《桥》的念头。据曹禺晚年回忆，为搜集材料，此后他曾往重庆一家钢铁厂体验生活（田本相、刘一军《曹禺访谈录》，百花文艺出版社2010年版，第150页）。1946年1月，曹禺与老舍接到赴美讲学之邀。2月，他由渝抵沪，寓黄佐临家，埋头赶写《桥》，预定于行前完成，未果。因出国需款,《桥》由李健吾购得版权，已完成之第一幕与第二幕第一、二景，于1946年4月至6月连载于上海《文艺复兴》第1卷第3–5期。

1946年6月至8月，北京《中国文学》第1卷第1–3期连载《桥》，仅刊发第一幕约二分之一左右，除排印误植外，未见异文。

此后《桥》一直作为未完本存在。巴金在作于1979年1月的随笔《“毒草病”》中，谈到对曹禺续写《桥》的期待，“第二幕闭幕前炼钢炉发生事故，工程师受伤，他写得紧张、生动，我读了一遍，至今还不能忘记，我希望他，我劝他把《桥》写完。”（巴金《随想录》，人民文学出版社2021年版，第33页）曹禺逝世后，巴金作《怀念曹禺》，文中回忆道，“当时他已完成了《王昭君》，我希望他把《桥》写完。……他也打算续写《桥》，以后几次来上海收集材料。”（巴金《再思录》（增补本），广西师范大学出版社2004年版，第81页）1980年代初，曹禺在致四川人民出版社编辑李致信中，也多次提到想按巴金的意思，写完《桥》，并请李致等代为收集材料。曹禺给巴金信也提及因此不敢前去探望，“我想望望你，但又胆怯，因为你一再嘱我写的《桥》到今日还无着落。觉得对不起你对我殷切的期望。然而我还是那句话必写出！只要要晚一些。”（曹禺1983年10月26日致巴金信，《曹禺晚年书简》，《现代中文学刊》2010年第6期）1983年之后，再未见曹禺提及《桥》事。

1988–1990年，中国戏剧出版社出版四卷本《曹禺文集》，首度收入《桥》（两幕）。1996年7月，花山文艺出版社出版七卷本《曹禺全集》，二者均据《文艺复兴》初刊本收入。

《家》

1940年11月，巴金由云南昆明到达四川江安，带着由吴天改编自自己同名小说的剧本《家》，其时曹禺在迁至江安的国立戏剧学校任教。据巴金晚年回忆，他们谈起吴天的《家》，曹禺表示也想改编，巴金鼓励他试一试。曹禺晚年亦有类似回忆（田本相、刘一军《曹禺访谈录》，百花文艺出版社2010年版，第148页）。

1942年夏，在泊于重庆唐家沱的一艘江轮上，曹禺住了三个月，改编完成四幕剧《家》。1942年12月,《家》作为“曹禺戏剧集第七册”由重庆文化生活出版社初版“渝一版”，有白报纸本和土纸本。

抗战胜利，文化生活出版社迁回上海。《家》改作为“曹禺戏剧集第五种”，于1946年至1951年，相继出版沪二版至六版，与“渝一版”内容、文字相同。

文化生活出版社1955年并入上海新文艺出版社（1951年成立），该社根据《家》1942年初版本重排，于1955年8月出版“新1版”。相较前六版，除“时间”从“北伐以前”改为“一九二五年以前”外，大约还有二十余处字词调整。该版1956、1957、1958年三次重印，总印数16400册。

上海新文艺出版社1958年与上海文化出版社、上海音乐出版社合并，更名为上海文艺出版社。该社据原新文艺版，于1959年4月重版《家》“新1版”，1962年重印，总印数6500册。

1979年1月，上海文艺出版社再版《家》，亦署“新1版”，印数52000册。字句异动约三十余处，大体只涉及字词调整。个别舞台提示中加入方音提示，标注“川音”。此版附有曹禺1978年7月14日新写后记《为了不能忘却的纪念》。该后记首发于1978年8月6日《文汇报》，收入此版时，删掉“‘文人相轻’这句话对于巴金同志这样胸襟宽阔的人，是完全不适用的”一句。

1985年6月，四川文艺出版社出版“曹禺戏剧集”系列之《家》，印数17550册，为曹禺亲自修订的最后一个版本。“时间”恢复为“北伐以前”。此版为历次修订中改动最多的一版，涉及100余处字句。

但改动幅度都不大，主要是为使人物主导性格更分明、更纯化。

1988–1990年中国戏剧出版社出版的四卷本《曹禺文集》，1996年7月花山文艺出版社出版的七卷本《曹禺全集》，均标示据文化生活出版社1942年12月初版本收入。

《黑字二十八》

1938年夏，宋之的、陈荒煤、罗烽、舒群在武汉集体创作四幕剧《总动员》，以知识分子救亡工作为重心，表现民众动员起来保卫大武汉的主题。不久各人先后分赴桂林、延安、重庆。1938年9月24日，中华全国戏剧界抗敌协会第一届戏剧节筹备委员会在重庆成立，会后成立演出委员会，分设总务、歌剧、话剧三部，推参加话剧部工作的宋之的、曹禺负责改编《总动员》。改编结果，除保存原剧中人名及极少部分故事线索外，剧情彻底更动，成为另一部作品，定名《全民总动员》。其中第三幕为曹禺执笔。

1940年3月，《全民总动员》更名为《黑字二十八》，作为“国立戏剧学校战时戏剧丛书之四”，由重庆正中书局初版，土纸印刷。正文前有余上沅为该“丛书”所作总序《战时戏剧丛书发刊旨趣》、未署名的《序》，以及1938年10月29日至11月1日第一届戏剧节公演时的职员表、演员表、演出装置图。本版还改动了剧中部分人名。

正中书局于1942年1月使用“国纸本”再版，现还可查到1945年11月、1947年7月出版沪一版、沪三版。《黑字二十八》各版之间，内容、文字无变动。

此后该剧再无印行，直到1988–1990年，中国戏剧出版社出版四卷本《曹禺文集》，首度收入《黑字二十八》。1996年7月，花山文艺出版社出版七卷本《曹禺全集》，二者均据1940年3月正中书局初版本收入。

桥

【题注】据1946年4月至6月《文艺复兴》第一卷第三期至第五期初刊本排印，刊发二幕三场，未完。通校1946年6月至8月《中国文学》第一卷第一期至第三期再刊本，刊发第一幕未完（校注称“《中国文学》版”）。又，底本“刘海青”多处误为“刘海清”，径改不出注。

给我自由去认识，去想，去信仰，

并且本着良心，自由地去讲，

关于一切其他的自由。

——弥而顿

人物表

沈蛰夫——四十九岁，懋华钢铁公司总经理。

沈承灿——其子，二十七岁，懋华钢铁公司炼钢厂副厂长。

沈老太太——沈蛰夫的母亲，年六十八。

凌光斗——六十四岁，懋华钢铁公司创办人，前任董事长。

易范奇——三十六岁，懋华钢铁公司协理。

何湘如——五十一岁，懋华钢铁公司的现任董事长。

卢仲由——何的私人秘书，三十一岁。

王主任——何的组织中一个主任，四十左右。

杨味斋——地主，懋华钢铁公司的新进董事，三十七岁。

吴天长——山东人，四十二岁，懋华钢铁公司炼铁厂主任。

古恭宪——广东人，懋华钢铁公司轧钢厂厂长，四十五岁[1]。

姚国栋——机器配备厂厂长，四十许。

刘玉山——工务处处长，三十六岁。

蔡世安——机电厂厂长，四十七岁。

余涤凡——总务处处长，四十四岁。

---

1 “四十五岁”《中国文学》版作“年四十五岁”。

廖再兴——三十六岁，事务员。

颜　起——二十四岁，炼钢厂吹钢组组长。

田启贤——二十三岁，工务员。

王振洪——三十上下，化验员。吹钢工人。

乔兴福——钳工。

刘宗秀——机工。

刘海青——本地小工。

李大夫——四十上下，外科名医。

归容熙——二十二岁，沈承灿之妻。

梁爱米——二十六岁的女性。

杂役，小工，等。

第一幕

抗战中后方的某大城，是一个畅通公路和船只的水陆码头。离城约三十华里，沿着 × × 江畔，懋华钢铁公司在依山临水，斜通公路的地点，选择了一片广阔的田冈，平基盖屋，逐步建起厂房，堆栈，道路，桥梁，轨道，沟渠，水塔，烟囱，以及宿舍，村落，码头和办公楼。

这儿原是有山有水的农村，有梯田蜿蜒，溪流潺缓，环境旷朗而恬静。现在即便这个乌烟混浊的钢铁厂崛起其中，占了近千亩的地基，可是在公司的内外还有些小土庙、碉堡、茅屋、古树，终日不慌不忙旋转的大水车和地主整齐的宅子。山半腰的风景更幽美，从竹岩石中有如帛的瀑布在直流，近岩石处，一两所红瓦灰墙色调极新的西式别墅，杂莳着花草，点缀在其中。

七月半，正酷热的天气，在公司办公楼的会议厅里，空气沉肃郁闷。门外走廊上的绿竹帘卷上一半，阳光逼人，投在过道的花砖上又反射进来。会议厅的双门开着一扇，从门内望出，看见草坪，烟囱，机厂，和远处的山，以及别墅，都如笼罩在郁热的白色氤氲里。廊外的洋槐树叶一动不动，更叫人感到没有一丝风的窒闷，蝉声忽远忽近，忽断忽续。码头的上游远远有一缕烟淡淡飘散。好久，那个黑点似的班轮才放出一声尖锐的汽笛，划破了这夏日的沉寂。

厅内布置简朴肃穆，墙壁深灰色，擦得很洁净的光漆地板，把家具和桌椅的腿都反影下来。屋子大，墙高，是位置在办公楼中最偏僻的角落，因此隔嘈杂之声稍远，更显寂静。

这是一座相当像样的，用砖和洋灰修建的房屋，厅内的门窗都是既高大又厚实，连窗门上紫铜的钮把也擦得暗黝黝地发光。两扇门旁的高玻璃窗，擦得透亮，左右两窗各打开一扇，淡灰色的麻纱窗帘，像黎明的轻翼斜垂下来，垂到窗下矮矮的书柜上。这两只书柜是放在两个高窗下面的。柜上各放一盆姿态经过修剪颜色葱翠的小柏树，其中一个柜上还放着工程蓝图。柜内都很整齐的排列着各种颜色装潢关于钢铁的书籍。

台前偏左（以演员左右为左右）横放一张油亮露出木纹的楠木会议长桌，桌腿粗实的落在地上，摆得稳如泰山一般。桌上正中间放着一个蓝白二色磨花玻璃缸。桌左端一张高背皮心有扶手的椅子，两边放着同样的椅子，但没有扶手。右墙正中有一人高全部磨光黑石的壁炉，大理石的炉架上放一钢壳座钟，钟右一只白色厚玻璃水瓶，和几只厚玻璃杯，放在垫着细白麻布巾的盘子里。近台口一门，门上侧钉着楠木白漆字“总经理室”木牌。壁炉上墙壁挂着懋华钢铁公司各厂地形分配图。背朝壁炉有一张宽大讲究的黄皮沙发，沙发靠背上铺了两块雪白的细麻布枕巾，扶手上随意放着两把细芭蕉扇，大沙发左还有两张小沙发并放，一只面向观众，另一张正向壁炉，三张沙发中间有一张约二尺高八方矮桌，也铺了细白麻布桌巾，上置江西瓷茶具和本公司钢制的纪念烟盘。左墙前里面放一架楠木高玻璃柜，里面分门别类地有：钢管、钢元、弹簧钢、合金钢、不锈钢、工具钢、高速度钢……整齐地陈列着。油过的楠木，光可鉴人，柜顶放两个亮亮的约一英尺高的小迫击炮炮弹钢壳。靠外近台口一门，门上侧钉着同样木牌系“协理室”，门边小圆几上置手摇电话机，玻璃柜与协理室之间，壁上也挂着公司出品和矿区分配的图表，与对墙壁炉上蓝图皆用黑漆镜框。

〔开幕时，公司的干部人员正三三两两地从开着的一扇门走出，厅内还剩下几位或坐或立；百无聊赖的都在这大厅里仿佛在等着什么。

〔姚国栋——机器配备厂厂长——一个精神饱满，圆脸小眼睛的矮胖子，四十许，身穿工厂蓝布制服，十分合身。他坐在会议桌边，面向观众，短粗的胖手，中指套一只金箍子，不停地敲着桌上草帽的边缘。他回头一望，会议厅里又走了两个同事，犹豫不决地觑视一下壁炉上的座钟，才发觉蔡厂长还在沙发面前徘徊。

姚国栋　（忽然下了决心，站起来）蔡厂长，我看我们剩下的这几位也散了吧。

〔蔡厂长是一个瘦长脸，两鬓斑白，戴着银丝眼镜的瘦高个儿。相貌清秀，说话文声文气，带一点江浙口音，见人总像有些腼腆，办事敏捷，而言语却十分蹇难。他也穿一套工厂旧制服，白衬衣袖露出一点点，制服裤也烫得笔挺，从上到下都很整洁。

蔡世安　（稳住了步子，低头望望腕上的金表）已经两点半了。

〔工务处刘处长，中等身材，三十多岁，黑脸，高鼻梁，声音洪亮，穿着灰色洋服正站在左窗下书柜前翻阅手里的报告，不停地挥着草帽驱热。

刘玉山 （这时阖起报告）走吧！虎头秘书不是说何董事长又改坐汽车来么？

〔总务处余处长，正立在左面协理办公室门侧打电话。一个瘦骨嶙峋，有些伛偻的中年人，穿着灰色蚂蚁布中山服，白皮鞋，精细周密，十分干练，一脸世故的笑容。他摇着蒲扇，手持电话耳机。

余涤凡 （很客气地）……是，我是懋华钢铁公司，我……我总务处余处长，……嗯，请王主任说话……

〔大家以期待的眼光望着他打电话。

刘玉山 我看我们的新董事长说不定还没有上汽车呢。

姚国栋 （戴上帽子）好，——那，——

蔡世安 （讷涩）那么还，还是等余处长问明白再走吧。

姚国栋 （眯着小眼睛）也好，省得从办公楼跑回厂，又得从厂跑回来。

刘玉山 （嘲讽地）嗯，也留点力气增加生产。

〔吴天长是公司里最会说笑话，也最有幽默感的人，山东籍贯，年轻时在北平读书，以后在唐山读“冶炼”。出了大学，就一直没有离开炉子，大大小小地管理过上十个“炼铁炉”——即“鼓风炉”——一切技术上管理上的毛病和诀窍，他都了若指掌。混了十几年，在钢铁界中，他可算是一个“老门槛”了。一脸是突梯滑稽，不可捉摸的笑容，心里时常压抑着一种愤世嫉俗的怒火。只因入世太深，尽可能地忍耐，为着应付他心中藐视的，“那些‘人不人，鬼不鬼’的东西”，他训练就一套“嘻嘻哈哈，得开心便开心”的本领。然而逼得忍无可忍时，他会一脚踢破了饭锅，闹得天翻地覆，没有一点留恋的离开。他多少袭留一些中国传奇中的英雄性格，爱交个“义气朋友”，出了事情也真有个担当，虽然早年的科学洗礼，和自己天生的幽默感，把这些倾向也冲淡了不少。他好喝口酒，好听段京戏，听戏是在北平时代[1]染成的嗜好，——哦，杨小楼是他最崇拜的人物——喝酒是日夜守着鼓风炉的炼铁工程师们，大都难免的职业习惯。喝了两口酒，就耐不住一声：“唉，我们干冶炼的，就是天天在锅底下过日子的人！”然而眨眨眼，晃一晃脑袋，他大嘴一咧，又酣畅香甜地对你笑起来。事实上，他个人的事业始终没有怎么顺遂过，依人作嫁，做几个小型钢铁厂的工程师，一度集资办机器厂也没有成功。于是他再也不想做“创办企业”的梦，就老老实实地“在锅底下过日子”。他的子女多，负担重，但从来他没有一点忧戚之色[2]。加入懋华当炼铁部主任，他很快地成了大家最欢迎的人物。他和年轻的沈工程师——总经理的儿子——做了朋友，他喜欢这个人的认真、爽快和聪明，

1 《中国文学》版无“时代”。

2 “忧戚之色”《中国文学》版作“忧戚之容”。

他也佩服这个年轻人的学识。但他决不容忍人对他有所误会，以为他是巴结上司的儿子，在这一点，他又是很计较的。

〔他个儿不矮，可叫人感到又圆又粗，像只铁桶。永远红光满面，小圆头鼻子，一脸青胡根，大嘴一咧，就露出一口洁白整齐的牙齿，头顶已经半秃，稀疏的头发向后拢过去。他穿着工厂制服，现在正立在右窗前面，叉着腰，弯身向外瞭望。

吴天长 （掏出一块绉缩的淡黄手帕，擦揩脖颈上的汗水，满口爽朗有劲的山东腔——在全剧中他一直说山东话——滔滔不绝地）这个要人是有个当头哴，一会儿说坐着轮船来了，（谐音读若“里啊”，下仿此）一会又说坐汽车来了；来了；来了；他还是没（读若“姆”）有来！俺们这些“猴儿孙”足足等了（读若“喽”）一点一刻钟，这就是七十五分，四千五百秒，全公司四厂三室六大处，还有俺这小小的炼铁部，厂长，处长，主任，停止工作，都到齐了等，就等我们何老先生来到，给我们训他一话，喂，总务长，余先生——

余涤凡 （忽然抓紧话机）对不起，吴先生，（对着电话）怎么？哦！您是王，王主任！我是懋华公司，余涤凡。何董事长，就要来了吧？哦！还在会客，没有上车？（有点为难）可现在已经过——（赔着笑脸）是是是是，不要紧，不要紧，何董事长的卢秘书已经来了，搭了专轮先来布置了，还有一些客人。是，是是是，那么也只有半点钟就能来了。哦，是，

是，是，劳神，劳神。再见王主任。（放下电话，回首谦逊地）诸位厂长，处长听见了没有？（大家面面相觑）

吴天长　（不满地）至少还有半点钟！

姚国栋　（无可奈何）走吧！

蔡世安　（拿起公事包）玉山兄，机电厂停了好久，现在技工不够，似乎——

刘玉山　是，（也卷好摊在书柜上的蓝图）顺路到我们工务处谈谈好不好？

蔡世安　最好。

姚国栋　（短短的胖手在空中晃了晃）辛苦了，余处长。

余涤凡　（摸起小圆桌上的一张便条在看，抬头，笑着）不，姚厂长。白白劳了诸位辛苦一趟。一会儿请诸位先生，在公司会客厅聚齐，此地太热，太挤。已经走了那十几位，我再派人通知。

姚国栋

蔡世安　（同时）嗯——好——好——再见。

刘玉山

〔沉静的下午，远远由公司码头上，忽然荡来一两声轮船的汽笛。

姚国栋　（有些踌躇）别是他忽然坐轮船来了。

余涤凡　（带着笑容）不，不，（指着窗外）这还是那条专轮。

刘玉山　（烦躁不耐）是虎头秘书坐来的！

吴天长　（对姚，嘻嘻哈哈地）大概轮船也等得不耐烦了。（回身向窗

外看）

〔蔡刘由双门下。

姚国栋　怎么样，老吴，还不走？

吴天长　（大眼一瞪）我？（脖颈子一挺）我还要等！（清脆响亮）这叫“来了车子不上”，我等上瘾嗪！

姚国栋　（一笑）那你就等吧。

〔姚刚从双门向廊子迈了一步，忽然“腰肢”一扭，转身跑来。

姚国栋　（小胖手又抵住嘴唇，严重警告）来了，来了，来了！

吴天长　（愕然）谁？

姚国栋　（又回头望一下，低声自语）来了，来了！

吴天长　谁呀？

姚国栋　（一脸又想笑，又怕事的神色，轻声）“古广东”，“古广东”来了。

〔刚一回头，古恭宪气冲冲地走进来。

〔古恭宪，广东人，是公司轧钢厂厂长，学识造诣很深，战前在欧洲几个钢铁厂当过工程师，抗战后一年，才由沈总经理延聘回国。他的父母都是南洋华侨，幼时把他送回中国读过书。不久，他就到欧洲深造，多半时间留在德国，以后很少与国内工业有实际接触。应聘之后，他把太太“装”——按照他的话——到美国，孑然一身，来到后方。在此地他无亲无故，整天是工作，试验，书本，发脾气，很少与人来往。他的秉性倒是爽快，率真，甚至于简单，却也实在古怪，固执，急躁。见解偏，对祖国的人情世故又十分隔阂，所以时常与同事们冲突，而自己毫无所觉。初来时员工们完全把他当作洋人看，这使他非常气恼。于是苦学国语，几乎废寝忘餐，半年后，等到国语教师走了，他张开嘴，还是一口广东官话。然而他已经诩诩自得，毫不吝惜自己的气力，见人就讲。

〔他年约四十余，壮实有力，黑中透紫的脸，厚嘴唇，扁鼻子，双目凹进，炯炯有神，时常叼着一只烟斗，口袋里总装着烟草火柴，高兴起来连连用烟斗敲着手心，大笑不已。

〔他穿一身旧黄咔叽西装，敞口白衬衫，戴一顶黄色软木帽，进门就直僵僵地取下来，铁灰色的头发粘在汗水淋漓的额头上。

古恭宪　（进门就瞥见姚，依然虎起脸）姚先生！

姚国栋　（善观风色）古厂长，再见！

〔姚把草帽一扬，肥胖的屁股向外一扭，很伶俐地走了出去。

余涤凡　（摊开笑脸）古厂长，怎么这么晚才来，通知送到了吧？

古恭宪　（十分气愤，一概不理，此时一口广东官话说得分外吃力）余处长，我刚要找你谈一谈。

余涤凡　（温文有礼）好。

古恭宪　（劈头一句）我们公司“是”（读若“系”，下仿此）不“是”停工了好久了？

余涤凡　（摸不着头脑）是，是。

古恭宪　（暴雨点似地一气泻下来）我们是不是现在又要出钢？

余涤凡 （虚弱地）是——是。

古恭宪 我们是不是现在就要轧钢轨？

余涤凡 嗯嗯。

古恭宪 修铁路？

余涤凡 嗯。

古恭宪 我们是不是要听政府的号令，增加生产？

余涤凡 （益发莫明其妙，满嘴）哦，哦——当然，当然当然。

古恭宪 （一顿）好，今天贝氏麦炉要出钢，我们轧钢厂正忙得要“死”（读若“洗”），要死！可是——（实在恼怒，霍地一转身，对着正在笑望着他的吴天长[1]，没头没脑地）哦，Damnation！吴先生，哪里来的这一大群男男女女？

吴天长 （敛起他的幽默面孔，一怔）我怎么知道？

古恭宪 （倒拿着烟斗，在空中乱晃）余处长，一大堆男男女女（把软木帽敲得山响）男男女女。在我厂里穿来穿去，抽纸烟，乱说话，东张张西望望，叽哩瓜啦，叽哩瓜啦！

吴天长 （眼一转）是不是里面男的都有点像狗熊，女的都像狐狸精？

古恭宪 （逼视）你认得？

吴天长 （摇摇头）我不认识，我想余处长——

余涤凡 这大概是何董事长专轮里面的客人。

古恭宪 （一愣）董事长？

余涤凡 不过我可是派了赵科长领着他们参观的。

---

1 “吴天长”底本、《中国文学》版均作“吴天良”，当作“吴天长”。

古恭宪　（诧异）参观？他们参观？瞪他们，他们也不走。一个小狗熊拿着Stick指指点点，就把我的气压表点断了。余处长，你知道不知道？这不成，这不成，这不成。董事长，牛长，马长都不成！你们出资本，我办厂，可是这厂不是个玩意，不是个动物园，不是个马戏班子。

余涤凡　（圆滑）古厂长，我立刻派人去查看一下，总叫你满意，一定叫你满意，再见，古厂长。

〔余处长依然谦和有礼地弯一弯腰，笑着走出去。

古恭宪　（连叫）余处长，余处长！

吴天长　算了吧！

古恭宪　（摇头）吴工程师，这个人我不欢喜。滑头！办总务的都是滑头。

吴天长　（诚诚恳恳）古厂长，你在中国的日子少，你还是个外国脾气。你不懂应付这一批特种国难商人多么麻烦。

古恭宪　（不了解）那么总经理为什么要招待他们？

吴天长　咦，他们是官，是商人，是，是本公司的股东，老远地来了，你不理成么？

古恭宪　（不通情理）我不管，我很失望，我走了。（戴上软木帽就走，走了两步，忽然转身）总经理在不在？

吴天长　（晓得他又去发牢骚）怎么？

古恭宪　我要跟他谈谈，我的邻居（咬着嘴唇）那个坏东西！请他搬家！

吴天长　哦——（心眼儿一转）他不在。（挑问）怎么，杨味斋又偷轧钢厂的电啦?

古恭宪 （忍下不说）嗯。（说了就走，刚迈了一步，想想着实气恼，忽然用烟斗指着吴天长的脸，痛骂起来）吴工程师，杨味斋是，是个大“衰仔”（坏蛋的意思）！上次我把他的电线剪断，今天他居然公开派人来接我厂里的电，我说“不成”！他派来的人说“现在杨委员是公司的董事”！我说“董事更要守公司的规矩，董事偷电就更不成”！他派来的人还要接，武力要接，（指手划脚，愈说愈气，“官话”于是更说得结结巴巴）我就叫小工去打，我对他说：“你晓得不晓得？你的老爷，我们公司都讨厌，我们都叫他是眼，眼，……”

吴天长 （笑着接下）眼——中——钉。

古恭宪 （很感激的眼色，慢慢咬准了自命国语发音的三个字）嗯，眼——中——钉。（很得意地拿出手帕擦额头上的汗，憨笑）对不对，吴先生？哎，我四十二岁，才学国语，这一次我说的不错吧。

吴天长 （只好敷衍）说得好，说得好！那么后来呢？

古恭宪 （一变又是怒目金刚）后来！后来我就不说话，我就拿起拳头在他面前……

吴天长 （大吃一惊）你动手啦？

古恭宪 （气呼呼地）没有，我的拳头拿出来，他就跑了。

吴天长 （警告）喂，古博士，你这样子不成呕。杨味斋尽管是“眼中钉”，可你不能当着他讲，你不能当他的下人，说他是“眼中钉”。

古恭宪　（凹陷的眼睛在乱草似的浓眉下亮起来）为什么？为什么？说搬，说搬，总是不搬，个个衰仔！（这个坏蛋的意思）房子塞在我轧钢厂的门口，无论哪个，一进公司，就望见这所怪房子，老房子，倒霉房子，刚刚插在当中，这不是眼中钉是什么？

吴天长　（半讥讽地）公司开厂，杨味斋总说他是个大功臣哝。

古恭宪　（翻着白眼）他是什么功臣？

吴天长　大前年公司建厂买地，老百姓怕上当不肯卖，地方上的人有了他出来才肯卖的呕。

古恭宪　他没有赚钱？

吴天长　（耐性解释）你不懂，古博士，在后方买地，大地主赚钱，公司还得领他的情的噢。

古恭宪　（脑中不装这些复杂的道理）总之是没有道理！我们还是要请他走路，搬家。

吴天长　（沉思）现在的情形，我怕更难。

古恭宪　（愕然）为什么？为什么？

吴天长　你不知道董事长换了？

古恭宪　我晓得。

吴天长　凌老先生辞了职，“人可”先生上台了。

古恭宪　“人可”是哪个？

吴天长　（笑起来）“人可”就是人可，人可就是何，何先生，现在的何董事长。

古恭宪　（拿出自己的逻辑）那有什么要紧。无论哪个当董事长，就要出资本，我们就买原料，画图样，出钢，增加生产。

吴天长　（摇摇头）不那么简单，古先生。我听见一个相当重要的消息，我告诉你，你可不要叫，（低声）现在总经理也要辞职了。

古恭宪　（惊愕）哪个说的？

吴天长　我说的。

古恭宪　（愣了一下，突然大叫）那不成！那不成！那绝对不成。总经理辞职，我也要辞职；他走，我也走。全公司只有他是个好人，他是我的好朋友，好上司，那我一定回到美国，找我的老婆去，这个钢铁公司是办不好的。没有好人，工业是办不好的。（忽然严肃）吴先生，你的话靠的住？不是谣言？

吴天长　（压住自己的苦恼）总经理大概正在（指着）办公室跟凌老先生商量这件事情呢。

古恭宪　（不由望着总经理办公室的门，严重地）哦！（忽然想起）那，吴先生，你方才为什么骗我说总经理不在？

吴天长　（一时愣住）我，……我，……（老实讲出）你想想，这个时候，你还拿什么"眼中钉"偷电，房子，这种事情麻烦他做什么？

古恭宪　（想想）嗯，嗯，也有道理。（徘徊两步，猝然又走向办公室）不，我得找他！

吴天长　（想不到）干什么？

古恭宪　（直截了当）跟他谈，我要劝他！

吴天长　（拦住）古先生，这不可以，我认为这个时候你——

古恭宪 （固执）为什么不可以。为什么？

〔此时沈承灿上。

〔沈承灿，懋华钢铁公司炼钢厂副厂长，廿六岁[1]，中等身材，长脸大眼，肤色红润，颧骨略嫌凸突，其余一切，都很匀称，体格健壮，言语举止，都使人觉得这是一个生命力非常旺炽，而又渐趋成熟的青年。时时仿佛极力不使自己的聪明炫耀，而终于不免溢出来一些带棱带角的批评；明明知道过分的热诚，容易激起盲目的冲动，却又压不下自己的血气，要说要做，要理论，要争出一个是非。他坦白，爽快，但也机警细心，有时并且冷嘲热讽地弄得人莫可奈何，然而动机不是褊狭、冷酷的。初一见面，令人只感到他峥嵘的头角，想起这是产业界的巨头沈蛰夫的独子，也许立刻推想他一定是一个聪颖自喜，不可一世的豪华子弟。和他坐下来亲切地谈谈，如果你也拿出你坦挚的心地，你会察觉他的坚定自信的目光中含蕴多少柔和可亲的神采，再多谈一阵，你益发觉得他又多么率真，又多么憨气；再近一步的认识，你会发现这个心灵的深处藏蕴着一种永不磨灭的爱自由、爱真理的天性。而压抑在他心头上的苦闷，又是多么深沉。

〔他是资产阶级受过高等教育的青年中最幸运的一个，除了研究他的专门学识以外，他的天性使他不懈地注视追寻，

---

1 本剧人物表中年龄标示“二十七岁”。

研究实际社会上许多复杂问题，以及种种不平和矛盾。不断充实自己，期望着彻底明了这些问题的症结，要一个合理的解答，这在他目前狭小的圈子里，几乎是不可能的。他惶惑，不满，愤激；然而为应付眼前事业的困难，这些根本的疑问，反而要暂时埋在心里，没有人代他解答。孤单，寂寞，在这一段昏暗的路上，他只凭借自己心里那一点可宝贵的火，作为指路的明灯。

〔他穿着一身毛蓝布厂中制服，黑皮鞋擦的很亮，可又蒙上一层灰。腕上戴着皮带钢壳的手表，胸际插着自来水笔。他进门掸一掸裤腿上的尘土，手里拿着一副夹裤筒用的钢圈，像是刚由工厂走来，到了门前才蓦地记起，把它们脱下。

沈承灿　（欣然）哦，古厂长！老吴！

古恭宪　（一把抓住）Dr.沈，好极了，我问你一句话，请你答复我，——

沈承灿　（一面答应，却回头问）老吴，总经理在不在？

吴天长　在。

沈承灿　怎么，古厂长？

古恭宪　（开门见山）我问你，你的父亲是不是要辞职。

沈承灿　（勉强微笑）哪个说的？

古恭宪　（指着）他。

沈承灿　（看见吴对他递一眼色，会意地）没有，没有这个意思。

古恭宪　真的？

沈承灿　（点点头）嗯。

古恭宪　（对吴轻轻呵责）哈，你看，这又是你的谣言！（把软木帽一拍）那么我可以见总经理去了。

吴天长　（紧紧插上一句）凌老先生在里面！

沈承灿　（截住）古厂长，你是不是要谈杨味斋让房子的事？

古恭宪　嗯，是的。

沈承灿　（婉转地）那么，今天晚上我回家的时候，我当面对我父亲说，好不好。这件事，不只是你一个人关心，也是公司大家的事情。

古恭宪　（犹豫）那——也好。明天出钢轨，轧钢厂的准备，今天夜晚十二点钟可以完成。Dr.沈，你的贝斯麦炉[1]今天晚上可以出钢么？

沈承灿　（准确自信）可以，十二点一刻出第一炉低碳钢。

古恭宪　（握手）Congratulation！ Dr.沈（拍灿的肩膀）你做的很快，很好。（旧事重提，嘴角一沉，又不满意的摇起头来）不过，Dr.沈，我是不赞成你的办法，我始终反对用贝斯麦炉的。我想就是你所崇拜的老师Henslowe教授一定也跟我是一样的意思。（认为非常可笑，不值一顾的神色）这种炉子，是我们祖父玩的东西。这种炉子在欧洲还有，在美国你是晓

1　贝斯麦（Bessermer）炉，为炼钢炉之一种，以鼓风机将空气打入烧熔之铁水内，使铁水内所含之杂质如矽、锰、硫等与空气中之氧化合成渣滓浮于铁水表面，借去其杂质，即成纯净之钢。——底本注。

得的，除了Duplex Process[1]以外，你在什么地方看见过，单用这种炉子出钢的？吴先生在比国——

沈承灿　（忍不住）在比国贝斯麦炉用来做肥田粉[2]——

古恭宪　（重重地点点头）对的，人家只用它出的渣子，不用它出的钢。贝斯麦炉的毛病这样多，你数数看，第一，吹炼的时候控制难得周到，容易过于氧化，出的钢，“氮”同“氢”也含的太多。

〔以后二人针锋相对，你一句我一句地争辩起来。

沈承灿　（抢上一句）热量也难得调准。

古恭宪　（紧接着）我认为只可以炼低碳钢。

沈承灿　（有力地附和）对的，一炼高碳钢，性质就做不到均匀，并且最致命的是四川的矿砂，含“磷”太高，根本就不合适贝斯麦炉子。（忽然振奋）但是古先生，我们是在抗战，是在后方，我们的钢铁工业是想不到地幼稚，而现在空着手，要造铁路，要立刻大量出钢。（愤激）四面封锁，外国的东西运不进来，我们只能从头再做这种设备简单的炉子。

古恭宪　（耸耸肩，挖苦地）哼，几块钢板一弯，就是个炉子。

沈承灿　（并不气馁）对的，你说得没有错，弄不到合适的矽砖，就拿眼前的“泡砂石”打打砌砌也成了耐火材料。而且，（理

1　二连式炼钢法，为用贝斯麦炉初步吹炼后，入平炉继续炼成较佳之钢。——底本注。

2　磷剂肥田粉。——底本注。

由更充足起来）古先生，连贝斯麦炉子上的这几块钢板，也是从公司买的那条旧轮船拆下来的。一个旧锅炉，送到炼钢厂我那里，（睃一睃眼睛，笑着）不要忘了，一九〇七年造的，你的轧钢厂也在用，现在鼓风机我在做，蒸汽机你在做。甚至你的轧钢机也是你自己做。为什么市面上找不到合用的。还是那一句话，古先生，我们是在中国，在后方，我们在开路！

古恭宪 （绝未听进）然而工程是工程！效率是效率！这种办法，我始终反对的。（愤慨地）在外国，我们是专家，人家看我们是专家，在中国，我们更是专家，但是人家看我们——

吴天长 （大半时间，一直故意阅读自己带来的蓝图，不参加辩论，这时抬头笑起来）是万能博士。

古恭宪 （大点头，满意地）对的，万能博士！（愈说愈气愤）什么都成，也就什么都不成！抗战以后，我们拿什么东西跟外国人竞争，现在我们用的东西没有一样合乎标准。你看这些矿砂、焦炭、土铁，还有我们的这些机器，哪一样合乎S.A.E.[1]的规格。在世界的市场上，这都是破铜烂铁，（用尽气力）Scraps！（沮丧地）但是在中国。——

吴天长 （慢悠悠咳了一下，幽默地笑）对不起，现在都是宝贝。

古恭宪 （突有所感，兴奋）可是孔夫子说过，他说过，他说，（欲认

---

1 美国汽车工程学会（Society of Automobile Engineers）所订之各种钢料标准。——底本注。

真读准，格外结巴）“工——欲——善——其——‘细’……”

吴天长　（又来帮忙，加重地）“——事”

古恭宪　（又露出感激的神色，立刻仿吴读音再说，也加重地）“……事，——必——先——利——其——‘细’。”（说完亦觉不对，连连摇头）

吴天长　（同时又——）“器”。

古恭宪　（立刻吃力地挣出）“……器”谢谢你吴先生，（揩揩头上的汗）这就是我的意思。（故态复萌，又固执起来）反正我是反对贝斯麦炉，要大量出钢，就是马丁炉[1]，Basic Open Hearth！要不然，（索性不顾事实，意气地）还是用你设计的电炉。你是电炼专家，你应该贡献你的专长。

沈承灿　（感到一和他争论，便弄成无理可讲，只好笑着）内河有一种汽船，不知你看见过没有？这个汽船锅炉只有五尺，汽笛可占了七尺，不拉汽笛，汽船突突地走，可是什么时候汽笛一叫，汽船立刻就停了。古先生，你不说话，你是第一等的轧钢专家，但是什么时候你一张嘴，一兴奋，你一切思想、逻辑，也立刻不动了。

古恭宪　（却幽默地笑起来）谢谢你，我很欣赏你的譬喻。可是我还看不出这点关系。

沈承灿　（也觉得古率直可喜）公司的两个电炉：一个一吨弧光电炉，一个最新的高周波电炉，它们最合适出哪种钢，过去你是

1　炼钢炉之另一种，亦称平炉，系利用煤气熔化生铁俾炼制钢料。——底本注。

看见的。现在时常停电，这两个炉子根本就不能大量生产。即使勉强电炉，大量出低碳钢轨，自己发电，你算算，一吨钢锭用五百K.V.A.的电，光这批电费的成本，你看合算不合算？

古恭宪　（依旧他的逻辑，绝不妥协）好了，那么，不用电炉，用马丁炉！

吴天长　（实在佩服“古广东”的牛劲）哎呀，奶奶！（一气走出双门，在走廊上瞭望。）

沈承灿　（耐下性子）用马丁炉，耐火材料就成问题。

古恭宪　（毫无所动）那么Chrome Brick[1]没有办法？

沈承灿　Chrome Brick？不用想，在后方！（缓一句）不过“铬砖”还是可有可无的。

古恭宪　（又紧问下去）那么Magnesite Brick[2]？

沈承灿　“苦土砖”是绝对大量需要。但是军用飞机不会为我们从美国运来。

古恭宪　难道内地没有Magnesium[3]？（肯定地）我知道我们中国有的。

沈承灿　有，在东北，在海州，在湖南，在沦陷区，即使能自由开采，也是运费太高。

1　铬砖，砌制平炉所用之耐火材料，其化学性质为中性。——底本注。

2　镁砖，为平炉中所用之另一种耐火材料，其性质为碱性，能与铁水发生作用，借去其杂质。——底本注。

3　镁。——底本注。

古恭宪 那么,(顿,忽然)Dolomite?

沈承灿 (点头)白云石!是。这是一条路,四川有,可以代替的,四川的白云石,"氧化镁"含量不低,接近标准,但是"二氧化矽"太高,又是个毛病。现在我正在想法子解决,——

古恭宪 (欣喜)真的,你在试验?

沈承灿 贝斯麦炉出钢就序以后,我再跟公司化验室合作,研究怎样烧制白云石砖。

古恭宪 (兴奋)那,那,那马丁炉——

沈承灿 你知道公司不是没有计划要办。

古恭宪 (拍着灿的背)Oh,Damnation!你为什么早不告诉你已经在研究?

沈承灿 (谦虚地)现在一点头绪没有,讲出来有什么意义?

古恭宪 (快乐非凡)有意义!有意义!(握住灿的手)Dr.沈,你好!你好!(连连拍着灿的肩)你是一个好工程师,有心肠的,负责的工程师。我实在喜欢你!你叫我帮你的忙,我要帮忙,有什么事,叫我做,我一定要替你做。

沈承灿 (为他的赤诚所感)谢谢,谢谢,我一定,我一定!(电话声急响,拿起耳机)喂,你哪里?……我办公楼会议厅!哦,他在这儿。(转对古)轧钢厂的电话。

古恭宪 (笑着接下耳机)我古恭宪啊,……古恭宪啊……(对面听不清楚,他逐渐不耐烦)我是古恭宪!……我是古厂长,(大声)古厂长!……(忍不住咆哮)我就是"古广东",你听清楚没有?

〔吴天长在过道听着大笑。

古恭宪　（对灿愤愤地）我的国语只有他听不懂。（耳机传来的消息使他逐渐恼怒）啊？什么？那个辊子——，你们怎么这样粗心？怎么会弄坏了的？啊？啊？啊？（乱敲着脑壳，嘶叫）天！热剪机也——啊？气锤——（吞下去）也——（爆发）你们是一群傻瓜，驴子！傻瓜，简直没有脑筋的驴子啊！（摔下耳机，气呼呼地）这种帮手，这种工人！（乱找他的软木帽）有一架三重轧钢机也，也出毛病了！但是，（把帽子向头上一扣）你放心，明天一定还是轧钢轨。再见Dr.沈。（迈开一步忽然上下乱摸，看见烟斗就在电话旁边，抓起，又一声再见，匆匆跑下。）

吴天长　（做着鬼脸）可走了，我真佩服你有这么大的耐性。

沈承灿　（明朗的微笑）这是我父亲的办法，任何事只要摊开讲，总可以说得明白，尤其是遇见像他这样性情的人。

吴天长　（忽然满脸忧虑，低声）喂，老弟，总经理真的要走吗？

沈承灿　（沉重地）他是想。你想想，公司的这批股东都是杨味斋、吴元良这一类人。

吴天长　（心事重重）嗯，哪里有钱赚，就钻到哪里。

沈承灿　再不，就是人可派这一批特等商人。（叹气）前年要不是"人可"鼓动凌老先生做董事长，你想想，我的父亲肯来组织这个公司么？

吴天长　（扬起眉毛）不过现在后方生产刚刚走着下坡路，难道总经理就肯甩下不干么？

沈承灿 我就是这样想！（瞅着吴天长）他不是个一打就垮的人。而且全公司现在开始为隆山铁路订的钢轨忙。

吴天长 是啊！所以我想特别问你，我弄的“炼钢炉”是还干不干啦？

沈承灿 为什么？这是公司开办就定的计划。而且现在装备已经快完成了。

吴天长 不，不，人可上台之后，杨味斋鼓动他下边的人逼着公司买当地的土铁，公司的炼铁炉，据说根本就“剃头拍巴掌”，——

沈承灿 （不懂）啊？

吴天长 （干脆地）“完蛋”！

沈承灿 （瞅定他）不会吧！

吴天长 （感慨系之）唉，老弟，你不懂，一群蛆虫钻到哪里，哪里就叫他们搅得昏天黑地。你说得一点不错，工业不完全由工业家办，后面叫一批买办，“绅粮”（川语“地主”的意思）官僚，垮杆军阀乱整（“干”的意思），这怎么办的好。看吧，现在连“眼中钉”杨味斋都当了公司的董事，——（听见门外脚步声，回头）

〔杨味斋，三十七岁，身躯矮小，苍白尖细的长脸，刻上一个刀削过似的高鼻梁。薄嘴唇微微翘起，唇上像是黏上一条淡黑的牙刷须。齿暗黄不齐，象牙色的细爪掌，小指头蓄留着不长不短的指甲，大半指尖被烟熏得像碘酒涂过一样。目光闪闪，像一对玻璃球嵌放在空落落的眼眶里。闭起嘴眼，活像一尊土庙里败了色的泥胎，但是一遇见人，瞧吧，眉飞色舞，口若悬河，得意洋洋地搬弄着丑恶臭透的勾当，没有一丝羞耻之心。遇见了他预备逢迎的显要，尤其不惜工本，胁肩谄笑，必要获得最后的利益而后已。

〔他说话带着四川口音，偶尔撇着令人发笑的“北平”话，狡猾而简单，言语举止都脱不了乡愿的土气，暴发户的蠢气。他穿一身月色纺绸长衫，上罩玄色碎花纱马褂，宽大的绸裤，丝袜，一双质地样式俱好，擦得油亮的皮鞋，而头上戴一顶形状恶劣、窄边、细黑丝箍带的白草帽，——这一场他一直戴着——手执金箍文明杖，中指戴一只红宝石金戒。

〔他很似一种颐指气使惯了的神气，用手杖挥工人进去通报。

〔工友由双门上。

工　友　杨先生！

〔杨咳嗽一声。

工　友　（蓦地想起）杨董事。（退出）

杨味斋　你下去吧。以后你要记——（走进门，忽然瞥见他们，神气活现）哦，沈副厂长！天长兄，你们两位都在等候二先生么？董事长就要来了吧？我听说二先生的秘书卢仲由早已到了。喂，来人！（工友跑上）你去告诉我的大班，叫他们再把家里的两乘大轿一起抬来！

工　友　是。

〔工友走下。

杨味斋　（揩揩汗）天气热的很，热的很！我是怕万一二先生来了，公司的滑竿预备不及。不瞒你们二位说，（一副戒慎恐惧的神色）二先生今天忽然要到公司来参观，这是了不得的大事情！兄弟硬是要叨光请二先生到舍下吃个晚饭。张师长的老厨子！我特意在三天前派人请来的。喂，你们二位先生一定要来作陪哟，作陪哟。

吴天长　（冷冷地）杨先生，对不起，我们今天晚上，——

杨味斋　（恍然大悟）哦，沈副厂长，你今天大喜呀，你又要出新钢，出"铁路钢"（这名词是他杜撰的）我还没有道贺呢。（高谈阔论）啊呀，沈副厂长，你真是公司的大功臣，工业界的大栋梁！二先生知道，也定要传令嘉奖！（对吴）我每回请副厂长到舍下便饭，副厂长总不肯赏光。今天天长兄，老同学！你一定要拉到副厂长到舍下耍耍，一定呕，一定呕！

沈承灿　（淡淡地）杨先生。

杨味斋　（连连拱手）哎呀，副厂长，莫要客气，对我么，直呼其名就可以了。（做成无意中想到的神气）哦，副厂长，那个利生煤矿的焦炭用的怎么样？用的很得力吧？公司是不是要和吴元亮吴总经理订长期合同。

沈承灿　这个，公司会直接通知吴总经理。我们都不能做主。

杨味斋　还有二先生介绍的铁？

吴天长　（对灿，半映着眼睛）这个，公司对董事长，一定也会有报告的。

〔余处长由双门上。

杨味斋 哦，余处长，好极了，你是不是晓得我到了，你找我来了。

余涤凡 （只好）是是是。

杨味斋 （顾盼自得）好，好，好，来得好，二先生是不是就要到？

余涤凡 嗯，差不多。

杨味斋 （文明棍一指）那么，我们一同找卢秘书再谈谈如何招待的方法。我们又是地主，又是下属；这个是要用点脑筋的，用点脑筋的。那么请了，副厂长。（对吴）老同学，请了。

〔杨推推扯扯把余涤凡糊里糊涂地拉下去。

沈承灿 （讶异）你跟他老同学？

〔杨又上。

杨味斋 （拱拱手）副厂长，今天晚上，我也要参观，参观出钢呕。天长兄，老同学，你要对我把钢铁的门道多讲一点给我听才是哟，哈哈。

〔杨由双门下。

吴天长 （咧咧嘴）听见没有？他要我给他讲点门道！

沈承灿 他也是学“工程”的么？

吴天长 （瞪大了眼睛）他呀，他学的是“政治工程”！“嫖赌工程”！当初我在北平上大学预科，我们同住一个公寓。每星期六，我到前门听杨小楼，他到前门去逛胡同；后来我到唐山学矿，他，他回家就当了“绅粮”！（嘻开嘴冷笑）荣幸得很！现在我成了杨董事的老同学了！

沈承灿 （纳闷）果然，他问了土铁，又问了焦炭。

吴天长　（瞅住承灿）“人可”介绍的土铁，成分到底怎么样？

沈承灿　（皱着眉头）奇坏无比，根本是骗人的东西。

吴天长　（搔搔鼻头，沉吟地）不过总经理遇见这种为难的事情——

沈承灿　（看看表笑着）喂，你约我来谈的炼铁炉，我们还谈不谈？

吴天长　（憬然）当然谈，当然，整个蓝图就在隔壁！（一面说一面走）只用你十五分钟。（眨眨眼睛）你今天公忙私忙，我不多耽误你。

沈承灿　（红脸）我有什么私忙？

吴天长　（摸着面颊傻笑）归小姐今天不会走吧？

沈承灿　（笑着）你少废话！——哦，我问你，今天进城的公司交通车是不是三点一刻开？

吴天长　嗯。（斜着眼睛）问这个干什么？

沈承灿　你不用管。

〔廖再兴由通外门上。

〔廖再兴，三十六岁，是在某一种社会中常遇得见的人物。在可以欺凌的对象面前，横行霸道，无恶不作，在他的主子面前，他就是一套笨拙的谄上本领，混碗饭吃。头脑简单，横傲自满，“爷儿们是哪个码头都出得开的”。他时常玄夸曾经吃过人肉，得意地描说沾了人血的馒头是怎样的风味。看着他狞起眼睛的狠恶，这些话，大概不是没有根据。紫酱脸，尖下颏，三角眼睛，眼珠黄黄的，说话带一点江北口音。由卢秘书的介绍，进了公司当一个什么粗事都能插一手的小职员。穿了长衫以后，他尽量压低喉咙，摇着方步，讲着“文明”的话，但是黑衫一脱，主子喊声“咬!”，他就会像一只獒犬，一跃扑去。主子视他为狗，他也是以“走狗”自持的。

〔他穿一件褪色的黑长衫，白袜子，黑布礼服呢鞋，整整齐齐，头发光亮，短短地拢在后面。

廖再兴 吴主任!（十分恭顺地）副厂长,（回头对门外提着冷饮的工友。）拿进来。

吴天长 （向外窥望，低声）这是什么?

廖再兴 （夸耀主子的排场，把那一扇双门也推开，指着）冰激凌，西瓜，汽水，还有啤酒。

沈承灿 （不满地）这是干什么?

廖再兴 为何董事长预备的。

沈承灿 总务处吩咐过?

廖再兴 不，卢秘书轮船上带来的。

吴天长 哦,（对灿）人家自己带来的。

廖再兴 （对灿）是副厂长。

〔吴与灿同由双门下。

〔两个土头土脑的杂役，一个提一大桶冰激凌，一个挎一篮U.S.啤酒、柠檬水之类的冷饮，还有两人抬一大筐冰块，已经一路吆喝进来。

廖再兴 （回头，狞起眼睛）去，去，去！谁叫你们把这些桶子、瓶子，也都搬进来？这是洋厨房？叫你们把桌布铺上，玻璃杯摆好！一群死猪！抬出去!

〔立刻一个白衣工友冒着大汗，连忙抢进来，在会议桌上铺白桌布，一个捧着一木箱子的玻璃杯，上面还堆着一叠颤颤巍巍[1]的玻璃杯子奔到。

廖再兴 （耀武扬威）快！快！快！摆在这儿！（自己也插手帮忙）笨！桌布这么铺！放好！（指着）眼睛！拿玻璃杯！摆上！擦干净！摆齐！

〔在廖指挥得人仰马翻的时候，那些杂役抬着东西乱哄哄地挤出去，堵住门口，不知若何是好。这时候“虎头秘书”喝开众人，由中间施施然踱进。后随杨味斋。

〔“虎头秘书”卢仲由，何湘如的私人秘书，三十一岁，自认为是少年得志，已经登了龙门的小要人。曾经在上海当过起码买办，并不为洋人所重视，油头滑脑，稍稍有点聪明。凭着一个转弯亲戚的面子，做了官，投入何湘如的门下，以善于吹拍捧骗，嘴上伶俐乖巧，赢得上司的欢心，很快地钻到现在的地位。一脸骄狂之色，办起事来并不十分老练。

〔他穿一身簇新的Pigskin的洋服，透明的胶质腰带，淡色毛织领带，扣着一个亮闪闪的金别针，下面是丝袜，白皮鞋。

〔细长脸，涂着一层薄薄的夏士莲，一对瓜子眼架上无框金丝镜。满脸的小疱，薄嘴唇盖不住牙，声音尖锐，说话总是入木三分地故意咬得狠。

---

1 “颤颤巍巍”底本作“颠颠巍巍”，当作“颤颤巍巍”。

卢仲由 （叱斥）走开！走开！

廖再兴 （抢前一步）去！让路！（紧跟后面，堆起满脸的笑容）卢秘书！天气太热了，（轻声对工友）去，去，去，打张手巾把来。

卢仲由 （望见他们铺桌布，放玻璃杯。）这是怎么回事？

廖再兴 （弯腰，恭顺地）二先生不是一会儿在此地会议么？

卢仲由 （盛气凌人）谁对你说的？不是此地！（指外）会客厅！先生！

廖再兴 （赔着笑脸）是，是。（回头对着眼前的工友）快走，会客厅！你们这些笨蛋，话都传不清楚。去！

〔于是铺桌布的工友，连忙收拾。同时另一工友拿来手巾，廖接过来，一一奉上。

卢仲由 （接过，指门外的人）这外面——

〔外面杂说：廖先生叫我们跟着来的。

廖再兴 （瞪眼）放屁，去，滚！会议厅！

〔门外的杂役一个个噘着嘴，把冰块、啤酒、汽水，乱哄哄地从过道中搬走。

卢仲由 （摇着头）廖先生，你是跟谁办差事哟？

廖再兴 （涎着脸笑）当然是二先生，卢秘书，您既然吩咐我到公司来，又承杨董事，卢秘书的照应——

卢仲由 （随便揩揩手）二先生怕热，你怎么连这个都不知道。（把手巾交给廖）

杨味斋 （捧起手巾大擦，也来了几句闲话）是啊，弄得什么东西都

要卢秘书自己带来。（也把手巾交给廖）

廖再兴　（接下）是，是，是！

卢仲由　这倒不说，（鼻子里哼出一声冷笑）你看这办的什么事，屋子连个电扇都没有。

廖再兴　（觑着机会，嘘了一口气）哎，您不知道，这么大的公司，现在多么寒伧，买卖不及从前好，常务会议说要减缩，连电都要省。余处长，这个老“抠”门（小气的意思）订下来，除了开炉子的地方，什么办公室连电扇都不许用。电扇早就在山上防空洞里面了。

杨味斋　（刻薄）总经理的办公室还不是有？

廖再兴　（摇着头）哎，没法子！总经理第一个就没有用。

卢仲由　（轻藐）可是这叫什么手笔？这办的什么工业？一面要借重二先生弄钱周转，一面又不想个办法叫二先生痛快。（对杨）你看，廖再兴在这儿，这是多么好一个顾问！

廖再兴　是，我不断告诉余处长，二先生的脾气。请他提醒一声总经理，好招待，准备。

杨味斋　（点头拍手）对呀，对呀！

廖再兴　（斜眼望他一下）可是，余处长就知道哼哼，再不就是他那一句“总经理从来没有招待过人”。

杨味斋　（连连拍桌大叫）可是这是二先生啊！何董事长啊！何二先生啊！

〔屋外电铃响，工友端了两杯冷开水走入总经理办公室去。

杨味斋　（惊愕低声）总经理在？

廖再兴　（也放低嗓门）嗯。（望着送水的工友）给总经理倒的冷开水。

卢仲由　（走到沙发前，轻藐）哎，夏天也就知道喝一点冷开水的人，没法叫他懂得筹款的道理。（由矮桌上烟盒中取出一根纸烟，觑了一下就哼一声，又放回去，自己掏出闪亮的银烟匣，取出烟来，自己叼[1]一根，奉了杨一只，一面对廖）好了，船上有几把G.E.电扇预备送到梁女士的别墅用的。——

廖再兴　（连忙点火）是，是。

卢仲由　（吸着喷着）你叫人先拿几架来，在二先生今天要到的几个地方，布置一下。用完了，立刻就送（向窗外一指）山上梁女士家里。

廖再兴　是，是，是。

卢仲由　（忽然想起）哦，看看梁女士是不是从城里回来了。在家，就说二先生一会就到公司来。

廖再兴　（机灵地，低声）是不是请梁女士下来？

卢仲由　（连忙放下烟）不，不，不。不是请她下来，听清楚没有？不是！分得开身，自己去，不然，叫尚大胡子去，不要用公司的人。

廖再兴　我懂我懂。我自己去。您放心。

〔廖一脸秘密的神色走下。

杨味斋　（望廖下去）这个人还算机警，忠心的。

卢仲由　嗐，什么机警，粗人一个。从前在上海吃保镖饭的。给二

1　“叼”底本作“叨”，当作“叼”。

先生看过门房，这种人刀尖上的朋友多，用个两三个，早晚也许有点用处。

杨味斋 （也做出鬼鬼祟祟的效忠样子）不过梁女士的情形，他也知道总不大好吧。

卢仲由 （不以为然）哎呀，老哥，二先生这点花头，谁不知道？他老人家装糊涂。不说，替他办了，他心里明白。

杨味斋 （鬼头鬼脑）仲由兄，你晓得么？听说梁女士最近根本不到城里去，一直住在山上别墅，(向窗外一指）像是——

卢仲由 （拱拱手）老哥，二先生的私事，这个咱们不付讨论。

杨味斋 （做出一副懂事的样子）对对对！那么这个土铁——

卢仲由 （掸出衣服上一点尘土）怎么样？

杨味斋 （吞吞吐吐）没有问题吧。

卢仲由 （轻轻拍着胸脯）包在小弟身上。祥丰铁厂的人都跟我来了，回头我见着（顿，指指书房，亲昵地）老沈，两句话一说，立刻就订长期合同。——

杨味斋 （叮一遍）以后公司按月收购祥丰的土铁？

卢仲由 自然，二先生的面子，老沈非卖不可的。

杨味斋 （唠唠叨叨）是，张敬亭说，二先生为着孝心老太太，买个万把担谷子的田，帮这点忙是义不容辞的。不过现在田价一天天地涨，哪个肯卖？这么客气的价钱，完全看在二先生同你老哥的面上。

卢仲由 （坐沙发，拿起蒲扇挥扇）所以你叫张敬亭放心，他的土铁，无论如何公司会收的。而且他的厂子，二先生总会尽量帮忙，（趾高气扬）维持土铁工业，这也是二先生素来的政策。

杨味斋 （早想插嘴，这时又半吞半吐地）现在，卖田的手续都清楚了吧。

卢仲由 （伸手在空中一划）哦，一清二楚，（一转）哦，还有一点零头，没交清，（皮包中取出一张本票）这是一张九十万的本票！（递过去，轻描淡写）十万抹了。

杨味斋 （大吃一惊不敢接）抹了十万？

卢仲由 （用一种看乡巴佬的神色，蔑视地望着他）啊！

杨味斋 （连忙做出也不在乎的样子，接在手中）好，好好。

卢仲由 （傲然）今天见着张敬亭吧？费心你替我交给张敬亭，请他打一个（食指在空中晃一晃）这个数的收条。

杨味斋 （只得——）好好好。

卢仲由 （又挥起蒲扇）不过有一点，你还要嘱咐一声，这是福寿堂段老太太置的产业，（瞪瞪眼睛）不是二先生买的。

杨味斋 放心，放心，多年办事，这一点谨慎，我们还有的。

卢仲由 （脸上的肌肉抽动）至于我顺便买的一点点谷子，过一半天，我一定当面跟你老兄算清。

杨味斋 （苦笑）没来头，没来头（相仿的国语）没有关系，没有关系。

卢仲由 （这才露出一丝笑容）田地上的买卖我们都是外行，这一次兄弟办的这点事，都是仰仗你老哥的大力。

杨味斋 （拱拱手，十分“领教”的样子）哎呀，老哥，老哥！只要日后二先生肯把我们几个弟兄伙当作自家人，随时照护照护，牺牲最大，那也是应该的。

卢仲由 （听得他话中有话，立刻提醒）是啊，我倒忘记恭喜这次你老兄选成公司的董事了。

杨味斋 （睃了他一眼，逼出一脸笑容）不用说，这就是二先生同王主任的爱护咯，自然你老哥从旁帮忙，兄弟也是万分领情的。

卢仲由 哪里，哪里。

杨味斋 （立刻）所以我想这个利生煤矿焦炭的事情恐怕也得二先生再吹嘘一下才好。

卢仲由 （推托）那有什么问题？焦炭是大家抢的货，利生煤矿愿意做这笔生意，老沈这边自然没有问题。

杨味斋 （满脸为难的样子）我怕沈总经理不大好说话，昨天利生煤矿吴元亮叩见二先生，回来同我商量，想先送老沈一点干股，不知你老哥觉得如何？

卢仲由 （跷起一条腿非常惬意，抖索起来）我看可以不必。不过这抗战当中，工业像老沈这样办法，他自己也不会有多少油水。给他一点好处，也许事情更方便些。老兄，你是利生的大东家，干股要送也未尝不可以，多少呢，你把算盘一打，当然更可以切题点。

杨味斋 （急切地）那么，卢秘书，二先生——

〔廖上。

廖再兴 卢秘书——

卢仲由 （一副爽快的口气）我一定请二先生在老沈面前尽力提到。

杨味斋　（又热烈起来）费心费心，回头舍下便饭，是兄弟花了三天工夫专诚预备的。所以老哥务必请二先生赏光一下，到一下，你老兄当然要作陪的。

卢仲由　好的!（对廖）什么事?

廖再兴　会客厅布置好，请卢秘书看一看吧。余处长也等着您呢!

卢仲由　好,（对杨）一同去看看，好吧。

杨味斋　好，自然，自然。

廖再兴　（机密地）报告卢秘书。现在总经理正跟凌老先生谈话呢?

卢仲由
杨味斋　（同时）哦。

卢仲由　（对着总经理室，睖了一眼）凌光斗来了，怪不得我来这半天都见不着总经理的面呢。

杨味斋　（用肘碰他一下，低声）这个老头子，现在来别又有什么文章要做吧?

卢仲由　（脸色一沉，郑重地）哼，我要是下了台的董事长，我是不肯再到公司来的。

〔余处长上。

余涤凡　（笑容满面）怎么样，卢秘书?先看看吧。

卢仲由　好好好。（对杨）一同去看看?

〔刘处长携文件由双门上。

杨味斋　好，好。

刘玉山　（与他们打打招呼）哦，杨委员，“利生”的焦炭又到了一船。

杨味斋　（连忙）哪里?哪里?

刘玉山　（指窗外）那不是?！小工们已经抬过来了。

〔杨匆匆走到廊上瞭望。

刘玉山　（对余和卢）祥丰的土铁也到了。

卢仲由　（不介意地）哦。

刘玉山　卢秘书，我们易协理，大概正在候着您呢。

〔走向总经理室。

卢仲由　他在哪儿?

刘玉山　（停步）会客厅，大概跟您专轮上的客人谈话呢。

卢仲由　谢谢。

〔刘点点头。

〔卢余让了一下走出，廖随下。

〔刘进总经理室。

〔室内无人，外面炎日中天，蝉噪摇曳而来，天空中苍鹰盘旋，鸣声促厉。此时远处有小工们抬着“土铁”“焦炭”迈着矮促的步子，由远而近，急紧而吃力地吭唷过去。间或有轮船在江上快驶，放出汽笛的声音。

〔总经理室开。沈蛰夫出，后随刘处长。

〔沈蛰夫，懋华钢铁公司的总经理，在产业界中是相当有声望的前辈；出于他门下的工程师们已经有不少是社会中的名人。出身世家，父亲早死，由于父执们的赞助，很早就被送出国。那时他活泼，聪明，主意多，朝气蓬勃，同学们都众星拱月似的拥他为头脑，他也以做一个小首领而自豪。一切活动都由他出头，一种青年的好胜心理使他觉得自己简直是个不可一世的英雄。那个时代，是以自己逞能，做英雄梦，为“有志”的青年们的风尚的。但是后来不知怎么，也许因为师友们的劝告，也许是读了几本得力的书籍，在一个星期中忽然地大彻大悟，悬崖勒马，一下收住了脚，停止所有的活动，一心一意地用功读书，顿时沉默、深思起来。这一改变激起师友们的惊异和称赞，固然以后他想起对这些称赞当时也并没有怎样放在心上。他功课好，头脑清楚，能吃苦耐劳，一直到今日都未曾改变。回国以后做了几次不甚重要的官，感觉到毫无意义，决心弃官不做，集资创办工业，从此走上了最艰苦的路。他事业心重，雄心勃勃，理想高，立志要迎头赶上，与外国的企业争个短长。但是事实上种种无法解决的困难，使他逐渐明白想是想，做是做。在这个半封建、半殖民地的社会中，资金不足，工业技术标准不够，管理人才的缺乏，帝国主义工业与买办银行的压迫，国内商业资本的跋扈，政府无保障工业的决心，官僚们从而掀风作浪，帮着洋人的工业来摧残，以及在种种艰难的竞争条件下，同业们不择手段的短视……这一切一切使他苦恼，懊丧，甚至于失望。然而他的性格是坚强的，执拗地把握住近代企业家应有的勇猛精进的精神，无论如何他不肯走另外任何容易的路。他觉得中国必须有自己的工业，并且他是最先立下这个基础的。把屡次的失败作为经验，他在江南树立几个较有规模的工厂，但是接着一次毁于内战，一次又倒于帝国主义国家低廉货品的倾销，不过他咬牙撑过去，他认为这种工业界的多事之秋也是必经的路程。抗战起，他尽可能把较小的机厂抢运到内地，其他大部都丧失在炮火中。层出不穷的打击，又使他感到一点意兴索然，但是这种感觉不久也就过去。在后方正是民族工业抬头的时机，国家确实需要自己的工业来维持民生。以前受尽了外来势力的挤压，目前是没有任何外力与之竞争，所以他又振起精神把仅有的一点资本和力量都放在上面，当然这同样还是会遇到不少困难的，不过他改变作风，有意无意之间，尽量在不损害人格无伤大雅的原则下收敛些锋芒，压下一些火气。多年磨折使他学会了忍耐，也加强了韧性，为了顾全大局，使战时后方的工业可以树下基础不至崩溃。他坚定地、稳健地面对了现实去做。然而对政治他没有足够的认识，多多少少他还保持着一点旧的想法，免不了门户之见，不十分合群，也有点孤傲。多年得来的教训使他不相信人们可以团结，团结就有力量。他不肯在这方面用心用力做，也不相信人民有舆论，即使有，他也怀疑舆论能够发挥多少作用。他有不屈不挠百折不回的精神，可是像一切创业的人物，多少也有些偏颇。他做事彻底，在紧要关头时舍得孤注一掷。这许多长处，他略微有点自觉，有点自喜。肯用钱，也会用钱，但在不高明的属员手里有些地方也难免有些浪费。有时他也很矛盾的，他一面讲工业化的精神，一面对他的事业与机构好以一个慈爱的家长的态度处之，但工业究竟是工业，这是不可能的。摆脱不掉昔日英雄主义的色彩，固然他是个规规矩矩办工业的人。

〔他丧妻后即未再续弦，可是感情上的空虚也时常给他一些苦恼。他曾经有过几次对象，只是觉得没有遇到一个真正了解他的人。另一方面就只有事业和儿子是他的慰藉，他期望二者都能培植成功，达到他的最大的理想。此外他还有一个好朋友凌光斗，只有在这个朋友的面前才能把所有的话一点不留地说出来，朋友间的感情是坦白而深挚的。不过凌光斗不是一个完全没有缺点的人，二人共同工作或共同参与一件事情时，常常有些意见相左的地方，可是一则光斗较他年长，再则为了珍惜这可贵的友情，他非常细心地不忍多辩论，怕伤了朋友的自尊心。所以认真说，他还是相当孤独的。将近五十的人，脸上确实留下不少久经沧桑的痕迹。他生得方面大耳，眉峰秀俊，眼细长，目光深藏，混合了沉着，锐利，而又有几分慈祥的眼神，鼻翼饱满，嘴唇闭起时成一条直线，可以表现出他坚定不移的个性。沿上唇蓄着一条苍白的短髭。头发稍稍有些斑白，修剪得短，十分光泽地向后梳着。笑时声音洪亮出自丹田，说话语气稳准字字有力。身躯并不十分高大，有一双白皙丰润到地“资本家的手”。方肩阔胸，自然一种昂藏不凡的威仪。

〔服饰整洁，穿米色细薄哔叽西装，白纺绸衬衫，硬领，颜色花样朴素的领带，黄纹皮鞋，腕上戴着黄皮表带经久耐用的手表。

沈蛰夫 （拿着文件，复看了几处要点，沉默半天，然后尖利地睃了刘一眼）这些理由不成其为理由，玉山，你是跟我从上海搬来的，你看见过战前上海我们跟外国货竞争的痛苦，艰难。今天关着门做皇帝，大家随便出了一点点钢品，机器，就乱吹成绩，这些成品，将来战后跟欧美的标准比，不成，就是跟战前上海的工业成品比，也差得太远。拿这些成品做中国工业化的表现，根据这个就认为公司现状无须改革，就依照现状，能度过日后工业一天比一天艰难危险的关口，（冷冷的愤慨）这是没有眼光，不长进的，守柜台，开小铺子的态度！（踱了两步）这意见书，我上午已经看过了，（回头递给刘）你可以对这几位过分乐观的同事们讲。这一次增产改组的计划势在必行，公司各厂的资财工料，必须重新分配，不能各自为政，效率高的，使它更高，效率没有的让它淘汰。应付目前同将来的危机，在公司方面，只有自己提高效率，先不要打其他的歪念头。

刘玉山 （一面蹙着眉头听，此时赔着笑脸）是，是，那么技工们要求增加工资的事情——

沈蛰夫 （长嘘一声）物价暴涨以后，这两年大家都很苦。（兀然坐在沙发里）最近公司天天焦急资金不够周转，成品卖了以后的收入，除了必要的开支以外，根本不够再买下一次的工料，继续生产，这是公司的基础受了威胁！

刘玉山 （黑脸上故意露出一同和“上司”焦急的神气）是，晓得公司内幕困难的人，没有一个不在着急。

沈蛰夫 不过员工的生活，公司一定要顾到，待遇一定要调整，（拿起火柴，由矮几上烟盒慢慢取出一根烟）公司正在接洽贷款，有了眉目，公司要通盘筹划待遇的问题，技工们的要求会合并解决的。

刘玉山 是，是。

沈蛰夫 （立起，走向总经理办公室对着门说）光斗，还是这边坐坐吧，外边是比里面凉快得多。

〔里面苍老而爽朗的声音：好，好，好，我把末了这一点看完就来。

刘玉山 （踌躇）那么公司向“强新炼钢厂”挪借发电机的问题？

沈蛰夫 （踱回来）这当然进行。动力问题是公司开办以来总无法解决的事情。然而有一点点路，就得想法子进行。

刘玉山 （看看风色，似乎可以提起——）不过我们机电厂蔡厂长说，强新的发电机，尽管放着不用，要跟他们挪借，也怕他们不肯。

沈蛰夫 （指节轻轻叩一下会议桌边，提醒的口气，紧接）不过公司现在是预备买——

刘玉山 （为难）蔡厂长探过他们的口气。我们买，他们也不卖，怕他们会用种种的借口推掉，除非，除非是用大面子，——

沈蛰夫 （沉吟）哦，——又是大面子！

刘玉山 （赔笑）就是这点滑稽！有的嘿，放在那里生锈，没有的嘿，想花钱买，也不成。

沈蛰夫 （脸色一沉）你对蔡厂长说，公司现在没有大面子可以利用。除非政府公正地统筹分配，不再放任，叫他们把不用的发电机送到我们公司里来。我们只希望政府做我们的后盾，不希望利用任何所谓的大面子的！

刘玉山 （一怔）是，（顿，又重复一句）固然是，（忽然提起勇气顶一下）不过，总经理，这个——

沈蛰夫 什么？

刘玉山 （索性抛去吞吞吐吐的态度，含着用意地）“强新炼钢厂”跟我们现在的何董事长是很有点关系的。

沈蛰夫 （睃他一眼）我知道。

〔凌光斗上。

〔进来的是一位六十四岁，须发斑白的小老头。他穿一件质地极好的深蓝长衫，黑皮鞋，西装裤。手里拿着一根精致的手杖和戴了多年的台湾草帽。瘦长脸，突出的颧骨透出一丝丝红润，微微钩卷的鼻头，鼻梁上架着一副玳瑁边的老花眼镜。眉毛又浓又灰，几根长眉梢几乎和眼镜边缘紧紧搭连，在深陷的眼眶中，眼神有一种威严的光彩，使人在他面前毫不感觉他身躯的瘦弱。举止间一望而知是个多年在事业上做领袖的老人。他进门时熟稔地向沈蛰夫又点点头，举起手中的合同文件摇摇，仿佛要说什么，照习惯地把上嘴唇瘪进去，厚厚的下嘴唇连着颏下的疏疏几根灰须颤了几下，嘘了一口气，又气闷地放下合同，终于没有立刻说出什么。

〔他是沈蛰夫忘年的朋友，在事业上共过患难的，在私人的情感上也是无话不谈的。四十五年前的老留学生，拖着一根“猪尾巴”出了洋，回国办洋务，做官教书，开农场，革命，提倡白话文，拥护“赛因斯”与“德膜克拉西”，激烈地辩论过政治、文化、思想，有过他那时代的知识分子一切情感上对时代的认识，在五四与北伐的时期自己觉得“跟”上了时代，而最后是抵不住一切反动的迫害。缺乏认识，虽没有与反动的潮流合污，却是由于对“时事”的痛心疾首而心灰意懒，逐渐在“抱残守缺”的心理下走上所谓“实业救国”的途径。以他的资历、声望和交游，他在上海创办几种工业，遇着沈蛰夫后，才和他一同办了比较具有规模的钢铁厂。他为人豪爽，直率，有肩膀，因而和沈蛰夫合得上来，他也瞧中沈的缜密，精干，过去脱不了中国士大夫家庭的“书生”气质，办了许多事业，但总是因为措置不十分得当，没有什么成就。劳累一生，只是空空得到了一个“企业家”的虚名。有了沈蛰夫，他才为一般有实力的政客、财阀所器重，尽管这些人大半都是他的老友，当面对他是恭维得无微不至的。但他的精神有点委顿，政治的腐败，眼前公司的问题和自己的年纪，都影响他的心情。幸而他的独有的气魄维持他的平衡，失望尽管失望，事事还是尽量往乐观处想。他非常爱护这个患难与共的朋友，有时不由已地关心他身边的琐事，甚至于像年老的长辈心疼着子弟，关心到了一种絮烦的地步。

刘玉山　（弯身为礼）凌老先生！

凌光斗　（放下杖帽，把眼镜取下来）哦，你！（蔼然微笑）我方才在里面只顾到看东西，就没有看见你。

沈蛰夫　（讶异）你怎么把帽子、手杖都拿出来了？

凌光斗　（放好眼镜）我想走了。（摊开手掌，用力搓擦倦怠的脸）我们就在此地谈谈吧。

沈蛰夫　好，好。

刘玉山　那么这封给"强华钢铁厂"的公函？

沈蛰夫　还是发出去。（从壁炉架上取下一本洋装书）这本《民主国家的工业》，新近从美国寄来的，我觉得还写得不坏，你们大家可以拿去读一读。

刘玉山　（接下）嗯。（又鞠一躬）再见，凌老先生。

〔刘处长由双门下。

沈蛰夫　（指着沙发）这边坐，好么？怎么样，贷款的合同都看完了？

凌光斗　（长嘘一声）都看了。（坐下，忧思重重地）不过我还想跟你谈谈。你的根本大计，你的事业。

沈蛰夫　（沉郁）公司的处境我已经说得干干净净。（走到壁炉前取饮水瓶。）

凌光斗　（两眼盯住沈）千言万语，归根是一句话，我走了，你绝对不能走！（回溯）从上海而汉口，而重庆，辗转流离，到了后方。造成这一点点事业，真是尝尽了险阻艰难，太不容易。（嘴唇翕动）哼！这帮董事们的狭窄昏聩，我的性情不能叫我再跟他们合作下去。

沈蛰夫 （倒一杯水放在凌前面）你以为我就合作得了？

凌光斗 （仰靠沙发，连拍沙发的扶手）不自由！无计划！乱管制！从中图利，不顾干工业人的死活！一味地当人唱高调，背地做坏事。（沈自己倒杯水，走过来。凌劝告，又是恳求的迫切口气）然而，蛰夫，你处在这种环境，并不是一天的。你比我年轻，你应该比我受得住这种气闷。你也应该从训练人才上想，为抗战以后的工业做个根基。

沈蛰夫 （摇摇头）我现在是一个人！

凌光斗 不，不，感觉这种痛苦的有的是，早晚会，哦，早晚会合在一起谋一个解决的路子。总有一天“人可”先生的鬼把戏玩不通，过去，现在，这些董事们，尽管跟他勾结，投机，拿工业做他们投机的工具。（深恶痛绝）早晚必有一天，连这帮东西，也会为自己的利益跟“人可”分家！

沈蛰夫 （感慨）光斗，你是一个傻子。三年前公司创办的时候，我对你说过，“人可”拉你出来跟这帮人合作是靠不住的。他是拿我们过去办工业的一点成绩做招牌，号召社会的。

凌光斗 （取出雪茄，沈递给他洋火）然而我丝毫不后悔，我们公司在这两年里也为后方生产了一点中国自己的钢，总算为重工业又下了一个根。（点雪茄）

沈蛰夫 （友爱的目光，瞟了他一眼，沉静地微笑）然而公司刚刚有个眉目，人可先生请你下台了！

凌光斗 （喷着青烟，连连摇头）不过这一次我不大相信是“人可”玩的把戏。

沈蛰夫 （笑里透出一丝轻轻的呵责）光斗，老大哥，我真爱你这点呆气，我也真气你这点呆气！

凌光斗 （捻着翘起的小胡子也笑了笑）不，你不明白，你想：二十九年是工业最抬头，比起现在是一本万利的时候，他那个时候为什么不自己当这个（咧咧嘴，幽默地）喝，喝，头疼董事长，何必到了——

沈蛰夫 （不忍一再驳质，却又不得不——）你明明晓得，如果公司一开始就是他，我同我这一群工程师们，以至于机器都不会来的。

凌光斗 （手掌在空中虚按一下，意在还有下文）不，不，我还没有说完。（清清喉咙）到了今年，这倒霉的三十二年，生产低落，资金缺乏，大多数的工业，已经无利可图。一批投机的董事们，一提到公司，就喊上当！天天恨不得能完全收回股本，拿来囤货。在这种无柴无米的时候，他又何苦做这个焦头烂额的董事长？

沈蛰夫 （目光尖锐的望了一下，又收敛起来；耐着性子）"人可"兼的董事长多的很，他又何苦不多兼一个？多兼一个是他多一份力量；在他，等于多一份家当，多一份效死的奴才，他为什么不抢？

凌光斗 （忙忙吸一口烟，立刻——）但是这个公司不是董事长的家当，董事长没有权，也没有机会这样做。

沈蛰夫 （不由轻轻蹙着眉尖，又笑起来）那是你的看法，你的作风。"人可"的做法，一向如何你是明白的。

凌光斗 （半晌，掸了掸烟灰，忽然沉痛地）我很难过，我现在把你拖在水里，自己逃了。但是（小胡子又撅起来）如果不是为了董事会不通过这次的贷款，我是不会辞职的。

沈蛰夫 （意在言外）可是“人可”上台之后，这个八千万元的贷款就立刻通过了。

凌光斗 （率直地）所以我很感激他，——

沈蛰夫 （扬扬手，笑着，挖苦地）你先慢感激！（端起水杯）

凌光斗 （紧接自己的话，固执地）我也不愿意对他妄加揣测。这个人尽管是个坏东西，然而这一次他能在董事会通过这一笔贷款，并且帮忙把他的“通中”“泰兴”这两个银行也放在贷款银团里面。这一次他的表演很出我意外，倒还像个规规矩矩要办工业的样子的。

沈蛰夫 光斗！（喝了一口，把水杯放下，长嘘一声，笑着）一个人能独来独往，以这样君子的风度来生活，来应世，这是美德，这也真是享受！不过（严重地）还是那句话，我只答应半年，作为你走以后我跟“人可”他们试验合作的期限。

凌光斗 （恳切）那么我希望半年以后，后方工业都有了转机。公司也靠着这次的贷款，又有了前途。

沈蛰夫 （估量着）那都看物价是不是从此就不继续上涨，不过（拿起凌带进来的合约）贷款的合约是十分苛刻的，借款的几家银行一半是“人可帮”的直接系统，一半也是“人可”能左右的行庄，如果到期本息不能还清——

凌光斗 （连忙投下一副镇定剂，不得要领地安慰着）如今的银行能够透支给生产事业的，岂有不知道他们是在担着一点风险？

沈蛰夫　（立起来，目光霍霍，踱着步，一层一层地推敲）如果原料涨，成品卖价仍旧比限价低，销路一天比一天小，公司资产不能增值[1]，所利税[2]依然如故，合作股息要发，经常费要付，而今年的工贷二十万万没有路子借到，或者借到了不是太少就是时间过迟。按照这个合同的条款，到期不能还清，我们现在抵押的全部财产，一切处置管理的权（顿，沉视）要完全送到“人可”手里的。

凌光斗　（歔叹）不过今日的工业不借债怎么维持？要借债又有哪个商业银行肯借？

沈蛰夫　（傲然扬起头来）所以我也奇怪“人可”为什么肯卖这么大的情面？工业到了今日是只破鞋，谁捡到手里谁倒霉的。

凌光斗　（舒坦地喷了一口烟）这很简单。一呢，他现在刚刚做了公司的董事长，自然要显显身手；二则（点点头）这是最重要的，（笑着）他很希望你在他门下做一员大将。

沈蛰夫　（忽然狞起眉毛，像一只触怒了的猛虎，先点点头，笑起来）那么一开始，我应该有一点大将的威风才好！

凌光斗　（忙正身坐好，劝止地）不，不，蛰夫，不要性急，先尽量合作，尽量合作！公司前途要紧，前途要紧！

1　即依目前物价标准改算公司固有资产之价值。——底本注。

2　所利税即所得税与战时利得税之简称。——底本注。

沈蛰夫 （走过来扶着沙发背，拍拍凌的肩膀，严重地）光斗，我们将近三十年的朋友，你最晓得我，我是很能忍耐的。（勉强压下心头的怒火，指着手中合同）譬如这种苛刻的条款：一切我们的成品财产，按市价四折作押，期内可以任意由他们更改利息，随时可以收回透支的全部款项。公司挂起他们仓库的招牌，借款以后，就立刻派来驻厂稽核，检查公司的仓库！调看公司的账目！甚至于可以干涉你的财政，核定你的收支！（越说越气，声音逐渐洪亮激昂）这种合约，对我！二十多年也算办过几个工厂，还算有相当信用的人!！但是公司为着再生产，为着维持钢铁事业，为着抗战以后还留一点点重工业的根基，我答应，我（顿）预备订！（冷笑）开始谈判是借款，现在连名义上都改成透支，这种屈辱，这种毫无道理的狭窄，我忍耐，我需要忍耐。不过（目光霍霍四射）如果除了合约上写明的条件以外，“人可”还有其他附带的条件，要我执行，叫他那一帮营私舞弊的奴才鸡零狗碎地来纠缠不清，我不忍耐，我不需要忍耐！

凌光斗 （决然）我也不希望你忍耐！

沈蛰夫 （紧闭嘴唇长嘘一声）然而“人可”一上台就提出关于易协理的一个条件——

凌光斗 （关切）怎么？范奇怎么样了？

沈蛰夫 （沉郁地）他派他的卢秘书来对我谈，说易范奇专门乱写文章，牵涉到二先生的地方很多。所以二先生的意思——

〔余处长由双门上。

余涤凡　（屈身）总经理。

沈蛰夫　哦，涤凡，坐，坐，什么事？

余涤凡　（捧出一封公文）政府的“超额贷款证明书”[1]财政部已经发下来了。

沈蛰夫　（注视）谁拿来的？

余涤凡　何董事长的卢秘书。

凌光斗　（欣然）那么后天借款就可以正式签字了。

沈蛰夫　（点头）当然。

凌光斗　（不由得——）批得真快！你看，（莞然）“人可帮”的力量就在这些地方显出来喽！

余涤凡　（依然在一旁，圆到地）总经理，方才卢秘书说何先生的专轮，燃料不够，今天晚上还要往上开，要公司给专轮装满柴油。

沈蛰夫　（烦厌地）他们为什么不自己带足燃料？

凌光斗　（把熄了的雪茄由嘴上取下来，露出一种“随他去”的表情）蛰夫，这种小地方我觉得先马虎一点。

沈蛰夫　好，余处长，给他们。

余涤凡　是。（屈身为礼）您坐坐，凌老先生。

〔余由双门下。

沈蛰夫　光斗，你看，（微笑）“人可帮”的麻烦也就在这些地方显出来了。（愤慨）能占便宜，就占便宜，毫无廉耻，绝不

1　战时银行贷款工业，如遇相当数目，须呈财政部核准，始可贷款。——底本注。

含糊，——

〔沈承灿由双门上，拿着一份纸来。

沈承灿 爸爸，（弯弯腰）凌伯伯。

凌光斗 （浮出欣悦的笑容）承灿，方才我忘记告诉你，你的老师Henslowe最近从美国给我写一封信又问到你。

沈承灿 （非常有兴趣地）哦，说些什么，凌伯伯？

凌光斗 （和蔼地）他非常关心你的事业。

沈蛰夫 （满心的喜爱，脸上却似笑非笑的不肯露出）是你告诉他，你已经在中国设计成功高周波电炉么？

沈承灿 （爽朗地）没有，爸爸。（坐下）现在这只能算是个试验。

凌光斗 （笑呵呵地）反正他知道，他很惊讶，我们在后方居然装起这么一个最进步的炉子。

沈承灿 （苦笑）可是“高速度钢”出了以后，并没有市场。

凌光斗 （鼓励）那不管，他很高兴，他说他很骄傲，有你这么一个学生。

沈承灿 （气馁地）哼，他不知道我们又从贝斯麦炉做起了。

凌光斗 （提起兴会）哦，你设计的贝斯麦炉今天晚上要出钢，真可惜，我不能来看。

沈承灿 （谦逊地）凌伯伯到过Pittsburs的，后方这种炉子——

凌光斗 不过在内地这也是我们的宝物啊。

沈承灿 （低首望望自己带来的报告，严重地）爸爸，钢轨的销路，现在大概没有问题了吧？

沈蛰夫 隆山铁路跟我们第一次订的钢轨当然没有问题。

沈承灿　以后呢?

沈蛰夫　（目光闪出一丝犹豫，但立刻）也应该没有问题。

沈承灿　（热诚地）公司的技术人员，现在唯一的希望都放在这一条铁路上。他们出汗受累，也就是望着日夜出钢将来能看见第一次火车在四川第一条铁路上开行。

〔沈望望凌，沉默不语。

〔凌忽然立起，踱到窗前瞭望。

沈承灿　（莫明其妙，只好拿出夹内的报告）爸爸，这是祥丰的土铁化验报告,（露出微微不满的口气）听说是何董事长介绍用的。（读）“化验成分”，磷是一点零五，——

凌光斗　（回头）为着 Bessemer ?

沈承灿　嗯。

凌光斗　（走过来看，大叫）这，这，这怎么能用?

沈蛰夫　（冷峻）然而这个土铁厂是公司的股东张敬亭先生的。并且“人可”特别介绍过。

沈承灿　硫的成分是——

沈蛰夫　总化验室也把报告交给我了。（接下灿递过来的报告。）

沈承灿　那么利生的焦炭成分——

沈蛰夫　化验报告我也看见了。

沈承灿　（这时兴奋地）利生的焦炭，我认为非常的好,“灰”分十五点三二,“硫”在零点一以下，这是四川最好的焦炭，我们过去用的绝对比不上。这种焦炭，熔铁炉固然要用，不久炼铁炉成功，也绝对需要。

凌光斗　哦，想不到杨味斋居然还能够办一个好煤矿。

沈承灿　（迫切地）我方才听说利生派人来订合同。爸爸，我认为能够今天订就今天订。

沈蛰夫　（盘算了一下）你看见利生送的焦炭规格没有？

沈承灿　看见，自然写的比这个试样还好一点。（又露出不耐的样子）这种焦炭在市场上听说很俏。

沈蛰夫　我看你今天晚上，出钢试了再订。

沈承灿　（望望父亲的颜色）不过缓了，是很容易被旁人抢去的。

沈蛰夫　（沉稳）我认为试了再订长期合同。

沈承灿　可是——

沈蛰夫　试了再订。（回身取烟）

凌光斗　（打圆场）也好，也好。

沈承灿　（认真起来）那么万一，——

沈蛰夫　（正要点燃香烟）你不知道有一种人办工业的投机精神，他们——

沈承灿　（尖利地）不过不投机，办工业的人第一也要相信人，也要没有成见，一个相当有历史的煤矿拿出规格是好的，拿出试样也是好的，我们就不应该再——

沈蛰夫　（盯住他，严肃地）我认为试了再订。（擦着洋火点烟）

沈承灿　（失望地）爸爸！（忽然另找一个问题）马丁炉如果开办，我们有许多设备在封锁以前，从香港买来的，现在还在桂林。

沈蛰夫　你先把三个贝斯麦炉弄得完全上了轨道，我们再计划搬运桂林设备的事情。

沈承灿 （不十分愉快地）好，再见，凌老伯。

〔灿由双门下。

凌光斗 （婉转劝告的口气）蛰夫，你对他像是太紧了一点。

沈蛰夫 （回头望着儿子出了门，对凌眏眏眼睛，一片慈爱，和蔼，忍不住地夸赞）这个孩子，我非常地喜欢！真是Apple of my eye，我眼中的珠子！（摸弄下巴，纵容地）你看刚才他气了；他在教训我！他有火气，他相信世界，不像我们，吃过太多的苦头。

凌光斗 他现在还是副厂长么？

沈蛰夫 嗯。

凌光斗 （埋怨地）公司开办以来，他做了很多的事情，你现在宁可以厂长空着，只给他这么一个名义。

沈蛰夫 那因为我恰巧是他的上司。我要叫他学习肯做实际的事情，少挂念害人的虚名。

凌光斗 （有点说情的样子）他在C.I.T.[1]学炼钢，学的很不错。在Carneigie得到博士学位，是很不容易的哟。

沈蛰夫 （爱惜地）可是他才二十七岁，还是一个小孩子！回到中国就在我手下做事，我应该待他像待其他的青年一样。（眼里蓄满怜爱的光芒）我不能一味在办公室里面做父亲。尽管这孩子真不幸，三岁，他的母亲就死了！（仿佛很无聊地望

---

1 美国加尼基理工学院（Carneigie Institute of Technololgy）。冶金学极有名。——底本注。

着地下。）

凌光斗 （老眼中忽然闪满了顽皮的神情）喂，情感上他现在有什么发展没有？

沈蛰夫 啊？

凌光斗 （重复）我说情感上？

沈蛰夫 （忽然高起兴来）哦，有，有，有。（低声）像是有一位归小姐——

凌光斗 （也把头凑上去）怎么样？怎么样？

〔以后两个老头子凑拢来，非常愉快地絮絮低谈着，偶尔吃吃地笑出声音。

沈蛰夫 我只看见两次。

凌光斗 哦，（天真地）好看么？

沈蛰夫 （微笑）还好，还好。

凌光斗 （搔搔胡子）学什么？

沈蛰夫 唱歌，女高音，（点点头）很不错。

凌光斗 （又摸摸下巴）性情呢？

沈蛰夫 （几乎刹那间恢复了青春的心情，笑嘻嘻地）我怎么会知道？看样子，人还温和的。

凌光斗 祖老太太还喜欢？

沈蛰夫 （噘噘嘴）老太太只希望赶快抱重孙，谁都可以。

凌光斗 （一向代人着急）那么很有眉目喽？

沈蛰夫 （盯视凌一下，笑嘻嘻地）先生，我怎么能知道。承灿嘿，不肯讲。（忽然一种非常可爱的忸怩的神情）我，我又不便问。

凌光斗 （逗弄地）老了？

沈蛰夫 （诧异）怎么？

凌光斗 （笑着）想添孙子喽？

沈蛰夫 （忍不住地笑）没有，没有，没有。就觉得承灿这个小孩子太可怜，（慢慢沉重起来）家里面就祖孙三代，祖母老，我忙，没有人照管他。

凌光斗 （也严重地）嗯，我看你家里也是应该有个年轻的主妇才好。

沈蛰夫 嗯，嗯。（忽然闪出欣喜的笑意）喂，她现在在此地！上午从城里来，正在我家里。

凌光斗 （确实懊悔地）哝，方才我该在你家里吃饭的。

沈蛰夫 （连连安慰地笑着）以后总有机会，总有。（忽然）哦，听说她就要飞到昆明去。

凌光斗 （大失望）那不——？

沈蛰夫 （又安慰地）不过，我想，她不久，嗯，就会回来的。

凌光斗 那么（皱着眉）梁方桂的女儿还在这山上住？

沈蛰夫 嗯。

凌光斗 （更攒紧眉头）常来？

沈蛰夫 嗯，照旧。

凌光斗 （好奇地）叫什么名字。

沈蛰夫 Emmy。

凌光斗 Emmy！她现在又——？（忽然摇头，不屑地）现在这些女孩子们哪！（一转）哦，你方才说的关于易范奇的条件是怎么样的情形？

沈蛰夫 “人可”的秘书说二先生的意思，要我同意把易协理换了。

凌光斗 （想不到）为什么？（悻悻然）为着他好写文章？

沈蛰夫 他的文章大概总是犯“人可”的忌讳吧？

凌光斗 （抖抖索索捻着撅起的小胡尖）这我倒没有想到。范奇是个很有为的青年工业家。（似乎是絮叨，心里确乎是为易解说）从前在上海办一个小规模的酒精厂，办的很好，很精明，很会计算，所以当初我把他介绍给你。我觉得这个人是一个将来可以共同苦干的帮手。（尖酸地）想不到他的文章还会起这些麻烦！

沈蛰夫 （一种批评“后起之秀”，尽量避免责难求全的态度）他过去很有点群众，抗战初期青年是很崇拜他的。写文章，能说话，这是他的长处。不过——

凌光斗 （生怕有前途的后辈遭受攻击，连忙呵护地）蛰夫，我觉这个人最大的长处，是他有血性，慷慨激昂，比我们这一代人，年轻，热，可爱。自然喽，年轻总免不了有点浮动，然而无伤大雅。（看着沈不作声）喂，蛰夫，这两年你跟他合作最密，你觉得这个人如何？

沈蛰夫 （沉吟）他么？都还好。就是有点太精明，规模气象小一点，同时嘿，（有一丝犹豫）总叫人觉得他有一点点讳莫如深的样子。

凌光斗 （热诚地）这就是范奇太骄傲、太狂的毛病喽。（忽然）那么“人可”既今公然露出这个意思，你，你怎么样呢？

沈蛰夫 （抬头，满眼的泪光，沉痛地）光斗，古人有一句话："切肤之痛。"这种痛苦，在你一走，我才深深地觉得！（望着凌光斗布满皱纹的老脸）朋友，我真感觉到孤单哪！（低头无语）

凌光斗 （枯干的手，轻轻放在沈的肩头上）蛰夫！

沈蛰夫 （昂然举目）"人可"的问题，回答很简单。（一字一字地）范奇离开，我离开！

凌光斗 （讷讷）这不——？（猝然坚决）你对，蛰夫！

〔易范奇由通过道门上。

〔易范奇，懋华钢铁公司的协理，卅六岁，身材瘦高，削肩膀，头发浓厚，皮肤粗糙黝黑[1]，总像蒙着一层薄薄的灰尘，显得一片暗晦，长手指，有一种讨人厌的习惯，当他滔滔不绝地高谈阔论时，就不住地搓捻着他的十指和两掌，像要搓下手上的污垢，和他握手的人会觉得他的手是湿腻腻的，又是冷冰冰的。两角微微下垂的长形三角眼，小眼珠，圆而黑，转动灵活，容易抓住人，刺探人，含满狡黠傲慢之色。由双目之间就拱起那笔直的，看来似乎嗅觉十分敏捷的尖鼻子，配衬着那高与眉齐，看来也似乎是听觉十分敏捷的薄薄两片小耳朵，他出身不明，父早亡，幼年时母亲送他到糟房做学徒，丢下两块钱给他，回去就嫁了一个屠户，从此母子之间自然而然地就断绝了关系。他中途离开糟房，进当铺，进百货店，最后又进银行。好逞强，善

1 "黝黑"底本作"黝"，当作"黝黑"。

攒营，懂得如何保护自己，更懂得要爬得高，必须先吃够苦，所以他就为自己打下初步的基础，在银行时，工余的时间进夜校，拼命用功，每天读书一直到夜深，一面又省下有限的薪资，去买各种书报杂志。一个从煤球堆中滚出来的孩子，然而他会滚，他滚得又快，又好，又顺利，深知贫穷，深恨贫穷，极力地挣扎，摆脱。自卑而骄傲，得机会好与有权势的人来往，尽管他对凡所谓“有权有势”者皆嗤之以鼻，他受够了他们的污辱，他恨，他嫉妒，他要报复。非常地好名，如果他做了一件好事情，那是因为这样做可以使他出风头。他会见机行事，一天天向上爬，走着他顺利的途径而沾沾自喜。抗战初起时也曾激起过他的热情，虽然多少也带点时髦。他领导了抗敌宣传工作，和文人来往，以前进为标榜，以写文章为工具做进身之阶，居然也得到有热血的青年们的拥护，他达到了目的，他得意，更自己觉得伟大，他要做革命的领导者。专门以前进的姿态做投机生意，然而这一切逐渐为青年们看透，他也开始感到失去青年们的拥护甚至反攻击他时，他愤恨，却表面上还做出怜悯这些青年们的无知和愚蠢。他忽然觉得和这些他所谓愚蠢的青年们混下去，非但可惜了他的才能，而且阻碍了他的前途，于是就毅然摆脱了这前进的阵地，但依然披着前进的武装，大摇大摆地跨入了工业界的门槛，又是一副以民众福利为招牌的伪善者的姿态。用倨傲来提高自己的身价，对下属刻薄，却以刻薄为精明。把一切的不择手段认为一个新式英雄应有的气质和权术。随时应用“革命式”的种种攒营方法，以满口正义做官僚资本。把应得的轻视与侮辱他当作一种为正义而牺牲的荣誉。任何方面射来了冷箭，他就要在这方面做好防御，绝对不肯吃亏，同时又是一个大冒险家。他并非不能委屈自己，可是得盘算好这代价是否更高于他所委屈的价值，正如同是以人格为交易的商品。自认为“民族工业家”，虽然他具备一切缺点，善变，易为利害而动摇，他认为在中国办任何事业都必须把“政治关系”弄清楚。因此尽量找主子来扶持，所谓政治力量者他认为就是官僚和恶势力。他有绝好的口才，有锋利的文笔，一个道地的机会主义者。

〔过去在上海办过酒精厂，被挤倒后所有股东都赔了，他自己却赚饱了钱。他有一种本领，要恭维一个人时是很少不成功的。现在凌光斗，这位耿直简单的老先生正做了他的对象，凌光斗对他有相当的信任，并且很欣赏他的能干，就推荐他做懋华的协理。

〔他穿一套大小不十分衬身的薄哔叽西装，崭新的黄皮鞋，手中拿着一个文件，踌躇满志地走进。

易范奇　（点点头）凌先生，（递给沈他拿来的文件，忿忿的神色）这是卢秘书带来的土铁合同，请你看一看，蛰夫先生。

〔沈接下阅视。

凌光斗　（镇定一下，似乎一种父亲对待子女的眷顾神情）范奇你最近写些什么文章？

易范奇 （坐下，把裤子向上一拉，长叹一声）自从凌先生离开以后，这几天，我非常愤怒，愤怒到简直拿不起我的笔来。（滔滔不绝，以一种擦拳摩掌的姿态，卖弄起来，一气说下）看着眼前许多不合理的现象，猖狂地发展！投机囤货，无法取缔！集团贪污，不能惩办！物价飞涨，原料飞涨，我们办工业的，资金难，运输难。过去看着赚钱，其实亏本。资产不能增值，所利税还根据前几年购买资产的价格，算出盈余照抽！工业开始，就全盘毫无计划，一直纵容囤积，不想建设！如今出货没有销路，生产低落，工厂减产，倒顶，连我们在经营上可说是最健全的公司也发生严重的维持问题。加之以（转为沉痛的口气）凌先生离开了我们，公司失了主宰，年轻人丢了父亲，股东们各打投机的算盘，又露出地主买办的面目，（悲愤地）死命地向蛰夫先生进攻！向我们进攻！我只有失望，悲观，沮丧，我拿不起我的笔来，简直拿不起我的笔来。（一声满腔激愤的长叹，摸起盒中的纸烟，匆匆点着，一吸一喷。）

凌光斗 （诚挚地）范奇，“行百里者半九十”要实际，要沉着，这些现象早晚要一扫而空的。

易范奇 （被烟呛咳着而依然神情激昂的）可是怎么样才能一扫而空呢？

沈蛰夫 （抬头）范奇，我们可以把这种合同，原封退给卢秘书。（爆发）这叫什么合同，太放肆！土铁厂难道是卢秘书自己开的？他有什么权可以代拟这种合同？

凌光斗 什么?

沈蛰夫 (愤愤)就是荒唐，看了徒徒生气。总之,(顿)以后问题很多，来日不易!

易范奇 (切齿)“人可”这批人只有跟他们死拼到底。

凌光斗 (劝慰)一切先为这一点工业根基着想。要忍耐，想各种方法渡过目前的难关。

沈蛰夫 (也镇静下来)放心，光斗，不到逼不得已，我决不放手。

易范奇 (激烈地)蛰夫先生，这一点我和你的意见不甚同。就是到了山穷水尽，我们也要对“人可”给他一个致命的打击。我这一点作风，凌先生看得最清楚，决不愿与“人可”妥协。(得意地露出名人应有的傲态)我在上海办厂，就一直吃他的亏。我就明白买办出身的东西，根本不会同我们这些“民族工业家”站在一条战线的。(似乎旁若无人，却句句留神沈对他说话的印象)所以我开始写文章就攻击他，攻击他体无完肤。一直到现在!叫他认识人民有舆论，有是非，这是不可侮的力量!

沈蛰夫 (淡漠)范奇，人可就要来了吧?你的表几点钟了?

易范奇 (哑然，看看壁炉上的座钟，乏味地)哦，快三点了。

沈蛰夫 (点点头)那就不早了。

凌光斗 (对沈，认真地)我忽然有个意思。我想(跃跃欲试的目光来回在沈易二人的脸上投射)当面跟“人可”谈一下。

沈蛰夫 (十分感动，恻然笑着)算了吧，光斗，你真有点呆。你徒徒白生一顿气。何苦呢，让我来慢慢应付吧。

〔半晌，凌默然无语，喷了一口烟，捻着胡尖。沉默。

易范奇 （想起）哦，方才大中报馆主笔傅惺公先生打了一个电话来。

凌光斗 哎呀，我忘了!（蹶然跃起）我还跟惺公有个约会呢!

沈蛰夫 （立起，满心的爱护）那么，走吧，跟惺公谈谈也好，去去闷气!

凌光斗 （苦笑）也许又多了点闷气!

〔工友送书来。

工　友 协理。（即下。）

易范奇 （接下，转奉过去，谦恭有礼地）凌先生，这是我最近刚出版一本《范奇论文集》，上面早写好了，请您多多指正。

凌光斗 （收下，翻了一翻）我要拜读，我要拜读的。

易范奇 （忽然）哦，请您等一下。我，我就来。（匆匆进了协理室。）

凌光斗 （颔首，拿起帽子手杖。）

沈蛰夫 （蓦地想起）张富顺。

〔工友由双门上。

凌光斗 （猜出来，轻轻摆手）不用，不用。

沈蛰夫 你不能再走路。

凌光斗 （笑着）这一次。（顿，指指外面，顽皮地霎霎眼睛）我有滑竿等着我。

沈蛰夫 可是你——

凌光斗 （瞪着眼睛）你晓得我，这已经（十分满意的口气）哦，很奢侈了!

沈蛰夫 （晓得他的脾气，笑，）好，好，好，（对工友）你去告诉凌先生的滑竿预备。

工　友　是。

〔窗外见杨味斋和卢仲由施施然走来，杨推开双门的一扇，让“虎头秘书”迈步先入，自己随后。工友闪在一旁走下。

卢仲由　（狭路相逢，想不到猝然遇见了两个“巨头”。两道贼忒忒的眼光，有些慌乱，强笑）哦，沈，沈总经理。（鞠躬，踧踖地）凌老先生！

凌光斗　（点点头）哦，哦。

沈蛰夫　（转对凌）走吧，我怕惺公已经等得很急了。

杨味斋　（一直愣住，此时一阵心血。走上前来，兴高采烈地）哎呀，蛰夫先生，凌董事长，真是巧遇巧遇。我是一箭双雕呕，我一下（读若“哈”）访到两位工业巨头。（摇头摆尾，自命是潇洒而慷慨地）喂，凌董事长，今日何日呕！这真是一日三秋呕！如今哪一切的一切——

〔易匆匆由协理室奔出。

易范奇　（举着书）对不起，对不起，凌老先生。

杨味斋　（恭而有礼）啊！易协理！

易范奇　（匆匆点头）哦，杨先生！（对凌）凌老先生，这是我自己的一本《范奇论文集》，请您转交给惺公先生。

凌光斗　好好好。（走向双门，看见易跟在后面。）范奇，你不用送了，你来跟他们两位谈谈吧。

易范奇　不，不，我——

沈蛰夫　（挥挥手）不用了，我看范奇，你先同卢先生谈谈也好。

易范奇 好，再见。（鞠躬为礼）凌老先生。

卢仲由 （弯腰）凌老先生，再见。

〔凌光斗回身点点头。由沈蛰夫陪同走双门下。

易范奇 （嘘了一口气，神情松弛下来。以后态度逐渐变成一种阴沉的倨傲）请坐。（指指沙发）卢秘书，杨董事。

〔三人还未坐就。

杨味斋 （又摇摆起来）哎呀，范奇兄，你的文名盖天下，真是妇孺皆知，家传户晓——

卢仲由 （烦厌地）来，来，我们先把正经事了啦吧。（斜着眼瞟着易范奇）公司收购祥丰的土铁，总经理究竟是怎么个打算？祥丰的人们已经来了，合同要订就订，总不能叫人再空空地白跑一趟。

易范奇 （早有戒备躲躲闪闪地）这个问题，按照已往的习惯，只有蛰夫先生做最后的决定，我很想帮忙，但是无从下手。

卢仲由 （脸色一沉）协理先生，方才谈了半天，难道你一点都没有同蛰夫先生讲？究竟他有个什么算盘？我们多年相识，没有什么话不可以说的。

杨味斋 （苦着眉脸，口气尽量硬朗）我看，公司收买这一点点土铁，这一点胃口总该有，何况这还是二先生的意思。

易范奇 （隔岸观火的冷静神情）我看土铁的长期合同。很渺茫。现在钢铁过剩是事实。成本已经太高，谁有钱再买一批土铁？何况公司还有合用的土铁存着。

卢仲由 （逼出一声冷笑，威胁地）然而公司的八千万贷款眼看着成功喽！

易范奇 （立刻回敬一句）不过那不能拿来应酬。——（霍地立起）对不起，卢秘书，我力不从心，无从帮忙。（脸上肌肉微微一抽似乎是微笑）我现在还要把公司钢品的成本再调整一下。（一转而为淡淡的客气，道着家常。）“机制轧钢”政府议价是每吨八万六，而成本已经在九万二以上了。我办公室里还有会计处的同人们在等着开会，请你们二位略等一下，沈总经理送了客就会来的。（拔步就走的模样。）

杨味斋 （早已惴惴不安，此时再忍不住——）易协理，方才我提的利生焦炭的事情——

易范奇 这个也得等蛰夫先生来定，请你当面谈吧。（有意无意地）不过杨董事不是外人，公司一向也是有合用的焦炭的。

杨味斋 （急了）不过，易先生，利生的焦炭——

〔工友自协理室进。

工　友 协理！会计处李处长他们都到了。

易范奇 （弯弯腰）对不起，杨董事长，那我真要少陪了。

卢仲由 （像暗中一支冷箭似的，飕地放出一句话）易协理，你的大作，成次长已经替你转呈给二先生了。昨天——

易范奇 （稍稍一怔，尖锐的目光瞥了他一眼，含糊地）哦，好，好，少陪，少陪。

〔易依旧不动声色。走进协理室。

杨味斋 （望着“虎头秘书”，半天）这个东西怎么回事？

卢仲由 （脸色铁青，一时爆发）这个东西就是不要脸，小人！他在我面前摆的什么架子？他骗得了凌光斗、沈蛰夫，可骗不了我！这家伙当着大家写文章骂二先生，骂我们。可是暗地里一直对二先生飞眼卖俏，恨不得舐二先生的屁股！昨天（指着）他又托成次长送他那本草纸，那本只配擦狗屁股的论文集。

杨味斋 送给哪个？

卢仲由 （咬牙切齿）送给二先生！婉转解释他的文章，完全是对二先生这些对国家有功的人物说话！

杨味斋 （毫不思索地）他简直地不要脸！

卢仲由 （拍桌）谁说他要脸？凌光斗一手提拔，如今一看凌先生下台，自己位置不稳；就反转头来，加紧工作。（不共戴天的神色）走成次长的路子！连我都不招呼一下！！生怕二先生看低了他，他要一步登天，一进门就压在我们的头上。（鄙恶地）这才是又臭又硬的两头蛇！（阴狠地）不过，看！看他怎么样！看他走得通不！

杨味斋 （无心听他的咒骂）不过仲由兄，讲眼前的话吧；这个焦炭——

卢仲由 （先压下怒火，冷冷地）先生，焦炭还在其次，我看土铁都有了问题。

杨味斋 （着急）先生，这不是开玩笑呕？（急得索索抖抖）那，那，那，那怎么对得起人，对得起张敬亭。（额头涨出两条青筋）大家为着二先生！二先生买田，——

卢仲由 （狞起眉毛）杨董事，你忘了，薛老太太买田。

杨味斋 （满头大汗，连翻白眼）是，是，啊，为着薛老太太买田！（几乎噎住）嗐，这都是一样啊！连吴元亮都牺牲了老本。如果焦炭、土铁都不能应酬一下，这叫，这叫我们如何对得起人，见得了人？

卢仲由 （心中着实焦灼，却口上——）别着急，别着急，有办法，有办法。我想沈蛰夫不会不顾二先生的面子，他不会。（心虚地）并且他也不敢！

杨味斋 （只好自己盘算一阵，偷偷地）我看利生的干股还是先送一点好！

卢仲由 （心不在焉）好，好，好。

杨味斋 （计斤较两又有吝啬）不过送多少呢？（仔细推敲）这像是应该研究一下。你说该送多少才“合格”（相仿国语：“合适”）呢？多少才“合格”呢？自然——

卢仲由 （蓦地，咆哮起来）这在你，这在你，这在你！（探望，立刻放平了脸色）对不起，杨董事，大概沈蛰夫来了。（温和地）喂，老杨，我给他谈的时候，请你略略回避一下，好不好？

杨味斋 （莫明其妙）要得，要得。

〔沈蛰夫与姚厂长由双门上。

卢仲由
杨味斋 （同时肃然）蛰夫先生！
总经理！

沈蛰夫 你们坐，你们坐。（仿佛前面已经听了一段报告，他又接着边问边听的神气）嗯，嗯，是的，姚先生？

姚国栋　（小胖手不停地拨弄制服上的纽扣）我，我们机器厂出了特号工作母机，这个，这个利群哪，公盛哪，长兴哪也跟着出，大一点厂子。像这个，这个（望着“虎头秘书”犹豫不讲。）

沈蛰夫　（不愿在这些小鬼们面前躲躲闪闪）嗯，嗯，说下去！嗯。

姚国栋　（眯着小眼，咽下一口吐沫）大，大厂子像强华钢铁厂，也争着出，尤其是强华，简直像故意地捣蛋。你出什么，他也就跟着出什么。轧钢厂十八吋轧钢机刚刚装好，强华那边（咂咂嘴）也跟着要装上了。您看，这个市场就那么点大，大家挤着出一样的货，这，这怎么能不，不过剩？

沈蛰夫　（沉肃）但是我们不能禁止他们不出，（着重）我们没有法子通知他们。现在大家盲目地竞争，不肯配合。我们只希望政府对钢铁统购统销，指定每个厂专业化，也别无其他的办法。

姚国栋　（小胖手擦擦鼻头，小眼睛闪闪的）那么？

沈蛰夫　这件事提到公司常务会议，我们再大家仔细商量。

姚国栋　是。

沈蛰夫　好，就这样吧。

姚国栋　是。

〔姚转身，胖屁股一撅一撅，像是不十分满意地走了出去。

沈蛰夫　（摸摸自己蹙紧了的眉头，对卢、杨）坐，坐着谈吧。

〔大家肃然坐下。

杨味斋　（失了方才的“风采”）总经理这些天太辛苦了！

沈蛰夫 还好，没有什么。

卢仲由 （十分客气地）这一次何先生来，总经理太费神！

沈蛰夫 （抬头，凛然）并没有。

卢仲由 （又欠欠身）哪里，哪里！

杨味斋 （慢慢鼓起精神，逐渐地眉飞色舞）听说何董事长办厂很多，很少亲自来参观的，这一次来——

卢仲由 （一唱一和）那完全是沈总经理为人的伟大，大公无私的精神——，

杨味斋 （忙插入）经营得法——，

卢仲由 （紧接）对中国工业的贡献——，

杨味斋 （摇着摆着结束了一段文章）我认为这是我们公司特殊的光荣！（谄笑）二先生这一次来，仲由兄在后面鼓动得最力。最有功绩！

卢仲由 （谦虚）哪里，哪里。

杨味斋 （更起劲）仲由兄可以说是——

沈蛰夫 （一直冷冷地像是没有听见，忽然）卢秘书，关于公司收买祥丰土铁的问题，——

卢仲由 （岔过）哦，味斋先生，你是不是还要看一看利生派来的朋友？

杨味斋 （会意地连忙起座）哦，是是，我要少陪一下。

沈蛰夫 （欠欠身）好，好。

〔杨味斋逡巡出门，却又不忍离开走廊，徘徊窗外，若有所思，时时有意无意地探望一下。

卢仲由 （低声，鄙夷地）杨董事这些人都是抗战中的暴发户，最没有分寸，举止进退，简直是不懂规矩——

沈蛰夫 （不睬）方才易协理说到祥丰土铁厂——

卢仲由 （蓦地）哦，总经理，我倒忘记给您道喜啦！

沈蛰夫 怎么？

卢仲由 （激出一团高兴，强笑）今天沈老太太生日，我们大家简直的——

沈蛰夫 （淡淡地）没有，家母的生日前天已经过去了。

卢仲由 （呵呵大笑）不，不，您太客气了。方才我还到府上去了一趟，给老太太拜了寿呢！

沈蛰夫 （望他一眼）那你怕弄错了。

卢仲由 （立刻一转）哝，补祝也是一样的。（自觉颂扬得体）啊，老太太真是仙健，真是福寿双全。二先生知道很晚，什么寿礼都预备不及，所以派仲由先去道贺，同时——

沈蛰夫 （拿起方才易范奇持来的合同）哦，这个土铁的长期合同——，

卢仲由 （决不提起，依旧眉开眼笑地）同时因为二先生在城内还空着一所房子，一个花园也很精致，想请老太太搬过去住。

沈蛰夫 （望着他）何先生的意思很可感，不过——

卢仲由 （作为顺嘴溜出，无关宏旨的口气）那房子的房契，地契，我已经送交老太太，已经请老太太收下了。

沈蛰夫 （一怔）这倒很出人意外。

卢仲由 （益加笼络）这也是二先生对办工业有成绩的朋友一种敬意。

沈蛰夫 （不动声色）那你替我谢谢二先生。

卢仲由 （以为沈已入彀，非常得意地）哦，自家人就不用说客气话了。哦，您方才说到土铁——

沈蛰夫 （点点头）是的，现在我们可以谈谈这土铁的问题了吧？

卢仲由 （急切）当然，当然。是不是现在就请祥丰的人跟总经理见一见？

沈蛰夫 （断然）我看不用了。

卢仲由 （迫不及待，喜滋滋地）那也好。免得您费神，让我跟余处长（立起）直接接头吧。（就走的样子）

沈蛰夫 （不耐，叫住）卢秘书！（一字一字地）请你回来！

卢仲由 （顿，眼睛忽然死沉沉地望着沈，逐渐明了，缓缓地）蛰夫先生，是否这个合同出了什么问题？

沈蛰夫 合同已经不成为问题，成为问题的是祥丰的土铁。

卢仲由 （愣住）我想不至于吧。

沈蛰夫 （颜色坚决，却口气还带着三分平和）请你对何先生讲，这个土铁，公司不能买。

卢仲由 （一副撒赖的眉眼）您不买？

沈蛰夫 （开始捺不住心头的怒火，依然沉稳地）不是我不买，是公司不能买；长期合同也无法订！

卢仲由 （板起脸）哦，您不订？

沈蛰夫 （目光霍霍）嗯，我不订。

卢仲由 那么这个理由——？

沈蛰夫 （把身旁的报告掷在他面前）这个化验报告就是理由。

卢仲由　（望一望，并不拿起，脸上兜起来笑容）不过祥丰也是我们公司的股东办的。

沈蛰夫　（冷笑）张敬亭先生应该知道自己的土铁。

卢仲由　（忽然提高喉咙，拿出"法宝"来。）二先生觉得原则上应该维持后方的土铁，奖励后方小型工业。

沈蛰夫　（一字，一字）我看像这种工业让它自生自灭的好。

卢仲由　（点醒）听说二先生曾经向总经理介绍过。

沈蛰夫　（尖利的目光瞥了他一眼）晓得。

卢仲由　（感觉有些气短）那么土铁是不能再谈下去了？

沈蛰夫　（点头）嗯。

卢仲由　（忽然）公司的炼铁炉不是要停么？

沈蛰夫　没有此说，这大概是你在何先生那里又听的谣言！

卢仲由　（脸上露出一团笑容）何先生您知道，对于总经理是非常敬佩，也非常愿意帮忙的。

沈蛰夫　我也很愿意帮何先生的忙。

卢仲由　（立刻）那是二先生十分相信的，所以对于易协理，（闪烁其词）我想您一定有很充分的了解。

沈蛰夫　（斩钢截铁）是的，那就是如果易先生离开，我也离开。这一层请你务必转告何先生。

卢仲由　（尖刻地笑起来）不过蛰夫先生，您这几着棋很可能引起许多不必要的误会！尤其是易协理，您这样维持他，在您是非常失策的。

沈蛰夫　（严肃）卢秘书，我的性情，你不明了，也许何先生很明了，所以也谈不上误会。我在此地一天总要为公司尽一天力量。

卢仲由　（又掸掸衣服，像是说着闲话）蛰夫先生，办工业离不开人，人就离不开政治。二先生的印象，在一般人看来是很要紧的。没有好印象的人，都在钻门路。（斜着眼窥视）有好印象的人反而自己这样糟蹋，这未免太——

沈蛰夫　（满腔怒火，脸上异常冷峻）卢先生，我在生产界里已经有二十多年。我开始办厂的时候，恐怕卢先生还在学说话。容我以老卖老地冒昧一下，你方才对我讲的，我觉得很笨！很糊涂！现在不是何先生对我有没有好印象的问题，而是我对何先生有没有好印象的问题。

卢仲由　（着着败退，又毫无章法地贸然提起）不过那八千万贷款——

沈蛰夫　（冷冷盯他一眼）卢先生，这一层不是你同我可以商量的事情。

〔余处长拿着一张纸由双门上。

余涤凡　（递呈）总经理，这是何董事长到公司参观的路线。

沈蛰夫　（看也不看）这种事情，你可以跟卢秘书商量。

余涤凡　是，是（垂着手）还有何董事长对全公司训话的地点，您觉得——

沈蛰夫　（申斥地）余处长！——

卢仲由　（突然感到自己的地位）我去看，我去看，余处长！（深深鞠了一躬）再见，沈总经理。

〔卢仓皇溜下。

沈蛰夫 哦，余处长，请你等一下。

余涤凡 是，是。

沈蛰夫 （走到小圆桌旁，拿起电话机）请你接总经理宅。……你哪里？哦，我是沈先生，请老太太说话。……（和颜悦色）哦，我是蛰夫。是妈吧？方才是不是有一个人送给您一样东西？……嗯，是，是，房契，地契。……什么？他说我置的产业？……契上已经有我的名字？……（蹙眉自语）真是混账！……（笑着）您老人家真是容易骗，我们的产业早就叫东洋人占了，这不是的，不是的。现在我派人去取，请您包好交给他。……是，是。（温顺地搭着闲话）您午觉睡得好吧？……哦，梁小姐也来谈了一会。嗯，好得很，好得很。……嗯，公司有车子，归小姐可以来搭的。……（轻声）放下电话了，妈，啊。请您把那包地契预备好。（放下电话）余处长，请你派个人到我家里取一包东西。回头你当面交给卢秘书。

余涤凡 是，要收条不？

沈蛰夫 不用。

〔余涤凡由双门下。

〔卢仲由踱过走廊时，杨味斋和他在窗外叽咕了两句。卢走出后，他还在窗前一带徘徊，此时望见总经理打完电话，才看定风色，畏葸葸地冒出来。

杨味斋 （满脸的强笑）蛰夫先生。

沈蛰夫 （劈头一句）杨先生，利生的焦炭，公司化验报告。说成分很好。

杨味斋 （想不到的愉快，简直愣住）哦,（忽然笑逐颜开）自然，自然。利生的焦炭一向是出名的，那么是不是就可以订下合同呢？

沈蛰夫 （和气地）可以的。

杨味斋 （眉飞色舞）那太好了。

沈蛰夫 嗯,（瞥他一眼）明天订。

杨味斋 （一块石头又堵在心上）不过恰巧利生的接洽人也跟着卢秘书的专轮来了。

沈蛰夫 （诧异）哦，他们为什么今天就来？

杨味斋 （含含糊糊）也是，也是跟着何先生来参观参观。反正利生的合同，总经理同余处长都看过，乘着何先生在此地，把合同这些小问题一同解决。大家也高高兴兴地回去,（唏唏嘘嘘，不知是哭是笑）我们大家总算替总经理了却一件心事。

沈蛰夫 （望着他）哦。

杨味斋 （立刻岔开）这个今天晚上舍下的便饭——

沈蛰夫 （点点头）你的请帖，已经收到了。

杨味斋 （卑躬屈膝的神色）请总经理务必赏光，如果利生的吴元亮先生，您愿意见，我也把他约来。

沈蛰夫 不必了，因为——

杨味斋 （咬文嚼字，做起文章）蛰夫先生，我们都是“一丘之貉”啊！同病相怜，工业不景气，大家总得互相帮忙。吴先生一向非常钦佩蛰夫先生的人格，清苦自奉，您办工业的精神（不知用什么形容才奉承得好）那，那，那，了不得，啊，了不得！所以非常希望您能对利生煤矿加以指导。

沈蛰夫　（爽快）我可以设法派人跟他们技术合作。

杨味斋　（连连附和）合作，合作，那当然没有问题合作。现在更希望总经理正式参加帮忙，所以吴元亮先生，经过利生全体董事会的同意特意把利生的股份提了五千，托我转给沈先生。

沈蛰夫　（猜着一半，冷冷地）哦。

杨味斋　（摇着头）也是晓得，沈先生对我一向印象很好，了解很深。

沈蛰夫　（微笑）晓得我会从杨先生手里收下利生的干股。

杨味斋　（也呵呵大笑）哎呀，谈不上干股。这都是个敬意，哎，敬意。至于说到利生焦炭订合同的问题，——

沈蛰夫　明天订。

杨味斋　（愕然）不过他们——

沈蛰夫　（坚决）明天！

杨味斋　（只好下台）啊，今天明天都是小事情。像利生这样好的焦，总是供不应求，自然不愁没有人要。不过蛰夫先生，方才我说到那一点点意思。请您务必不要客气！

沈蛰夫　（沉静）你们的盛意很领情。就是我办公司，我不能随意把公司的股子白白送给别人。我也就从来没有收过别人的干股。

〔远远像是两三辆汽车飞快驶来，喇叭声，汽车轮嗞嗞擦地声，停车声，开车门声，人群攒集迎上寒暄[1]声。办公楼楼下过道乱步声，在杨味斋下面一段话的中间，逐渐纷杂地传来。

杨味斋 （连忙）不过沈总经理，这个干股，我可以坦坦白白地讲。跟何二先生毫无关系，您可以丝毫不用犹疑，（仿佛谛听，同时却又——）我是万分地诚意，一千万分的保证。（已经听见外面的声音，有些恍惚地）您可以当作自己应该收下的权利。不但如此，您并且可以公开地对——（认定外面确实要人来到，忍不住）哎呀，大概是二先生来了！（见沈神色不动）我说，总经理，您，您可以坦然地——（足步声愈来愈近，更加张慌地）您听，一定是二先生来了吧？（看看沈安坐如山）自然哪，这点干股，我说这个股子，这个——

〔余廖匆匆走上。

余涤凡 （紧张地）总经理，何董事长已经到了。

廖再兴 （上气不接下气）一共是三辆汽车！

余涤凡 （也有点张皇）还有其他的客人。

廖再兴 （指手划脚）现在都请到会客厅里了。

〔易匆匆由协理室上。

易范奇 听说是何先生来了。

廖再兴 （垂头）是，协理。

沈蛰夫 （望望他们，立起）好，我们去看看。（对杨）请，请。

---

1 “寒暄”底本作“寒喧”，当作“寒暄”。

〔走出双门。

杨味斋 （连忙整整马褂，清理一下喉咙）得罪，得罪！

〔沈、杨、易、廖，依次而下。

〔此时走廊上来往人众不绝，几位厂长，处长，和其他高级职员，匆匆由门前闪过。汽车缓缓倒车声，喇叭声，和人们在办公楼过道中，乱嘈嘈的，紧张的低低谈话声。

〔会议厅内无人，半晌，梁爱米由走廊右面上。后随工友。

〔梁爱米是一个士大夫家庭的小姐。她的家庭已经没落得没剩下几个人。她仿佛是一棵凋零的老树上唯一的一枝鲜艳的花朵，终于脱离了这个老朽的根，以自己所有的灿烂来游戏取悦于人间。她廿五六岁，上天给了她一副不能再美的外表，同时也给了她更难于捉摸的性情。她看不起人，骄傲，无比的自负，却也有足够的聪明，这聪明是一望无余的表现在人们的眼前的。善于利用自己的长处，那唯一的长处也就是自己的美貌。好虚荣，喜露锋芒，生活奢侈，而不检点，她的许多“大胆”的行为，常常使人为之侧目。可以大量地弄到钱，也可以毫不吝惜地让钱从手里流出去。管不住地好动，无恒心，什么地方也待不久，什么事情也做不成。为了时髦很早就出国，回来后除了学得一口流利的英语之外一无所得。反而更加上一些脱离不了的享受的习惯。口齿锋利，爱讽刺人，却也有一种幽默，高兴时，对自己也无情地讽刺一下。对自己的行动等等并不一定认为是对的，只是不能压住自己，因为非如此任性不足以满足自己。看不起的人，她永远也看不起，尽管她还是利用人家，她终日与之周旋的，也是她心目中所轻视的，她觉得这些人应该为她服务而已。另一方面只要看她的高兴，却也做得到使自己非常随和，非常地会和人亲近，嘴上也可以像蜜一般的甜了。她也有一双锐利的目光，分得清好坏，她能够与之随和与之亲近的也还是她所认为的好人，她倒不是太势利的，总之这是万花筒一般的性格，变幻而炫目。虽然如此，她的心里倒也有一个小小的角落还保持着干净，真挚和温暖。她和沈承灿是青梅竹马的玩伴，从小就别别扭扭，时常吵架，一直到今天，他们还是无止境地一见面就得争起来。她对承灿有一种分不得的感情，怕只有这一点感情才是心灵中最纯洁的了。可是她知道他们合不来，所以她不否认自己是很爱他，却也明白不能嫁他[1]，她非常清楚他们太不是合适的一对了。可是她还是忍不住得空就来纠缠。对于承灿，她很有韧性，只有在他面前她事实上才可以抑压自己，虽然嘴上还是不肯服软，因为她是一个表面上相当好强的女子，尽管在许多地方还是掩不了自己的弱点。

〔她的美丽的面孔衬上一头乌云般高耸的头发，是一种最时髦的梳法。淡红色蝉翼一般薄的纱衫，裹着全身，显出动人的曲线。衣长仅及膝。薄得看不出是穿了袜子的丝袜。

1 “他”底本作“她”，当作“他”。

最讲究的平底白皮鞋，网眼白手套。光亮的白漆皮包上一个很大的金色扣子。轻施脂粉，天生就一副惊人的丽质，做得出各种讨人喜欢的表情。

梁爱米　（四下一望）沈副厂长来了没有？

工　友　来过了又走了。

梁爱米　没有一位小姐来？

工　友　小姐？

梁爱米　（脱下一只手套）一位归小姐！

工　友　没看见。

梁爱米　（头一弯）你去吧。（另一只手套脱了一半）哦，方才那么多汽车是谁？

工　友　何董事长！

梁爱米　（眼珠一转）哦，没有事了，谢谢你。

工　友　是，梁小姐。

〔工友下。

〔梁步履轻盈走到壁炉前面，取下太阳镜，把头发整理一下，从手提包里，取出粉盒，对镜左右照照，才取出一把象牙折扇，轻轻挥扇。

〔沈承灿走进会议厅。

梁爱米　（回过头）你来了！

沈承灿　（惊异）咦，你怎么又到这儿来了？

梁爱米　（俏媚的眼光）我不能来么？

沈承灿　（冷冰冰的奉承）你是公司长期贵宾，自然哪里都欢迎。

梁爱米　（晶琅琅地笑出来）不要挖苦我，我问你，你怎么吃了饭就走了？奶奶直找你呢！

沈承灿　（微笑）今天晚上Bessemer出钢，我非准备一下不可。

梁爱米　（水汪汪的眼睛露出一丝嘲讽）不过你府上还有一位真正的贵宾等着呢？

沈承灿　（老老实实）我当然想回去——

梁爱米　（伶俐地）陪一陪。

沈承灿　嗯，陪——（还没说完，忽然）Emmy，你怎么从小到大就改不了你这个好插嘴的脾气？

梁爱米　（粲然）是啊，我也觉得是有点讨人嫌。

沈承灿　（老大哥似的）你真该有人管管。

梁爱米　（斜着眼睛）你不在管？

沈承灿　（睁大眼）我没有那种福气，我只配管机器。（歪着头质问）嗯，Emmy，你到这儿来干什么？

梁爱米　（挑弄）我等一个人！你呢？

沈承灿　（瞪瞪她）我，我也等一个人。

梁爱米　（轻盈地一指）那么请坐吧。

沈承灿　为什么？

梁爱米　（笑吟吟地）坐着等啊。

沈承灿　不，不，（看看表，又望望外面，自言自语）奇怪！——

梁爱米　（紧接，佯叹一口气）她还没有来！

沈承灿　（指着她）你怎么那么好插嘴？

梁爱米　（干脆）我管不住。（聪明地）你为什么那么好管我好插嘴？

沈承灿　（望望她，也聪明地）我也管不住。

梁爱米　（顽皮地指点着）二狗，你呀——

沈承灿　（瞪眼，可也无可奈何地）请你不要再叫我小名好不好？

梁爱米　（爽快）这是亲热！

沈承灿　（耐不下）我不需要那么多亲热，你太冲动，你时常当着，当着。——

梁爱米　（立刻为他补上）当着归小姐，——

沈承灿　嗯，当着她，你也这样叫来叫去！

梁爱米　（笑嘻嘻地睃他一眼）我觉得这样可以叫人明白我们自小儿就认识——，

沈承灿　（欠欠身）那我很荣幸。

梁爱米　（只当没有听见，接着说）我们并没——（蓦地）喂，承灿，你不记得？我五岁的时候我到你家过五月节，你一下把我的新衣裳——

沈承灿　（直硬地）我不记得。

梁爱米　（故意咬得狠狠地）我记得我那时最恨你——

沈承灿　（立刻“刮目相看”的神气）哦，你五岁就会恨！

梁爱米　（眼睛直盯着他）嗯，我一直恨，恨你到现在！（慢慢认真，眉眼间带出一种怨慕的遐想）可是不知为什么？这几年东飘西荡，我忽然觉得你的家最温暖！你到的地方总是我想去的地方。

沈承灿　（当心）哦？

梁爱米　你的家就是我的家，（不觉又俏媚地笑着）我对你忽然发生非常浓的兴趣？

沈承灿　天！你对我发生了兴趣！

梁爱米　（大胆地）也许不止是兴趣——

沈承灿　（仿佛被什么花蛇噬了一口）天哪！为什么，为什么？（逼着问）我哪一点得罪了你？哪一点？

梁爱米　（摸摸头发，顾盼自喜）也许因为所有认识我的男人见了我都忍不住地要恭维，而你是唯一的一个——

沈承灿　（咬咬嘴唇，手一举）请你让我也插一次嘴，见了你就忍不住地要骂的。

梁爱米　（睨视）但是你晓得我的倔脾气，（硬朗）我不在乎！（任性地）现在我不但喜欢你，并且也喜欢你的父亲。

沈承灿　（冷冷地）那你嫁给我父亲好了。

梁爱米　（勃然）你太放肆，你把我当成什么人？

沈承灿　（连忙，但是依然轻藐地）喂，喂，不要又中了暑。你生气，你中了暑。我又不能陪你。我有我的天地，你有你的天地；我的天地是钢，是铁，是"土包子"才干的事情，（打量一下）你的天地——

梁爱米　（爽爽快快）我知道你，你瞧不起我；你觉得我的来路开始有点不明。

沈承灿　我没有批评你。

梁爱米　（追根究底）你嘴上不批评，你心里在批评我！

沈承灿　（有点告饶的模样）Emmy，我没有那么多闲情逸致。在目前我们这一群工程师一心一意就是要赶快出钢，轧钢，造钢轨，增加生产，开辟市场，维持工业！

梁爱米　（神秘地）那我也可以帮你们的忙。

沈承灿　你？

梁爱米　真的。

沈承灿　（不想叫她胡缠下去）好，Emmy，你天天来干什么？你为什么要来？你明明很清楚你我的路数不同，你为什么还得机会就跑来？你这是为什么？

梁爱米　（霎霎眼睛）我也不知道，我就是想来，几天见不着，就是想来。

沈承灿　（诚恳地）那么，我们从今天起，做一个新决定——

梁爱米　（蓦地）说老实话，我也感激你。

沈承灿　（莫明其妙）你为什么感激我？

梁爱米　（折扇，半掩着嘴唇，回忆地）我永远忘不了你在美国那一次——

沈承灿　（急得没奈何）天哪，那是任何一个男人都会做的事。你没有钱，你在外国，你欠了旅馆的钱走不出门，我不能看你在外国人面前丢脸！

梁爱米　（眼里泛满了深情）还有呢？

沈承灿　（石头似的）至于你后来掉在江边——（瞪瞪眼）谁知道你为什么？——我救你！难道你以为一个学科学的就不是人啦？如果一个猫落在水里，我也会跳下去救的。

梁爱米　（美丽的幻梦，被他一拳拳地捣得粉碎，索性不顾一切地又粲然笑起来）可你不能不承认对我有点好感！

沈承灿　（对她毫无办法，歪着头）你刚到美国，要上大学，我住了几年的人能够不照顾你一下么？一晃不知你又飞到哪儿去了，过了几年在路上遇见你，我能够不跟你打打招呼么？（恳切地）Emmy，你是一个相当聪明的女子，你怎么有时会想得这么糊涂？

梁爱米　（嘲弄自己地）是，我也在奇怪呢。一个女人一生总有一次糊涂得连自己都觉得奇怪的时候。

沈承灿　（烦躁）Emmy，天气很热，你可以在山上你的别墅里守着你的电气冰箱慢慢地分析自己。对不起，我要走了！（拔脚就走）

梁爱米　（立刻迈步跟随）那我也陪你去！

沈承灿　（回身，大叫）No，Emmy，that's the limit！你不能这样不公平！你不能利用我们过去是世交，你就——（猝然）好，你究竟等谁吧？

梁爱米　（天真地）咦，我等归容熙归小姐呀！

沈承灿　（瞠目而望）哦，你，你也——？

梁爱米　（斜着眼，一字一字地）嗯，我也是来送她的。（黠巧的神情）难道我跟她就不能成个很好的朋友么？

沈承灿　（轻藐）你？

〔归容熙上。

〔归容熙，一个廿二三岁的女孩子，聪颖活泼，几岁时就看出坦白大方的天性。喜欢唱歌，时常随着大人们去听音乐会，就懂的一面凝神听，一面非常有兴味的看着那些演奏乐器的人的跳动的手指，在她的小心里一定觉得这是如何有趣的玩意呀。父亲公余之暇，经常喜欢弄弄园艺和养各种鸟，她爱听那些小鸟的愉快的叫声，更甚于爱那些美丽的花朵。也就是说，她小小的心灵是易于接受许多美好悦耳的声音的。父母没有看漏，也没有放过孩子的天赋，就为她请了音乐先生乘寒暑假的空闲时间让她好好的学习。她喜欢唱，也更喜欢弹，七八岁时她那十个胖胖的小手指已经可以在黑白的琴键上徐徐的跳动了。这样继续学着，直到中学毕了业，就索性进了专门音乐学校，同时真正的必需的课程也请了先生在家中教。她的专诚和敏慧使她把一切功课都学习的很好。天性敦厚，诚挚，但是，并不太随和。她有一种任何人都挽回不了，而只有她自己才能克服得下的固执。对于一件事情经过她深深的认识之后，她可以很有魄力改变一向习惯的看法和做法，沉思后的爽快的行动，使她从没有后悔的时候。最初她给人的印象，是不大容易使人和她亲近的，只有和她相处得久了，才看出她冷静之下的一种热诚可喜的最真的一面。不过由于年纪轻，对人生的经验少，有些时候又显得有点幼稚甚至于有和常情相左的傻举动，但这也是很少的时候才如此，因为现在她多少感觉到自己是一个大人了。她的体质十分健康，性情明朗，爽直。长圆脸，眉眼聪秀灵活，鼻梁稍平，嘴角微微向上，给这个和蔼的脸上更时常带来一丝笑意。头发黑亮很自然地松松地卷在脑后，身穿深浅蓝三色交织的细花薄洋纱长衫，白短袜，深黄橡皮底皮鞋，腕上戴着比男子用的较小的皮带手表。

归容熙 （明快地）哦，梁小姐！（红扑扑的笑脸）承灿！外面到处是人！

梁爱米 （拉着她的手）你怎么现在才来？

归容熙 （望着承灿）老太太直不叫走，好容易我才走开。

沈承灿 （看表）还好，公司的交通车子还有十分钟才开。

梁爱米 （亲热地）容熙，你可答应过我叫你的名字啦！（容爽快地点了头）你不能不到昆明去么？

归容熙 （澄湛湛的眼睛先笑望着）我，我已经买好了飞机票，再我也想——

梁爱米 把票退了，容熙！

沈承灿 （不耐）容熙，真的到处是人！我们是不是——

梁爱米 （黠笑）承灿，你不用忙，我有事要走。（正举步）

〔廖再兴匆匆由双门上。

廖再兴 （满头大汗）梁小姐，可把您找着了，真是到处找不着您。

梁爱米 有事么？

廖再兴 （卑屈地）是，是。

梁爱米 好，你跟我来。

廖再兴 是。

梁爱米 （笑着，对容）车开，我来叫你。

归容熙 谢谢。

〔梁爱米袅袅婷婷轻步走出，廖随下。

沈承灿 （望梁下去）真是昏天黑地！

归容熙 （诚挚）梁小姐人很好的，非常亲热人。

沈承灿 坏就坏在她太容易亲热人了。这位小姐呀！——咯，不说她了。（顿，目光恋恋地）容熙，你真地非走不可么？

归容熙 （恳切）嗯，我要到昆明找先生。

沈承灿 （依然不解）还继续学？

归容熙 嗯。

沈承灿 （苦笑着）唱给谁听呢？

归容熙 （神色微微露出一种不被了解的烦恼）你为什么老问这句话？我觉得我还没有学好。

沈承灿 （沉重）容熙，在中国，没有人欣赏你的。

归容熙 （淡然）为什么非有人欣赏不可？

沈承灿 （热烈地）无论学什么总该有个为大家的目的。

归容熙 （踌躇，仿佛在思寻着理由）那么，我是想为中国介绍一点好音乐，（红着脸）呃，真正够上世界标准的音乐。

沈承灿 （又要议论）容熙，——（看看她）不过我不能同你再辩论这些了。（匆促地）方才我几次想回去看你，恰巧下午又忙得一点也脱不开身。弄得现在只剩下几分钟可以跟你谈，（深挚地）容熙，我们只做了两年的朋友，但是互相可以说是很认识的，今天上午我对你说的话，我不知道你到了昆明（顿）还肯再想想不？

归容熙 （友爱，但是坚决的神色。）我已经想过了，承灿。

沈承灿 （微顿，缓缓地）你什么时候再回来？

归容熙 我不知道。

沈承灿 （直望着她的眼睛）没有期限?

归容熙 我也不知道。

沈承灿 （担心，贸然一句）那么你不通信了?

归容熙 （诧异）为什么不通信呢?（询问似的蹙一蹙眉尖）你怎么想的?

沈承灿 （有一丝丝忸怩）我怕就是了。（忧虑，缓缓地）我总觉得藕断了丝也难连。

归容熙 （朗然笑起来）承灿，你真干脆!

沈承灿 （也笑出声来）可是这一次还是不干脆好。

归容熙 （诚恳地）嗯，我们要永远做个好朋友。

沈承灿 容熙，（紧紧握着她的手）你，你能不能现在再想一想我上午对你说过的话?因为（又徐徐放下）这是我最后一次同你这样讲，以后（望一望她，低眉）我也许不会对任何人再这样讲了。

归容熙 （走近，轻轻揾一下他的臂膊，又默然放下）承灿，过去两年你对我真好。我尽管没有什么经验，可是我知道（发自衷心）我以后不会再遇见更真诚的人的。（望着他）我非常喜欢你，我也真敬重你。我想了又想，我，我不能跟你在一道。我们（痛苦地）不是一条路的。我唱，你不见得真喜欢，你的事业我又不明白，我觉得我们的性情实在不大相同，勉强在一起，（沉缓）我怕会使你痛苦，我也不会很快乐的。

沈承灿　（激动）不过容熙——，

归容熙　（悲哀地微笑）难道我们又把上午一顿话重新说一遍么？

沈承灿　（立刻敛起）嗯，不，不。我也知道这是（沉痛地）不能有一点点勉强的。（忽然微笑）容熙，真谢谢你这两年对我的鼓励。

归容熙　（祈求的目光）你能原谅我么？

沈承灿　（抬头，明快飒爽的神态）为什么要说这句话？让我高高兴兴地送你走。（坐着掏出一把亮闪闪，十分玲珑的金钥匙[1]）我送给你一把金钥匙，这是我在C.I.T.毕业考试得到的，我希望你以后拿着这个打开中国音乐的门。

归容熙　（望着他）嗯，（接过来，低声）谢谢你。我要时常带在身边。

沈承灿　（忽然，紧紧握着容的手）一帆风顺。

归容熙　你，你，也——（泪眼相对，她忽然低低哽咽。）

沈承灿　（想不出一句安慰的话）常通信。

归容熙　（俯首）嗯。

沈承灿　为着出钢，我，我怕后天不能到飞机场送你了。

〔梁爱米匆匆由双门上。

梁爱米　车要开了！

沈承灿　（低声）走吧。

归容熙　（揉揉眼）哦，我想见一见沈老伯。

沈承灿　他不在。

1　Gold Key美国大学奖励毕业时成绩优异学生之金质钥匙。——底本注。

梁爱米 他在陪客人呢。

归容熙 替我告诉他老人家，说我走了。

〔廖一阵风似的跑上来。

廖再兴 （喘着）副厂长，何董事长他们来了。

〔两个工人各提着电扇跑上，后随另一杂役。

廖再兴 （耀武扬威，指挥工人搬放电扇）这儿，这儿，喂，这儿……那边，那边，（对着后进来的杂役）搬椅子，放好，放正。

〔同时一个穿中山服的光头胖子提着一个公事皮包匆匆走到双门外走廊上等候，挺着胸脯，不住向左探望。

工　人 （夹在乱嘈嘈的搬动奔走声音中，对廖）开电扇吧？

廖再兴 嗯，开，开开！

〔话未说完，虎头秘书早已抢进门内。

卢仲由 （四下一望指廖）笨，笨，这办的什么事。快把那个电扇也开开！（乱拍）这张椅子也摆好。

廖再兴 （一面答应“虎头秘书”，一面掺进手帮忙，又申斥着工人）笨，这张，这张，这张。……瞎子！还有桌上，桌上……

〔两架电风扇嗬嗬地急响，左右摆动起来。

卢仲由 （才望见闪在一旁的梁爱米、承灿和容熙，满脸卑屈）哦，梁小姐。

梁爱米 （点点头，对容）走吧。

〔容眼花缭乱，正要走出，杨董事又急匆匆地跑来。

杨味斋 （气急败坏）仲由兄，仲由兄，是何董事长连参观都不去了？那么晚上舍下的便饭，舍下的便饭，——

沈承灿 （望望他们，转对容）走吧。

归容熙 好。

〔归容熙、梁爱米和承灿从容走下。

杨味斋 （愣愣地望着他们出去，又转头盘问）仲由兄，那么，舍下晚上的便饭？

〔余处长匆匆上。

余涤凡 廖先生，你都预备好了？

廖再兴 是，是，余处长。

余涤凡 通知各厂同事，立刻来到礼堂，董事长要立刻训话，不参观了。

杨味斋 （对卢）唔，仲由兄，舍下晚上——

卢仲由 （跺脚）你呀！（外面胖子突然向左立正，卢探望一下）喔，来了。

〔何董事长与沈蛰夫并上，后随易、刘、蔡、吴、姚，还有其他一两个面生的高级职员。何立在双门外，一直点头咂嘴，微微地笑，看来是很满意的样子。

〔何湘如，一个老留学生，曾经热心办过许多公共事业的闻人，并且参与着各种有关国计民生的大事。供他驱使的人非常多。自从他一步一步登到最高峰，即终日被人们前呼后拥地捧来捧去，所以在不知不觉中自然而然地养出一种声势和气派。在他的许多长处中，弄钱的本领又超于一切。可是他倒不吝啬，对于手下的喽啰们，还算宽厚慷慨，当然，这也可以说是一种手腕，所以为他效劳的人，三教九流，各种阶层无不包含，他也就四面八方无路不通。十余年来本着他进则宦，退则商的原则，在台上就对自己所办的工商业等等尽量加以包庇，一方面利用职权，压迫与他的利益冲突的事业；在台下，依旧横行无忌，不屑守自己当权时所推行的法令，此时可以共守的法令一旦推行到了他的“事业”上，就遇着阻难。无法行通。他决心做一个不倒翁，他把势力布满了各种角落，认识人多，不论中外人士都与之周旋；好铺张，好摆架子，手下人也就在这些地方尽量迎合他的心理使其高兴，讨他的欢心。办起事来仿佛是很有派头，并且也自觉十分能干，自己也被这种虚张声势的气魄所感，而万分得意。实际上顶多不过是一种封建式的你一枪，我一剑的小规格的精明利害而已，自私，倒退多少年的思想，却披上近代的外衣。脑筋不清楚，甚至有些昏庸，凡事不干己时，他皆以昏庸处之，除了到自己切身利害的紧要关头时，他才精明而认真起来。由于他的好运气，好机会，好环境，以及终日包围他的一些人的奉承，孝顺，一切都弄成他的自以为是，捧他的人也就忘其所以地觉得他是一个了不起的人物。必要时，他很有口才，却他所说的话没有一句是由衷之言，缺少真正的热诚，缺少能够顾视全局的眼光；而本性更是贪得无厌。所以事实上以他目前所处的地位来说，他确是大材小用，虽然他的潜势力是无穷的。

〔他今年五十多岁，看起来可并不像，当然在十分养尊处优的生活里，是不容易叫人显出老相的。脸面白皙，而又润泽，无须，只有在两鬓上略微有一点点花白。头发依然未脱，光光的拢向后梳着。精神饱满。一双山羊眼可以变幻出各种不同的表情。过分的饕餮，使得眼神偶然露出一点迟钝之色。一大半的时候是看起来十分和蔼的，这和蔼下，却是包藏着尖刻的目光。从不相识的人一眼看来，他颇有一副傻傻的忠厚样子，但你只要再深一点看，就可以透过这袭忠厚的外衣捉到他的精明，厉害和机警。一种必要时他能故意做出很有意思的憨态，另一种必要时也不惜露出他凶恶的真面目。某些人对他敬之，畏之，捧之，拍之，莫不视他为神明。人生的并不十分胖，但骨架高大，是属于一种大块头的身躯，笑声洪亮，语音时而很高，时而又压得很低。穿一套讲究的白色西装，黑领结，白丝袜，黑漆皮薄底精致光头皮鞋。夏天十分怕热，除了万不得已时电风扇总是跟着他的。然而他还是挥汗呼热不止。

〔何湘如的身边垂手立着一个瘦猫脸的中年人，凸眼睛高颧骨，穿着一身无懈可击的白西装，把一只像冬天里永远冻皴了的小猫耳朵凑凑，直凑到何的口边。

何湘如 （眯细了眼睛，低着头——其实他不高——对着那只猫耳朵吩咐）好，好，你去领着几位太太她们到处看一看。

那个中年人 （机警而恭敬地）是，是，那么等董事长训完话之后，是不是再按沈总经理预备的行程，看几个重要的？

何湘如　（蹙着眉，装聋作傻）好，好，看，看（“看情形”的意思）我们找几个重要的瞻仰，瞻仰。

那个中年人　是，是，二先生。

何湘如　（一双不可捉摸的山羊眼睛，收敛成一团，含蓄的自得的光芒。走近门口一面对着沈，夸赞地）蛰夫啊，很有成绩，很有成绩，难得，难得。在抗战后三两年工夫，就打出这样的规模，真不容易！可是（骄满地）蛰夫，呵呀，你也真会花我的钱哪！（举起雪茄，廖瞥见灭了，立即趋前点火）

沈蛰夫　（微笑，沉静地）坐，坐！（对进来的众人挥挥手）大家坐吧。（大家各找座位，有的望着何，不敢立即就座。）

何湘如　（就着廖再兴手中的火柴，一面吸，一面让）嗯，请坐，请坐。（吸着了，快然舒适地就座，在沙发内，闭下眼，仿佛默想方才说过的话，又怡然开目）所以我一向是这个主张，这个主张——，（望望四下的布置。背后电扇，嗬嗬地急转。一阵凉风吹来，他回头望一下，嘉奖似的对着眼前这一群大大小小的“下属”低声表示一点欣慰的憨笑）很好，很好。（“虎头秘书”此时也不觉会意地望了廖一眼，廖也“感激涕零”地望望他。）

沈蛰夫　（早已坐下，泰然自若）嗯，嗯。（摸出纸烟，廖正想趋前燃点，沈拿出身上的洋火）我有！（自己点上。）

何湘如　（望望沈，憨然自得的目光在众人头上轻轻的一扫，又滔滔不绝接讲着方才已经发挥了半天的长篇大论。）我是始终如一，国家固然应该救济现在的工业，但是办工业的人也应该自力更生。不要一味地仰赖国家的救济，譬如你们——（掸掸烟灰）嗯，我们公司啊——看着钢铁过剩，就设法接洽隆山铁路的钢轨。（望着沈）这对的呀！自己找出路嘤！所以一切应该不怨天，不尤人，靠自己。工业家应该切实合作，少竞争，听命令，生产第一，有无之间，要互相配合。（一再着重的）少谈政治，少说闲话，我们应该反乎求诸己。我们应该站在自己的立场提高工作效率，先认真改正我们在管理上，技术上的种种缺点。（转着小山羊眼睛，聚精会神地）最切要的，工业家不应该孜孜为利，侥幸，投机，贪图小便宜。工业家跟商人不同，我们是办事业，我们负着建设国防，改善民生的使命。近一点说，我们该为抗战建国贡献我们的聪明才智，具体说，就是增加生产，开发财源，（轻轻巧巧地）叫老百姓有吃，有穿，有住！这样物价自然不压便平，通货也就不管自缩。（做出一种嘲弄的苦痛万状的神色）不要成天喊："哎呀，我们民营工业受拘束啊，受限制啊！物价啊！压迫啊！困苦啊！"（有一两个人捧场似的笑了几声）这都是两个字在作祟，（拍一下沙发扶手）自私！！我们第一该处处从政府国家的立场上说话。（指着，得意地）这一点蛰夫先生最清楚我！（对沈慷慨地）抗战前，我在上海办的一两个相当规模的厂子，捐款纳税，我是没有一时一刻不先想着我们国家的利益。抗战突然爆发，真正的大厂子没有办法搬进来。而经营坏，规模小的工厂，就搬进来投机，一部传家机器，就是个厂，搬进来也叫一个公司。（斜着眼，挖苦地）反正小，叫两部洋车就搬；反正穷，搬到后方，政府有的是钱借给我们！说起来，也时髦，在大后方办实业。（卢杨应声大笑，旁边的人会意的互相觑视一下。）

杨味斋 （骨头都酥酥的，连连）二先生的话真是一针见血，一针见血！

卢仲由 （低声）是，是。

何湘如 （忽然，感慨万端地，长叹一声）哦，可惜哟，蛰夫！如果我的厂，只要有一个搬得进来，后方这些厂大部分可以完全不办！你看，现在的厂都是东拼西凑，起码是倒退五十年的货；这怎么能说得上现代工业哟！（摇摇头，长叹）这也就无怪蛰夫先生时常为战后的中国工业着急哟。（又无限欣慰地）至于你们诸位这些年来在后方脚踏实地的工作——

〔余涤凡早已溜出去张罗，现在又走进来。

余涤凡 何董事长，现在可以开始训话了吧？

沈蛰夫 （向何）可以开始了么？

何湘如 好，好。

卢仲由 您还需要休息一下吧？

何湘如 不，不，就现在吧！（得意地皱起眉头，一种深以为苦的神气）我一生最怕讲演的，可是无论到什么地方总要拉着去讲，真是苦恼得很，苦恼得很。（立起）好，好。（大家也一同站起来）那么，我们回头谈，我还有点意见，很想贡献给诸位参考参考。（掏出手帕，轻擦脖下的汗水。）

刘厂长　何董事长，我们先去了。

余涤凡　（向沈）预备好了，再请董事长？

沈蛰夫　好，好。

〔除了易、余、卢、杨、沈以外，刘、蔡、姚和其他高级职员都一齐走出。

杨味斋　（卑猥地）二先生，今天晚上舍下预备一点便——

〔杂役端上冰激凌。

何湘如　（笑容可掬，十分欣慰地。）好极了，蛰夫，你们居然有冰？——

沈蛰夫　（诧异）余处长，这——

余涤凡　这是——

卢仲由　（丑表功的神色，对何）轮船带来的。

何湘如　（很不愉快）很好，很好。

〔三人端上一盘冰水果，旁边堆着冰块。放在沙发前矮桌上。

何湘如　（看了冰激凌，愉快地“哈”了一声）啊呀，我平生最怕热。（一面吃着冰激凌，一面挥手招请，饕餮的嘴忍不住咂咂作响，像是获得想不到的餍足，得意地连声憨笑说）吃，吃啊，还好，还好，大家吃，啊！我夏天出门，没有冰，简直是——

杨味斋　（放下杯子又斗胆提出）二先生。

沈蛰夫　（微笑）那么我们先利用这一点时间谈一谈这个——

杨味斋　（索性不顾一切）二先生，这一次不辞劳苦到乡坝头来（相仿国语的“乡下来”）这真是了不得的——哈——盛事。

何湘如 （似乎不大认识）哪里，哪里。

杨味斋 所以今天晚上舍下预备一点便——

卢仲由 （上前）杨董事，二先生已经晓得了。

易范奇 （不耐）杨董事，我们想跟二先生略为谈一谈。杨先生是不是还要听董事长讲演——

杨味斋 （连声）当然，当然。

卢仲由 （示意）那么——

杨味斋 是，是，是，我先去，我先去，今天晚上舍下预备一顿简单的便——

何湘如 （随口应声）嗯，太客气，太客气，嗯，嗯。

杨味斋 那么我要恭候何先生了。

〔杨喜滋滋地走下。

何湘如 （对卢）这是——？

卢仲由 （低声）就是杨味斋——那个——

何湘如 （忽然明白）哦！

易范奇 公司新选的董事。

卢仲由 二先生自己——

何湘如 （什么都记起来的神气）哦，是的，是的，很好，很好。（岔开，对沈）光斗最近见着没有？

沈蛰夫 刚刚走。

何湘如 （故意大惊小怪，很懊丧的神气）唳！你怎么不留他？

沈蛰夫 （淡淡地）他和傅惺公有个约会。

何湘如　（摇头兴叹）光斗的脾气永远改不了，专好跟报馆的人来往，天天听些谣言，谬论。

沈蛰夫　（翻翻眼）不过就是所谓的“谣言”“谬论”多听听也好。何况——

何湘如　（不接口，却谈笑风生地）光斗留小辫子的时候，跟我一同在欧洲乱跑，就一直地好放炮！（认真赞佩的神色）不过人真是光明磊落，越老，越有精力，就像现在这一次坚决辞职，简直对他毫无办法！我一连看他几次，他倔强到底，不肯回来。弄到后来这个套子拴在我的头上，真是再也想不到的。反正，规模大致已经有了。尤其是跟蛰夫合作，（开玩笑地）你唱正戏，我当配角，我想我们可以大家渡过现在的，哦，哦，（仿佛不甘承认这个事实——）难关的。

易范奇　（早已预备说话，显显身手，此时咳了一下）谈到难关，何董事长，我觉得，我们可以这样分析：第一，（眼睛滴溜溜地望一下何，又盯一下沈，中间不住斜眼偷望，留心二先生对他是否注意。）我认为，资本不能增值，所利税太重；第二，我感觉到运输太困难，一切统制不够合理；第三，我认为非常遗憾的，国家建设事业太少，钢铁成品只好放在库里生锈；第四，最急的，也是置公司于死命的，也是我个人认为最痛心的，就是（力加表情）流动资金的缺乏，简直是朝不保夕，譬如患肺病，这已经到了第三期的危险。这是我个人的分析，也是我个人的——

何湘如　（冷冷淡淡，一直心不在焉地抓搔着下巴，忽然转对沈）蛰夫兄，银团贷款的合同是否已经商量定了。

沈蛰夫 商量定了，后天就可以签字。

何湘如 那很好。

卢仲由 财政部的超额贷款证明书也发下来了。

易范奇 （强要出头，尴尬地笑）公司也收到。

沈蛰夫 （轻重得体地）这一次八千万贷款成功，湘如先生帮忙最多，公司的同人很感谢的。

何湘如 （摸摸肚皮，十分满意地）蛰夫，我能帮你的忙，我是一定尽量帮忙的。

沈蛰夫 （望他一下，沉肃地）贷款签字以前，我觉得我们该把日后办公司的精神，事先得一个共同的谅解。

何湘如 那非常好。

沈蛰夫 我认为——

卢仲由 （忽然走到何面前，机警地，低声）您是不是要在训话以前先休息一下？

何湘如 （不置可否，却也明白卢的用意）嗯，嗯，嗯，嗯。

沈蛰夫 （看破二人的玄虚，但依然说下去）我认为公司的困难不只在资本，限价，销路这些枝节问题，最根本的失败是我们缺少一种办工业的精神。湘如先生，你也是主张中国应该赶快工业化的。但是工业化不仅是要应用近代工业化的技术改变我们落后的生产，同时也要有决心，运用近代工业化的精神，潜移默化改变我们整个落后的政治、经济同社会制度。（振起精神）不提办工业则已，要规规矩矩地办，我们就非有一种只认事实，不认情面，只讲效率，不讲人事的精神不可，（更严肃地）所以根据这种精神，我们值得在这样困难局面下把这公司办下去，没有这种精神——

何湘如 （巧妙地）是，我也主张这公司可以不办。

沈蛰夫 （尖利的望了何一眼）如果湘如先生彻底同意，谅解我这个态度。那么，有许多措置，我想你也一定很能谅解的。方才卢秘书对我提出几件事，我已经对他说了我的办法。那么你先请歇一下，我跟范奇到办公室就把贷款合同拿来。

〔沈望望易，走进总经理室，易也跟着下去。此时门外的胖子从大皮包中取出一个药瓶，递交给"虎头秘书"。

卢仲由 （拿出药来，捧着水杯，走近何，屈身）二先生的补药。

何湘如 拿来。

〔卢送到手里，奉上水杯。

卢仲由 您喝水。

何湘如 （仰脖，吞下）嗯——

卢仲由 （低声）我看沈蛰夫不能了解二先生维持他的苦心。他态度很坏。

何湘如 （端着水杯，沉思）哦，——

卢仲由 （望着总经理室的门，气忿忿地）简直地不听调度！

何湘如 （莫测高深地望他一眼，忽然，开口斥骂）糊涂！（瞪着他）哪个让你调度他？

卢仲由 （吓回去）是，我们都遵照二先生的指示一次一次地婉转开导。

何湘如　（怒目）“开导”？

卢仲由　（连忙）说明，叫他体会二先生一向为人的厚道。苦心维持工业的精神。

何湘如　（烦躁）你把结果讲给我听吧。

卢仲由　（贸然）他不同意掉换易范奇。

何湘如　哦，——

卢仲由　（阴沉地）其实易范奇对他对凌都没有一丝忠心可言，这种人反复无常，以前对二先生不敬，现在又屡次对二先生——

何湘如　（尽管卢举的事实都对，听得清卢话中攻讦的口气，怫然——）知道了。蛰夫是怎么讲的？

卢仲由　他说，他说，范奇是我的生死之交，我在一天，就不能让他走。

何湘如　（诧异）哦，蛰夫这样说话？

卢仲由　（连连点头）嗯，就这样说的，傲慢，自大，完全是易范奇从中挑唆。所以现在土铁忽然不肯收买，也完全是——

何湘如　（想不到）怎么，这个也变了卦了？

卢仲由　不买，今天祥丰派人来订合同，现在只好原船回去。

何湘如　（沉稳地）蛰夫说出来理由了么？

卢仲由　（添油加醋，一味夸张）理由含含糊糊，就是一味挑剔祥丰土铁的成色，故意留难。那神气是有意要别人知道，就是二先生他也是不买账，二先生他也不放在眼里的。

何湘如　（板起面孔，威睖的眼睛投射出狞恶的光芒）仲由，你跟我也有几年，我时常叫你跟王主任多多历练，现在听你说话措辞，态度，判断能力，你是毫无进步！你这样办交涉，你只配在码头上替洋人讲生意，不配跟蛰夫这样的人对面谈话的。

卢仲由 （连忙痛切陈词）是，是，二先生，仲由对您只有一片忠心，一片忠心。

何湘如 （挥挥手）嗯，嗯，你说下去。

卢仲由 看样子，他还要把炼铁炉办下去。

何湘如 （还不甚在意）哦，哦。

卢仲由 利生吴元亮的焦炭说明天可以订合同。

何湘如 （略觉顺耳）嗯，嗯。

卢仲由 再，再就是二先生送给他的房子——

何湘如 怎么？

卢仲由 （怯生生地）他退了！

何湘如 （立起）什么？

卢仲由 退了，（哭丧着脸，从上衣里面的口袋中取出）这，这是房契。

何湘如 （怒叫一声，望着总经理室连连詈骂）太不懂事，太不懂事！（转身对卢）哪个叫你现在就送？！

卢仲由 （抖抖索索）我觉得现在送仿佛效力更见得快些。

何湘如 （低声，狺狺然）没有脑筋，没有脑筋。这么一件小事都不晓得层次。糊涂！糊涂！丢我的脸！

卢仲由 （铁青着脸嘴角的肌肉突突地跳动）是，是，是，不过沈蛰夫实在太没有心肝，二先生这次这样帮他的忙，又对他这样恩厚——

何湘如 （山羊眼睛翻了几翻，忽然沉下来）你回头见着易范奇，可以对他说我对他的印象最近还好。他的书，我读过了。我很称赞。

卢仲由 （不顾一切，死命的攻讦）二先生，易范奇这个人，为人居心叵测，我怕他对二先生，不会有什么诚意。他这个人素来是——

何湘如 （叱斥）你下去吧。

〔卢正要走下，沈由总经理室上，卢盯沈一眼走下。

沈蛰夫 （交给他合同）这是全部合约，请你先看一看。

何湘如 （接下）很好，很好，（山羊眼露出非常和蔼平易的光彩）方才仲由都对我谈了。我也很同意你的办法。

沈蛰夫 是，祥丰的土铁成色太坏。

何湘如 （泰然）那我很失望，我一向总希望能扶持后方土铁生产，而后方工业的幼稚，也实在令人爱莫能助。

沈蛰夫 现在炼铁炉依然办下去，并且马丁炉也应该着手。

何湘如 那很好。（沉着地）除了日后的销路应该在此时多想一下。

沈蛰夫 如果隆山铁路确实办下去，那么再办十个炼铁炉也是不够的。

何湘如 （避开不谈，却拿起合约）你以为这么一大批款子可以借么？

沈蛰夫 到期能否还清，自然要看公司营业的情形如何？

何湘如 （言外有意）我看办铁路的消息总该仔细打听一下才好。

沈蛰夫 （尖利的眼睛笑望着）那么只有湘如先生你是最清楚的。

何湘如 （不露声色，只随便地）我看该谨慎从事。（把合同翻完了，放在桌上，又斟酌地添了一句）是不是这贷款可以重新斟酌一下呢？

沈蛰夫 （提醒，清清楚楚地）这个数目是董事会通过的。

何湘如 （鼓着山羊眼）自然，董事会并不是翻案。我只是要你再考虑一下将来公司的经济状况。（温婉的口吻含着难于察觉的轻蔑和奚落）以后责任落在你老兄的肩上，我也是很替你担心的。

沈蛰夫 （顿，沉静地）这个责任由我来担负。

何湘如 （语中有刺）为你想，你不觉这个数目太重一点么？

沈蛰夫 （睃了他一眼，微笑）依我看，八千万借款去了纳税和分红以外所余的周转资金也就很少。

何湘如 （走近沈，诚恳的神色中却隐隐含着沈也觉察得出来的威胁）蛰夫，你我是老朋友，在这种公司的大事，我该对你直说，我怕你今天该在贷款的多少上再想一想。

〔易由总经理室上。

易范奇 （故意露出迫切的神情）总经理，凌先生有电话来。在办公室。

沈蛰夫 （立起）好，我少陪一下。

何湘如 请便，请便。

〔沈自总经理室下。

何湘如　（指着）坐，坐，（易点头坐下，何觑了易一眼，拉起闲话）易协理，光斗你们都很熟吧？

易范奇　（铁硬的目光）说不上深交，算是认识就是了。

何湘如　（看他不像方才那样容易接近，自己先淡淡笑着拉拢他起来）我一向很少领教，前几次都有机会遇到，总因为我太忙，没有深谈。

易范奇　（万想不到，咳了声，贼忒忒贪婪的眼神觊觎着何的脸）我一直想向何先生解释过去的一点误会。

何湘如　（含含糊糊抬举着）哦，成次长前些天对我谈过你，很好，很好，听说你对于经济工业都很有研究。

易范奇　（想不到自己口里也吐出来）一知半解，总要请何先生老前辈多多指正。前两天我送了一本《范奇论文集》——

何湘如　（随嘴说说，奖励地）哦，看过，很好。青年人最可爱的就是坦白，直爽，只要说得有理，我一向是非常喜欢善意的批评的，青年人总要说，多说话，这是青年人。

易范奇　（不住扳扭指上骨节"剥剥"作响）何先生的人格实在伟大，真惭愧不能早一点认识，西洋人有一句话——

何湘如　（冷冷看了易一眼，又是一遍见人便发的牢骚，就照例唱起老调）抗战中办工业，千头万绪，只有在内部当家的才确实明白其中的困难。人才太少，物资不足，地方人士很难应付，其他如战局的影响，物价的问题，在在都不容易应付，当局煞费苦心，舆论界的朋友总不十分明了。

易范奇　（逐渐恭礼，丢却了一向别具用心的自肆和冷傲）我在报纸发表文章，对于工商业的发展，我就提供了许多意见。然而居心用意都一向站在善意的第三者的立场上替何先生（甜蜜地）说话，虽然论文采取一点反面文章的方式。

何湘如 （憨笑）很好，很好，（翻翻山羊眼）其实办工业也是我的偏锋，（轻轻抚拍自己的肚皮）为国家，为民族，在此时也是不得已而为之。抗战结束，国家一有定局，我要完全交给在行的人如沈先生，凌先生这样去办。

易范奇 （开始做出来一点局促的模样。）何先生太谦虚了，抗战后中国全盘工业化的希望完全系在何先生的身上。

何湘如 （憨笑）很好，很好，（像是十分满意地）易先生有工夫可以到我那里去谈谈。哦，这个——（叫）卢秘书。

卢仲由 （连忙走上）二先生。

何湘如 明天请的哪些人吃饭？

卢仲由 庄部长，潘总经理，楚局长，靳秘书长，还有成次长——

何湘如 好，给易先生，送个请帖过去。（附赘一个理由似的）成次长你跟他也是熟人。

易范奇 （面有得色，却非常谦恭地）是，是。

何湘如 （体贴入微地）卢秘书，此地很远，明天派一个车子来接易协理，我也很想跟一个写文章的人谈谈。很好，很好。

〔余处长由双门上。

余涤凡 都预备好了，请何董事长训话吧。

何湘如 好好。

易范奇 （逐渐卑微，开始站在何的立场上说话。）奇怪，沈先生怎么还没有打完。（说完并不去找。）

何湘如 不用请他，他们老朋友让他们多多谈谈吧。（正要举步）

〔沈由内上。

何湘如 怎么样，蛰夫，（微笑中露出骄悍之色）你想清楚没有？

沈蛰夫 （愕然）哦，（挑衅地）很清楚，这次借款的数目，我认为没有更改的必要。

何湘如 （狞起眼睛，鼻子嗤了一声，立刻微笑着）哦，哦。很好，很好。

沈蛰夫 （瞥见余，对何）请吧。

何湘如 （望沈）请请。

〔余处长刚刚走下，梁爱米由双门上。

梁爱米 （落落大方地）沈伯伯，何——

何湘如 哦，你，（微微一怔，立刻）你的父亲从沦陷区有信来，——

梁爱米 （满不在乎，并不十分掩饰他们的亲密）哦，说什么？

沈蛰夫 （对米）你先在此地坐一坐啊，何老伯还要——

易范奇 （看出风头，机警地）要不我们先走一步，蛰夫先生。

沈蛰夫 嗯，嗯。

〔沈随易由双门下。

梁爱米 （伸手）信呢？

何湘如 （不理，对外叫）王主任在此地么？

卢仲由 在，在外面，王主任。

〔那猫儿脸的中年人立刻走上。

王主任 （恭谨地）二先生。

何湘如　卢秘书，你先下去。

卢仲由　是。

〔卢下。

何湘如　（好久，脸上肌肉一棱一棱地突起，冷狠的目光投射出来）王主任，你去通知泰兴，通中，叫他们立刻退出贷款银团。

王主任　（暗暗吃惊）哦，是。

何湘如　（不动声色）明天就办！

王主任　是，晓得，晓得。

何湘如　（清清楚楚）告诉他们，对祥丰土铁厂尽量通融贴现。

王主任　可是他们头寸现在——

何湘如　我会给他们“重贴现”[1]，叫他们放心。

王主任　（小心谨慎）是。

何湘如　（沉吟）关于贷款银团里面剩下的三个行庄——

王主任　（窥测心理）您是不是也叫他们退——

何湘如　（蓦地傲然微笑）不用了，叫这些不听话的留点余地吧。

王主任　回头是否作我个人的意思对他们两个行谈？

何湘如　也好，去吧。

〔王下。

梁爱米　我父亲的信呢？

何湘如　（笑眯眯地）你的父亲送给你（衣袋里摸出一只蓝光灿烂的

1　商家以期票向银行贴现，银行又以之向中央银行贴现，谓之重贴现。

钻戒）一样东西。

梁爱米　（并不惊讶地）哦，你到底买来了。

何湘如　（递在她手里）别人送的，（不在意下）还好，四个卡啦的蓝钻。（细声憨笑）Emmy，你以后可不可以少到此地来？

梁爱米　（把钻戒戴在手指上，端详）这是我的自由。

何湘如　（没有办法）好，随你。（恳求）今天晚上你进城来玩吧？

梁爱米　不。

何湘如　（放任地）好，也随你。（忽然狡猾地做出想起来的神色）美金储蓄，黄少斋按官价匀给你五千，钱已经付了。

梁爱米　（戒指换在另外一个手指上，伸手）你看，好看吧？

何湘如　（不睬）怎么样，（迫切）你什么时候进城来拿？

梁爱米　（不在意地）后天吧。

何湘如　（高兴）好，派车来接你。

梁爱米　（瞟了他一眼）不用，我自己来。

〔卢由双门上。

卢仲由　（怕葸葸地）二先生，大家——

何湘如　好，（对米）再见。

〔何由双门下，余处长和外面的光头胖子提着公事皮包随在后面。

卢仲由　（胁肩谄笑）今天早晨送来两箱Delmont罐头同十条Camel——

梁爱米　（淡淡地）看见了，谁送的。

卢仲由　长兴运输公司董会计长送的。

梁爱米 （一怔）我不认识。

卢仲由 （卑躬屈膝）都是二先生的老部下，您只管收下吧。

梁爱米 （冷冷地）送回去，我家并不是货栈。

卢仲由 （嘻开嘴笑）董会计长也是一片诚心，也没有希望什么。他说他跟您过去在美国是同学——

梁爱米 （恼嗔）又是你们在外面多嘴。

卢仲由 哪里敢我们，哦，梁小姐，您上次存我那里一点款子——

梁爱米 （几乎记不得）我？——

卢仲由 您忘了？二十万现款，我一个朋友正在市面上收了一点美孚汽缸油，我跟您已经搭上了一股。

梁爱米 （把方才忘在桌上的手套和折扇拾起来）好，随便你们。（就走）

卢仲由 （跟在后面）这生意，三十天就是个对本，到月底我跟您亲自送来。

梁爱米 也随你吧。（走出）

〔爱米正走出时，王主任气急败坏地跑了进来与爱米打了个照面，叫了声“梁小姐”，梁爱米点点头走下。

王主任 （抓着卢）二先生呢？

卢仲由 训话去了。

王主任 （气喘）城里派车子来请二先生立刻回去谈话。

卢仲由 谁？

王主任 谁？还有谁？你快去告诉吧。（拍拍卢肩）告诉你了，（瞪眼望卢，像诧怪他会猜不出来。）

卢仲由　（懒洋洋地）倒霉的事总是我！训话，训话，还没有训，又得回去了。（忽然幸灾乐祸地）我怕回去又要吃排头吧？

王主任　（作作揖）老爷子，你从好处想吧！

〔吴天长和古恭宪满嘴牢骚，口里“咻，咻”连声说着骂着走进来。

吴天长　（见王、卢，一指）喝，你们两个还不走，何先生就上车了。

卢仲由
　　　　（同时着急）要走了？
王主任　　　　　　　　他晓得了？

吴天长　城里派来的人当时就告诉他了。

卢仲由　（连忙）走，走，走。

王主任　（埋怨地）你呀，你呀！

〔二人慌忙走向双门，廖又跑来，后面随着方才那个提公事包的胖子，满头大汗，亦在大声呼寻。杨味斋[1]也夹在当中。

廖再兴　二先生就上车了，上车了！

胖　子　王主任！卢秘书！

杨味斋　仲由兄，仲由兄！（三个人喊成一团）

卢仲由
　　　　（在门口同时答应）来了，来了。（奔出）
王主任

杨味斋　（一见卢，拉住）今天晚上舍下的便，便，舍下的便——

卢仲由　（摔开，大叫）你饶了我吧，杨大爷，（跑了一步，突然）啊呀！

1　“杨味斋”底本作“杨未斋”，当作“杨味斋”。

〔卢在乱嘈嘈的声音中，又气呼呼地跑回来，赶到桌前拿起方才二先生吃的补药就走，杨味斋六神无主，懵懵懂懂地跟着乱跑，卢刚刚一步迈出门槛，他蓦地警醒，连呼"仲由兄，仲由兄"惶惶奔下。

吴天长　（奚落）你看，这群惨相！

〔此时外面又陆续传来人群恭送出门乱步声，开车门声，汽车喇叭声，众人送别声，汽车疾驶而去声一乘，两乘，三乘，连接驶去。

古恭宪　（莫明其妙）新董事长呢？新董事长呢？他究竟在哪里讲演？

吴天长　他走了。

古恭宪　（睁大眼）走了，把我们叫来，他又走了？

吴天长　先生，你不冤枉，冤枉的是在今天全公司等了一天，预备了一天的人。

〔沈承灿也气冲冲地走上。

沈承灿　这太岂有此理！

古恭宪　（憋不出一句话，摇着头）这真是浪费。

吴天长　这才是官僚作风！

古恭宪　（半晌）混账，混账！

〔梁爱米由双门上。

梁爱米　（高兴地）承灿，容熙又回来了。

沈承灿　怎么？

梁爱米　你们交通车开了半公里就坏了。

沈承灿　（惊喜）她在哪儿？

梁爱米 （一指）在大门口。

〔灿正要走下，沈蛰夫与易范奇上。

沈蛰夫 （盛气）荒唐，荒唐！

易范奇 （低声）听说是——

沈蛰夫 （见灿就要出去）承灿，等一等，今天晚上几点钟出钢？

沈承灿 （捺下心头的喜悦）十二点一刻。

沈蛰夫 （愤愤地）好，大家预备出钢，我们不顾一切，扩充生产！记住，我们现在正在水当中搭桥，我们应该不怕任何人拆桥的。

〔大家肃然无声。

易范奇 （鬼头鬼脑，低声）是不是凌先生的电话里面？

沈蛰夫 （对大家）好，大家准备。

〔众人正要动转时——。

——闭幕

第二幕

第一景

同日，夜十二时，懋华钢铁公司炼钢厂的办公室。

办公室设在厂中二楼，有窄长望台可以俯瞰全厂。厂中装设化铁炉[1]，鼓风机[2]，蒸汽锅炉[3]，预热炉[4]，以及其他大大小小炼钢的机件。最触目的是三座贝氏回转炉[5]，其中最小的有二吨容量，准备今夜吹钢[6]，其余两座正在赶装，有许多钳工[7]在附近工作。厂中遍地铺满了细砂，和几处一堆堆的铁块，火气炙人，骤然进来满耳都是风激、轮辊、轴

1 贝氏炼钢法需先将生铁于化铁炉内化成熔液（铁水）再行倾入贝斯麦炉内。——底本注。

2 化成之铁水温度甚高，用鼓风机打入空气，使铁水内杂质与空气中之氧化合成渣，有氧化作用且可发生热力。——底本注。

3 鼓风机之原动力系用蒸汽机拖动，蒸汽则由锅炉烧水而发生者。——底本注。

4 用作铸钢件之模子，需于预热炉中预热之，以免钢水倾入时遇冷影响钢之品质。——底本注。

5 贝氏炼钢法之炼钢炉，在炼制过程中常有回旋动作，亦称为贝氏回旋炉（Bessemer Converter）。——底本注。

6 贝氏炼钢法因需将空气打入铁水之炉中，杂质被吹出，故炉口火焰甚高，通常称之为“吹钢”。——底本注。

7 修理及装配之技术工人。——底本注。

转、气爆，以及各种震人耳鼓的冲击、撞碰，爆烈的声音，纷乱，喧嚣得看不出一点条理。

溽暑蒸人，到深夜还没有一丝风，厂中更是无比的酷热窒闷。在乱哄哄的响声中，所看见的是煤气机[1]喷着火，电焊器[2]闪耀刺眼的蓝光，锅炉间同鼓风间[3]明亮如昼，炉口吐出使人昏眩的火焰，轮子急转如飞，冷风压进三丈多高的化铁炉内，烟囱轰轰响，冒出黯淡的红光。炉旁翻砂模[4]里流满了橘红色的熔铁，模边砂地上一堆透红的煤滓还在游移浮动着黄蓝的小火舌。浇锭坑[5]刚刚烧过了焦炭，小工们沿着坑的边缘在扒捞那熊熊的余烬。这些地方连脚下的砂也都是滚烫的。站在厂中高处望得见全厂的员工在火光下穿梭般地来来去去，正在紧张地工作中。远在厂的尽头，另外一座贝氏炉附近，两座巨大的汽锤[6]上下冲撞，周围还有几座打铁的红炉[7]，锄头起伏，火星乱射。

厂顶钢梁上装设铁罩电灯，灯光青亮。两架起重机横跨在钢骨水泥的两面厚壁上由地面吊起硕重的炉壳、钢板、钢桶、钢模，和其他

1 需预热者有过大或不便放于预热炉内，可用煤气直接燃烧以预热之，所用煤气则由煤气发生炉供给之。——底本注。

2 用电力发生弧光借其热力以焊接钢铁之机器。——底本注。

3 装置锅炉及鼓风机之房间。——底本注。

4 用耐火泥砂做成之模型俾能耐高温度，以浇铸钢件。——底本注。

5 炼成之钢水先浇成长方形之钢锭，（半成品）而后加以轧制成为各型之成品（如钢轨、元条等），浇铸钢锭时所用之钢锭各模型放于较低之浇钢坑内，以便于工作。——底本注。

6 用蒸汽操纵大铁锤，以锻制钢坯成各种形状。——底本注。

7 锻制钢坯需先放“红炉”内烧红后方可使之变形。——底本注。

的机件，在人们头顶上徐徐行驶。

观众看到的是厂中二楼的工程师办公室。室为斜方形，面对观众最宽的一面墙——即正墙——是斜的，左右——以演员左右为左右——两墙即直形折下，左墙较右墙约宽一倍。正面斜墙左边有一排钢框六扇对开门，占全墙宽度的一半。门外是二尺余宽的窄长望台，围着矮矮的铁栏。起重机与望台间距离只一尺左右，行驶时，起重机上司机台的边缘正从望台前掠过。开着门，人们从室内可以瞭见一些屋顶、钢梁，对面熔铁炉的上端，两吨容量的贝氏炉上的炉罩，起重机活的吊索，和来往于望台前的起重机司机台的下段，甚至可以看见，开起重机的人的腿和脚从眼前过去。望台左边短墙上有两排白色电瓷箍，黑橡皮线由这里拉出去。左墙并开二门，近台口的通库房，靠后的通下面厂地，门外有带着铁栏的洋灰梯阶。右墙仅开一窄长的钢槅窗。窗下摆着一个放焦铁样品的鸽笼式灰漆木架，每一格的边上都标注了品名和号码。架上放着茶壶茶杯，和一把正在嗬嗬地响着的电风扇。架前地上放一个有圆秤盘的磅秤，秤旁边堆了一些装“脱氧配料”[1]，如锰铁镜铁[2]之类的小麻袋，袋口白线绳上束着料名的卡片。正面斜墙的右半边，即六扇钢框门之右，陷进二尺余深，与左边门外望台平行。陷进处放着一个三尺宽的长条灰漆连柜化验台，柜门关闭。台面上右端有一座如横倒的圆柱子似的电碳炉[3]，炉身下有电线

1　以免钢水过分氧化之还原剂。——底本注。

2　以免钢水过分氧化之还原剂。——底本注。

3　以电力化验钢内碳素成分之仪器。——底本注。

联在墙上的电闸板和嵌在柜门上的变压器，电流计及伏特计。炉两头联通瓷管、皮管、U形管以及各种复杂的玻璃瓶管，尽头处又与右边地上立着半人多高的钢制氧气筒相连。两三个“坩埚”[1]和“瓷舟”[2]散放在炉前。台面左端正燃着小煤气管，管上有铁架，架着为化验焦炭用的细颈瓶、玻璃管。靠墙也立着一排排的玻璃瓶和试管，里面装着化验用品及正在分析中的试样。台子中间略靠墙放一具有玻璃罩子的精细的天秤。台子上面墙壁挂着温度颜色指示图，和两张镶着黑漆镜框的贝氏炉的设计蓝图。在化验台与左边的一排门之间，略近门处墙壁上，悬有红色水柱风压表，细管从门框边特挖的小隙孔通到望台下的鼓风间。近化验台处挂着一面黑板，上书“一号两吨贝斯麦炉于今夜十二时一刻首次开炉”，旁边则是临时记下与焦炭有关的数字。板上墙壁挂了一个圆钟，正指十一时半。通望台门左挂着红漆震旦灭火机，下面堆着待修的齿轮、轴辊、风叶子、活塞杆[3]之类的零件。再前又有一堆工人用的避火帽、围裙、手套、包脚布和木鞋。左墙两门之间的壁上，分上下挂两块横方木板，板上四排铁钉，整齐而密密地挂着竹制的小牌子，用楷书写着厂中各班工人的名字，分成吹钢、铸钢、平板、翻砂、红炉、配备[4]……种种班别，近台口的门框上钉着库房的木牌。

---

1 装化验之用具。——底本注。

2 装化验之用具。——底本注。

3 汽缸内推动活塞往复上下之杆子。——底本注。

4 配备原料。——底本注。

正中两张办公桌微斜着对面拼在一起，桌上有电话机，两座绿漆铁罩台灯、算盘、文具、计算尺、丁字尺、按铃、蓝图、玻璃杯、工程师戴的避火圆草帽等。桌前相对各放一把藤椅。桌端有一专放模型的矮桌，正接近观众面前，上面放一座二尺高俱有全套附属设备的贝氏炉的模型，如鼓风机、化铁炉和钢梁上的起重机等，制作精巧，各部皆可自动，所有式样装设与厂下实物无异。

〔开幕时通望台的门是完全敞开的，下面马达、鼓风机、起重机、远处汽钟、工人叫喊，各种声音纷至沓来，使得屋子里人们说话都有些听不清楚。望台下火光照耀，起重机在望台的矮栏前来往徐驶。屋内电扇急转，两座台灯通亮，办公桌与化验台前都有人在工作。

〔左墙靠后，通厂下的绿铁纱门时常有工人推开走进。门外钢架上装设着两盏铁罩电灯，向四处射出刺眼的光芒。门外，门上角砖墙上，横着两排白晶晶的圆形绝缘电瓷箍，粗黑橡皮电线由对面电杆上拉过来，又越过望台引到厂下。绝缘电瓷箍下有一架小小钻床[1]，连着一具小型马达。

〔门前梯阶最上一层的空地，较梯阶本身宽出一倍，铁栏弯过来围着。这小方空地上特为放着工人们饮水的茶缸和自来水龙头，沿着屋檐有洋铁皮顶覆盖着。从纱门里亦隐约望见各种工作的工人往来不绝。时常有大汗淋漓，但仍未

1　钻孔之工具。——底本注。

忘随身带着自己工作的工具——如“签子”[1]、錾子、扒子之类——的工人跑上来，扭开龙头，从颈上拉下汗渍的毛巾，用水浸透，从头脸到肩背，痛快地淋洗一遍，喝两口水和同伴们随便问答几句话，又将水浸的毛巾围在颈上，拾起工具，匆匆跑下阶去。

〔室内化验台前站着一个瘦小身材，三十模样的化验员王振洪。他在睇视那正燃烧中的液体；由于他的凝神，手中的扇子时挥时停。他有时把试验管放在天平上称，又数次地俯身在台子上用铅笔记算，然后将黑板上的数字涂改了一个。他频频回首看那通望台的门，显出烦躁的神情，终于走过去把门掩上，才觉得稍稍安静些。

〔扑在办公桌上写东西的，是才进厂不久，二十三岁的工务员田启贤，胖脸团团的，戴着玳瑁边眼镜，时常浮着一层似天真而又世故的笑容。因为胖，就特别怕热，额上的汗不住地向下淌，溜过眼角，甚至溜到鼻头，滴在纸上。他频繁地取下眼镜来擦，并忙着挥扇，这动作几乎占了他工作的一半时间，可是又不得不割舍手中的扇子来填写那些加工单，工料检查表之类的文件，又得随时取过算盘，迅速的敲一遍之后，才盖章存档。

〔工人们从近台口的临时库房走出，把领到的物件交给他看过之后点核，再把领物单交给他盖上章存了底，然后才拿

1　用以使铁水畅流之工具。——底本注。

着物件和单子走出通厂下的门。同时又有工人正好刚从门外进来，拿着领物单请他盖章后，向库房领物。

〔现在他桌边正站着一个戴草帽，满脸络腮胡子，又黑又矮的工人，他利用了所有的方法，很为难地拿着两把“皮老虎”[1]，两身“围裙”，一把一人高的钢勺和签子，錾子，还有一包茶叶这些东西。

田启贤　（看着领物单）你是吹钢班的？

吹钢工人（抽出乌黑一团的破毛巾，揩着颈上的汗）吹钢班的，田先生。

〔此时由通厂下门又进来一个身穿漏洞背心，上面满是油渍的高个子工人，从容不迫地也递上一张领物单子。

机　工　田先生。

田启贤　（望望他，然后低头查看他交上的单子）汽缸油[2]三磅——

机　工　“带扣子”[3]两副。

田启贤　（盖上图章，把单子交给他）库房领。

〔机工持单向库房走去。

田启贤　（转对吹钢工人）东西领齐了？

吹钢工人（很礼貌地伸出手里的东西）签子，錾子，围裙，勺子，这都是我们吹钢班用的。两把皮老虎有一把是翻砂班的，这

1　皮制，以两手操纵之小鼓风器。——底本注。

2　减少汽缸内之摩擦，同时摩擦发生热，由油吸收。——底本注。

3　连接皮带两端之扣子。——底本注。

把钢勺是颜先生叫多预备的，剩下还有这包茶叶——

田启贤　（有点诧异）茶叶？外面不是有你们的茶缸吗？

吹钢工人（慢条斯理地）这是替临时搭的那四盘红炉子领的。厂子大，红炉班在第三号贝氏炉那头。上下手也有十来个人赶活。天太热，打铁的师傅们没茶也拿不起榔头。

田启贤　以后还是叫他们自己来领好了。

吹钢工人（连声答应）哎哎，哎。

〔吹钢工人规规矩矩对田启贤鞠一躬抱着东西下。

〔田立刻抓起扇子正想起来走动一下，刚巧从库房又进来一个短小精干的钳工，手里拿着“扳手”、“起子”和“石棉”[1]。

田启贤　（用力扇了两下，将扇子丢在一边，嘘了口气坐正，接过他递来的领物单。）你是——

钳　工　（干脆地）乔兴福，本厂第三号贝氏炉的钳工。

田启贤　（核对领物单）都领了？

钳　工　（举起手中物件）十二吋扳手一把，三号的起子两把，石棉一捆。

田启贤　对了。

〔钳工点头示礼，持工具下。

田启贤　（掏出手帕，满脸揩了一阵，匆匆登记后，连拍桌上的按铃，将笔一放，随即立起）喝，真热！

〔一个穿土布上衣的杂役工友走进。

1　耐火材料。——底本注。

工　友　田先生。

田启贤　你把地上那堆围裙，手套，包脚布，草帽，立刻送给吹钢股颜先生。（拿起领物单）请他在这张单子上签字盖章，跟着就拿回来。

工　友　是。

〔工友抱起那些避火物件，拿着单子下。

田启贤　（把那几扇门又打开，提着衬衫的背面用力挥扇，看着望台外的起重机驶来驶去，不觉转头向正在做化验的王先生看了一眼，一半是自言自语）这会儿还好，起重机没出什么乱子。

王振洪　（低头工作，随口说）按说，出点乱子也不能怪，这么热的天，又是新手，更容易昏头。

田启贤　（走上望台，向外瞭望）小王，这一会寒暑表多少度？

王振洪　（抬头看看）一百零二。

田启贤　（伸伸舌头）我的天，还是晚上十一点哪！

王振洪　（也暂时停了工作，挥起扇来）哼，就跟白天一样热。

田启贤　（望着下面，低声数着）一，二，三，四，五……

王振洪　你数什么？

田启贤　（掉头看了他一下）一共是八个火头，各种火都有！（又回头注视）电火，煤火，炭火，柴火，还不算远远那四盘红炉。（更探身向下望，忽然）喂，眼中钉来了。

王振洪　（莫明其妙）啊？

田启贤　（拖长声音）杨味斋！

王振洪　你别这么大声叫，现在“眼中钉”也是我们的老板了，杨董事了。你小心他——

田启贤　他，董事?

〔方才进库房的机工提着油桶和带扣子走出来。

机　工　田先生。

田启贤　（走回来接过领物单）你的名字?

机　工　刘宗秀。

田启贤　鼓风间的?

机　工　是，机工，夜班的。

〔先前送东西出去的杂役工人上，把签了字盖了章的单子交给田即下。

田启贤　（接过来看了一眼放在桌上又对机工）你们领班的名字?

机　工　张德望。

田启贤　东西都领对了?

机　工　（很不满地）库房韩先生只发了两磅，还是“红车油”[1]。

田启贤　（不大相信）我去问问。

〔田走进库房，机工刚要跟下去。

王振洪　（忽然停下工作，走到办公桌前，从抽屉里取出一张表。）喂，你等等。（递给机工）这是改订的工作表，副厂长看过，说是交给你们鼓风间的。

机　工　（接下，一望而知他觉得这工作非常吃力。）喝!

1　减少摩擦之油料。

王振洪 今天贝氏炉第一次开炉自然先不说。明天早班起，副厂长说要完全按表轮班。你先交给张领班贴上。回头颜先生会到鼓风间，当面跟你们谈。（又走回化验桌前。）

机　工 （老油子的口气）好吧，研究研究。

〔田由库房走出。

田启贤 （自语）奇怪！（对机工）美孚三号汽缸油这两天都叫人收了。（一面说，一面坐下改正领物单上的数字，加盖自己的图章）市面上就弄来一点三A牌红车油，公司好几个厂分着用。没法子，你先领这两磅去吧。

机　工 （诘问）可是明天夜班的？

田启贤 （无法）明天再说。

机　工 （硬硬地）就明天再说。

〔机工持油桶和带扣子下。

〔机工前脚出去，颜起紧接着匆匆上。颜起，一个廿四岁左右的青年，精明、能干、性格倔强、富有自信，非常理智而急于进取，整个学习的过程，全赖自己的坚定由刻苦中挣扎得来。离开学校不久，即走入社会，与人共事一径是“合则留，不合则去”的作风，不过对他所真正敬佩的人，他倒甘于虚心接受，也能勤谨专诚不倦地工作。另一方面，由于年轻，也由于家境一直是艰难，没有人注意，顾及他的修养和学习，因之待人接物还不能做到如一个所谓“有教养”的人那样得体。对一些粗心的，不能随心应手的工人，他的脾气缺少一点忍耐，甚至不免流于过分的急躁。

相反的，在必要时，却又很能以理智来抑止自己。他肤色白皙，长长脸，眼眸黑而灵活，当他无意约束自己时，就会露出一点骄傲，并且过分自信的神色。他身材瘦长，穿一套洗得很旧，却十分洁净的公司中的蓝布制服，式样与学生服大致相同。手中拿着避火草帽。

颜　起　（擦着汗，对田）沈先生呢？

田启贤　他一直在下面忙着没有上来。

颜　起　（从桌上拿起一卷蓝图，匆促地）我们贝氏炉旁边没有他。

王振洪　（也回过头来）那一定又到化铁炉后面看上料去了。

颜　起　（正低着头注视摊开的蓝图，随着手指仔细寻找，听见王的话）怎么？

王振洪　（转身）“炉料”[1]下去，化出来的铁水不够热，不能吹钢。

颜　起　（抬头惊急）哦？那现在怎么办？

王振洪　焦炭换了，——

田启贤　（已经放下笔在听，这时接下说）重新配料，第一炉的铁水拿去翻砂。

王振洪　刚才用的焦炭现在又从头化验。

田启贤　（愤慨）这就是杨味斋介绍的焦炭！

颜　起　化验什么，查他们送来的规格单，跟公司的化验报告就是了。

田启贤　（轻蔑地）他们的单子还有不合规格的？他们送来的试样，

1　装进化铁炉之原料。

规格，都对，送来的货就变了样了。

颜　起　（焦急地）可是这第二炉的铁水——？

王振洪　第二炉的铁水还不知道怎么样。现在炼铁厂的吴厂长也在那里帮忙。

颜　起　可是刚才我还看见杨味斋拉着他在厂里到处看呢。

田启贤　个王八蛋，他还要人陪？

王振洪　“眼中钉”是坐地虎，我看公司也是怕得罪他。

颜　起　（不耐地）不听，不听！人事，政治，干工程的人一遇见这些，就等于碰见鬼。我就干我的工程，一辈子不谈人事，不谈政治！

王振洪　（识趣地将话收住）喂，扇子在这儿。（顺手拾起一把扇子扔给他。）

颜　起　（接过扇子，迅速的挥着。看一下手表，坐在办公桌前面，忙忙从抽屉中取出一把计算尺——Slide rule——，按照图上的数字计算；同时用铅笔记录，一个人摇着头自语。）没有错，绝对没有错。

〔田替他把他面前的台灯扭开。

颜　起　（点点头）谢谢。（依然在忙碌。）

田启贤　怎么贝氏炉也出毛病了？

颜　起　没有什么，管世才又没有完全按照蓝图装机子。

田启贤　（笑着）是不是你手下那个开口闭口“三十年”的老领班？

颜　起　（气恼地）就是他！我的老祖父！他硬说我的蓝图错了。你想这么一个简单东西，炉子上的人工回转机！你，——（长嘘一声，又低头核算。）

王振洪　（也有同感，加入）用这帮经验太多的老领班，就是这点麻烦。他有他那一套，绝对固执，绝对不听说，——并且——

田启贤　（爽快地）瞧不起我们这批刚从大学出来的毛孩子。

〔廖再兴由外上。

廖再兴　（大模大样）杨董事在这儿没有？

田启贤　（也大模大样）干什么？

廖再兴　（像煞有介事）利生煤矿的吴总经理有电话来，（加重）二先生公馆转来的。

颜　起　（发烦）不在！不在！

〔廖自认“碰见了鬼！”，瞪了他们一眼，走出去。

王振洪　（回头见廖走出）听见没有？一定为着利生的焦炭，有点不放心。

〔话未说完，廖随即又上，王回转身。

廖再兴　杨公馆的人说杨委员是在炼钢厂参观开炉。

颜　起　（抬起头烦厌地瞪了一眼）不在，不在，不是说过不在！

廖再兴　（走到桌前一副翻脸不认人的神气）颜先生，都是同事，说话你怎么这么不客气？

颜　起　（依然，冷冷地）我们不认识什么杨委员，杨董事，我们赶着开炉，出钢，轧钢轨。我们在拼命，你们——

廖再兴　（不听他的话，脸一沉，拿出最后的武器，低声着重地）喂，喂，喂，电话是二先生那儿转来的。

颜　起　（倔强，轻蔑地）谁是二先生？厂里就认识炉子！

〔下面喊："颜先生！颜先生！"

王振洪　（闻声，到望台探头向下看，转对颜）颜起，副厂长找你！（又对下大声）颜先生就来，沈先生！

颜　起　（慢慢推开廖按在蓝图上的手，故意客气地）对不起，廖先生，请让开点。

〔颜拿起蓝图，由通外门走出。

廖再兴　（目送颜出门，压着无可奈何的闷气，一脸恶意的尖笑）怪不得这样恶呢，原来是沈副厂长的红人！

〔杨味斋与吴天长由外上。杨穿灰纺绸长衫，白丝袜，古铜色细草编织的四川凉鞋。手中挥一把磨光乌木折扇，不住的打开，阖上。吴天长穿厂中制服，脚上依然穿着他的厚皮鞋。背上衣服汗湿了一大块，满脸红红的，有一点酒意。

杨味斋　（撇不掉四川口音，笑着说）哎呀，这个地方，硬是孙悟空过火焰山，火热，火热，热得人要发痧！

廖再兴　（立刻紧张）外边的！倒茶，快打手巾把来！

〔廖急忙走出门。

杨味斋　要得。（摇头）这些工人的汗臭硬是难闻喽！（忽对吴）天长兄，这一下可忙倒你了。

吴天长　（大声说着他的山东话）好说，好说！（指着给杨介绍）田先生！王先生！（又转对田、王二人，嘻嘻哈哈地）这是我们的地主，杨委员，杨董事，杨绅粮！从前热心农业，现在热心工业。今天晚上特别热心钢铁，要我讲讲出钢。咱就借这办公室，讲它个五分钟的！（回头对杨）可是杨董事，我们都是过火焰山的，五分钟以后我可就不奉陪喽。

〔廖又上，自己拿着手巾把，后随工人，捧着茶。

杨味斋 （接下手巾擦脸，对廖点点头，一面答复吴的话）好，要得，要得。

吴天长 （见廖也向他递过手巾，瞠目而望，不相信地对廖）我的？哎呀，廖先生，今天可太客气咧。

廖再兴 （不经意）哪里话。（对杨，肃然有礼地）杨董事，二先生公馆里来了长途电话。

杨味斋 （蓦地扔下手巾，又急，又懊恼）为什么早不讲呕？哪里？哪里？哪里去接？（匆忙向外走）

廖再兴 （跟在后面）是利生煤矿借的电话。

杨味斋 （忽然止步）哦，利生煤矿的！

廖再兴 利生煤矿吴元亮吴总经理——

杨味斋 （又有些兴奋）哦，吴总经理！

廖再兴 （连忙）不，不是，吴总经理派煤矿黄科长打来的。

杨味斋 （扫兴）他啊！那么，你替我接好了。你对他说没有问题。

廖再兴 他问杨董事那个焦——

杨味斋 （瞪着他，有点不耐）晓得，晓得，你对他讲杨大爷替二先生说的话总是作数的，吴总经理不得吃亏，二先生也不得给他亏吃。就对他讲没有问题，绝对没有问题。

吴天长 （急于脱身，乘机）算啦，讲“啥子”（山东口音的“啥子”，四川话“什么”的意思）炼钢呕，杨董事，你还是接你的电话去吧！

杨味斋 不，不，我要领教的，要领教的。

廖再兴 （犹疑）不过他问的——

杨味斋 （更不耐）晓得，晓得，你照我的话传给他听，他就“了然”（明白的意思）！好，好好，去吧。

〔廖由通外门下。

吴天长 （故意看看表）这一下就去了两分钟！（嬉笑怒骂的讽刺面孔）还讲不讲？不讲了吧！

杨味斋 （笑着拍吴的肩膀）讲，讲，抓到了专家，岂能轻轻放过？

吴天长 （也无可奈何，拖长语气）好！就讲！（把模型推过来）来，来，来，那么，杨董事咱们就讲他个三分钟的，炼钢这个小玩意。（用手一指，以说西洋景的架势，有声有色地）看准喽，这就是今天晚上要出钢的贝氏炉全套模型。（正要顺势讲下去）

杨味斋 （忽然打断，用一种诡秘的耳语的神气）喂，喂，怎么样？老同学，老学长，你说利生的焦炭是否用得？

吴天长 （大声笑起来）哎呀，杨董事，你这样称呼，我可担当不起。要提到你介绍来的焦炭哪——

杨味斋 （先声夺人，也扯起喉咙喊）自然，利生的焦炭成色好，那是出了名的。

吴天长 （微笑）出名咧倒是真的。好不好我可就不知道咧。

杨味斋 （很尴尬地）唳，唳，唳，老同学，一句话，你看公司用不用呢？

吴天长 （摇头，干脆）不知道。

杨味斋 （不惜再探听）那么，以你老哥的眼光来看呢？

吴天长 （依然笑嘻嘻）还是不知道。想打听那焦能不能用，那要找沈工程师，可现在沈工程师不会说；问化验室吧，化验室也不会讲；其实最明白，最想报告给杨董事听的，只有它（指着那模型），这出钢的炉子，可它一肚子的话又哭不出来。（忽然急转直下，哈哈大笑）哎呀，公司的公事不是我这小小的工程师跟你这“老大个儿”的董事们谈的。咱们还是出钢，谈出钢！（快刀削萝卜，朝着秃光光的脑袋唰地一擦，大声喝醒那心不在焉的杨味斋）请杨董事注意！（一把拉过杨味斋，指指点点，信口开河地说起来）今天出钢一共用两种炉子！一种叫“化铁炉”，就是这个高的，用焦炭的。一种叫“贝斯麦炉”，就是这个矮的，像墨水瓶子的，不用焦炭的。

杨味斋 （只好打起兴会）哦，（连连点头）哦，哦。

吴天长 要炼钢，先得把铁化成铁水。这铁水的温度可有个讲究，要一千二百度以上才能用。我们先在这个化铁炉里面一层一层装上好焦炭，好石灰，好灰口铁。

杨味斋 （恍然大悟）哦，灰口铁，那想必就是那土铁。

吴天长 （非常赞叹这位先知的“聪明”）对，对，对，就是“土铁”！（忽然声音稍低，一脸圆滑的轻蔑神气）可不是何董事长介绍的那种“土铁”。

杨味斋 （忍不住又乘机刺探）那么这焦炭呢？

吴天长 （故作不懂）现在装的？

杨味斋　嗯。

吴天长　（依然故我）那我还是不知道。（看着杨董事要出神，立刻）来吧，杨董事，咱们还是出钢！（又指化铁炉）上了料，点起火，开上鼓风机，呜啊呜的一个劲儿地打进风。这炉子就呼啊呼地热咧，冒烟咧，出火咧。（手一指，着重地）第一次，四十分钟！一千二百度的铁水就下来咧，我们就把铁水放进一个大包子里。

杨味斋　（渐入神，至此愕然）"包子"？

吴天长　（忙解释）包子不是你吃的猪肉包子，鸡肉包子，是咱们这些出臭汗的天天吃的钢包子。（指着模型上起重机吊着的一个小小的"挹注桶"）就是这个桶，外面是钢，里面是耐火砖，洋话叫Ladle[1]，工人们平时"牙祭"[2]打少咧，一看这个就叫——"包子"！

杨味斋　（拉起衣裾，对着下面不住地挥扇，浑身摆动，十分欣赏）幽默，幽默，天长兄真是幽默大师。

吴天长　（将眼一睖）"啥子"幽默，杨董事，我们就是肉缺点！好了，（又指点起来）这个"包子"满满装着铁水，高热铁水，我们就用这起重机吊起来，呜地一开，就开到这个炉子面前，这个贝——

1　为工作方便计，故将炼成之钢水注入一大桶内，即称之为挹注桶，此桶可以用起重机（吊车）任意移动至需浇铸钢品之部分。——底本注。

2　四川土话为大吃一顿意即"牙祭"。——底本注。

杨味斋　（一直点头）哦，哦。（偶然望见黑板上的字）贝斯麦炉。

吴天长　对，贝斯麦炉。（转身指望台那边）就是望台下面不远的那个大炉子。（又回指模型）这个贝斯麦炉有两个转动炉子的机器，一个是电“吹”的，叫电力回转机，（指着右手炉子承轴的地方）在这边。一个是人工的，叫人工回转机（又指一下）在那边。方才那一包子的铁水不是吊到炉子面前啦吗？我们就开机器，转炉子。这是炉口，（用手指轻轻一推那玩具似的电闸，炉身上的小回转机嗞嗞转动，炉身渐次倾斜）你看，呜啊呜地炉口就转斜了。起重机一提包子底下的吊钩，看着，（一根粗手指塞进那起重机上的小司机台里，慢慢一推电闸，那小挹注桶底下的铁钩缓缓地被绒绳一般粗细的铁链拉起，眼看着桶口对着炉口倾倒）这包子里的铁水不就这么流进去么？

杨味斋　（连声称赞）嗯，巧妙，巧妙！

吴天长　这还不算巧妙，真正的巧妙还在后头咧。铁水一进了炉，鼓风机就开车向炉子里打风，紧跟着转正了炉子，（自己也说得忘形，愈说愈快愈有劲）紧跟着又加急打风。

杨味斋　（也紧张起来）哪里打，哪里打？

吴天长　（匆匆忙忙在炉边一指，一口气说下去）这炉子边上有进风道，高压的冷风打进去；炉子里没有煤，没有焦，没有燃料；打进去是冷风，出来是热火；冷风吹进去，是越吹越热，越热我们就越吹；不过十分钟，温度倏地就一千六百来度！一会儿看吧，可好看咧，从这个炉口里喷出一丈多的大火，喝，一会儿绿，一会儿红，到处都是火花，越喷越大，越喷越大，不到十五分钟，哗地火从炉口忽然降下去。从头至尾一块焦炭也不用。炉子一倒就是钢，“低碳软钢”[1]，轧出来就是“轻磅钢轨”[2]，（忽然低声，眼睛一挤，神秘地）换法币！

〔田、王二人在一边听着忍不住偷偷地笑。

杨味斋　（听得出了神）巧妙，巧妙，硬是巧妙。

吴天长　（突地泄了气，长叹一声，非常惋惜地）巧是巧啊，可惜不是俺吴天长发明的。这是我们的老同行贝斯麦贝先生发明的。

杨味斋　（望着模型，余梦未醒，尚在出神，自语）了不得，了不得，科学万能，科学万能。（忽然一个提议）你们该呈请二先生颁发奖金才对哟。（又很关怀地）那么这位贝先生现在公司哪一部分做事？

吴天长　（没料到）你说贝老先生？

杨味斋　（俨然要人的神气）嗯嗯，斯麦兄。

吴天长　（忽然一本正经地）报告杨董事，贝斯麦兄跟邱吉尔邱同志是同乡。九十年前，他发明这个炉子以后，本想来中国找二先生请奖金，可是汽划子没赶上，回家一生气连吃了五个钢包子，给噎死咧。

1　钢内含碳素较少者，性质较软。——底本注。

2　运输用之中小型钢轨，每码重量在三十五磅以下者。——底本注。

杨味斋 （先一愣，继而又不得不掩饰的笑出来）啊，幽默！幽默！天长兄，你硬是不愧为幽默大家。

吴天长 （看一下表笑着）五分钟完毕。（像煞有介事地）不知道杨董事还要吩咐天长讲些什么地方？

杨味斋 天长兄，老同学，你怎么这样拘泥哟！不过，天长！——

吴天长 （夸张地）是，杨董事。

杨味斋 （高谈阔论）不瞒你老兄说，我一生最喜欢科学，也最喜欢提倡科学。（感叹）老同学，今日何日呕？今日是科学万能时代！是“物质不灭”的时代！凡是中国人，要救中国，必须使中国科学化，工业化，时代化。（一转）方才你说这个贝斯麦炉，只吹冷风，不加煤炭，就发起火来，这是何以故呢？

吴天长 （笑着摇头）这个讲来话长，天机不可泄露。（故意做一副愁苦的面孔）杨董事，杨大绅粮，米可又涨喽！一担一担的法币坐着赚还嫌不够本的，办银行，做生意，囤东西，弄得布涨，油涨，五金涨，现在连焦炭都涨了。（又笑起来）我若果把这点天机也传授给你，日后万一冷风也跟着有了行市，涨了价，我们干工程的不是连钢包子都吃不成咧？（拍拍杨的肩）得了，杨先生，您一向贵忙，我们要开炉，我们还得帮着出点臭汗。说不定易协理还等着跟你谈点生意。（连忙喊）廖先生，廖先生！（不见到来，赶忙打发）得，我陪你出门！

杨味斋 （有点不快）天长兄，你这会子可不大幽默哟。

吴天长　得了，等到此地的天气更热了，到了个一百五六十度，我到你府上再打搅几斤辣乎乎的大曲，那时我再给你多多幽默几句，给你去去暑气！（又对门口大喊，推着杨味斋，故作声势）开门，杨董事下来了。

〔通外门倏地打开，匆匆促促走进沈承灿。

杨味斋　（瞥见）沈少翁！

沈承灿　（点点头，对吴）喂，吴先生——

吴天长　（不理，依然喊）开门，开门，（门口杂役连忙开门，吴拥着杨的背一路走出）开门！（对门外正走上来的工人）站开点，别熏着我们！

沈承灿　（向王、田）他这是怎么回事？

〔吴又打开纱门。

吴天长　（伸进头）我就上来。

〔吴天长又缩身出去。

田启贤　（笑着）也许吴主任又喝了两盅去暑的酒。

沈承灿　（放下汗透了的蓝制服上身，用手中的草帽挥扇）王先生，焦炭试样化验怎么样？

王振兴　（正在抄写算清的结果）就完。

沈承灿　（对田）今天夜班工作程序表？

田启贤　（递给他）这里。

沈承灿　（一目了然）明天日班的？

〔田递给他。

沈承灿　（阅过）请你把吹钢跟浇钢部分对调一下，还请颜先生值班，再辛苦一次。领班工头要徐福顺，这两天先选经验多的用。

〔吴天长跑上。

吴天长 （如释重负）我可把这个孽障打发走了。（抹去额头的汗）喝点水！喝点水！喝点水！

〔吴快步走到沙滤缸前倒水。

沈承灿 （微笑）怎么样？累了吧？

〔田递过来一叠文件，灿又忙着签字，盖章，改正文件上偶然的错误。

吴天长 （一面倒水，回头）不累，就是一见他心里就堵得慌。他要我讲出钢，我是牵着猴儿狲逛博物馆，给他乱讲了一泡。这个孽障！他哪里是要听？他就是打听他介绍的焦炭我们用不用就是咧。（一仰脖喝了半玻璃缸水，抹抹嘴角，端着水走近桌边）怎么样，化铁炉现在情形如何？

沈承灿 （把文件又递过去给田，放下笔）我看第二次上料以后的情形还好，你指点给包先生做的，他领着工人都做对了。

吴天长 （完全脱去方才玩笑的态度）那么风压呢？

沈承灿 还是一磅。

吴天长 风量呢？

沈承灿 改成一分钟七十五立方公尺。

吴天长 现在风眼亮不亮？

沈承灿 （望望他）自然亮。不过你厂里过来的那个"炉头"（此处系指管化铁炉的领班）——

吴天长 你放心，那"炉头"是个熟练工人，跟我多少年啦，上料，出铁都没有问题。跟公司在本地招来的大不相同。

沈承灿　（推敲）现在炉子设计没有错，燃料比例没有错，石灰石不错，那么错——

吴天长　错就错在这个倒霉的焦炭上咧。

王振洪　（这时拿着化验结果从后面递过来）大概吴先生说对了，副厂长，焦炭化验报告。

〔吴与灿同时看报告单。

沈承灿　（平静地）灰分百分之三十五。（放下单来，顿，严重地）那么“硫”推想可能在百分之四以上。

吴天长　天！这个跟他们送的规格单至少差了一半，这也叫作焦炭？送到红炉打铁都没有人要。

沈承灿　（气极，对王）这是几个试样的平均数？

王振洪　三个。

沈承灿　（气得说不出话来，望吴半天）想得到么？这种工业道德！

吴天长　（愤然把玻璃杯向桌上一放，有声有色地）气什么？这些东西才是“烂荷叶，破蒲包，鸡毛蒜皮，泔水桶，驴屎马粪琉璃球”，一句话，都不是个东西！（忽然又乐观起来，满面春风）别气，老弟，这一下，有咧，反正焦炭换啦，我们下一炉化出的铁水是成咧，没有问题咧。（大嘴一咧）老弟，现在是几分钟上一次料？

沈承灿　（沉思）五分钟。

吴天长　（两眼眯成一道缝）已经上了几批？

沈承灿　九批。（忽然想起另一件事，低头扯下便条就写）

吴天长　（一下拍在灿的背上，笑呵呵）那么再上两批就出铁咧，十分钟！出铁水！赶紧准备！老弟，我去看看就来报告。（跑出两步，又回来）再喝口水。（把玻璃缸中剩下的水一口喝尽）我就来。

〔吴由通外门匆匆下。

沈承灿　（点头）好，好。（拿起电话）接总经理住宅。（对王）王先生，请你把第一炉用的焦炭再检三个试样。（对电话）是总经理住宅么？请总经理说话。我是沈承灿。（又对王）连着我们的化验单一同送到公司总化验室，请你——（接电话）喂——（同时对王）对不起，等等。（对电话）我是承灿！哦，爸爸！我没有料到关于那焦炭，（顿，望着手中的化验单，赧赧然）还是您说对了。（忽然握着拳头）他们送来的焦跟他们自己的规格试样也完全不同。现在我把这可怕的焦炭再送到公司总化验室，请求张先生再做一个正式化验报告，明天一见早送到总经理室。……那么，明天上午利生煤矿的合同没有法子签订，嗯，不能签订了。……嗯，现在离吹钢的时间还有十五分钟。……您来看？欢迎您来，大家也希望您来，就是此地太热。归小姐睡了吧？……哦，爸，不要带她来看！好吧？嗯，还有十二分钟可以出钢！……嗯，等着您开炉！

田启贤　总经理要来？

沈承灿　（笑着）嗯，老头子高兴，也要来看看。王先生，请你把试样同这封信现在就交公司化验室，做正式报告。

〔王先生拿着信件由通外门出。

沈承灿 田先生，请你打电话给鼓风间，叫他们预备贝氏炉鼓风机，吹钢风压，我要再Check一下。

〔此时望台铁栏外两架起重机交替吊着许多铸模（Mgot Mold），下注底板[1]，翻砂模子，大大小小的挹注桶（Ladle）以及远处尚未装好的贝氏炉的钢板材料和炉壳，往来徐驶。楼下厂中火花照耀，人声嘈杂，煤气发生机和鼓风机同时开车，这声音使得空气都为之震动。承灿一脚蹬着那矮矮的铁栏，一手遮挡从厂内梁上射下来刺目的电光，向下探望。室中，田先生立刻向鼓风间通电话。

沈承灿 （探身下望，寻找）魏先生，魏先生！魏——（灯光向身边逼近，忽然感到起重机从右边压来，立刻抽回身，站直，起重机司机台恰恰从眼前擦过。）

〔下面闹声中有人帮着喊："老魏！老魏！沈先生找你。"

沈承灿 （复探身对魏摆手）魏先生，浇钢组准备！十一点五十分贝氏炉开炉。（下面应声："是，沈先生。"灿又直对楼下近处）颜起，颜先生，你听见啦？吹炼组准备，十一点五十分贝氏炉开炉。（又朝较远处）魏先生，那两吨半的Ladle已经预热[2]多久了。

〔下面声音："半点钟了。"

---

1 放置浇制钢锭模型之底板，使钢水分别流入各模内。——底本注。

2 即用煤气发生炉之煤气烧热之意。——底本注。

沈承灿 现在煤气发生情形怎么样?

〔下面:"现在完全好了。"

沈承灿 浇铸钢模都检查过了没有?

〔下面声音:"完全查过,早已放进预热炉里去了。"

沈承灿 记着!浇钢的时候教给工人尽量减少Splashing[1],大件用Float[2],Nozzle[3]要干净,别忘了我告诉你的Pouring Time[4]!稳稳的,老魏,浇的时候我在你旁边。

〔下面:"嗯,嗯,晓得,晓得,好,好极了!"

〔四下里热气腾升,灿不住地用避火草帽挥扇,忽然瞥见下面领着"帮工"[5]们工作的平板班领班。

沈承灿 喂,王师傅!王师傅!(在一片工作声中,看见一个人站起身来。)不是你!(摇手)不是你!我叫王阿福王领班。

〔下面一个上海口音的人对远处喊:"阿福!阿福!沈工程师喊侬!"立刻一个宁波口音的人来到窗下:"沈先生!"

沈承灿 王师傅,现在烤的Ladle你怎么砌的?那个两吨的Ladle?

〔在下面的是一个十分老练的领班:"阿是个两吨的'包子'弗啦?"

---

1 溅开。——底本注。

2 便于多量铁水畅流之设备。——底本注。

3 浇口。——底本注。

4 浇铸时间——快慢对于钢质有关系。——底本注。

5 尚熟练之技术工人。——底本注。

沈承灿　（点头，改用他们的术语）我就是说那两吨的“包子”。那包子底下的“出钢眼”[1]你上得牢靠不牢靠？

〔下面笑嘻嘻的：“牢靠，包侬牢靠。”

沈承灿　“火砖柱子”[2]跟“出钢眼”扣得紧不紧？

〔在下面：“紧！”

沈承灿　包子上的“杠杆”[3]灵不灵？

〔在下面：“灵，都灵，就是浇钢个辰光，起重机上的朋友弗大灵，个要触霉头格——！忽然大声叫喊——喂，慢！慢慢！”

〔灿倏地立起，那座起重机险些从灿探出的背上碾过。

沈承灿　喝！（望着那起重机驶去，忽转向下面近处。）颜起，炉子的进风口检查过没有？一会儿就要试风！

田启贤　鼓风间已经准备。方才下面电话报告化铁炉化铁情形经过良好。

沈承灿　嗯。Bessemer第一炉的脱氧配料[4]吹炼组拿下去没有？

田启贤　拿下去了。锰铁二十公斤，矽铁十五公斤，铝两公斤[5]。

1　把注桶内钢水由底部一孔流出，此法可免钢水表面浮渣与钢水同时流出，移动把注桶时，该孔需紧密以免漏出。——底本注。

2　用火砖做成之圆形塞子在出钢水孔上，可控制其流出。——底本注。

3　用杠杆操纵“火砖柱子”可控制钢水流出与否。——底本注。

4　脱氧配料有锰铁、矽铁及铝等皆可去除钢水中过分之氧，铝与氧之结合性较强，故加铝可与钢水中多余之氧化合可减少过分氧化。——底本注。

5　脱氧配料有锰铁、矽铁及铝等皆可去除钢水中过分之氧，铝与氧之结合性较强，故加铝可与钢水中多余之氧化合可减少过分氧化。——底本注。

沈承灿　好。请把Bessemer第四炉的锰铁换本地的Spiegel Eisen（镜铁）[1]试一试，配量三十公斤。（田颔首[2]）

〔小工由通外门进，把右面秤磅旁边一堆一堆的小袋配料搬下。

沈承灿　（拿起电话）接鼓风间，（转对田）告诉颜起，叫他发信号给鼓风间，准备开风。

田启贤　（走到望台上，向下喊）老颜，开信号灯，准备开风。

沈承灿　（对话机）鼓风间？张领班么？嗯。准备二号蒸气鼓风机。锅炉汽磅烧足了没有——？一会儿贝氏炉吹风，顶大照四百转开，颜先生把每挡的转数给你讲明白了吧——？[3]啊？……不是的。不，第四挡最大风压每平方吋四磅，风量每分钟八十立方尺——。（那面说的不明不白）啊？你只要转数对就成了。好，现在按照挡数再对一下。下边颜先生发信号，准备开车。（对田）发第一挡信号！

田启贤　（朝下喊）发第一挡信号！

〔当下贝氏炉口风声渐起。随着调速器的挡数增加，声音逐渐凶猛。后来厂中其他声音都埋入这撼人心魄的风声里。

〔墙上风压表的水银柱逐渐压起。

1　铁与锰之合成品。表面甚光，故称镜铁系用作还原剂。——底本注。

2　“颔首”底本作“领首”，当作“颔首”。

3　鼓风机打出之风，压力大小视鼓风机之转速而定，而转速则凭操纵之挡数决定之。——底本注。

沈承灿 （对田）站开点，你挡住了风压表！（田连忙躲开。灿盯着风压表，听着耳机上的报告，点头答应）嗯，嗯，嗯。（一面向田）第二挡！

田启贤 （对下面）第二挡！（下面颜起开始听不清楚，田大声）第二挡！（用手指表示。）

沈承灿 （也用手指）第三挡！

田启贤 （大喊）第三挡！第三挡！（伸出三个指头摇晃）第三挡！

沈承灿 （对田）第四挡！

田启贤 啊？

沈承灿 （掩着另一只耳朵，听耳机的报告）啊？嗯，嗯。（对田大喊）第四挡！（才想起要伸指头。）第四挡！

田启贤 （急呼）第四——（索性对下面反复伸着四个指头）

〔这时古恭宪由通外门进来。他穿黄咔叽布旧西裤，翻领短袖的贴身线衫，露出毛茸茸的胳膊和胸膛。拿着烟斗，挟着上衣，怒冲冲地拉着一个上身穿一件破坎肩，脚下却是一双新草鞋的小工走上来。这个小工刚刚提下几袋配料下去，现在大汗淋漓，手里紧紧抓着一只漏水铁桶，还不住地滴答着水。不知谁送他一身油污毛蓝布西裤，他莫明其妙地前后反着，用一根麻绳牢牢扎起。第一次进来时，一卷破布衫掖在腰后，现在布衫拿在手里，于是箍得紧紧的屁股上露出西裤前面的一排白扣子。裤管高高卷起，两只泥土颜色的粗腿挺得笔直。他说一口四川土话，——但是为着有些地方在演出上了解的方便，相仿意思的国语也写在每段对白后面。

小　工　（无可奈何地望着古，大声叫着）你“朗格”嘛？你要“朗格”嘛？你“古倒”我上来，你要“朗格”嘛？（相仿的国语：“怎么啦你？你要怎么？你死乞白赖地拉着我上来，你要干嘛吗你？”）

古恭宪　（紧紧拉着他的胳膊，烟斗连连在办公桌上敲，一口广东官话，愈急愈说得人糊涂。）喂，喂，Dr.沈！Dr.沈！警告他！惩罚他！这个小工是不是你厂里的小工？

沈承灿　（望着两个互相对叫，不知究竟，此时鼓风情形已检查完毕，于是对田）停风！（两手挥动，示意停止。）

田启贤　（挥手大叫）停风！

〔霎时风声渐息。厂中其他工作声又乘隙由台外传来。

沈承灿　（放下耳机，对田）告诉颜先生，很好。（转对古）他怎么啦？古先生？

田启贤　（对下面）老颜，很好。

古恭宪　（对灿，指着那小工的脸，结结巴巴）他，他是不是你们的小工？罚他！要罚他！

小　工　（连连翻白眼）做啥子？做啥子？我朗格哪吗？你叽叽喳喳说些啥子话哟？“古倒”我上来，你要朗格吗？（相仿的国语：“干嘛？干嘛？我怎么啦吗？叽里咕噜你一个劲儿地说，硬摆（把）我弄上来，你要干嘛吗你？”）

田启贤　（喝住小工）别说话！（对古）古厂长，他是我们厂里的工人。

古恭宪　Dr.沈，（大叫）个个嘢！（“这个人”的意思）个个嘢！一定要开他！开他！

小　工　（不示弱）我惹倒你吗朗格？天气朗格大，我们下力人在地上泼点水，你为啥子朗格恶哟？（相仿的国语：“我是惹着你啦怎么？老阳这么毒，我们卖苦力的就地上泼了点水，你就该这么凶啊？”）

沈承灿　（立起）泼水？

小　工　（看见灿也认为严重，有点气馁）泼点水，大家凉快些，有啥子关系嘛？（相仿的国语：“洒点水，大家舒坦，也不大要紧哪！”）

古恭宪　（忽然逼到小工的面前，眼睛瞪得滴溜圆）我不是你的厂长，我看你开着龙头，叫水在地上流，我就要管你。（更迫近）你晓得不晓得？水流在地上，碰见铁水，就会炸起来，叫你看不到你的老婆的。

小　工　（一肚子的火渐渐吓回去，连说）我们乡坝头，我们乡坝头，……（相仿的国语：“我们乡里，我们乡里，……”）

沈承灿　（对着小工）这是你错了。（平和地）你叫什么？

小　工　刘海青。（这是一个四川工农常用的名字。——相仿的北方名字：“刘德旺。”）

沈承灿　刘海青！

小　工　（在壮丁队中学来的一声）有！（相仿的国语：“有！”）

沈承灿　你下次开龙头用水，非关不可。厂里到处是铁水，凉水碰见铁水，一炸起来，——

田启贤　（插一句四川腔调的话）就像日本飞机“窝”（“下”的意思）

炸弹！

沈承灿　（笑着）嗯，嗯，就大家都完了。

古恭宪　（指着）Dr.沈，Dr.沈，你“睇睇”（“看看”的意思），他提着一桶水，四处乱泼，说了他，他还要泼。

沈承灿　你原先做什么的？

田启贤　（又是他的四川话）你原先经营啥子？（相仿的意思：“问你原先干什么的？”）

小　工　乡坝头帮“邱二”。（相仿的国语：“帮人种庄稼。”）

古恭宪　（睨视，连连问田）咪嘢？咪嘢？（“什么，什么？”的意思）

田启贤　就是长工。

小　工　（笑着）对头。（相仿的国语：“满对！”）

沈承灿　以后呢？

小　工　当泥水匠。

古恭宪　（不耐）Dr.沈，你应该把他交工务科开除。

沈承灿　古先生，现在厂里大半都是这样没有一点经验的工人，在后方，只好慢慢训练。你在哪一部分？

小　工　我在浇钢组。

古恭宪　你跟哪一个学的？

小　工　炉头叫我跟到他，倒滓子，拿扒子，用签子。

古恭宪　哪个叫你穿草鞋？

小　工　（抱歉地）生活高了，一双草鞋十大十块钱。在乡坝头下田，还不是天天打光脚板？乡坝头人哪个买得起你先生们的皮鞋？（相仿的国语：“东西贵了，一双草鞋就上十块。乡里种田的还不是成天光着脚，谁还买得起先生们的皮鞋呀?”）

沈承灿 我们不是这个意思。（指着小工手中的上身）你先把衣服穿上，把裤管也放下。

小　工 （莫明其妙）先生，天气热得“恼火”哟!（相仿的国语:“好家伙，还穿?”）

古恭宪 （威吓）不穿? 一会儿吹起钢，满厂都是火星，飞下来烫死你!

〔小工望望他，只好慢吞吞地穿。

沈承灿 不要吓他。（对小工）你不要怕。钢水并不可怕，可你应该穿衣服。穿上。（指着他的裤子）放下裤管。（小工弯身撂下裤子。）田先生，领他进库房，再叫他穿上大围裙。

小　工 （吃一惊）还要穿?

沈承灿 戴上避火帽，脸罩，手套，……

小　工 （忍不下）要“抓”（“做啥”的谐音）子呕?（相仿的国语:“这干嘛?”）

沈承灿 （不理他）包脚布，木鞋，把“炉头”用的，全套给他穿上。

小　工 （吓住）先生，那不要“整”（“治”的意思）死人喽?（相仿的国语：——自语——“喝，要猴儿啊这是?”）

沈承灿 去吧。（对田）以后所有的工人都先这么训练。

田启贤 （指着库房）走吧。

〔小工望望田，先走入库房。

沈承灿 （招呼田）哦，问他在什么地方洒的水，叫人赶紧用沙垫上。告诉领班，叫他们特别小心初来的工人到处泼水。

田启贤 嗯。

〔田走入库房。

古恭宪 （摇头）Dr.沈，你对他们太好，太好，在我轧钢厂，这样子不成的。

沈承灿 （一腔热诚的理想）这是少数从田里来的庄稼人。他们慢慢就学会工厂人的习惯，慢慢就会养成一种新的意识，新的看法。这些基本的规矩自然就渗到他们的脑筋里。告诉他们，教他们，接近他们，他们都可以成很好的工人。现在中国没有那么多的技工，农人们能来，肯来，难道因为一个个没有经验就都赶出去么？ Professor Henslowe提到中国工业化问题，就说过，他说——

古恭宪 （大不谓然）得了，Dr.沈，你的老师Henslowe到德国来，我在Krupp见过他——（一笔抹杀）哈，你的老师是个理想家，大炮，激烈分子，一个不是正路的钢铁专家。用他们美国话来说，他才真正是一个——

沈承灿 （不等他说完，怫然）Dr.古，我们是好朋友。可你认识Professor Henslowe几天？你根据什么可以乱批评他？他的理想你根本不会懂？他的事业你无法明白，他在钢铁发展史上的发明！

古恭宪 （轻藐，慢吞吞，一字一字地）他——有——发——明——么？

沈承灿 （愠怒，突然立起，冷冷地）Jetzt，Herrn Doktor. Was Kann ich Ihnen machen？（德语，口气是“那么，博士先生，现在

我能为你做什么吧？”）

古恭宪　（想不到他会这样发脾气）Ach，Gott！（摇头）好了，Dr.沈，我们不谈这个。（重修前好）好了，我倒是来向你暂时借几个技工的。

沈承灿　（伸手）名单子？

古恭宪　（递给他）

沈承灿　（看一下）可以，明天？还有？

古恭宪　你们不用的Steam Hammer（汽锤）请借给我们。

沈承灿　（简捷）可以。

古恭宪　再热炉的焦炭也要借。（顺手递过单子。）

沈承灿　（看后）也可以，还有什么？

古恭宪　没有什么。（有一点尴尬）谢谢你。（立起）今天晚上出钢情形？

沈承灿　起先不顺利，现在很好。

古恭宪　出钢不会有问题？

沈承灿　（决定）明天天亮准把钢锭送过去轧钢。

古恭宪　（眼里忽然浮出天真的喜悦）那么，出钢轨了！

沈承灿　（也露出笑容）嗯，出钢轨了。

古恭宪　（兴奋）我们又过了一个难关。（伸手）Dr.沈，忘记我方才说过的话。

沈承灿　（也有力地握手）好，忘记，再见。

〔古取起烟斗上衣向外走，这时颜起拿着蓝图由通外门上。

古恭宪　（瞥见颜起，突有所感，目不转睛地瞪着他，颜也愣住。古忽然转身又走到灿的前面，满脸“骨鲠在喉，非吐不可”的神色。）Dr.沈，我，我，我又有一句你，你不爱听的话。我觉得现在大学毕业生简直没有用。少学一点“微积分”，多拿几次钳子；少读几本“钢铁学”，多开几次炉子；这对钢铁生产要有用的多。Dr.沈，我觉得好领班比坏工程师对中国工业化有贡献的多！再见。

〔古三步两步地由通外门下。

颜　起　（望他出门）古先生为什么要对我们这样？

沈承灿　不要理他，他是个内行，就是偏见太多，太实际又太不实际。

颜　起　（沉肃）沈先生，我们真这样没有用么？

沈承灿　（和蔼）颜起，你记一句话，钢不是一次炼成的。你我都不是万能博士。我们有根基，我们就更要跟着最低的人学习。颜起，那贝氏炉的电力回转机你弄好了吧？

颜　起　（放下蓝图）您说对了，毛病查出来，（指模型）是在下面第三个齿轮，现在速度对了。（悻悻然）不过沈先生，我觉得我没有错。

沈承灿　（委婉）是的，你的蓝图一点没有错，但是管师傅的装法为着将就现在的材料是绝对可以的。只是他岁数大了，装宽了第三个齿轮，然而你不可以对他发那么大的脾气。你必须跟领班合作，跟工人打成一片。脑子发的命令如果手脚行不通，你要想法子改正，适应，解决。想想，如果手脚不是你的，只是这个脑筋，又有什么用？

颜　起　（颔首）嗯，沈先生。

沈承灿　（诚恳）你心里信我的话么？

颜　起　信。

沈承灿　（笑起来）你还想辞职不？

颜　起　（凝视）方才古先生骂得好，我不想走了，我要证明一下我们所受的教育。

沈承灿　对，好！（指着模型）那回转机上的马达你仔细检查没有？

颜　起　检查了，没有问题。

沈承灿　（追问）自动电闸靠得住？

颜　起　看了，靠得住。

沈承灿　（握着一根胶尺轻轻敲着桌角）那么乘没有上料吹钢以前，叫管开关的机匠再练习开几次。告诉他们钢水炼成，开了电闸（不觉触动模型上贝氏炉电力回转机的开关，炉身渐次向下倾倒。）倒钢的时候，这时候电闸绝对不能坏。一出毛病，闸不住炉子，两吨多重的钢水压着炉口（猛地按下模型上的炉口）呼地向下倒！钢水管不住，一流出来，见水就炸，见东西就烧，再遇见没有经验的工人，这是很危险的。

颜　起　我已经嘱咐过他们。

沈承灿　那么（指模型上炉坑）炉子下面炉坑烤干了没有？

颜　起　烤干了，昨天晚上就烤干了。

沈承灿　（过细地）里面没有水分啦？

颜　起　（自信）当然。

沈承灿 （对着模型，忽然指着）炉子这边的人工回转机你方才找工人试了没有？

颜　起 （踌躇）我，我没有。

沈承灿 （摇头，和婉的责备）哦，先生，你应该试的。

颜　起 （有点不服输地解释）我已经根据蓝图审查了一遍，并且前天也叫人转了试过。

沈承灿 （坚执）不，在开炉之前你还要试，你要定下哪几个工人管人工回转机。

颜　起 （自解）是，定下了。

沈承灿 （严重地）不，你还要叫他们练习，熟练，看看实际上要几个人才不费劲地转得动这个炉子，不费劲地“刹”得住这个炉子。没上料，炉子轻的时候怎么样？上了料，炉子重的时候又怎么样？这些小地方我们在开炉以前必须注意，疏忽不得。

颜　起 （耐不住过于谨慎，笑着辩驳）其实，我觉得现在炉子右边既有了这部电力回转机，左面这部人工回转机简直可以不用了。

沈承灿 （意在说服）那么万一电力回转机出了毛病呢？

颜　起 （干脆地）仔细检查后自然不会出毛病。沈先生，我觉得我们应该抽出精神来注意如何“去磷”，如何“加碳”这些更重要的事情。

沈承灿 （善意解说，沉重地）不，颜起，我告诉你，我们工程师固然第一是为人民生产，然而其次也是为人民培养力量，所以任何工程事业我们必须注意到安全。我在C.I.T.读书，离开学校去实习以前，我的父亲忽然打一个电报，叫我非学一门课程再去实习，那门功课叫（顿）Safety Engineering，“安全工程”，就是这个道理。颜起，艰难危险，我们干工程的人决不怕。古往今来科学家为着他的科学，真理，真是从容就义，不知牺牲多少生命。死，为真理，为人民，是应该的，快乐的。但是糊里糊涂，因为自己的疏忽死掉，对于一个学科学的人，那是绝对可耻的！（说得十分兴奋，拍拍颜起的肩膀）好了，你再去试试那电力回转机！（又一字一字，坚决地）人工的更要试！照我说的试！（微笑）好不好？

颜　起　（有决心而高兴地）好！沈先生。（正向通外门走。）

〔田启贤由库房上。

田启贤　（忍住笑）出来吧！

〔刘海青穿着炉前工人的全副武装非常狼狈地走出来。他的土布短衫上罩下一件由颈脖围起的粗麻围裙，像戏台上的甲胄，两肩隆起，拖到脚趾，严密地遮护着前心后背，只露出后面屁股上一排白扣。脚下趿着木鞋，上盖厚“包脚布”，裤管和包脚布紧扎在一起；双手戴上无指的麻布手套，长至肘节，用绳系紧；头顶一个黑漆篾编的救火帽，鼻嘴上也封上一块闷死人的土布。他一手拿草鞋，一手提着铁桶，通身上下不透风，只看见一对乌黑的眼珠滴溜滴溜地望着田启贤。

〔颜起由通外门下。

田启贤 （眨眨眼）走吧！

刘海青 （取下嘴上的厚布，满脸汗珠，出人意外的一声）这一哈安逸喽！（相仿的国语："这一下可凉快！"）

〔吴天长由通外门急上。

吴天长 （一脸喜色）老弟！（见着刘，一愣）这——

〔刘已经走出。田正欲随下。

沈承灿 （记起刘提着的水桶，忽然）田先生，告诉颜起，再检查炉坑，怕有的小工无意中倒进了水。

〔田应声即下。

沈承灿 （期盼）怎么样？

吴天长 （笑呵呵）可以出铁了。

沈承灿 铁水？

吴天长 一千二百五十度！

沈承灿 （高兴地跑到望台，吴也跟去。）准备，颜起。（望望墙上的钟）回转机试开五分钟，贝氏炉开炉。（大声）要放铁水了！

〔下面立刻一阵紧张的骚动。

吴天长 （瞭望）喝，怎么公司的人都来看来啦？

〔在下面的魏先生："沈先生，吊包子吧？"

沈承灿 当然！魏先生，叫闲人们站开。

〔下面魏先生："先生们，让开点！让开点！"

沈承灿 （对下面参观的人）诸位先生们，请你们散开，这没有什么看头，还是请走开吧！

〔立刻起重机又从右面驶过，在下面的王阿福：——宁波口音——“沈先生，起重机还吊到二号贝氏炉炉壳。”

沈承灿 等等再装。

吴天长 （性急）吊钩放下，换上包子！

〔一阵机链绞动的声音，随着台左起重机的吊钩上下前后的移动，王阿福用他的南腔北调在发号施令，两三个工人跟着喊：“向前一点！向前点！再向前点！再向前（尚未说完）——唳（集体惋惜的叹气）又过啦！”

吴天长 （开始有点不耐，长叹）唉哟！

〔灿沉默。下面：“向后来！再向后来！（宁波口音）慢慢！（轻声）再来！（鼓励）对，对的，对！（宁波口音的四川话）要得！要得！”

吴天长 （张嘴探身，随着下面的号令，头一点一点地）对，对，对！好，好！很——好，很好！

〔下面忽然一声失望，集体地咒骂出来：“戮娘的！阿热昏！又过啦！”

吴天长 （不觉也仰望起重机上司机台的人，失望地敲着脑壳）哎唷，我的奶奶哟！

〔这时下面爽性对着司机老老实实地称呼：“赤佬！再向前吧！向前吧！”于是又喊一声机器动一点，“向前，再向前，一点，一点，（大声喊）别动，好了，正对！”大家嘘出一口气。

吴天长 （低声，下巴向下一点，——一点，——替机器用力，很重的山东口音）一丢丢，一丢丢，（“一点点”的意思）一丢丢，（也松了一口气，快慰地）对“里啊”（谐音），（对灿）以后大概没有问题了。

〔在钢索铁链的声音中，随着吊钩的移动，一面跟着喊：“落，落，向下！落，落，落，落！（骤然一声惊恐的吼叫）慢慢！”

沈承灿
吴天长 （同时对司机喊）刹车！——

〔话犹未了，一声巨重的钢件和钢件相撞的震动！相顾寂然，但立刻随着一阵暴雨似地咒骂，你一句，我一句，台上的司机也着了慌。

吴天长 （对灿，指着上面，气极）这是我的老子，我得把他供在家里当菩萨！

沈承灿 （对下面）伤了人没有？魏先生？

〔魏的声音：“没伤人，可是钢镟子整个撞瘪了！”

吴天长 （焦急）这不成，这不成！一会儿两三吨的铁水一包子一包子地吊在半空，他这么慌慌张张地，你，你，你叫他怎么样把包子里的铁水倒在炉子里？！

沈承灿 难怪他，老黄忽然病了，这是个新手，只训练了四天，现在我们这里勉强能开的人又脱不开身，——（瞥见颜起，忽然）颜起，你——

吴天长 （大嘴一咧，摆摆手）得了，老弟，今天开炉，我来吧！

沈承灿 （愕然）你？

吴天长　（笑嘻嘻）叫我那老子少受点罪吧！

沈承灿　（喜极）那——，（牵起他的手）老吴，谢谢你！（对起重机上的人）赵秉有，放开吊钩，开到这边来！吴主任替你。（对下面的颜起等）你们别急了，我们现在请吴先生开起重机！

〔像忽然知道一个有趣的熟朋友就要登台演戏一样，下面一阵热烈的欢呼。

吴天长　（点点头）你听，名角出场！（抖擞精神）来，咱也露一手，把衣服先脱啰！（脱着上衣，回头）出了钢，要请我喝酒呕！

沈承灿　（笑）当然！

〔起重机开到台前。

吴天长　（对上面）赵师傅，你打梯子下去吧，我就从这儿上去。（对灿，眨眨眼）我说要喝喜酒呕。

沈承灿　（笑着推他）得了，老吴，上去吧。

〔司机台上，一个人翻过栏杆爬下去。

吴天长　（一手扶着司机台上的脚板，一面蹬着望台的矮栏，忽对灿招手，又眨眨眼，低声）保长来了没有？

沈承灿　（莫明其妙）什么保长？

吴天长　归小姐。

沈承灿　（微笑）怎么她是保长？

吴天长　（戳戳他的胸坎）你是壮丁，她怎么不是保长？

沈承灿　（依然迷惑）我不懂。

吴天长　（自言自语，神气活现地）放心，老弟，她会来，一定来，保长没有不来拉壮丁的。（说完一下翻上去。）

沈承灿　（没奈他何）你真是一个老蘑菇！

吴天长　（起重机动了一下，他又探出身来）喂，先喝点水！

〔灿把桌子上一杯冷开水递给他。

吴天长　（一气喝尽，山东口音的——）"要得！"（转身开车，对下面招招手，下面又一阵欢呼。起重机立时又快又稳地向原处驶去。）

〔灿仍在望台上谛视。

吴天长　（在外面对着机下的人喊）吊上炉壳，炉壳搁好，再上包子。

〔在下面的魏先生："吴先生，你要用什么手势打招呼？Hoffman[1]？"

吴天长　（大叫）没练好，书上的法子用不得。我眼睛花，咱们还是痛痛快快用嘴打招呼吧。

〔于是下面又喊起来："走！"吴开起重机由望台前驶过，开向右面。这时通外门打开，梁爱米姗姗走进。

〔她穿一件藤萝紫的"麦绸"花衬衫，下身是淡灰肥裤脚的西装裤。长鬈鬘垂，摇着一把小小的纱折扇，手上那只Kimberleg的蓝钻，不住随着摇扇闪出灿烂的冷光。风吹来，轻衣飘飘然。这一切做成了她像是不经意修饰而要叫人觉得自有夺人的风采。

1　人名，彼曾规定起重机操纵之手势。——底本注。

梁爱米　（曼声）承灿。

沈承灿　（回头，顿，出语唐突）你——你又到此地来做什么？

梁爱米　（走进，十足娇气）咦，我有兴趣。

沈承灿　（讥讽地）爱米，你的兴趣太广了一点！

梁爱米　（粲然）有什么法子？连峨眉山的道士我都感觉兴趣。（由裤袋掏出一只金框透明的Plastic质的小烟盒。）

沈承灿　（看势头不对）Emmy，我实在忙，对不起，我找一个人来陪你。（反身就走）

梁爱米　（打开烟盒，曼声[1]）没有洋火？

沈承灿　哦，有。（好容易忙忙地在办公桌上找着了，又连连擦不着。擦着了，——）你一个人下来的？

梁爱米　（嘴"对"过去）嗯。（又灭了。）

沈承灿　（又换一根擦）你山上没有客人？（擦着了。）

梁爱米　当然有，（嘴又"对"过去）让他们自己玩就是了。（又灭了。）

沈承灿　（烦躁）鬼！

梁爱米　什么？

沈承灿　洋火。（又换一根——）

梁爱米　（若无所见）今天我家里来了一位最要紧的客人。

沈承灿　（擦着了）哦。（为她点好了烟，点一下头）再见爱米！（拔脚就走）

梁爱米　（慢声慢气）归小姐到我那里去了。

1　"曼声"底本作"曼向"，当作"曼声"。

沈承灿　（惊愕）怎么？

梁爱米　（喷着烟）我请她去的。

沈承灿　（走近她，冲头冲脑地）你为什么带她到你那里？

梁爱米　（逗弄）咦，我住的地方是地狱？（又长长吸一口烟。）

沈承灿　（望着她）你真叫我想不到！（焦虑而又有些厌恶地）你那些客人也介绍给她啦？

梁爱米　（昵笑）Why not？我的客人就不是人？就不能在一块玩？

沈承灿　那些人！一起玩?!（对她无法，愤极）你——（到她面前，重重地）You Stin king，Little Fool！（一气而走。）

〔易范奇由通外门上，正想与灿寒暄两句，想不到他睬也不睬，跑下去。

易范奇　（讶异）怎么啦，沈先生？

梁爱米　（十分聪明地笑起来）谁知道？他一气就爱翻洋话！

易范奇　（热诚）梁小姐，怎么回事？一转身就跑到此地来啦？

梁爱米　（嘲弄自己，笑了一笑）哼，心血来潮！（把烟放在那搁玻璃杯的盘子里。）

易范奇　（殷勤）梁小姐，没有什么不舒服吧？要不要再闻一闻？（从袋中取出一只玲珑晶莹的，淡紫色的香水瓶。）

梁爱米　哦，（摸摸口袋）你捡去了？

易范奇　（谄笑）你只顾跟工人们问东问西，掉在化铁炉旁边了。（湿黏黏的汗手递过瓶子。）

梁爱米　（从他手里去接，像是才闻见什么刺鼻，难忍的狐臭）易先生，不用么？ Lcwender Smelling Salt。

易范奇 （喜滋滋地接下手中一闻，忽然一副尴尬面孔）阿莫尼亚。

梁爱米 （点点头）里面是欧薄荷香水泡着，Coty公司的。

〔厂中火光一亮一亮闪上来。

易范奇 （再闻一下，觉出好来）真好，臭虽臭，但是真香，梁小姐。

梁爱米 （压不下的讽刺）不是，香有点香，可是真臭，易先生。（明媚的眼睛立刻动人的笑起来）你拿去吧，送给你啦。

易范奇 （盯着她，受宠若惊）真地？给我？

梁爱米 （不在意）我还有很多呢。（回手取方才放在盘内的纸烟。）

易范奇 （出人意料，走近爱米，低声，谄媚而多情地）梁小姐，你真聪明，真有风趣，真是叫人不得不——

梁爱米 （望着他正缓悠悠地吸着烟，仿佛才察觉什么不对，取下纸烟）讨厌！

易范奇 怎么？

梁爱米 （看看纸烟）烟湿了。（扔下又掏出烟盒换了一根。）

易范奇 这里有火。（连忙拿起桌上的火柴擦点。）

梁爱米 （取出金质的打火机点了烟）谢谢，我有。（对着有些失望的易笑了笑）抽不抽？

易范奇 （摇头）不，不会。（忽然）也好，吸一根。（"大胆"地从她烟盒取出一根烟，爱米嚓地打开火送到他面前，易把嘴"对"过去）谢谢，谢谢！（一面就着点烟时的亲近，又——）密司梁，你真美，真了不得！真——

〔起重机由右面滑来，忽然停止。

吴天长 （探头，低声）喂，保长来了没有，老弟？——（瞥见，笑嘻嘻地）哦，梁小姐！（想不到易在旁边，冷起面孔，点点头）易先生！

〔吴又缩回去，十分熟练地把起重机开走。

易范奇　（十分扫兴，但又做出“若无事然”的样子）何先生，梁小姐常见吧？

梁爱米　嗯，有时候。

易范奇　这个——

〔由外走进一个满头大汗的仆役，捧着一本书进来。

仆　役　（恭恭敬敬递上去）协理。

易范奇　唔。（接下，点点头。）

〔仆役下。

易范奇　（对米，沾沾自喜）这是一本《范奇论文集》，第二集的，昨天才出版。（掏出手帕，掸拂书上的汗渍，翻开封面。）你看，诚心请你指教，我早就把名签好。

梁爱米　（接下）不敢当，不敢当！（不觉翻翻书中的目录。）

易范奇　（靠在她身后，挥着凉扇，指指点点）关于中国战后全盘工业化的问题我在报纸上很发表了几篇，都在此地。我方才谈的目前工业的危机，和战后工业复员的困难在我这一篇文章我认为说得很透彻啦！（米微微颔首）不过这一篇是我最得意的，——（易越谈越近，米不由得取出手帕掩着鼻孔。易毫无所感，机密地。）我用一根刺轻轻放在这些官僚商人的眼睛里，（得意万状）叫他们觉得有点痛，有点痛。

〔这时厂中不知哪里又添上一部马达轰轰地响起来。沈蛰夫推开通外的门，让归容熙先走进来，沈随上。归容熙简简单单穿了一件洗淡了的粉红夏布旗袍，拿一只细草编的小手包，脸上没有脂粉，而红润自然，像刚结下来的饱满的果实。沈蛰夫穿白纺绸翻领衬衫，白哔叽西裤，白皮鞋，手持一细长拐杖，进门就拿出一块叠得整整齐齐的白手帕轻轻揩擦额上的汗珠，微微有些喘。

梁爱米　（望见容）咦，我们又碰见了。

归容熙　（点点头，笑着）嗯。

梁爱米　（对沈）沈伯伯。

沈蛰夫　（颔首）你来了。（转对易）哦，范奇，你晓得方才焦炭的事情了么？

易范奇　已经有报告。

沈蛰夫　这件事我们出了钢以后就谈，现在我们一同先下去看工作人员，好吧？

易范奇　（自觉重要）也好，鼓励鼓励他们。

沈蛰夫　（对容与米，和蔼地）你们两个就在此地等等，不要下去，下面热，也容易有危险，我就上来陪你们在此地看。你们随便坐。

易范奇　（恭而有礼）再见，两位小姐。

〔易推开通外门，与沈先后下。

〔望台下一阵阵的火光。

梁爱米　（一时想不出话来）走累了没有？

归容熙　没有，（感觉“新鲜”）这个厂真大。

梁爱米 人也真多。

归容熙 （欣欣然）来的时候路上听见山上一阵一阵的音乐。

梁爱米 （讥讽地）那一定是我的那些了不起的客人在跳舞了。（想起）容熙，你唱的真好。

归容熙 不。

梁爱米 我真羡慕有你这样的喉咙。

归容熙 （微笑）练练就成了。（更亮的火光闪着）要出钢了吧？

梁爱米 （意在言外）今天是承灿最快活的日子。

归容熙 （望着台外，率真地）他应该快活，辛苦了这么久。

〔灿由通外门急匆匆上。门响，容回顾，灿进门就望见她。

沈承灿 （愣住）啊——

梁爱米 （笑着）咦，没有想到吧？

沈承灿 （对容）你还没有睡？

归容熙 （抱歉似的）我也想看看出钢。

沈承灿 （虽不赞同，心中却着实高兴）这有什么看头？在后方什么都是将就，凑合，没有标准。（开玩笑地）倒不如看看Emmy家里的跳舞好。

归容熙 （老实地）是啊，我是想，可是梁小姐不许我看就催我走了。

沈承灿 哦？

梁爱米 （眼神一转）容熙，你钢琴弹得也真好。

归容熙 （愉快地微笑）不，不，不过这是我在后方头一次弹着好钢琴，在那么一间安静的屋子里。

梁爱米 （一脸聪明相的捉弄，笑出来）可惜听众就有我一个。容熙，你看我多凶啊！关起来叫你弹，弹够了就赶你走。（忽然对灿）哦，二狗，你不怪我太没有礼貌吧？

沈承灿　（又气，又急，又喜欢，追向前）哦，Emmy。（米赶紧退后）

归容熙　（惊愕）怎么？

梁爱米　（笑着对容）我怕他又要翻洋话。

沈承灿　（瞪她一眼）对不起，就要开炉，我是来拿Pyrometer[1]的。（走到办公桌拿出一只像放手提摄影机的皮盒，内装"光温度计"，套在脖颈上。顺手取出几块Color Glass[2]，递给她们。）这里有几块蓝玻璃。吹钢的时候你们在此地看，千万不要下去。（跑了两步，忽然转身对容）你，你明天早上一定走么？

归容熙　（点头）嗯。

沈承灿　不，不能够——？

〔起重机又滑过来。

吴天长　（探出头，慢慢一口山东腔调的——）这一下可真的要出钢"里啊"！（谐音）（缩回去就开走。）

沈承灿　（望了吴一眼，立刻匆忙地）对不起，我走了。

归容熙　（忽然）等等，等等。（灿停住）我有一件东西要给你。（在自己的小手包里乱翻，笑着）可找着了！（取出一个永安堂

1　测温度器。——底本注。

2　管理炼钢之员工必须佩戴有色眼镜，以免炼钢时目光注视温度甚高之钢水及火焰，目力受过分刺激。——底本注。

的药包）这是老太太叫我给你吃的八卦丹。

沈承灿 （瞪大了眼）八卦丹？叫我吃？（摇摇手要走）

归容熙 （抓着他）不，不，老太太怕你中暑，嘱咐了又嘱咐，叫我非看你吃点不可。

沈承灿 （执拗）我不！

梁爱米 （又抓到捉弄他的机会）“二狗！——”

沈承灿 （向米）Emmy！

梁爱米 （模仿）“——奶奶要你吃。来，倒水灌！”

归容熙 （善意地劝）吃了吧，又不难吃。

沈承灿 （转头望容）给我，我拿着，（接下来，笑着）出了钢吃，好吧？

〔灿由通外门下。

梁爱米 他一小就怕吃药。

归容熙 可是老太太说他吃奶的时候——

梁爱米 （插嘴）每天给他吃两颗同仁堂的万应锭。

归容熙 （奇怪）你怎么知道？

梁爱米 （俏皮）奶奶疼孩子什么事见人都得说两遍的。

〔沈由外上，后随古恭宪和王振洪。

沈蛰夫 （四望）哦，承灿不在这儿？

梁爱米 他刚下去。

沈蛰夫 （转身）王先生，请你叫沈工程师再上来一趟。

王振洪 是，总经理。

〔王下。

沈蛰夫　（介绍）这是轧钢厂古厂长。梁小姐，归小姐。（古硬生生地点了点头。沈对米与容）就要吹钢了，我领你们到望台去看吧。回头请古厂长给你们讲讲。（下面鼓风机又响起来，各种工作声音逐渐增多。米与容低声交谈，他一边走，一面对古问询。）古厂长你觉得这个炉子的设计怎么样？（米与容踱上望台。沈立门边与古谈话。）

古恭宪　（愣头愣脑）你的儿子的先生我不佩服。可是这个学生实在学得很好，我认为他的设计不错。

沈蛰夫　那么安全——？

〔室中电灯忽然暗下来，电扇转动也转速度。

古恭宪　安全？

沈蛰夫　（诧异）怎么忽然电压低了？

古恭宪　（牢骚）没有法子，这是中国的战时动力！（耸耸肩）嘘！电力公司的事情，国家的事情，政府的事情！

沈蛰夫　（担心）可是如果正在出钢的时候——

古恭宪　（一句沈怕听的话）电流停了——

沈蛰夫　那么炉子上回转机的电闸不是不灵了么？

〔米与容回首谛听。

古恭宪　这种将就的机器当然有点麻烦。

〔灿由外跑上。

沈承灿　爸爸！

沈蛰夫　（指着）这个电——

沈承灿　不要紧，只是电压低了一点。

沈蛰夫　（沉肃地）不过万一——

沈承灿　不，不会，电不会停，不应该停，我们已经通知过电力公司。

沈蛰夫　（仔细）可是万一停了呢?

沈承灿　我们有人工回转机。

沈蛰夫　哦，承灿，炉子周围没有水吧?

沈承灿　（笑着）当然没有，您放心吧!（转身即走。）

沈蛰夫　灿儿!（也微笑）记着“安全工程”喽!

沈承灿　当然，爸爸!

梁爱米　（忍不住）Good Luck！

沈承灿　谢谢!

〔灿由通外门跑下。

〔鼓风机停止，下面顿时沉静下来。他们都走上望台。起重机的滑车吊着满满两吨重铁水的“包子”徐徐由左驶来，烈火逼人，斜停在望台前面。电灯又暗了一点，他们向下望，满脸照耀着火光，他们不住地挥扇。

梁爱米　啊，好热!

归容熙　（低声）下面人真多。

梁爱米　（四顾）天，他们真紧张，一点声音都没有。

〔观众望得见起重机司机台上的一双脚，机上的滑车和三四条粗重的钢绳缓缓移动。

〔在下面——

〔灿的声音：颜先生，电力回转机!（顿）转炉子!

〔贝氏炉徐徐转下声。

〔颜的声音：转，转，转，转！

〔灿的声音：好！（对上喊）吴先生，“包子！”

〔炉转声停止，起重机略向中间移动，对着炉口，缓缓移下“包子”。

〔灿的声音：好的。（对上喊）提小吊钩！

〔起重机下一根钢绳缓缓向上提动，立刻听见沉重的铁水向炉口倾注的声音。

梁爱米 （紧张）铁水进炉子了！

归容熙 （忘记了挥扇）啊呀，好凶的铁水！

〔在下面——

〔灿的声音：颜先生，叫他们开风，第一挡！

归容熙 （低声，担心地）不会停电吧？

梁爱米 不。

归容熙 （望古）不，不会——

〔古摇摇手。

〔鼓风声音渐起，“包子”里的铁水倾入炉内，呼呼作响。

〔灿的声音：（随着炉内容量的加重，加强鼓风）推第二挡！要慢！

〔古回头望风压表。

沈蛰夫 （自语）铁水完全倒进去了。

〔灿的声音：（对上喊）开走。

〔起重机落下“包子”低下的钢绳，“包子”摆正后，提起吊钩，向左开走。

〔灿的声音：转正炉！

〔颜的声音：（对机匠）转正炉子。

〔炉子向上转正的声响。鼓风激起少量的烟子火星，由炉口喷出。转正时炉口的光焰，浓烟由下而上，远远冲着望台，扫过了他们的脸。热气窒人，他们微微让了一下。

〔灿的声音：（高声）加风。

〔古低头看看腕上的表。

〔颜的声音：（高声）第三挡！

〔灿的声音：慢慢来，第四挡！

〔颜的声音：第四挡，慢慢！

〔古由桌上取来那几块蓝玻璃分散给他们。

〔这时鼓风轰轰吹进炉身，炉口喷出巨柱的黑烟，由炉罩下漫出。浓烟下黯弱的褐色火焰像一个短短的尖锥，呼呼自炉口叫嚣，夹杂少许的火花，散射炉旁。

沈蛰夫　（点点头）现在是正式吹钢了。（微笑）古厂长，开讲吧！

〔讲时，四人陆续拿起蓝玻璃对着火焰瞭望。屋里电灯更暗，外面一片浓烟和光焰。

古恭宪　（清一清喉咙开始他南腔北调的广东官话）现在正在吹钢了。吹钢分三期，普通一共用十二分到十八分钟。你们看见没有？这火焰上面有很浓的烟子，火焰是短的，尖的，不很明亮的，颜色是淡紫红的，有闪光的火星的，这是第一期的现象。

〔舞台灯全暗，只看见外面炉口喷出的火焰。喷火声几乎盖住台上古恭宪说话的声浪。炉上浓烟渐少，焰光渐明。

〔古的声音：你们看见没有？这发光的火焰是铁水里面的矽在燃烧，所以这火焰叫Silicon Flame，矽的火焰。这时铁水里面也有些少少的碳开始氧化，铁水里面的锰也在氧化……

〔光焰更长，更亮，嚣声益宏。

〔古的声音：现在炉温不算高，有一千三百多度，炉子正在造钢滓，所以这也叫作“成滓期”，这是第一期。这第一期，请注意要用六分到十分钟。

〔焰光渐成黄色，渐长，渐亮，声势有些逼人。

〔古的声音：你们看：这火焰渐渐变成黄的，长起来，宽起来，这表面铁水里面的碳已经燃烧起来，这是第二期就要开始了。

〔随着他的话，火焰的气势逐渐凶猛恐怖，炉口喷着十几尺不可向迩的白热的大火，喧嚣如雷，像无数的巨神锁在炉里，迸冲激突，咆哮呼吼。光焰中一片爆声，骤雨似的火花四处泻下，一千五百多度的铁渣铁粒随声乱喷。

〔舞台光渐明，望台上沈和古各持蓝玻璃瞭望。容熙紧紧握着爱米的手，倚在一处，一朵火花溅下来。“唔！”的一声，爱米一闪，沈递给她一顶避火帽。炉口里更大一声喷爆，又一片火花，她们笑着叫了一下，慌忙避到另外一头。

沈蛰夫 （正拿手帕揩汗）不要怕！不要怕！没烫着？

归容熙
（同时）没有。
梁爱米

梁爱米 （掸掸衣服，嘘出一口气，笑着）咦，是有点可怕哟。（用避火帽不住对脸上挥扇。）

归容熙 （蒲扇挡着脸，笑望米）这边更烤得慌。

梁爱米 （眼光四处搜寻）咦，承灿呢?

归容熙 （指下面最亮的地方）那不是? 离着炉子很近，拿着镜子看的。

梁爱米 （欣喜地点着头）嗯，嗯，是他!（忽然向下面大叫）喂，火!

归容熙 （探身，正要喊叫，而需要警告的事情已经过去，抽回身，摇摇头，赞叹地望着下面的灿）他真专心!

梁爱米 （惊笑）这个呆子，火洒在身上，他都不跑。

古恭宪 （正俯首看表，抬头）跑才是呆子呢!（又看表）请注意，现在已经过了八分半钟，你们看见没有? 现在冒出来的火星不再闪光，烟子很少了，火焰非常明亮，很高，很大，有十四五尺。炉子里面的铁水已经滚开，喷出来铁渣铁粒，这是第二期的现象。

〔灿的声音:（高声）颜先生，减少风量，放风! 第三挡! 慢慢开。

古恭宪 现在主要是铁水里面的碳在燃烧，所以现在的火焰叫作Carbon Flame，碳的火焰。这一期普通要五六分钟，这叫作沸腾期，这是第二期。

〔灿的声音：放风! 慢慢，第二挡!

〔舞台光全暗。火焰依然在呼吼，不久焰光渐淡，火苗似乎有降落的模样。

〔灿的声音:（高声）注意！加风！第三挡！

〔舞台光渐明。沈独立一端，摇着扇子。古站在两位小姐右边。

古恭宪 （俯首视表，又开始高声讲解）现在又过了六分钟，这是第三期了，这叫作精炼期。这一期碳还在烧，但是碳量少了，响声也小了。请注意，这期只有一分多钟，火焰一落就要立刻停风，差了一点钢就不好！这要个老手判断，原来颜起负责，今天是Dr.沈指点。（看表）注意！快了！这一期已经过了一分八秒，一分十二秒，一分十六秒，一分廿秒，一分——

〔灿的声音：减风！慢慢！慢慢！慢慢！（忽然）转炉子！——停风！

〔恰在灿的号令发完的时候，光焰倏地下去。刹那间，炉子一斜，使炉内“边吹”[1]风管口正在钢水之上。鼓风立刻停止。方才一阵山崩海啸此时静下来，只有远远“红炉”班还在一下一下地打铁。

古恭宪 （不由得）好，真系（是）好！

归容熙 （疑问，其实是赞扬）是他判断得一点没有错？

1　贝氏炉有两种，一种进口装于炉底，风压须较高，一种风口装于炉旁，风压可较低。——底本注。

古恭宪 （翻翻眼）嗯，当然。（嘘出一口愤懑的冷气）可是在外国，这是领班的事情！——现在应该将炉子再向下转。

〔下面工人工作声音开始。

〔灿的声音：颜起，“炉头”准备取试样。（对上）起重机准备，人工回转机准备！

〔起重机吊着一只空“包子”由窗口驶过。

〔人工回转机上的工人过去操持机轮。

〔灿的声音：（连叫）刘海青！

〔刘的声音：有！

〔灿的声音：站在颜先生后面！

〔同时——

梁爱米 他指挥得很好。

沈蛰夫 （稍感宽慰）可员工们也真是辛苦啊。

归容熙 （关切）沈伯伯，以后没有问题了吧？

沈蛰夫 （含含糊糊）嗯，嗯。

古恭宪 （劈头又一句）我想电不会停的，炉子总可以转的。

梁爱米 （回望屋内）怎么电灯还这么暗啦？

〔古不理。

〔灿的声音：（同时）颜先生，电力回转机注意，大家注意，开电闸！

〔炉子向下隆隆转动。这时灯一暗——

梁爱米 （提心吊胆）哎呀，电——

〔屋内电灯忽然大亮，懒洋洋的电扇像发了寒热病嗬嗬地飞转起来。

归容熙 （欣慰）好了，电灯亮了。

〔话未说完，下面一阵慌乱。

梁爱米 （惊愕）怎么?

沈蛰夫 怎么回事?

梁爱米 （转向古）怎么炉子突然向下冲?（古正以全神注视。）

归容熙 （也向古）怎么? 怎么?（古只摆摆手。）

〔颜的声音:（急喊）保险丝断了，电闸不灵了。

古恭宪 （自语）保险丝断?

〔灿的声音：用手摇!

〔下面一阵骚动，此后逐渐紧张。工作紧迫的“杭唷”声不断，夹杂用尽气力却又止不住炉子倒下的着急，气喘的声音。吴天长也在上面忍不住地喊叫。

梁爱米 怎么办? 怎么办?

古恭宪 （冷冷望她一下）现在用人工回转机!（又回头注视。）

〔工人们的声音:（七嘴八舌，合在一道）不成! 不成! 要不成! ……用劲哪! 拿出劲来呀! ……（四川话）先人! 要“着”!（要完的意思;“先人”是一种诅咒语。）……（上海口音）沈先生，炉子太重!

〔灿的声音：添人! 添人! 刘海青!

〔颜的声音：上去!

〔刘尚未到炉旁，下面员工合声惊叫。

归容熙 （喊出，指）钢水!

梁爱米 （恐惧）怎么办？钢水要流出来？

〔沈不作声。

〔下面有许多人向外跑。

归容熙 （指）看的人在跑？

〔灿的声音:（大叫）别跑，别乱跑！

〔跑的人不听。

古恭宪 （气愤，顿足）“丢那妈！”叫你们不要乱跑，听见没有？

梁爱米 （同时，着急）为什么跑？为什么跑？

归容熙 （掩着嘴，低声急而促）哎呀，炉子又向下倒！

〔灿的声音:（大吼）别跟着跑！人工回转的人！别跑！刘海青！回去摇！别怕！别——

归容熙 （叫出）钢水！

〔下面一群“喝”的一声！一摊钢水流入炉坑，突然爆出声音，人们更形骚乱。

古恭宪 （惊恐）坑里有水！

沈蛰夫 （愣住）水！?

古恭宪 （推她们下去）快躲开！

归容熙 （双足如同生了根，只一味痴望）他上去了！

梁爱米 （也望着）他在帮着摇！

沈蛰夫 （管不住地叫）承灿！

古恭宪 （对着她们大喊）炉子已经管不住了！你们离开。

沈蛰夫 （走下望台，拉过她们）快来！

〔四人方由望台避开，厂下轰然一响，钢水乱飞，满厂是火星，浓烟，蒸汽。一片呼喊。火星、熔钢在空中划出千万道光彩，穿过钢梁由顶上洒入望台与室内。

〔有人在喊：（微弱地）砂子！砂子！垫砂子！

〔古冒着烟尘，踏灭火星，又冲向望台，预备关门。下面又一声较小的爆炸，古避开，接着两声更小的。同时田启贤由外跑进，衣服沾满了泥砂，两三处已经烧破。

田启贤 （疯了似的捶着自己）我怎么忘了说？我怎么忘了说？（四处乱找）哪儿？哪儿？

古恭宪 （跑去抱下灭火机）灭火机在这里！

田启贤 （昏惑地）不，不。（由办公桌后提出一个钉着皮带的救急箱。）

古恭宪 （厉声）来！

田启贤 哦，哦，（跑过去。）

〔田挟着救急箱，又帮同古搬着灭火机由通外门跑下。

沈蛰夫 （镇定地对她们）我去看看，就上来带你们下去。

〔这时望台外起重机迅速开来停下，吴天长逃进屋来，满脸砂土烟污，袖口烧破，手中避火草帽已为飞来的熔钢烧燃。

吴天长 （瞥见沈，挥着草帽）总经理，不要下去了，不，不要紧！不要紧！

梁爱米
归容熙 （同时）帽子！！

吴天长 （才察觉）哦！（连忙扔在地上乱脚踩熄。）

沈蛰夫 外面怎么样？

吴天长　（喘息）爆炸过去了，火可以扑灭。

沈蛰夫　（急切）人们呢？

吴天长　（指手画脚）烟气太重，上面看不清，大概有一两个工人受了伤。

梁爱米　（同时）承灿？
归容熙　（同时）他？

吴天长　（对沈）我看见沈工程师从火里跑出来，（顿）跑了两步，（顿）就摔在地下——

〔米“啊”一声由通外门跑下。

归容熙　（盯着吴）伤——

吴天长　（沉重）像是不轻。

〔容一声未响走下。

沈蛰夫　（匆匆走上望台）有人照护没有？

吴天长　（随后应声）杨工程师，余处长都来了。

沈蛰夫　（俯瞰，长嘘一声）嗯！（转身下来）医院太远，重伤的先抬到楼上办公室，请你告诉他们我就下去。（走向电话。）

〔吴出门，廖跑上来几乎与吴冲个满怀。吴下。

廖再兴　（气极败坏的神色）报告总经理，——

沈蛰夫　（正拿起耳机）什么事？

廖再兴　报告总经理，这，这都怪这些刚出学校的小工务员不小心，报告总经理，再兴早，早，早就看出他们，他们——

沈蛰夫　（双目威睖，叱责）你不去救人，还跑来批评什么？

廖再兴　（想不到）啊——

沈蛰夫　下去！（摇电话）

〔廖逡巡溜下。

沈蛰夫　（对话机）我是总经理，接线生，请你立刻打电话，通知城里李大夫，请他马上就来！车子就会派去！

〔在外面一片呼痛救急的声中，沈放下话机，匆匆由通外门下。

——舞台暗，闭幕

第二景

翌日上午十一时，仍在办公室二楼办公室。

阳光由狭长的窗射进来，电扇吹着急风，人还是淌汗。对望台的六扇门已经关闭，厂中机声、鼓风声，不断传来，从钢门上的厚玻璃望见起重机时时来往经过。两张办公桌移靠门前，贝斯炉模型放在桌上。一张藤椅移放在“库房”门前。沿化验桌边搭起一架帆布床，床头放着那以前搁置模型的矮桌，上面有药膏罐、消毒纱布、棉花和各种换药与盐水针的器械等。床脚下有一张藤椅。外面水缸已经移走，很少的工人由门外经过。

〔开幕时承灿躺在床上，床头枕与被高高垫起。他的左手臂缠满绷带，夹上木板，左手也裹着绷布，左额上橡皮膏交叉着贴了一块小小的白纱布，面容突见消瘦，他正在昏睡，口里含着温度针，李大夫——一位五十上下鬓发灰白的老医生，穿一套白西装——正弯着腰用听管仔细诊视。床头立着归容熙，低首望着承灿的脸。沈老太太也立在床脚下，不住地用手帕揩擦眼边的泪痕，身后沈蛰夫为老太太挥扇，眼睛望着大夫面上的表情。颜起立在屏风后，焦灼地等待大夫最后诊断的结果。

〔静默中通外门缓缓打开，总务处余处长走进来。

颜　起　（匆忙过去，低声）正在看，等一会吧。

余涤凡　（连连点头）哦，哦。

〔余退下，轻轻掩上门。

〔容看了看表，望望医生。

李大夫　（诊视中歪着头，低声）可以啦。

〔容由灿口中取出温度针注视。

沈蛰夫　多少度，归小姐？

归容熙　三十九度零五。

李大夫　（注视着病人，却——）嗯，嗯，退了一点。（挪动听管，闭目细听）

〔容拿起矮桌上的病况表记下来。通外门又轻轻打开。吴天长刚迈进一步，看见大夫正在诊视，又提起足尖轻轻退缩回去。他立在绿纱门后候望。

李大夫　（收下听管立起，嘘出一口气，容递过一把扇子，一面扇，一面笑着讲）老太太，您放心，不要紧，绝不会有什么危险。不要怕，烧得重一点，年纪轻，体质好，不会有什么影响。

〔沈老太太，沈蛰夫的母亲，承灿的祖母，六十八岁，表面似乎有一点严厉，不苟言笑，事实上她开心的时候可以笑得出眼泪，并且甚至于为了逗弄幼年的孙儿而做得出很有趣的怪相来。她既不十分精明，又不十分能干，她的慈蔼在事实的行动上才表现得出来，嘴上她是不善于说好听的话的。性情直爽，有一点任性的倔强，但并不固执，心直口快，遇到不如意时，就忍不住的要把她的不满，叨叨不绝的说出来才释然，但是说出后就很容易忘记。因此她时常在无形中得罪了人，自己还毫无所觉。遇到必有的反应，她还奇怪这摆在她眼前的反应的来由。但是多半知道她脾气的人也并不和她计较。对人好恶分明，喜欢一个人她心甘情愿地拿出她所有的好心肠来，但是厌恶一个人时，她也尽量拿出她的一半卖老，一半天真的恶作剧。不过一个人的好或者恶，在她的眼里有时是没有多大差错而十分准确的，同时她还有一个特长，就是和一个人接近时，很短的时间她就能抓到这个人的几个特别的习惯和动作，当别人认为她说的对时，她也很高兴，并且觉得很有意思。不懂得太深的人情，所谓世故的人情，如同叫她为了自己的利益去特别关心地对某个人要好，表示好感，她就不会做，不是说她固执，而是在不知不觉中她依然故态复萌没法违背她的本意。丈夫早亡家境也很艰难，生活的清苦和儿孙的抚养，确实给她不少的忧愁焦虑，和种种磨折。她的一向不善于应付人，应付事，更增加许多多余的苦恼难堪。盼望了多少年的儿子娶了媳妇，更使她快慰的是又生了孙儿，诚然这正是她该放下肩上的担子安心享受一点晚年应有的天伦之乐时，偏偏不幸媳妇又故去，这真给了她一个不小的打击。唯其如此，这可怜的老人就对孙儿过分的宠爱，一切一切都得她亲自来管，甚至于连蛰夫的爱护还嫌不够，她时常责怪他对承灿太严了，于是要从儿子的手中抢过来，更多多加以爱抚。祖母爱孙本是常情，但这位老太太确是超乎了常情。是一个心肠非常软弱，而看起来却很直很硬的好好老人。

〔她身材高矮胖瘦合宜，脸型有点像她的儿子蛰夫，只是眼光少一点坚定锐利，而更多一点柔慈。下颚有点伸出，人中相当长，一般的说法，是个长命相，牙齿未完全脱落，头发却已大半斑白，尤其两鬓白如银丝。皮色白净，脸上皱纹显明，刻出一个风烛残年的老人，饱尝了多年沧桑的痕迹。她全身整洁，穿着一件深灰湘元纱长衫，袖长未及腕，洗褪色的浅色袜子，半旧的黑缎鞋，脑后绾一个差不多全白的小发髻，看出来原来梳的很光，现在却有些搓毛了。眉虽未皱，但满脸是心痛怜惜焦急之色。

沈老太太（呆呆望着大夫，似信不信地听完了他的话，又踱到床前，低唤他的小名，仿佛非如此叫，不能达出她满腔攒心的疼爱）二宝，二狗子，听见奶奶叫你没有？

〔李大夫走到沈蛰夫面前，望望病人，对沈递了个眼色，严重地皱皱眉头。

沈老太太（老泪纵横，忍不住——）二宝，二宝。

李大夫　（回头）老太太不要叫他。

归容熙　（也婉转地）让他安静一会吧，他痛了一晚上。

沈老太太（连连点头）嗳，嗳，（转对医生恳诉地）李大夫，真的不要紧？（又望望儿子）你们不要骗我。

沈蛰夫 妈，当然，（强打起笑脸）您放心，二宝就是胳膊摔坏了，可以好，生命没有危险的。

沈老太太（向李）是没有危险？

李大夫（一向是沈家的老医生，温和而体贴的口吻）哎呀，老太太，我什么时候骗过您？老太太，我看您回去休息休息吧。快七十的人，累了一晚上。

沈蛰夫（轻轻劝说）回去吧！

归容熙（打起高兴，移动身子）我送您回去。

沈老太太（祈求而慈蔼地）不，不，你还是看着他吧，归小姐，您心真好。可怜，你也累了一晚上了。

沈蛰夫（蹙着眉）回去吧，妈。

李大夫 老太太，该歇歇啦。

归容熙（同情地望着）您走吧。

〔沈老太太凄凄地望着他们，嘴里"嗯，嗯"，向前挨了两步。

沈蛰夫（拿起床头靠着的拐杖）妈，您的拐杖。

沈老太太（颤巍巍地又走过来，低声）二宝，二宝。

〔吴轻轻低声推开门上，焦灼地凝望。

李大夫（忙走来，低声）别叫他，这样不好。

沈老太太（望着灿一身的伤，又揩揩眼泪）真是疼死人啊！什么钢呀，铁呀，把孩子糟蹋得这样！

沈蛰夫　（递给拐杖）走吧，妈！

沈老太太（怕人嫌她烦絮，擦擦眼，强自露出笑容）李大夫，我又要问啦，他能不能搬回家去养？

李大夫　（口里支吾，却故意镇静而有把握的样子）好，好，我们看看。

沈老太太（接下拐杖）有什么事就随时告诉我，李大夫。（嘴角上的肌肉一抽一抽，无助的目光望着大夫，几乎是哀恳）孩子交给你啦，你要用心治啊！用心治啊！（李大夫点头微笑，她转过头）归小姐，你，（非常感激地目光望着她，微微颤抖的手轻拍着容的肩头，爱怜地向下拍抚，想不出话来表示，才——）一会儿回来吃午饭哪，我等着你啊！

归容熙　嗳。

沈蛰夫　（蓦地）您等等，我叫人来送。

吴天长　（走前）我来送老太太。

沈蛰夫　也好，劳神吴先生啦。

沈老太太（点头）又麻烦吴先生啦。

吴天长　不，不。

〔沈老太太又要回去再看承灿。

沈蛰夫　（扬扬手缓缓止住她）好，您先去歇歇吧。

〔沈蛰夫扶着老太太出去，吴随在后面，李大夫又走到矮桌前，拿起体温记录看，同时颜起走到床边看灿。灿很重地在喘，李大夫望望他，就拿矮桌上的打针器具，到办公桌，点着酒精灯，重煮针具，又在自己带来的药包里，翻找什么。

颜　起　（焦灼地）怎么样，沈先生？

归容熙　发这样高的烧总像不大好。

颜　起　（非常关心）归小姐，您一会儿就要走么？

归容熙　（为难地）我，我要走的。来了电话，飞机改下午开。

颜　起　哦，可是——

〔田启贤由通外门上。

田启贤　（内疚的目光）颜起，下面吹钢又该准备了。（见颜起来到面前，自己走去）颜起，你还怪我么？

颜　起　张领班也告诉了我，还是刚来的领班没有经验，在坑里倒了水，不过我们——嗐，走吧。

〔田回头不住地望着灿，意似不舍，被颜拉出。刚出门，沈又开门进来。

沈蛰夫　（急迫）李大夫，怎么样，究竟怎么样？

李大夫　（放下器具，转过来）蛰夫先生，不要太着急，不过情形是不能不说严重的。

〔容正想过去听，灿又哼了一声，容走回床头低头探视。李大夫与沈蛰夫也转过来身来。

〔余处长推开纱门进来，手里拿着一张报告。

余涤凡　总经理，利生煤矿刘副经理从城里订合同来了。

沈蛰夫　嗯，请他们先等一等。由易协理先同他们谈吧。

余涤凡　这是公司化验室送来的焦炭分析报告，试样是沈副厂长昨天派人送去的。

沈蛰夫 （接下来看）嗯，嗯。

余涤凡 （关怀，低声）副厂长好些没有？

沈蛰夫 还好，谢谢。

〔此时容又走来，挨近沈李。

余涤凡 （客气地，转身）归小姐，一会儿有便车进城，急的话，您搭利生煤矿的车也可以。

归容熙 好，谢谢。

〔余处长由通外门下。

归容熙 （走近李大夫面前）李大夫？

李大夫 （郑重地）那么，我们仔细研究一下好不好？（沈也凑拢来）烧伤不算重，有热度是烧伤以后可能的现象。

归容熙 但他烧得这样高？

李大夫 （摇头）不，不，你放心，这不是血中毒的缘故。离受伤还不到十二小时，变化没有这样快。

沈蛰夫 不过我怕，（又忙忙觑了灿一眼）他的内部！

李大夫 也不是，他的内部也没有摔伤。输了足够的血，生理盐水也打了五百C.C.。现在看，是没有什么意外的问题。不过——

沈蛰夫 他的胳膊？

李大夫 （沉重地）断了，肌肉骨头完全粉碎，这是顶重的Compound Fracture，出血太多，（缓重）大血管断了。并且里面尽是泥土，很容易引起其他更坏的变化，现在必需要一个紧急的手术，不然——

沈蛰夫 怎么？

李大夫 真正受了其他的传染，或者成了破伤风，这是很，很讨厌的。而且现在大血管断了以后，整个右膀没有血供给，自然会坏死，胳膊已经没有用了——

归容熙

沈蛰夫 （惊痛地互相望了一眼）哦！（沈盯望着医生的严重的脸。容回头睨视承灿，耳中仿佛又听见李大夫接着说话，才慢慢转过头来）

李大夫 那么，为着，以后的安全，我看——

归容熙 （压着心头的恐惧）必需要施行手术？

李大夫 嗯，并且最好要在八小时以内！

沈蛰夫 （低声）是，是怎么样一种手术？

李大夫 （自己做比指着）要从此地锯。

沈蛰夫 锯？

归容熙 这整个的右膀？

李大夫 （爱莫能助地摇摇头）没有法子。要快，不然——

沈蛰夫 （望着他）嗯？

李大夫 总之愈快愈好。

归容熙 （哀怜地）没有别的办法？

李大夫 （坚决地）没有。（踌躇）那么谁去告诉他？是我，是沈老先生？

〔容踱到望台前默立。

沈蛰夫 （半晌）我来说吧。

李大夫 我方才给他打的镇痛麻醉剂，大概还可以支持半点钟，搬到医院以前，我再给他一针强心剂，沿路是没有问题的。（承灿哼了一声，逐渐由昏昏地沉睡中醒来，他们都凑过去。）

沈承灿　（痛苦地）我渴得很。

〔容过去倒水给他喝。

李大夫　（走近）怎么样，觉得？

沈承灿　痛，（强笑着）不过现在忍得住了。

李大夫　还怎么样？

沈承灿　有点点想吐。

李大夫　想吐，还——

沈承灿　有点点晕。（望着沈）爸爸，奶奶走了？

沈蛰夫　嗯，不着急，孩子！不着急！

沈承灿　告诉奶奶不要紧的，我，我，不要紧的。

沈蛰夫　李大夫，刚才你说——？（沈拉李走到办公桌边低声商谈）

沈承灿　（想把手抬起）容，你累了。

归容熙　（赶紧过来）不，不。（把他的手又放回去。）

沈承灿　（关切）一夜你都在这儿，一直没睡。

归容熙　（强笑着）放心，你一定很快地好的。

沈承灿　（仰望着她）你是明天一见早的飞机么？

归容熙　（想要告诉他更要提早的消息）我，我——（却又忍住，半晌）嗯。

沈承灿　（伸出手，吃力地）容熙，你可不可以再——

沈蛰夫　（仿佛已经商谈完毕，对李）嗯，嗯，就这样办吧。（走近归，低声）我想跟承灿说几句话。

〔容点点头，立起缓缓向外走，忍不住拿出了手帕，掩着鼻子，由通外门走出。

〔李在屏风后轻轻徘徊。

沈蛰夫 （挨近床边，慢慢坐上藤椅的边缘）孩子！（像什么塞住了喉咙，半晌）觉得好些吗？

沈承灿 （痛苦地微笑）好，好。

沈蛰夫 （想想又停止）孩子。

沈承灿 （着急）爸，怎么，是怎么回事？

沈蛰夫 （紧抓着床沿）孩子，我的孩子！

沈承灿 （挣扎，注视）医生说——？

沈蛰夫 （抚慰）危，危险是没有的。

沈承灿 嗯。

沈蛰夫 （目光涩涩）可是摔伤的地方很严重，大血管已经断了。

沈承灿 （猜着一大半）那么是不是要——？

沈蛰夫 （点点头）是要动手术。

沈承灿 （睁大了眼）可是，从哪里？——

沈蛰夫 （指着自己）从这儿起，（握紧灿的腿）孩子，不要怕，不要紧的。

沈承灿 （黄豆大的汗珠从额上流下来）李大夫。

〔李大夫过来。

沈承灿 真的，大夫？

李大夫 （点点头）没有别的办法，为着以后的安全。

沈蛰夫　为着你的将来。

沈承灿　（无力地）将来？

沈蛰夫　孩子！

沈承灿　爸爸，（振起一丝微笑）别着急，这，这也没有什么。（闭上眼）只是冤枉！

李大夫　（低声，轻轻地）那么救护车一来，我们就搬到医院去。

沈承灿　（闭紧眼，点点头）好！

李大夫　我到下面安排一下。

沈蛰夫　（咬着嘴唇）嗯。

〔余处长由纱门上，李大夫点点头下。

余涤凡　总经理，通中银行的陈先生来了。

沈蛰夫　（诧异）哦？

余涤凡　就在下面炼钢厂会客厅。

沈蛰夫　借款合同说好是明天签的。

余涤凡　不，总经理——（迟疑）他口气上像是借款的银团发生一点变化，并且听说钢轨——

沈蛰夫　（挥挥手）出去谈，我们出去谈。

〔归容熙悄悄由纱门上，凝眸的神情中似乎闪耀着又是勇敢，又是希望的光辉。瞥见沈，就低下头来预备走过。

沈蛰夫　（轻轻止住她）归小姐！

归容熙　（抬望）沈——沈老伯。

沈蛰夫　（说不出的情感）我，我真感谢你，请你为我还陪他一会。

〔容点头。

〔沈与余由纱门下。

〔容踱到床前。

沈承灿　（睁开了眼，无目的地望着）

归容熙　（轻轻坐下）你要不要再喝点水。

沈承灿　不。

归容熙　（温婉）痛得很吧?

沈承灿　有点。（转过头，低沉地）车子有啦?

归容熙　有。（握住他的左手）

沈承灿　（嘘了一口气）那，走吧，就走吧。

归容熙　（怆痛）怎么?

沈承灿　（不敢看她的眼，又闭上）医生说的，你知道啦?

归容熙　（低头）知道。

沈承灿　（摸着她的手紧紧握着，缓缓睁开眼）原来想再留你，再留你几天，也许，也许你——（痛苦地）可是现在我不应该再留你了，我不留你了。

归容熙　（满眶的眼泪）承灿。

沈承灿　（迸发）一个学工程的，忽然丢掉了右手，哦，我怎么可以丢掉右手怎么可以丢掉了右手啊!（左手蒙着脸抽噎起来）

归容熙　（立起，移近枕边）承灿，承灿！不要难过，不要难过!（把他的手，从脸上缓缓移开）看着我，承灿，承灿。（微笑着，眼泪从面颊上缓缓流下来）你丢了一只手，现在，又添了两只手了。

沈承灿　（目不转睛）啊!

归容熙　（抚慰地握着他的手）承灿。

沈承灿　（如在梦里）不走了，你？

归容熙　（满眼的怜爱）不，不走，我要陪着你。

沈承灿　容熙，你——（眼泪夺眶而出）

归容熙　（探身为灿拭泪）我喜欢，我也喜欢，安静一点吧，承灿，（灿更哽咽起来）安静一点吧。

〔沈眉头重锁由通外门上。容熙立起。

沈蛰夫　（愕然）怎么？

沈承灿　（满脸泪痕却笑着，兴奋地）爸爸，她，她不走了。

沈蛰夫　归小姐！

沈承灿　（望容）嗯，容熙她不走了，她永远不走了。

沈蛰夫　（惊愕，逐渐露出欣喜）归小姐，你，你永远——（走到容面前）

沈承灿　是吧，容熙？

〔容微微一笑。

沈蛰夫　（拉起她的手）归小姐——容熙，（深挚地）好，好，你真是个好——承灿，爸爸恭喜你！

沈承灿　爸爸。

沈蛰夫　（向容快乐地）恭喜你们！

〔古恭宪又叫又跳的由通外门上。

古恭宪　Hello，Dr.沈，恭喜，恭喜，Congratulations！

沈蛰夫　什么事？

〔灿与容听着一怔。

古恭宪 （手举一块钢轨的切段）总经理，你看，他炼的钢成功了，很好，很好，轧出的钢轨完全合乎规格，政府一定会满意的。

〔容高兴地接下切段，递交灿手。

古恭宪 （兴奋地）化学成分Carbon（碳）0.45，Mangcnite（锰）0.80，Silicon（矽）刚刚0.20，Phosphorous（磷）恰恰0.10，正合美国A.R.E.A.的规格，你用这么一种七拼八凑的设备，炼出这样的钢！ My boy you did marvellous works！我是政府，我满意你。

沈承灿 （愉快地）好，我们接着出。

古恭宪 嗯，大量地出，其余三吨，五吨的炉子赶快装好，赶快开炉。

沈蛰夫 （微笑）先不忙，先不忙，关于产量，我们等等看看。

古恭宪 （莽撞地）啊，总经理，这用不着等的。（忽然）哦，Dr.沈，你的伤怎么样了，不要紧吧？

归容熙 不要紧，还好。

古恭宪 那就好极了，再见，Dr.沈！

〔易由通外门上。

古恭宪 （一把抓住）啊！易协理，我正有事找你！

易范奇 沈副厂长现在好点没有？

沈蛰夫 还好，谢谢。

古恭宪 易协理，那个焦炭——

易范奇 我就是为焦炭事情来的。总经理，（逼出）人可先生又有信来。

沈蛰夫 不管，那个焦炭绝对不能买。

易范奇 （忍不住）可是通中银行已经——

沈蛰夫 （负气地）合同绝不订。并且现在已经定的焦炭我要退掉。

沈承灿 好，爸爸！

易范奇 （搓捻起手指）再，杨味斋——

沈蛰夫 （尖锐地）请你见见他，对他说我就是这个意见，不管是什么先生什么长的电话，或者信。

易范奇 （斜眼望着他，慢吞吞地搓着手指）不过我怕我们要略微顾忌一点日后的市场。为着贷款，销路，或者运输，人可帮的意见是不能不稍加以颜色的。

沈蛰夫 （气愤愤地）你说给他们什么颜色看？

易范奇 不过总经理，我想您早知道，这两天隆山铁路政府已经决定不修了。

古恭宪 啊！

易范奇 钢轨完全没有销路。

沈蛰夫 嗯，嗯，（望古与灿）

古恭宪 什么？钢轨不用了？不修路铁了？ Dr.沈，（跑到灿的床前，对灿大喊）你的钢，我的钢轨白废了！我们这一大堆人，这一大堆设备，又要停工了。（连敲脑壳）停工，停工，Ach Gott！ 又停工！

沈承灿 （怔了半天，才——）爸爸，真的？

〔大家面面相觑。

沈蛰夫 （沉重地）嗯，这消息，我已经知道有两天了。我怕影响你们的工作情绪，没有立刻告诉你们。这是万万想不到的，大家千辛万苦，在这样艰难的条件下出钢，他会给你这么一个（忽然激昂）打击。不过，我不相信这是致命的。现在我们已经过了一大半河，我们没有退回去的可能。（望望他们）这两天我正在跟桥梁公司商量订长期合同。

沈承灿 爸爸，不过做桥——

沈蛰夫 嗯，做桥用钢少！不过我们要先借桥先渡过我们的难关，我们要慢慢找出路来，慢慢找出市场，（威睃的眼睛挑衅地）我不相信为着建设一个新中国，抗战这么几年，民营钢铁，只销了两万吨就够了的。

古恭宪 （慑）可是总经理，这钱！

沈蛰夫 钱，我再告诉你，银行贷款银团又变了卦，由八千万减到三千万。记住，这是人可先生的大面子！我们不能眼看着一个国家的重工业刚一开始就去停顿。所以，古厂长，轧钢厂的设备还是照样添。承灿，炼钢厂的马丁炉还是照样办。我决定把我剩下的财产全部放在里面。担子让我来担，你们先乐观做，积极做。实行公司已定的计划。我们先打出一段路，是一段路！（拿出报告交给易）易协理，关于利生煤矿的焦炭，这是我们公司化验室的报告。请你仍然照我的意思对他们讲，告诉他们，信，几封董事的信，人可的信和电话都接到了。不过合同是不能签的。

易范奇 （眼睛转了转）总经理，我认为措辞上——

沈蛰夫 不用多说什么，也无须婉转，把报告给他们看就成了。

易范奇 （立刻又谦恭地）好吧。

〔易与古由纱门下。

〔办公桌上电话铃响。

沈蛰夫 （拿起电话）是，是我，哦，光斗，好，好得很，我就来。（放下电话，回身对灿）凌伯伯来了，在我办公室，他就要来看你，他已经带着振华桥梁公司的人来了。

〔汽车飞驰而来，突然停止声。

沈承灿 好！

沈蛰夫 容熙，你跟他到医院去么？

归容熙 是的。

沈蛰夫 好，很好，我就来。

〔梁爱米捧着一大束鲜花由外门跑上。

梁爱米 （急匆匆）沈伯伯，他好一点没有？好一点没有？（走到床前）我把世界上最好的治伤药（非常高兴地举着药盒）第一次带到中国的Penesillin弄到手了！（轻声）承灿，你好点没有？

沈承灿 （微笑着，摇摇头）晚了，Emmy。

梁爱米 （惊愕）怎么？

沈承灿 我完全好了。

梁爱米 你——

沈蛰夫 （笑着把容熙推上前）Emmy，让我介绍日后我们家里的一个人。

梁爱米　啊！

沈蛰夫　（笑着）未来的Mrs.沈。

梁爱米　（惊讶得说不出话）你，你们，你们已经——（忽然平伏了激动的心情，非常欣喜地）哦，承灿，恭喜，（拉起她的双手连连摇着）容熙，我恭喜你。

〔忽然承灿在床上呼起痛来。

沈承灿　哎唷！

归容熙　（跑去）怎么？

沈承灿　（咬着唇）又痛，痛起来了。

〔李大夫匆匆由纱门上。

李大夫　救护车就到。（瞥见病人在挣扎）怎么？怎么？（步到床前）

归容熙　（指）他！

李大夫　（对他们）不要紧，现在先再打一针麻醉剂，本来也要打的。（立起身来）

〔望台下鼓风机忽然轰轰响起来了。窗外贝斯炉又喷起火。

李大夫　（惊顾）怎么？这是怎么？

沈蛰夫　（沉静地）他们在炼钢。

〔轰轰吹钢声中，台外闪耀炫目的白光。室内李大夫跑到桌前预备针药。容、米倚坐床边，两个都尽心地扶护着承灿，目光焦灼，不停地注视着灿扭动的脸。他似乎忍制着剧烈的痛苦。

——闭幕

家

【题注】据1947年9月文化生活出版社沪三版排印。通校1955年8月上海新文艺出版社新1版（校注称“新文艺版”）、1985年6月四川文艺出版社“曹禺戏剧集”本初版（校注称“川版”）。参校1942年12月文化生活出版社渝一版（校注称“渝一版”）。

人　物

高老太爷

高克明——他的三子。

高克安——他的四子。

高克定——他的五子。

周氏——他的大儿媳妇。

王氏——克安妻。

沈氏——克定妻。

觉新——号明轩，大房的长子，大少爷。

觉民——大房的次子，二少爷。

觉慧——大房的三子，三少爷。

觉英——三房的长子，四少爷。

觉群——四房的长子，五少爷。

觉世——四房的次子，六少爷。

瑞珏——觉新妻。

淑贞——五房的女儿，四小姐。

琴小姐——即张蕴华，高老太爷的外孙女。

钱太太——周氏的堂姊。

梅小姐——即钱梅芬，钱太太的女儿。

陈姨太——高老太爷的姨太太。

鸣凤——大房的侍婢。

黄妈——大房的老女仆。

婉儿——四房的侍婢。

刘四姐——第一幕的“喜娘”，瑞珏的陪嫁女仆。

袁成——男仆。

苏福——男仆。

老更夫

冯乐山——高老太爷的朋友。

张二——钱太太的老佃户。

时间和地点

时间　　北伐以前[1]

地点　　中国某大城市

第一幕　　初春的一天

第一景　　觉新的洞房，午后二时许。

第二景　　景同上，同日午夜后。

第二幕　　盛夏，两年半以后

第一景　　夏夜，在觉慧卧室前庭院内。

第二景　　同日午夜后，在觉新的卧室内。

第三景　　半月后，仍在觉新卧室内。

1　“北伐以前”新文艺版作“一九二五年以前”。

第三幕　　暮秋

第一景　　离第二幕三个月后，秋天的傍晚，湖滨水阁旁。

第二景　　离第一景有两个月，冬天的薄暮，景同前。

第四幕　　一星期后，由下午四时至翌日晨

在钱太太城外的旧屋内。

第一幕

第一景

是梅花正开的时候，高府花园里的梅花也开得这般茂盛了。但是园子里却非常寂寞，寂寞到看不见一个人影，就任它冷冷清清地散溢着幽香。那一丛丛的梅树远远望过去，像雪林，像冰谷，泛漾于宁静的天空，冷艳而沉穆，如若静女。

初春的天气，相当暖和。湖水明净，闪耀着那映在水中的花影。一切都是静悄悄的，梅花也像在做她的梦。

这时，高府里整个是一片喧闹，只有这园子是另外的一个天地，是一个梦境。这屋子里的主人们多半都不大喜欢梅花的，而那真爱梅花的人却为了别的事困住了身子，不能到园子里来。

两三天来高家所有的人，男男女女，老老少少，都在忙着办喜事。几进宽大的庭院里，散布着许多客人，唱戏的，帮闲的，还有那满脸笑容到处张罗着的主人，和一些忙上忙下的仆役。院子里搭台唱戏，大厅里摆着宴客的酒席。

是午后二时的光景，宾客们正在用喜酒，新娘的花轿就快要抬进来了。

这时洞房里是非常安静的——它是靠近花园的一间屋子，往年是少爷小姐，远亲近戚小时一块儿读书的所在——满屋洋溢着喜气。这不是一间正方形的屋子，面对着观众的这面墙是一个高大的门，通外院的门上有雕细花的格子，由中间向两面开的。门左——以演员的左右为左右——墙角处放一只红木高脚花架，架上一个大理石浅盘，盘里养着山石盆景，上面垂着吊兰小草。架左的墙稍稍斜下来，这面墙上开着一列宽敞的长窗，正对着窗外的花园。打开窗子可以看见园里潋滟的湖光与雪似的梅树。窗左再折下来又是左墙；靠墙放着一张红木长炕椅，椅上套着蓝缎子棉垫，中间一张小炕儿，几上放着一个紫铜印香盒子。正面墙向右折下来是右墙，靠正面墙墙角处放一张红木小条桌，桌上放着帽筒，里面插着拂尘，还有一把细瓷彩花大茶壶。条桌右一个较小的门，通内院的，门上挂着古铜色缎门帘。门右的墙又正折过来，面对着观众是洞房中最引人注目的新床。这床十分宽大，床前横放着一条半尺高的踏板，两端各立一小柜，是放鞋用的，也可以坐人。踏板外才是床的框子，框子很宽，上面是镂空描金的凤凰和牡丹。床上有叠得高高的绣花闪缎被和绣花枕头粉红洋绉帐子[1]，米色缎子帐檐，绣着梅花。床前左面放一张红漆方凳。床右空着一块地方，用米色绸幔子遮住，里面是放箱子和换衣服洗脸的用具。再折下来是右墙，靠墙一张梳妆台，中间是圆镜子，镜子两端各有两个小抽屉，面上放着玻璃盒子，粉罐[2]，胭脂盒等化妆品，抽屉里放了梳子与零星首饰。台上有一个青色假龙泉窑大花瓶。还有一个崭新的锡灯

1　此句川版作“床上有叠得高高的绣花闪缎被、绣花枕头和粉红洋绉帐子”。

2　“粉罐”底本作“纷罐”，据新文艺版、川版改。

盏。梳妆台两边放两张福建红漆圆凳，屋正中一张红木八仙桌。上面放对锡烛台，高插着一对龙凤喜烛，旁边一个红漆大果盒，盖子掀着垫在下面，盒里放些喜饼，桂圆，枣栗之类。灯右四个红彩金花的细瓷盖碗，左面长窗上挂着深紫色窗帷，两旁垂着紫铜钩。炕椅前中间一个瓷痰盂。左墙炕椅上挂着粉色飞金蜡笺的四幅屏，屏左挂一个白底子蓝花葫芦形扁花瓶，瓶里插着松柏枝。屏右一个挂钟。梳妆台右墙上，挂一个乌木正方圆角镜框，框里是白缎子绣的鸳鸯，镜框上下都是桃形的铜钉挂着托着。

开幕时，炕儿上的香盒里正燃着檀香末，香烟缭绕，一对龙凤烛照得满屋喜气洋洋。四太太王氏和五太太沈氏立在正中门外，正对着一些亲戚们招呼着，说着，笑着，行着礼。那些亲戚老太太们也你一句我一句地应和。丫头仆妇也在搀着扶着，连声答应主人们的喊叫。外面又有知仪的老仆高呼“某大人到”或者“某太太到”、“某老爷到”，拖着庄严而悦耳的腔调，嘹亮地喊出来。在这些喧杂的声浪中还隐约听见远处锣鼓，唱戏和喝彩的声音。这时——

王　氏　（点着头，笑说）伯母！慢点走！婉儿，快点扶着冯老太太下台阶。——走好！走好！——我们还要照应着新房。

沈　氏　（大声，指手画脚地）慢慢走！——不对，戏台在那边！在那边戏台！——太亲母！我们就来[1]，我们照应一会新房就来。

1　“我们就来”川版作“我们就来，我们就来”。

老太太们和其他的女宾们 （客气着，有的笑，有的喊，有的仿佛正颤颤巍巍下着台阶，一片混乱的足步和笑语声夹杂在一起）是啊，进去吧！我们认得！——不用扶了！——四太太，你们招呼别的客人吧！——五太太，进去吧！歇一会儿吧！——戏台在那边？晓得了。——请回请回吧！

沈　氏 （又连忙喊叫）喜儿！你快扶着呀！——慢走！慢走！——（严厉地）淑贞，好好跟琴表姐走路！别乱跳！

王　氏 （在沈氏还在嚷着送客的时候已转过身来，似乎有些疲倦地）哎！

〔王氏——四太太，高克安之妻——身材不高，尖尖的瓜子脸，嵌上一对芝麻大的小眼，一眨一眨地，专为暗地探取人的眼色。薄片子翘嘴，满脸机巧酸刻的神气。短短的衣领上露出一段细而长的黄颈脖[1]，走起路来斯斯文文，摆东摆西，像一只河面上的鹭鹚[2]。说话声音尖锐，冷言冷语地时常带出嘲讽的冷笑。在大家庭的明争暗斗的空气中过久了，耳濡目染，无意中就会流露出一种幸灾乐祸，看隔壁戏的态度。她说话十分小心，明白自己在家中所处的地位。除了在有人侵犯到她切身的利益时，她的言语总是模棱两可的。她穿着绣花的红湖绉裙，青缎鞋，上面罩着一件雪青色团花缎皮袄。

---

1 “颈脖”川版作“脖颈”。

2 “摆东摆西，像一只河面上的鹭鹚”川版作“东摆西摆，像一只河面上的鹭鸶”。

沈　氏　（仿佛做完了一件大事，深深叹了一口大气，才十分吃力地转过身来，自得地）可把我累昏了！这帮老太太们！

〔沈氏——五太太，高克定之妻——生得胖，走到人前笑呵呵的，肥腌腌的，蓦一看觉得可喜，细细审视就会令人生厌。她的性情有人认为是豪爽，实际上却是粗野。声音洪亮，说起话来，指手画脚，除了在她的公公高老太爷，和其他严厉的长辈们面前，总是高谈阔论，如入无人之境。讲完了，别人不知说些什么，自己也不知说些什么。任何事无论巨细，她总喜欢参预。目的未必在自己要做主角，她的见解是：只要有了她一份，这事便不会错。有心眼，不过都是些不足轻重的，并且心里也搁不住。相貌庸俗，方面大耳，塌鼻子，肿眼睛泡，厚嘴唇包不住牙齿，宽大的前额，两鬓又齐又方，垂下一大绺“刘海”，乌黑油亮的发髻上，斜插着一朵肥大的绒花。她也穿着红裙，元色湖绉袄。浓妆艳抹，头上手上满戴着珠翠首饰。她拿着一条粉红手帕，不住的扇，似乎忙了一天，现在才刚刚歇歇脚。比起王氏来，她确实易于亲近，只是言谈举止过于阳躁，像一团暴火，令人不可向迩。

王　氏　（慢吞吞地）这会儿道喜的客人来的真不少！

沈　氏　（急忙忙找一个凳子坐下）唉，四嫂，你也快找个凳儿坐坐吧。我腿都站麻了！就是他们高家的规矩多，我嫁过来十二年啦，我一看见高家的长辈子来，我还是头大！

王　氏　（一向不大接答这一类话，十分有分寸地）五弟妹，你不去照应照应女客们吃饭去么?

沈　氏　(连连摆手)得了,得了,我先歇歇。忙了三天,跑上跑下的,我连这新房都没有好好看过。(不知是忙的得意,还是怄气)大少爷接媳妇[1],我们当婶婶的受罪,你说天下有这个道理不?

王　氏　(笑着)得了,等淑贞长大了,找个好姑爷,那一天您五太太不就欢天喜地地当个享福的外老太太么?

沈　氏　(两手一摆,高声大笑)啊呀,别造孽吧。我没这么大福气!(忽然正经起来)这两天光淑贞那双脚就把我气死了。

王　氏　(像是关心,其实是打趣,她向来是暗地耻笑沈氏的愚蠢的)怎么啦?脚裹得怎么样啦?

沈　氏　(十分气愤)哎,死不听话呀!我跟她好说歹说,她都不听。这两天刚裹得有点名堂,她半夜又偷偷地放了。

王　氏　(故意大惊小怪)哎呀,那怎么好?不白费了精神?

沈　氏　(连声叹气)哎,哎,[2]——嗯,气急了,我就拼命拿马鞭子抽!抽得青一块,紫一块的,(咬着牙)"我看你还放,还放,还不肯裹!"

王　氏　其实孩子小,打狠了也不好。

沈　氏　(十分顾惜,又自认十分明白的样子)哎,四嫂,没法子,这是做娘的心哪。"打在儿身,痛在娘心!",我的肉,我怎

1　此句川版作"大房的大少爷接媳妇"。

2　"哎,哎,"川版作"哎,"。

么不疼！可是有什么法子？我一看见这新房，我就想起我过门坐洞房第一天晚上受的气！（犹有余痛）我，我一辈子忘不了！

王　氏　（悠悠然的神色）唉，过了这许多年还记着这干什么？

沈　氏　（非常愤慨地）忘不了，忘不了！你想，你五弟，（忽然又是恨，又是幽默地笑起来）我那新郎官哪！那个死东西！他就死也不肯进房。旁人好说歹说，他就是不肯进房，大家都对着我面前笑，笑啊，笑啊，笑得我——

王　氏　（佯为不知，呆呆地）是怎么的啦？

沈　氏　（眨眨眼）四嫂，你真不知道？你还是装傻？

王　氏　（有点认真）五弟妹，我装什么？我真不知道。（笑着逗问）真的，为什么？

沈　氏　（白眼一翻）为什么？（把脚一伸）还不是为我这双半大不大的脚？（忽然）不成，不成，非裹不可！（向外屋走）淑贞！淑贞！

王　氏　（看她神经）你干什么？

沈　氏　（不理，大声）淑贞！

〔外面一个女孩儿的愉快响亮的声音：（拖长）嗳，妈！

沈　氏　（对王氏）叫淑贞烫脚！我跟这孩子说好的，放她三天假，算为着她大房的大哥结婚。可今天是黄道吉日，今天夜晚，说什么，我得给她再裹，谁说也不成！

王　氏　五弟妹，女儿是你的，你放心，谁也不敢劝你的。

沈　氏　（说不出的烦恼）唉，你不知道哇，他们大房的人顶好管闲事啦，那天大房的老三，觉慧那个小东西就当着我面，为着（着重）我的女儿裹脚，就——（越想越气）唉，不说了，气死人，（大喊）淑贞！淑贞！

〔外面女孩儿：（又一声短而快地）唥，妈。

〔随着应声立刻由正中门跳着跑着，一溜风似的闯进一个女孩儿——淑贞，年约八九岁，圆圆脸，白里泛红的两颊，像熟透的苹果，一双明亮活泼的小杏核眼，仿佛永远是笑着的，梳着两条乌黑的小辫子，随着她在背后跳动不歇，像两只斗鸡尾巴上的毛。她穿着一套桃红小花的绸子袄裤。一双小小的天足穿着红挑花鞋，几乎可以撩乱人的眼，野兔似的在地上不停地跑动。手里拿着一袋红纸包好的喜果。

淑　贞　（高举着喜果，欢叫）妈！喜果！喜果，吃喜果！（一把塞到沈氏手里。）

沈　氏　淑贞！

淑　贞　（回首，匆忙地）四伯娘，你也吃，大姑妈给我的。

沈　氏　淑贞，你听着——

淑　贞　（兴高采烈，绝未听见，笑着，说着，找着）咦？咦？[1]我的手绢呢？我放在这屋里的手绢呢？（一边说，一边十分灵巧可喜地转了一个螺旋，四下里望，忽然欢叫起来）啊，在这儿哪！（立刻从沈氏身旁飞跑到对面炕几前，一脚就登上了缎炕垫——）

1　“咦？咦？”川版作“咦？”。

王　氏　淑贞！

沈　氏　死鬼，你要摔着[1]！

淑　贞　（回头一笑，跪在炕上，探着身子，从悬在喜屏右的葫芦形扁瓶里插着的松柏枝上取下来一条小小的红手帕[2]，笑着，骂着）坏三哥！坏三哥！这一定是三哥放的！（立刻下来，没有停息）妈，我到前院跟三哥一块看戏去啦。（说完就跑。）

沈　氏　别跑，淑贞！

〔屋外又一个女孩的声音：（沉稳地）淑贞！你还不来？

〔淑贞跑到了正中门口，正遇着高克安踱进，几乎撞着。

淑　贞　（对着克安赔了一个小心）四伯伯！

沈　氏　这孩子！（正当淑贞反身又要走的时候，忽然追上一步，严厉地）淑贞，你别太高兴！记着！你今天晚上——

淑　贞　（脸上忽然罩了一层恐怖，由不得[3]低头望了望自己的脚，睁大了痛苦的眼，颤抖地恳求着）妈！

沈　氏　你玩去吧！

〔屋外快乐的喊声：淑贞！淑贞！

淑　贞　（蓦地用力转过身，似乎[4]不顾一切地）嗅，我来了。

---

1 “你要摔着”川版作“摔死你”。

2 “探着身子，从悬在喜屏右的葫芦形扁瓶里插着的松柏枝上取下来一条小小的红手帕”川版作“探身从悬在喜屏右边的葫芦形扁瓶里插着的松柏枝上，取下来一条小小的红手帕”。

3 “由不得”新文艺版、川版均作“不由得”。

4 川版无“似乎”。

〔淑贞由正中门跑下。高克安望了望，即转过脸来。一副不足轻重的削薄相，几根瘦骨头支架着一身富丽的衣裳，他向来十分讲究穿戴，今天遇着这样的盛典，一天就换了三套衣服，来炫耀自己的富有，和挑选衣饰的精明。他现在穿一件灰湖绉面银灰鼠脊子的皮袍，上面罩着一件细花，光彩夺目的黑缎马褂。他的性情较王氏略微明快，不过许多地方这夫妻二人的态度颇为仿佛，都好在人背后挑挑拨拨，自己暗中可以得些利益。他从前读了几年书，结了婚就一直陪着夫人鬼混，读不成书，做不了事，除了陆续添了几个子女外，再没有比这更值得提起的成绩。

高克安 （对王氏，煞有介事的神气）啊，你怎么跟五弟妹躲在这儿聊闲天哪？忙死人，外面一批一批的客人来道喜，你们偷偷在这儿享起福来啦！

王　氏 （冷冷地）我们刚把冯家一大家人送出门。

沈　氏 （热哄哄地）是啊，冯家，少爷，小姐，儿媳妇，老太太，孩子，孙女儿，他们一大家子都来了。还有周家，廖家，蔡家，咳，这新房就没断过人。我们现在刚歇一会儿。

高克安 （一顿抢白，哑口无言，连连摇首）得了，得了，出来吧！喜堂下面摆上几十桌酒席，还没吃完，前面的戏都唱了半天，你们别尽叫三嫂忙上忙下地招呼，你们——

王　氏 （推托）大嫂自己不也在应酬么？

沈　氏 对呀，又不是我们的儿子接媳妇，是他们大房，大哥，大嫂——

高克安　（回头望望，对沈氏）五弟妹，你说话（笑着）可得当心点，这句话要叫三哥听见了，一定又不高兴了。

沈　氏　（接得干脆）活该他不高兴！大房里人红，吃香，老爷子喜欢！他们三房的人会巴结，臭巴结，乱巴结，我们五房的人不会！（愈想愈气）哼，为着觉新结婚，恨不得连命都不要了！

高克安　（没有办法，连声）好，好，好。（转身对王氏）那么，你来吧。一会儿爹看见我们四房不见人，又吹胡子瞪眼了。

王　氏　（慢条斯理）四老爷，不是我不去。你看哪！新房里空空的，没有人看东西。

高克安　那么李家今天派来看新房的喜娘呢？

沈　氏　吃饭去啦。

高克安　别的下人呢？

王　氏　（缓悠悠地）谁知道？

高克安　高忠！高忠！苏福！苏福！

沈　氏　（对王氏挤挤眼）别喊了，方才我们都喊过了。

高克安　张嫂，黄妈！

沈　氏　他们大房的事都忙不完——

高克安　袁成！

王　氏　不会来理你的。

高克安　混账！混账！上上下下几十个下人，不用都在眼面前，要用着他们，就不知道这些混账王八蛋都跑到哪儿去啦！

〔远远不断传来喜气盈盈的鼓乐声，和下人们喝道引客人入喜堂的声音。

王　氏　我想有的跑到前面看戏去啦！

高克安　还有呢？

沈　氏　还不是找年轻好看的丫头们开心去啦？

高克安　（顿足）我玩他们一百六十代祖宗！一百六十代祖宗，我玩他们——

王　氏　四老爷，你斯文点！五弟妹还在眼前呢。

高克安　（支吾）唏，唏，这有什么？

沈　氏　（痛快）四嫂，没什么，[1]你五弟在我面前还不是妈妈祖宗成天在嘴上溜。

〔此时侧门外有人很庄重地咳嗽一声。大家回头。高克明由侧门悠悠缓缓地走进，后面跟着苏福，一个三十多岁的男仆。

〔三老爷克明，曾经在外县做过几任县官，在所谓宦场中算是经历过来的。性情狭隘，一点也不豁达开展。自己并无思想可言，也没有清晰的头脑来辨别是非。任何观念先入为主，占据了他的意识后，便顽强地扶持[2]着，不肯稍有变通。他通常总是故意做出三分老态，干练自负。其实也不过是三十多岁的人，言谈中除了精明的阅历话之外，一大半是令人气沮的牢骚，或者是令人头痛的引经据典。他十

1　“没什么，”川版作“四哥真算斯文罗！”。

2　“扶持”川版作“坚持”。

分明了自己在家庭中做长兄榜样的地位，——尤其是在大哥久病，眼看着不能再起以后——十分矜持，有时故作不苟言笑，是一种以子弟对他的畏惧来估量自己在家庭中位置的起落的人。时而在弟弟辈面前略微发出一些长兄的威严，聪明的善观眼色的子弟便故意在他面前做出一副诚惶诚恐的鬼相，引得他格外庄严自得。这样彼此都心满意足，大家在背后愈发笑他。今天他又故意穿了一件不十分新的古铜色缎袍，外面罩着黑呢马褂。戴一副金边眼镜，鼻下微微有点髭须，瘦棱棱的指节上只有一只金戒指，益发要衬托出他的朴实可风的持家精神。

沈　氏　（望见克明进来）三哥！（抿着嘴笑。）

王　氏
高克安　（同时）三哥！

高克明　（素来晓得沈氏疯疯癫癫的癖性，望了她一眼，便庄严地）明轩不在这儿？

高克安　（恭谨地）不在这儿。

苏　福　小的倒是瞧见大少爷在新房旁边走来走去的，也，也许又一个人到梅树林子里去了。

高克明　（大不满）真是怪事，怪事！眼看就要接亲的人，还这么小孩子脾气！（立刻匆匆地走向正中门口，苏福随后。）

沈　氏　（还未等克明走出，就忍不住）哼，我看明轩哪——

高克明　（回过头来，对克安）克安，你怎么还不到前面去照应一下，花轿就要到了。（忽然对弟妇们）明轩这两天是怎么回事？

王　氏　不大清楚。

沈　氏　（口快）哼，反正是无精打采，不大像个新郎官的样儿就是了。

高克明　（不愿往下问，转对克安）克安，就来吧！两位弟妇似乎也——

王　氏　（精灵地）大嫂叫我们暂时看一看新房的。

〔袁成由正门上。

袁　成　三老爷，冯老太爷已经到了。

高克明　哦。

〔克明由正中门下，二仆随下。

高克安　（四面望望，低声）不是我好说丧气话，我看冯乐山替大房做的这个媒呀，将来是不是件喜事很难说呢！

〔正中门外一声清脆的女儿声音喊着："陈姨太，您不用走远了，新房里就有！"随着走进来鸣凤和陈姨太。

〔鸣凤是大房的婢女，年约十四五，绰约多姿，一脸娟秀的灵气，天生爱好，没有一丝粗笨的丫头相[1]。传说她的家世清白，祖上都是读过书的，后来不知如何才流落到仆役这一群里。她有一对美丽的大眼睛，当她与人说话，或望着什么的时候，总显得那样聪慧而诚实。面色白净异常，只是嘴角微微有一点向下弯，无论是笑或不笑的时候，都隐隐地潜藏着一丝别人不容易看得出的苦相。本性十分深厚，到了高家，更学得一种奴婢们必有的恭顺沉默。但无意中，

1　"没有一丝粗笨的丫头相"川版作"没有一丝粗率的灶房丫头相"。

当她用不着再拘束自己的时候，就依然露出来少女的天真可喜的地方，那样纯挚，使人对她不得存一点狎昵的念头。所以和她同地位的仆役们并不喜欢她。她穿一件小紫花布薄棉袄，浅蓝夹裤，新花布鞋。黑软的头发梳成两根小辫，扎着红头绳儿。声音清亮，也很甜，只是偶尔有一点气短。

鸣　凤　（手里拿着一个茶杯，对陈姨太）屋里就有凉开水。（立刻转身在右墙小条桌上端起那瓷壶向杯里倒水。）

陈姨太　（连声）哪儿？哪儿？（一眼望见王氏等）你们妯娌们在这儿啦！

〔陈姨太，过去是冯家的丫头，多年前，被冯乐山当作人情送给高家老太爷作为一种贴身的侍婢。凭她的幸运，机警，和谄媚的本领，在很短的期间，她爬上了另一层奴婢的阶梯，当高老太太一去世后，她就擢升为姨太太。于是她才有了娘家，大家就依她的娘家姓，尊称为"陈姨太"，因为老太爷也不大愿意人提起她的出身是这样卑猥的。一生处在钩心斗角，非欺诈就像不能生存的环境中，她益发变得刁滑而险毒。睚眦之怨，迟早必报，面孔上尽量隐饰，心肠却可怕的狠恶。大家怕她，鄙视她，而又无可奈何她。她凭借老太爷的威严，赢得亲友们虚伪的来往，也赢得[1]有血气的子弟们的愤恨。瘦长脸，尖削的勾鼻梁，下垂的小

1 "赢得"川版作"招致"。

三角眼，高颧骨，薄嘴唇下露一颗金牙。细一看，黄脸皮上，尤其靠颧骨处，长着一层细碎的黑雀斑，现在薄薄的敷着一层脂粉。她也系着红色的绣花裙子，手里握着一个小药瓶，匆匆忙忙，十分紧张的神色。

沈　氏　怎么啦？怎么啦？

陈姨太　（一面走到桌前倒药，一面说）新郎官又不舒服啦！（用水调药，从头上取下一只金簪，在杯中搅动。鸣凤一旁帮忙。）

高克安　（假惊愕）啊，好好地又病了？

〔克明从正中门外探出身来。

高克明　（匆忙地）克安，你快出来陪陪冯老伯。我要立刻看看明轩，——有事。来吧，克安。

〔克安随着克明无可奈何地由正中门下。

王　氏　（也走过来，幸灾乐祸）怎么真病啦？

陈姨太　（忙着，望望王氏，还未答话。）

沈　氏　（打听新闻的态度）病倒啦？

鸣　凤　（镇定地）大少爷没有什么不舒服，就是脸色有点不好。

陈姨太　（机警地）嗯，脸色不好。（转身）鸣凤，你快拿去吧！再多研两下，一次喝了。

鸣　凤　谢谢陈姨太！

〔鸣凤接下药，立刻由正中门急忙走下。三个女人等她走出后——

陈姨太　（指着）鸣凤这丫头不声不响的，顶机灵了。说话一不小心，那小心眼儿立刻就记下了。以后——

王　氏
（同时）究竟是怎么回事，明轩——
沈　氏

陈姨太　（才大惊小怪地）可不是真像来了大病的样子！我望着你们大嫂跟他谈着话，谈着话，他就忽然地靠着一棵梅树，仿佛就要倒下去的样子。

沈　氏　（故作惊慌）哎呀！

陈姨太　我说"不好！"这才忙着扶着，赶紧跑到上房去拿药。

沈　氏　那么我们一块儿去看看去吧？（立刻拔脚就要去。）

陈姨太　（冷冷地）我不去。

沈　氏　（愣住）怎么？

陈姨太　（似乎才受了一点闲气）人家母子两人还要谈话，我们——

沈　氏　方才不是三哥也去了？

王　氏　（酸酸地）那是三哥呀！跟大房的人亲近哪！

陈姨太　（口气中总忘不了自己的身份）反正大房的事连我也不敢多问，万一惹出个是非来，反而显得我这个做老辈子的多口舌了。

沈　氏　怎么？（非常好奇地）新郎官今天真会闹笑话？

陈姨太　（无意中露出刻酷）还没有呢！就是愁眉苦脸一副有病的丧气相！

沈　氏　（拍掌笑着）啊呀，这个病我可有药治！你们现在赶紧派人把花轿从李家门口，搬到钱家门口，新郎官就会立刻欢天喜地，有说有笑的了。

陈姨太　（故意卖好，四面望望，亲昵而鬼祟地）五太太，你可别乱说，他们大房的人就恨人提这件事。

沈　氏　（大模大样）得了吧，这不是谁都知道的？觉新爱钱家梅小姐，钱家梅小姐爱觉新！小两口儿没做成，“棒打鸳鸯两离分”，哼，这——

王　氏　（怕惹祸）五弟妹，真的，你别在这新房里大声地嚷，一会新娘子就要进门——

沈　氏　（抢说）算了，新娘子早晚还不是要知道？

陈姨太　反正不是我说的。

王　氏　（笑着）也不是我说的。

沈　氏　（豪爽自命）那么是我说的，一会等新娘子一进门，我就去说，就去说！（忽然一本正经地，低声机密地）陈姨太，你说今天钱家大姨妈，她来不来？

陈姨太　（沉吟）她呀，——她会来的，她今天会来！

沈　氏　我猜她不会来。你想，自己的女儿也没摸着嫁过来，她好意思跑来道喜呀？

王　氏　不过她昨天一下了船，就赶着把礼都送了。

沈　氏　送了礼就更不会来了，来了看着好生气呀？

陈姨太　（盼望的口气）她这个人的脾气呀，我看多半会来。

王　氏　听说梅小姐也病了。

沈　氏　就是说呀。

陈姨太　（忽然一转）哎，谁又盼望这个怪物来呀？

王　氏　（笑着）真要来了，她在新房里疯疯癫癫，胡言乱语地骂一顿，那才有好戏看呢！

沈　氏　那才要大嫂这个做妹妹的命呢。

陈姨太 （尖刻地）不，那才要她女儿的表哥觉新的命呢！

〔三个人你一言我一语，开心地笑起来。

〔蓦然左面长窗外人影闪过，有说话和足步的声音。

王　氏 （扬头一望）三老爷跟大嫂来了。

沈　氏 （也望一下）还有大少爷！（有些慌张）四嫂，你看！我们早就该出去应酬客人去的。

王　氏 （俏皮地）现在走也来得及呀。

陈姨太 （匆忙地）从这边（指侧面通内院的门）出去吧，省得万一待会儿新房里掉了东西，说我们没有看（读阴平，“看守”的意思）着。（一面和王氏向外走。）

沈　氏 （忽然）你不说我倒忘记了。（连忙跑到梳妆台前，从小抽屉上的玻璃盒子里取出一点东西揣在怀里就走。）

王　氏 你怎么？

沈　氏 （撒赖）偏偷它！（笑着）偷了新房的东西有好处的。

王　氏 （故意）哎呀，来了！

〔沈氏忙与陈姨太王氏同由侧门下。

〔由正中门走进三老爷，觉新，和大房的周氏。三老爷仿佛在严重地告诫着，觉新俯首静听，面容惨淡，周氏焦切地望着觉新的脸。

〔觉新，长房的长子，一向是祖父所钟爱的，承家立业的希望都寄托在他的身上。他只有二十岁上下，身量相当高大，面貌也长得丰满，气态雍容华贵，眉宇间沉挚温厚，初见面的人就会很放心地和他坦白交谈，看得出是一个可托大事的朋友。不过在这种表面是一团和气，内里却完全相反的家庭里，他是郁郁寡欢的。他不得不学习着许多虚文浮礼和一些死板的应付方法。[1]他看得清，他隐忍，在短短的二十年生活中，他已被逼得练出一种不可少的心理状态，“忍”，无限量的忍。因之渐渐变得怀疑，萎惫，自己不相信自己，遇事不敢去定是非，断定了又不敢毅然去做，踌躇，思虑，莫明其妙的恍惚，仿佛昏暗慢慢由四面压下来，踽踽独行，终于又转进了一条狭隘不知去路的黑巷里的境界。虽如此，他心底不是没有光明的火焰的。他有爱，他衷心地爱着他所爱的人。他可以与人分安危，共甘苦。只是[2]他有一种强烈的鉴别善恶的爱憎心，这使他在敷衍着一些虚伪的人们时感到异常的苦痛。他随时都在抑压下这鄙恶人，藐视人的念头，家庭逼他做一个场面上的人物，要他谈笑自若，看见秽恶却视若无睹。可是他并没有这般[3]豁达的胸襟，他感觉到这一点，他责难自己的矛盾，人世的矛盾，丑恶而可笑的矛盾，粗鄙而可耻的矛盾，因此他不自觉地由心底时时涌起憎恶厌世的悲观情绪。但每次他总是非常戒惧地把这类思想收敛起来。

〔他毕竟年轻，已经尝过多少伤痛了，却还留连在“少年不

1 此句川版作“他不得不学习着许多繁文缛节和一些陈腐的应付方法。”。

2 川版无“只是”。

3 “这般”川版作“那种”。

识愁滋味”的心情中，咀嚼着，甚至于喜爱着那些痛苦而甘甜的折磨。他执拗地爱着一个人，不自觉地几乎是喜欢自己的执拗。他痛苦，忧郁，面容惨沮，他徘徊在梅林里伤怀已愆的好梦，几乎[1]不愿见人，只想沉埋在美丽若书本的回忆里。他穿着品蓝缎袍，团花黑马褂，态度自然大方。

周　氏　（焦虑地）明轩！

〔周氏是觉新的继母，和他的生母是堂姊妹。嫁来高家很有些年，前室留下的孩子们对她感情都很融洽。她年龄与诸弟妇相仿佛，性情端重温厚，也颇知事理。弟妇们都认为她有手腕，实际上她十分怕事，遇事迁就，才获得家人们的相安。她晓得长嫂难处，继母更难做，为着不肯使外人说下闲话，对死去的姐姐的子女们宁肯失之过宽，为诸弟妇们责备，不肯严待了引起公公和丈夫的不满。认真说，她是爱护他们[2]，自己从来没生养过小孩，对他们的指望倒也确实殷切的。她生得一副老成持重相，大耳朵，大眼睛，丰满的鼻翼，宽正的额鬓，下腮圆圆的。人已略微有些发胖。她穿着绣花红裙，和玄色袄子，稍稍戴了一点翠饰，正是一个大家主妇的仪态。

高克明　（十分严厉地）明轩哪，你听着！

觉　新　是，三爸。

1　川版无“几乎”。

2　“爱护他们”川版作“爱护他们的”。

周　氏　（忍不下）明轩，你现在好一点了么？

觉　新　（回首）好些了。

高克明　（自己正说着齐家治国的大道理，认为大可不必顾及这些私人的琐碎，匆忙地）那就好极了！（又突然严重起来）明轩哪！你是长房长孙，以后比你小的弟妹们要拿你做榜样。而且你的父亲在病，日后这样大的家庭[1]，固然要你这个做长孙的来撑持，现在的责任又何尝不该由你来担负呢？

觉　新　（一直应声）嗯，是。

周　氏　（关切）明轩，你吃了药还是不好过吧？

觉　新　好，（忍耐着）没有什么。

高克明　（不值一顾，并未停嘴，依然——）现在爷爷既然是退休养老，以后家里可以说有出无进，弟弟妹妹们都还年幼，你应该“入则孝，出则悌”，上可以侍奉父母祖宗，下可以抚爱弟妹诸幼——

觉　新　嗯，是，——

高克明　（滔滔然）你的责任可以说是无穷无尽的！

周　氏　（看见觉新站着吃力，又不便使克明不说，忍不住插进话）明轩，你的脸色还是不好，躺一会儿吧。

高克明　（更郑重，提高声音）所以，从今天起——

周　氏　（对觉新）你一定是太累了。

高克明　（连次话被打断，也耐不下）大嫂，我前面还有许多客人要

1 “这样大的家庭”川版作“我们这样大的家庭”。

应酬。大嫂让我说完好不好?

周　氏　(赔着笑,解释)我怕明轩不舒服,一会花轿来了——

高克明　(忽然一愣,对觉新)你是不舒服么?

觉　新　(勉强地笑着)没有什么,还好。

高克明　(对周氏)他还好。(急切地)大嫂,我要把这一段话说完。这话是爹前天叫我说给明轩听的,(连忙补充)叫我告诫,告诫明轩的。我忙,忙,就忙忘了,现在——

周　氏　花轿就要到了。

高克明　现在我要完全对他告诫清楚!(回头对新)所以从今天起,你就是大人了,并且你以后要对新娘子也如此的告诫[1],教导。宁可失之于严,不可失之于宽。一个长房孙媳妇最难做。公婆弟妹,里里外外,口舌是非,在在都需要当心,在在都需要克己。而这种(非常得意地)以夫君而又兼父师的教导责任也是该由你负的。我们家凡事都有根据,都合乎古法,我们做人处世——

〔苏福由正门上,说完话即下。

苏　福　三老爷,冯老太爷在客厅——

高克明　(不耐烦)晓得,晓得!呃,呃,我们做人处世(好像堵塞)——呃,呃……(突然又流畅)所以明轩,你的责任是大的,你的希望也是无穷的。做的好,齐家治国平天下,做的不好,默默无闻,老死转乎沟壑,为万人羞,千夫耻,

---

1　"也如此的告诫"川版作"也要如此的告诫"。

也有可能！（益发严肃地[1]）所以结婚娶亲，尤其在我们这样的大世家里是一件应该非常戒慎，非常恐惧的事，你要战战兢兢，如临深渊，如履薄冰，不可有一丝懈怠，忘却自己做长房长孙的责任哪！（一口气说完，十分快慰）好了！我说完了，（不关痛痒地）你病好一点了么？

觉　新　好点了。

高克明　（拿出手帕擦擦嘴角）那么你去吧，客人来得更多了，你也出去应酬应酬。

觉　新　是，我就去。

〔袁成由正门上。

袁　成　冯老太爷要先到后院看一看新房，老太爷说，叫三老爷——

高克明　知道了，就去。明轩，你记着我的话，休息一下，赶紧出去再给客人们道谢。

觉　新　是。

〔克明和袁成由正中门下。觉新才找一把椅子坐下，扶着头额[2]。

周　氏　明轩，你吃了点东西没有？

觉　新　没有，没，——不怎么想吃。

周　氏　（和蔼地）明轩，不要老这么愁眉苦脸的，什么了不得的事，值得人在接亲的日子还要挂在心上呢？

1　“益发严肃地”川版作“益发严肃”。

2　“头额”川版作“额头”。

觉　新　（摇头）没有，我没有什么事啊！

周　氏　看淡点，不要老觉得天要塌下来的样子。万事总有一条归路，娶妻生子，就是一条人生的大路啊！

觉　新　（苦痛地）是啊，妈，我是在走着呢。

周　氏　（仁慈地笑着）那又何必皱着眉头去想呢？

觉　新　（忽然也闪着一丝苦笑）不是想，我倒是替这要嫁过来的小姐难过呢。

周　氏　（体贴地）明轩，你的心我明白，不过早晚你就会懂了。夫妻呀就要挑那个能做夫妻的做夫妻。这位李小姐性情温和，也生得是个有福的相，真比你那梅表妹，一年到头地病——

觉　新　（忽然立起来）唉！（踱步。）

周　氏　（同情地）不，明轩，我就怕看你这个受委屈的样子。我不是没有替你想过，不过你也知道钱家大姨妈，我那位姐姐，是那么古怪的脾气！其实你跟梅表妹一小就在这书房里读书，她难道不晓得，可是她偏偏——

〔鸣凤拿着一束梅花由正中门上。

鸣　凤　太太，管事的说花轿就要到了，请太太出去照应照应。

周　氏　就去。（对新）你钱大姨妈偏偏为一点小事把这么一件大事情回绝了。我有什么法子呢？（恳求地）明轩，你看着你正在病的父亲身上就委屈这一次吧，你可千万别叫钱家姨妈老远听着笑话，叫四房五房的人们看着你为梅表妹——

〔陈姨太忽然像一只猫似的从正中门溜进来。

陈姨太　（连连招手，故意大惊小怪，做出万分关心的神色，低声急促地）大太太，大太太，快来，我告诉你一句话。

周　氏　（连忙走过来）什么？

陈姨太　不得了啦，她，她来啦！

周　氏　谁呀？

陈姨太　（更低声）钱，钱大姑太太！

周　氏　哦。

陈姨太　（机密地）现在就在大太太屋里坐着呢。

周　氏　（心里不安，却不敢露出，镇静地）我去看看，（走出一步，忽然回头，恳切地，低声）陈姨太，您可千万别告诉明轩呀！

陈姨太　（不大满意地笑了笑）当然，我知道。

〔周氏匆匆由正中门下。鸣凤一直在梳妆台前插着花。

陈姨太　（转望觉新，不觉露出含蓄的刻薄，尖笑）你的病真好一点了么？

觉　新　（烦恶，却抑压着，强勉[1]地）好，谢谢您。

陈姨太　（仿佛觉得讨了没趣，反身对鸣凤，诘难地）鸣凤，谁叫你插的这花。

鸣　凤　（笑着）三少爷！他叫我先把这几枝梅花插在新房里添添新，他一会儿还要——

陈姨太　别插了，什么花不能插，偏偏要插梅花？来吧，大太太屋

1 “强勉”川版作“勉强”。

里有钱家送来的双喜字的红绒花，你拿来插上。

鸣　凤　可是三少爷——

陈姨太　（一股怨气都发泄在——）你来！

〔鸣凤只好放下还未插好的梅花，望望觉新，无可奈何[1]地随着陈姨太由偏门下。

觉　新　（沉浸在苦痛的思索里，几乎未留心她们已经出去，恍恍惚惚地踱来踱去，顺手取起一枝梅花，望了望，又苦痛地掷在桌上，沉闷而忧郁的声音，低低地说出来。）

〔叹气。

啊，如果一万年像一天，一万天像一秒，

那么活着再怎么苦，

也不过是一睁眼一闭眼的工夫。

做人再苦，也容易忍受啊！（略顿）

因为这一秒钟生，下一秒钟就死；

睁眼是生，闭眼就是死，

那么"生"跟"死"不都是一样的糊涂？

就随他们怎么摆布去吧！

反正我们都是早晨生，晚晌死，

连梦都做不了一个的小蠓蠓虫。

唉，由了他们也就算了。

〔到此仿佛完全静止，但突又提起精神。

1　"无可奈何"底本作"无奈何"，据新文艺版、川版改。

不过既然活着，就由不得

你想的这么便宜。

几十年的光阴，

能自由的人也许觉得短促，

锁在监牢里面的，

一秒钟就是十几年

见不着阳光的冬天哪！

〔深沉地

活着真没有一件如意的事；

你要的是你得不到的，

你得到的又是你不要的。

哦，天哪！

〔觉慧抱着一大束梅枝，由正中门生气勃勃地走进来。他比大哥小三岁，而一身是青年磊磊落落的朝气。他带进来春天，也带来了夏[1]，因为他有炎夏一般的火躁性情，一触即发，对一向他所深恶痛绝的伪善，丑恶，卑鄙，自私和顽固，总是毫不吝惜地施以攻击。出自衷心地认识了是非，即使是见着长辈们也无所顾忌。他较一般的弟妹们入学都早，很久他就感到周围空气的毒恶，应该削株除根，彻底地铲绝。但他也晓得羽翼未丰，自己还正需要培植。他有一种“拿得起，放得下”的汉子气魄，决不为一个问题苦

1 “夏”新文艺版、川版均作“夏天”。

恼，悲伤，气沮，终于毫无善策，不了了之。他记得住，也忘得下，知道什么是那最有利的时机能给敌人一个致命的打击。但他并不只是等待，时时刻刻[1]在磨砺自己，他知道[2]他的生活绝不在一个狭小的圈子里。他需要更深更厚的准备，抵挡来日的风雨。同时他也明白自己的弱点，譬若感情太盛，易于冲动，……他尽量地克服，努力用功，不过本性如此，有时总免不了性情发作，虽然闹到后来，受了长辈们的责罚，都[3]没有一毫后悔。

〔他穿着短短的黑色学生服，头发没有十分梳理，眼睛亮晶晶的，非常精神，面色红润，一张有筋有力的嘴，嘴角微微带了一点善意的嘲讽。

觉　慧　大哥，鸣凤呢？

觉　新　出去了。（长嘘一声。）

觉　慧　（笑着）大哥，我就怕看你做成这么一副受苦受难的耶稣相。

觉　新　（苦笑）是做么？

觉　慧　（鼓动地）那么，你为什么不闯一下呢？

觉　新　（沮丧地）有什么事值得？死就死了，我们生下来就为着死的。

觉　慧　（不觉放下梅花，同情而兴奋地）就这么悲观？大哥你就这

1　“时时刻刻”川版作“他时时刻刻”。

2　“他知道”川版作“知道”。

3　“都”川版作“他”。

么看得透？生下就为着死？（突然愤慨地）我们活都没活够，祸都没闯够，我们——

〔远远忽然鞭爆大发，一阵非常热闹的唢呐声，夹杂远远人们的喧嚣。

觉　新　（不觉立起）这是什么声音啊？

觉　慧　（讽刺地）这就是活着的声音，大哥的新娘子大概是到了。

〔门外女眷们乱嘈嘈的，笑声足步声和说话闹成一团，仿佛一窝蜂，由正中门外走过。

女仆们　花轿到了！——新娘子来了！——快去看！走啊！到了！到了！

王　氏　（立在正中门外，对仆役们打着招呼）关门，快关门。

陈姨太　（也在外面笑喊着）是啊，应该关门，先压压新娘子的气性！

沈　氏　（也在忙着喊）喜儿，快去，快去，快去叫四小姐来看。

〔黄妈——大房的老女仆——十分兴奋地由正门拿着一大朵绢制的红花，匆匆走进。她穿着新衣服，为人厚道可靠，对大房的子女们十分忠诚爱护。

黄　妈　（一路嚷嚷着）好了，好了，新娘子到了，花轿到了。（对觉新笑嘻嘻地）大少爷，这可该吃你喜酒了。快出去，快戴上花，接新人吧。（走近要为觉新戴上。）

觉　新　（不觉闪避着）黄妈，我，我有点闷气，你，你先出去给我倒杯茶来。

黄　妈　（连忙）也好。（立刻由偏门下。[1]）

觉　慧　（方才已跑到正门外望，现在忽然跑回来，急促而痛切地）大哥，大哥，你再想想吧！这是你一生的事情啊！（急切）你，你，你就闯一下吧！我劝过你四次了，我给你预备过！（匆促地望了一下）你，你现在决定走，还来得及——[2]

〔由正中门跑进觉民和琴小姐。两个人也都是气愤愤的，觉民——大房的二子——比觉新小两岁，态度稳重，天生一种乐观的性情，眉峰间总微微带着愉快的笑态。他同样对这个家庭感到不满，但他并不深恶痛绝。他也不想随遇而安，却非待事到临头，唤不起他奋斗的精神。力量来得缓，却持得住。不若觉慧明快，但比他厚重。他的相貌也丰满，宽前额，圆下巴，健康的面色，戴一副眼镜，勤勤恳恳，一望而知是个勤勉的学生。他穿一件蓝布长衫罩着的棉袍，下面是学生制服裤，旧皮鞋，手里拿着一件崭新的黑缎马褂。

〔琴小姐，是姑奶奶张太太的女儿，较觉民小一岁，性情温和聪颖，有胆量，在亲戚中，她是最先进学堂读书的女孩。生得端正清丽，长圆脸，细秀的眉，大大的黑眼睛，鼻子不低也不算高，不厚不薄的唇，嘴角稍稍向上弯，总是微笑的样子，特别显着和气，说话时露出一排小而整齐的雪

1　此句川版另起一行作“〔黄妈立刻由偏门下。”。

2　“——”川版作“！”。

白的牙。皮肤微黑，前额不高，梳一条乌亮的辫子垂在背后。她穿着月白闪花缎的上身，浅蓝绸裤沿着花边，举止落落大方，没有一丝矫揉造作的女儿态。

觉　民　（欣喜地）大哥，你在这儿！我们到处找你，你好一点了么？

琴小姐　（踌躇地）大哥，新娘子已经在大门口啦，你，你还不去？

觉　慧　（认真地）琴表姐，你忘了跟我们一块儿在这屋里读书的人啦？

琴小姐　（诚挚地）我，我怎么会忘记梅姐姐？（深切地同情，望着新）不过事情已经延迟到现在，我，我简直看不出还有什么别的办法。

觉　慧　（固执地）有，有办法，有！只要有决心！（忽然）大哥，你不能再犹疑了，（恳切地）这不是人家的事啊！

觉　新　（仿佛自语，长嘘一声）怎么样呢？

觉　慧　（冲动地）走，走，现在还不太晚，还来得及。你可以先到我的同学家里——

觉　民　（忍不住叫出）这是不可能的，觉慧，你这是——

觉　慧　什么叫不可能？世上没有不可能的事。只要你——（突然——）

沈　氏　（由正门探出身来）新郎官[1]预备好了么？

琴小姐　（连忙）好了，就好了。

王　氏　（也探出身）快出来吧，外面人等着呢！

1　“新郎官”川版作“新郎官！”。

觉　民　是啊，就出来。

〔沈王二氏立刻匆匆又走开。

觉　慧　怎么样，大哥？

觉　新　（立起）不，没有这种办法。

觉　民　觉慧，你那是纯粹小孩子的话，这件事只有慢慢——

觉　慧　（性急）慢慢，慢慢，现在事情都逼到头上，你还叫大哥——

〔克明仓促由正中门上，后随袁成与苏福，衣服穿得十分整齐，袁成手中捧着一顶两边各插一朵金花的博士帽。

高克明　明轩，你怎么还不出来？

觉　新　就来。

〔外面老太爷的声音：克明啊！

高克明　是，爹！

〔克明立刻由正中门下。

觉　民　（不得已）大哥，你去吧！

觉　慧　大哥，你不去！（更激烈地）大哥，你要大胆，大胆，大胆，永远的大胆！

觉　新　（苦笑）大胆，大胆？我要想到这个家呀，觉慧，我不能够随便一个人大胆的。

〔黄妈端着一杯茶由侧门上。

黄　妈　（叨叨地）岁岁平安！岁岁平安！好好一个茶碗偏偏叫四少爷碰碎了，碰碎了。

高克明　（探出头）明轩，你——

〔高老太爷的声音：新儿呢？

觉　新　（高声应诺）是，爷爷！（向门口走。）

〔老太爷的声音：（庄重地）你出来！

觉　新　是，爷爷！

〔袁成和苏福，跟随觉新出去，觉新无精打采地垂着头。

黄　妈　（放下茶杯）不要啦？（看见新出门）花？（拿起方桌上的大红绢花）大少爷！（下。）[1]

觉　民　（摇头）唉！

觉　慧　（望着）你看这像不像上法场？

〔外面鼓乐嚣然，屋内悄悄的，鸣凤由侧门持一只大红绒双喜花走进。

鸣　凤　（涩涩地）三少爷，陈姨太说不插梅花插喜花。

觉　慧　（不语，鸣凤停住。）

觉　民　（望了半天，对觉慧）钱大姨妈来了。

觉　慧　（沉思）知道。

琴小姐　大哥前天在路上看见梅表姐。

觉　慧　嗯。

觉　民　我，我跟琴妹正想着一个无可奈何的办法。

觉　慧　哦。

鸣　凤　（犹疑地）三少爷，这——花？

1　川版无“（下。）”

觉　慧　（爆发）随他们爱插什么插什么！[1]

鸣　凤　（不知究竟，依然拿着红绒花喊）三少爷！（连忙跟出。）

〔觉民和琴小姐互相望了望。

〔高克定——五老爷，高老太爷最幼[2]的儿子——由正中门进，他一身是阔公子哥儿的习气，自幼被母亲溺爱，昏天黑地，整年过着荒淫无耻的生活。身体好，脸上胖圆圆的，衣服也穿得华丽，却远不若克安整洁。性情较克安憨厚，在二人同做不正当的事情时，吃亏受害的总是他。他一路嗽嗽着立在门口，后面随着四老爷，仿佛在劝着他，一路说："走吧！走吧！"

高克定　真讨厌，真讨厌！真真讨厌！

觉　民　五爸！

高克定　你们两个还在这儿干什么？

高克安　觉民，你还不去招待客人？

琴小姐　五舅！

高克定　琴姑娘，你妈正找你呢！

〔民琴二人由正中门下。

高克定　（烦厌地）好好儿的，我刚刚认识这个唱花旦的薛月秋，偏偏要我去陪冯乐山这个老混蛋，真讨厌，真讨厌！

高克安　（一面走，一面推他出去）去吧！去吧！克定，爹吩咐的，

1　此处川版另起一行有"〔觉慧走出。"。

2　"最幼"川版作"最小"。

有什么法子！

〔王氏由正中门上，后随克明。

王　氏　快去吧，爹叫你呢！

高克定　真，真是——（一眼望见克明，没有说完，长叹一声）嗯。

〔克定沮丧地由正中门下。

高克安　婉儿！

〔婉儿声：嗳！

〔婉儿由偏门上。她是四房的丫头，年约十五六，相貌端正，性情十分忠厚温顺，进来就立在门口，克明望望克安。

高克安　（对王氏）新娘子大概还有一会儿才能拜堂，冯老太爷要看看洞房，你们女眷先避一下。

王　氏　（机警地）走吧，婉儿！

高克明　（咳嗽一声。）

高克安　你把婉儿留在这儿。

王　氏　那不成。

高克安　（无法，对婉儿）你给我倒碗茶来。

〔婉儿由偏门下。

高克安　（对王氏）不要紧的，不要紧的。你听我说话，没有错。把婉儿留在这儿，人家不会吃掉她。

王　氏　（严重地）不，四老爷，你可别作孽，我的丫头宁可送给一个要饭的，不能这么毁了她，活活当一辈子的冤鬼！

高克明　四弟妹，人家冯老太爷是个有道德，有品格的人，你千万不要——

王　氏　三哥，您不知道啊！陈姨太刚从冯家过来的时候，不还是疯疯癫癫的么？她那个时候可说过这位老太爷，（激出来的话）那，那简直不是人哪！这是他们冯家人传出来的，没错呀。

高克明　（固执地）不要听人胡扯！一个人人品太高，一般人就不容易明了。他子孙满堂，膝下只少女儿，在外面多收几个女弟子，那也是——

王　氏　不是的呀，人，人家背后骂他是个——

高克明　（庄重地）不要说了！

〔克定由正中门上。

高克定　（仿佛在引客）冯老伯，请进！

〔大家很恭谨地望着。从正中门缓缓走进来冯乐山。高老太爷略略在后，陪伴着他。

〔冯乐山年约五十六七，中等身材，面容焦黄枯瘦，须眉稀少，目光冷涩，鹰勾鼻子，削薄的嘴唇里有一口整齐的黄牙齿。他体质强健，却外面看不出来，像他的为人一样，一切都罩在一种极聪明、极自然的掩饰的浓雾里。至于他掩饰些什么，他自己埋藏在最深的潜意识的下层中，也绝无勇气来担承[1]。唯有[2]真正接近过他的，揭开那层清癯而端重的面形，才看见那副说不出来的令人厌恶，令人颤

1　“也绝无勇气来担承”川版作“他从不曾想过，别人居然知道”。

2　川版无“唯有”。

惧，自私，刻毒的神色。他不是“伪善”，他一点不自觉他“伪”。[1]他十分得意地谈些有关道德的文章[2]。确实相信自己是一个方方正正的君子。他敬孔而又佞佛，他一直本着这两位圣人的慈悲心肠，才拯救那些他认为沉溺在苦海，却[3]需要他来援手的人。他穿着雅致的瓦灰色呢袍，宽宽大大，自觉飘逸脱俗，举止动作非常缓慢，一切都是自觉地做着他认为的好态度[4]。时常和蔼的微笑，笑容里带着一点倨傲。他缓缓地踱进来，手里拿着一束诗稿。

〔高老太爷，年龄较长，约六十一二岁，体格魁梧，如今微微有些伛偻，浓眉大眼，目光四射。他穿一件团花的丝绒马褂，罩在古铜色的缎袍上。红光满面，头顶秃秃的，光可鉴人。他一生辛苦，造成这样大的家业，神色间自然带来一种自信，坚定的气象。他察言观色，十分敏锐，平素倒也落落拓拓，并不是一个过分拘谨的老人。[5]

〔大家肃然。

冯乐山　（似乎沉浸在崇高的冥想中，握着诗稿，连连作声，像在自语）嗯，嗯，我就爱它一片潇洒，一片灵气，一种神清骨

1　此句川版作“他不认为世上有伪善者。他从不觉察他的言行竟会是虚伪的。”。

2　“谈些有关道德的文章”川版作“谈他的道德文章”。

3　川版无“却”。

4　“好态度”川版作“‘至善至美’的态度”。

5　此句川版作“他察言观色，自以为敏锐，平素落落拓拓，还不想扮成一个过份拘谨的得道的君子。”。

寒的气象，不见一点肉，而温柔尽致，绝代销魂！

高克定　（不知为什么连连应声）是，是，是！（忽然忍不住搔首弄耳）您说这是——

冯乐山　（目光忽然冷澈如水）你们令尊大人的诗！

高老太爷　（望了克定一眼，转对冯）评价太高了，评价太高了！

冯乐山　（十分端重而含蓄地）真是“公诗如美色，未嫁已倾城”。（四面观望。）

王　氏　（近前，略带窘状）爹！（叫完就走。）

高老太爷　不要回避了，都是自家人。这是冯老伯。

王　氏　冯老伯！（施礼，冯也略略点头。）

高老太爷　倒茶来！

高克安　是！

〔克安由侧门下，王氏连忙随下。

高老太爷　哦，明轩呢？叫他快来见见冯太老伯。

高克定　（找着一个出屋的机会，立刻）是，爹！

〔克定由正中门下。

高老太爷　（对冯）这次承冯乐老为舍下长孙作伐，又拜领这么重的厚礼，真是——

冯乐山　（十分豁达）你我多年友好，总是应该的，应该的。——（微笑）人老了，万事都看得淡，独有为人忙儿女的心，老而弥切。

高老太爷　（笑着）这也是一种积功积德的事。（忽然想起）哦，前些天听说冯乐老又收下一个女弟子，呃，呃，[1]是么？

冯乐山 （似乎在支吾）啊？——哦，是的，不错，有这么一件，（稍停，庄重起来）还算有慧根的。还好，还好，一个女孩子最难得有灵性。（高老太爷点头。）

冯乐山 （非常字斟句酌地）遇见一个有慧根的孩子，我不忍看她堕入污泥。佛说“慈悲”，孟子曰“不忍”，都是一片爱惜好生的心肠。世上断没有眼看着人要落水而不肯援之以手的道理。

高老太爷 是的，透彻，透彻[2]。

〔克安由侧门进，鸣凤随着端茶进来。

高老太爷 （指着）这边！（鸣凤走到冯乐山身旁，把盖碗放下。）

冯乐山 （点点头，见鸣凤转身欲出，忽转首，很慈祥地问）这个小丫头，你，你叫什么呀？（鸣凤感到一阵恐惧，立刻低下头。[3]）

高克明 鸣凤。

高老太爷 （对冯，有些夸傲地）这个小丫头的父亲据说还是个很[4]读过书的人呢！

冯乐山 （忍不住赞赏，而又非常淡雅地）这个小孩子倒是生得不俗。

---

1 川版无“呃，呃，”。

2 “透彻，透彻”川版作“高见，高见”。

3 此句川版另起一行作“〔鸣凤感到一阵恐惧，立刻低下头。”。

4 川版无“很”。

高老太爷 （做笑话说）怎么，冯乐老，老当益壮，有此豪，豪兴否[1]？

冯乐山 （十分怕人误会）不，不，“老树婆娑，生意尽矣”。我倒是觉得这个孩子不要糟蹋了。（对鸣凤，目光逼人，像鉴赏一件古玩，冷冷地端详着，微微点头，又像自言自语）很有点灵气，很有点灵气，可惜太，太小了点。

高老太爷 （有意无意地）嗯，嗯。

〔远远细乐奏起，克定由正中门上。

高克定 爹，外面都预备好了。请爹出去受礼。

高老太爷 （颔首）请吧。（二人向正中门走。）

冯乐山 （回顾）这洞房布置倒还精雅，可惜外面少一片竹子。（悠然自喜）“可使食无肉，不可使居无竹……”

〔冯一边说，一边与高老太爷偕出。后随克定。王氏立刻由侧门进来。

高克安 （对克明，故意想讨他的喜欢）他老人家真风雅！

高克明 （方要答话。）

王　氏 哼，看着吧！

〔侧门外女人声：（直腔直调地）客还没有走？

〔周氏声：（温顺地）大概走了吧！

高克明 （对王氏）谁呀，这样恶声恶气？

王　氏 （淡淡地）钱大姑太太在外边等半天啦！

---

1 “有此豪，豪兴否”川版作“有此豪兴否”。

高克安 （伸舌）她呀！

高克明 （也立刻）走吧！

〔二人匆匆由正中门下。

王　氏 （走到侧门，对外面，非常和气地）请进来吧，大姐！

〔钱太太上，后随周氏，沈氏和陈姨太。

〔进来这位陌生的妇人是周氏的堂姊，鬓发斑白，高颧骨，双目炯炯，眼皮凹落，瘦长脸，细高鼻梁，薄削的唇，一双露出青筋的瘦手。全身骨棱棱的，似乎非常脆弱。但和她稍稍来往，听她几句不知情面的强硬话，便会感到她精力的坚强[1]。她孀居多年，将近五十岁，性情乖僻，时冷时热，令人摸不清头脑。亲友们受她的忤犯的很多，司空见惯，也就不和她计较，只是离她远远的，好少惹像她这样一个不知人情世故的老人[2]。事实上她很拙直，待人也热诚，只是习惯与人不同，说话不知委婉而已。她穿着青绸裙，深蓝缎袄，式样较周氏她们穿的还要老旧。她扶着一只男人用的十分精细的拐杖，急躁却又走不得快步，踱进来。

钱太太 （指着，一字一字地）方才出去的是谁？（大家等着看笑话，

---

1 “精力的坚强”川版作“精力旺盛”。

2 “好少惹像她这样一个不知人情世故的老人”川版作“少惹她这样一个不知人情世故的妇人”。

除了周氏，都在幽默[1]地互相望着。）

王　氏　冯，冯乐山冯老太爷！

钱太太　（厌恶地）哦，那个老混账！

沈　氏　（笑问）怎么？

钱太太　（翻翻白眼）干干净净的屋子，不提这种人！（回首四面打量洞房，不理沈氏。）

王　氏　（低声）大嫂，你还不出去，花轿抬进来了。

周　氏　你，你先去，我就来。（小心地）我还是招护招护我这位老姐姐好。

王　氏　那我就先去看看啦。

〔王氏由正中门下。

钱太太　（愣了半天）哦，这就是新房！

周　氏　（赔笑）是啊，老太爷叫拿书房改的。

钱太太　（撇撇嘴）我看不大像，哪有新房不严紧，一边尽开窗户的？

周　氏　（解释）亮点。

钱太太　亮有什么好？到了晚上还不是要点灯！

沈　氏　（多嘴）对呀！

钱太太　（又对沈翻翻眼，对陈姨太指窗子外，似乎自言自语）哦，这外面就是那片淹死过人的湖？（陈不敢置答，钱转对鸣凤）鸣凤，是不是？

1　“幽默”川版作“幸灾乐祸”。

鸣　凤　是，钱大姑太太。

钱太太　（对周）你看，这有什么好？

陈姨太　钱大姑太[1]，你看你送的花瓶[2]，放在这儿啦。

周　氏　（连忙）放的地方不大好吧？

钱太太　好，好。（细看）怎么不插花啊？这，这不是——？

沈　氏　[3]这是梅花。

钱太太　（半天才露出一丝硬强的笑容）梅花就插不得？[4]

陈姨太　对呀，鸣凤插好！（鸣凤插花。）[5]

〔王氏由正中门忙上。

王　氏　（匆匆地）快点，快点，大嫂！新人都在拜天地了，快来吧！婆婆！

周　氏　大姐，我去啦。

王　氏　快来吧，大嫂，就等着见婆婆呢！

〔王氏与周氏由正中门下。

沈　氏　（对钱）您不看看去？

钱太太　我不去，吾[6]不想看，现在大门开了锁啦吧？我也要走了。

陈姨太　好——（钱走了两步）不过出门还要走喜堂过的。

1　“钱大姑太”新文艺版作“钱大姑太太”。

2　“你看你送的花瓶”川版作“您看您送的花瓶”。

3　此处川版有“（献殷勤）”。

4　此句川版作“（蓦然，倔头倔脑）怎么？梅花就插不得？”。

5　此句川版另起一行作“〔鸣凤插花。”。

6　“吾”川版作“我”。

钱太太　（停住了脚）那我就再坐会儿。（坐下。）

沈　氏　鸣凤，你跟我去吧。

鸣　凤　嗦。

〔沈氏和鸣凤由正中门下。

〔半晌。

钱太太　陈姨太，你不去看看去？

陈姨太　（献殷勤）谁爱看这个！

钱太太　怎么？

陈姨太　（恶毒地）哼，住这屋子的人好不了的。

钱太太　哪个说的？

陈姨太　（支吾）嗯，嗯——梅小姐好一点了么？

钱太太　好，自然好，[1]我的女儿不会病一辈子的。

陈姨太　[2]不是的，钱大姑太太，我说大家，他们大家都没有想到你[3]今天能来呀！

钱太太　咦，我为什么不来？要不是梅芬病了，我还要带她一块儿来呢。

陈姨太　就是说呀，你说我不来，我偏要来，我偏要来给你们看看。

钱太太　（冷冷地）我倒是没想到给人看，不过——[4]（忽然想起）我

1　此处川版有"（翻眼盯着陈）"。

2　此处川版有"（支吾起来）"。

3　"你"川版作"您"。

4　此句川版作"（冷冷地）我来，不是给人看的？"。

要走了，我要走了，我得回家照应梅芬吃药去。（向外走。）

〔这时外面细乐渐奏渐近。

陈姨太 还是吃点点心再走吧！

钱太太 不吃，不吃！

陈姨太 那么等着新娘子行过拜见礼再走吧？

钱太太 不等了，不等了，不等了！（一面戴上在那时还算时髦的黑绒帽子）陈姨太，请你叫他们预备轿子。（一面向正中门走。）

陈姨太 好，你先慢走，让我嚷他们。[1]（向门外）袁成，抬轿子，钱大姑太太的轿子！

〔陈与钱走到门口。一群亲友们庄严而欢喜地簇拥着一对新人进门，里面有周氏，王氏，和其他的长辈们，喜气盈盈的细乐徐徐传来。一个俊俏的喜娘搀扶着新娘子慢步[2]走进。新人一身都是大红，头上蒙着红绸子盖头，身上穿着红缎礼服，红裙，脚上，是大红缎鞋[3]。新郎穿着品蓝缎袍子，青缎马褂，戴着一朵红绢花，黑缎鞋[4]。

高克定 （一眼望见钱姨妈，大声）钱大姑太太，原来你[5]躲在新

---

1 此句川版作“好，您先慢走，让我吩咐他们。”。

2 “慢步”川版作“缓步”。

3 “头上蒙着红绸子盖头，身上穿着红缎礼服，红裙，脚上，是大红缎鞋”川版作“头上蒙着红缎盖头，身上穿着绣花红缎礼服，红裙，红缎鞋”。

4 “黑缎鞋”川版作“藏青缎鞋”。

5 “你”川版作“您”。

房里！

〔觉新蓦然抬头望见，惊痛万状，钱太太也愣住，说不出话来。

〔幕开始[1]徐落。

〔一对新人被众人簇拥着走向床前，人声嘈杂。似与外面唢呐声相应和。

——幕闭[2]

1 川版无“开始”。

2 “幕闭”川版作“幕落”。

第二景

午夜后，依然在那间洞房里。[1]许多贺喜的亲友已经意兴阑珊，大半归去。但是高家的老少，尤其是四房五房的人们，兴犹未足，像是都醉了酒似地利用这一对从未谋面的男女尽量打趣开心[2]。反正“闹房无大小”，多年被压抑的各种秽恶的情感都在今夜对一个处女的调笑中[3]，代替地发泄出来。满屋是不自然的笑声，男人厚着脸皮，胡说八道，女的掩着嘴笑，皱着眉听，又想走，又舍不下丢开那些撩弄人的谑语和举动[4]。此时丝毫看不见高家素来夸豪的教养，在这了无忌惮的闹房的夜晚，这些子女们才显露出平日用种种虚文浮礼所掩饰的丑恶[5]。丫头老妈子们站在门口笑，主子们更兴高采烈地卖弄自己打情骂

1 此处川版另起一段。

2 “像是都醉了酒似地利用这一对从未谋面的男女尽量打趣开心”川版作“象是都醉了酒似地，作弄这一对从未谋面的男女，尽情打趣开心”。

3 “多年被压抑的各种秽恶的情感都在今夜对一个处女的调笑中”川版作“多年被压抑的各种丑恶的情感，都在今夜对一个陌生处女的调笑中”。

4 “举动”川版作“恶形恶状”。

5 “丑恶”川版作“污秽”。

俏的本领，为着满足平日不得不压制的某种情感，对新人几乎不知羞耻地胡调起来[1]。

宾客们都倦了，告辞了，而右面正对湖山的那排长窗外还站了有一些看热闹的仆役，偷偷从窗幔的隙缝向里探望，不住吱吱喳喳[2]地说笑。新房的摆饰已经有些凌乱，盖碗，酒杯，果盒里的糖食散放四处，随地都是花生瓜子的壳皮。八仙桌上龙凤蜡烛已经燃剩一半，有些暗淡了。那对锡灯盏里灯草上结了个大灯花，只有房中悬的一盏电灯，辉芒[3]四射，照着满屋通亮，绢制的橙黄色灯罩，垂着穗子[4]。伴新人的喜娘忙了一天，早被闹房的人们逗弄得筋疲力尽，现在还强打精神笑着讲着，站在新人旁边替她维护着，费尽唇舌，为了使这个茫然若处在一群了无人性的猢狲中的少女少受一些折磨。

新娘子穿着粉红缎绣花服，蓝色的团花镶着银线边，大红洋绉百褶裙子，周围镶着各种颜色杂在一起的花边。[5]两鬓与发髻上戴满了红绒花[6]，右鬓还插一支镶金点翠凤，垂着颤颤巍巍一排珠穗子。耳上戴一副碧绿的长坠翠耳环[7]，衬着她白嫩的脸，黑黑的眼睛，娇艳而

1 “对新人几乎不知羞耻地胡调起来”川版作“对新人恬不知耻地胡调起来”。

2 “吱吱喳喳”川版作“咭咭呱呱”。

3 “辉芒”川版作“光芒”。

4 “垂着穗子”川版作“低垂的穗子，都像困乏了”。

5 此句川版作“新娘子穿着绣花粉红缎服，蓝色的团花镶着银线边，大红洋绉百褶裙子，周围镶着彩色纷披的花边。”。

6 此句川版作“两鬓与发髻上几乎戴满红绒花”。

7 此句川版作“耳上戴一副碧翠的长坠耳环”。

端庄。此时她坐在床前一张红漆方凳上，没奈何地含羞低眉，任人逗弄。身旁围着嘻嘻哈哈胡言乱语的人们，其中以四老爷克安和喝醉了的五老爷克定闹得最凶。女眷们有四太太五太太，陈姨太。琴小姐仿佛等待什么，十分焦急地立在老远望着。洞房的挂钟快到十二点了，前院大庭上的戏早已停锣，远远有呼唤预备轿子送客的声音。

〔开幕时，五太太沈氏立在新人背后，两手高高地举起一块薄薄的红纱“盖头”，其余的人都翘望着。一阵哄笑，就看见她把那“盖头”罩在新人头上，但新人的面目依然由艳红的薄纱里闪约可见。

沈　氏　（得意地）这下成了！

高克安　（叼着半支香烟，连连拍手）好啊！

大　家　（杂乱地）对呀！——唱吧！——新娘子唱吧！——真好！

陈姨太　（做出老长辈引大家玩的神气，却掩不下那造作下面的尖刻[1]）对呀，新娘子当着人不好意思，遮上盖头，就好意思唱了。

大　家　（你言我语）对，唱，唱！

王　氏
沈　氏　（同时）大家静静，唱！唱！听新娘子唱！

高克定　（一直靠在方桌前面斜摆着[2]一只圆凳上，歪歪倒倒的，此时

1　“却掩不下那造作下面的尖刻”川版作“却掩不下造作中的尖刻”。

2　此处川版有“的”。

忽然乘着大家略微安静的时候，拿起桌上的酒壶茶盅，摇摇晃晃地立起）不成，先喝！非先喝我这杯不可！

大　家　（抗议）不，先唱，听新娘子唱！——唱！先唱——唱吧，少奶奶！

喜　娘　（四面求情）新娘子实在不会唱！

沈　氏　（把喜娘一推）哎，去你的吧，新娘子没有不会唱的，（对大家，滔滔地）要当新娘子，不会唱，不会唱，临上轿也得学两段。我当新娘子的时候——

高克定　（听不下，突[1]把酒壶递给身边的婉儿，厌恶地）啊呀，我的五太太，你又想当新娘子啦！[2]算了，你[3]留着下辈子吧！（连说）得了，得了，听这个新娘子唱吧[4]！

沈　氏　（被抢白得直翻眼，不住地）你，你，[5]——（低声）你管我呢！

大　家　（连忙凑趣，又你一句，我一句）唱！唱！——新娘子不害臊[6]！——唱啊，听，快听！——新娘子要张口了！

〔新人刚刚抬了抬头，大家哄一声“好啊”！她像个困在一群狼虎之中的小羊似的又低下头。

---

1 “突”新文艺版作“突然”。

2 “你又想当新娘子啦！”川版作“你还想当新娘子？”。

3 川版无“你”。

4 “听这个新娘子唱吧”川版作“我们要听娇滴滴的新娘子唱”。

5 “你，你，”川版作“你，”。

6 “害臊”川版作“害羞”。

喜　娘　（弯身对着新人耳边咕叽了两句。一刹那的沉静中，就听见窗外面的丫头忍不住“咯吱”一声暗笑。新人在大家翘望的眼里还是羞怯怯地摇了摇头。喜娘长叹一声，直起身子，笑着解说）我们小姐实在不会唱！

大　家　（又潮水似的）唱！唱！——不会唱也得唱！

高克定　（忽然）哼，不唱！（走到新人面前，对着喜娘，笑眯眯地威吓着）不唱，我就硬揭。（伸手揭去那艳红的薄纱。）

高克安　（拍掌欢呼）好，好。

高克定　（嬉皮笑脸）揭了盖头新娘子还得唱！

喜　娘　（实无法，打着笑脸）五老爷，新娘子今天真累了。要不，（不觉有些羞涩）我，我来替新娘子唱吧。

高克安　不，不——

高克定　（早就看着喜娘俊俏，对克安挤挤眼，走上前一本正经地）也好，新娘子不唱喜娘唱。（对喜娘，用一副“专家”的眼光打量）好，你给我唱个（到喜娘耳边低语）“……”

高克安　（情不自禁）对，对，对！（里外的男人们笑，女人们没有作声。）

王　氏　（觉得过火，出来解围）得了，都不唱了，新娘子喝五爸这杯酒吧。

大　家　好，好！——也好！（王氏斟酒。）

高克定　不，我们要新郎官亲手端给新娘子喝。

〔窗外仆役们在哗笑。琴小姐厌恶地转过头。

高克安　（由王氏手里接过酒杯，四面找）咦，新郎官呢？新郎官呢？

王　氏　（同时）明轩呢？

陈姨太　（同时）大少爷呢？（大家四面找）婉儿，你去——

琴小姐　（看见有人要出去找，立刻）不要去了，大哥刚，[1]刚到上房，看大舅父的病去了。（又回头望门。）

王　氏　（刻薄地）真是孝顺儿子！

高克定　那么叫新娘子再喝一杯！

高克安　（接下去）替孝子新郎官喝一杯。

大　家　（七嘴八舌）喝！——还是喝！——新娘子喝！

喜　娘　（望势头不对）新娘子实在不会喝酒，还，还是让我来替吧？

高克安　（想难倒她）你替也可以，要喝个双双杯！

喜　娘　（爽快）好，就双双杯！

大　家　好！——喜娘好，痛快！（于是大家围着这俊俏的喜娘，拿出四个银酒杯，就一杯一杯地慢慢斟满。）

〔在大家笑着讲着斟酒的当儿，觉民由正面墙的门慌忙走进。琴立刻迎上去，二人立在墙角边。

觉　民　（对琴低声埋怨）你怎么在这儿等？

琴小姐　（沉稳地）我怕有人找大哥，我好说话。

觉　民　（匆促地）快走吧，我偷偷把轿子预备好了。

琴小姐　大哥写的信呢？

觉　民　在这儿。（掏出一封信递给她）里面有还梅表姐的东西。

琴小姐　（像是在说闲话，其实是十分警惕）大哥没有什么话对梅表

1　川版无“刚，”。

姐说？

觉　民　没有，都在信里。（哀痛地）不过万一梅表姐已经不在的话——

琴小姐　（惊恐）怎么——（忍不住要流泪。）

觉　民　（安慰）你别哭！这，这多半是谣言。你先快去看看。大哥在梅林里，不知道。觉慧跟鸣凤陪着呢！你送了信就回来？

〔琴频频点头，匆促由正面的门走出，觉民随在后面。此时喜娘被大家强勉着一杯一杯地灌下去。每喝尽一杯，周围的人连声乱叫。

高克定　（一直是亲手递给喜娘的酒，邪声邪气地）一杯，两杯！——三杯！——四杯！（待喜娘喝干，忽又一脸正经，凑近喜娘的耳朵）喂，你这也替，那也替，一会儿（挤挤眼）我们都走啦，你——

喜　娘　（红了脸）您[1]这是说的什么呀？

〔全屋哄笑，新娘低头[2]皱着眉。

大　家　（同时，欢笑）好——呵！

高克安　喜娘也想配鸾凤呵！[3]

大　家　（拍掌）好呵！

沈　氏　（一手把喜娘硬按在床上）坐下吧！

1 “您”川版作“你”。

2 “低头”川版作“低低”。

3 此句川版作“喜娘也想配鸾凰！”。

喜　娘　（挣起，又被按下）五太太！

高克安　喜娘——（没说完，觉得有人进来，回头[1]顺嘴一扯）眼看着进来了小新郎啊[2]！

〔三老爷克明道貌岸然地由侧门走进来。

大　家　（喊了一半）好——（忽然停止。）

喜　娘　（才由沈氏手中挣脱，又气又急，跑上前喊）姑少爷，您看这些老爷太太们闹——（一看不对，不由——）啊！（回身扶新娘立起。）

高克明　（严肃地）客人们都要睡了，什么时候了，你们还这样拉拉扯扯没老没少的，成什么样子。（对克安等，沉重）大哥病又不大好，你们还不看看去？

陈姨太　（立刻收起兴头，乖巧地）那可怎么好呀，我快去看看去。[3]

〔陈姨太立刻由侧门下。

高克安　（有点丧气，对王氏）走吧。（王氏点头。）

高克定　（摇摇晃晃）我也去。

高克明　你不要去，（厌恶地）[4]你这一脸酒气！

高克定　奇怪，喜事喝点酒就犯禁不成？（不服气）我要去，我去！[5]

1　川版无“回头”。

2　川版无“啊”。

3　此句川版作“那可怎么好啊，快去看看吧。”。

4　此处川版有“看”。

5　此句川版作“（不服气）奇怪，喜事喝点酒，就犯禁不成？我要去，要去！”。

高克明 （冷冷地）爹现在在大哥房里。

高克定 （嗒然）——哦！

〔克明与克安，后随王氏走出侧门。喜娘把新人搀到床上坐下。

高克定 （愤愤然）真是活见——

〔克明又由侧门探出身来。

高克明 （对大家）回头不要告诉觉新他们三弟兄，省得他们要去，病人看着难过。老太爷吩咐的。

〔克明下，后面随着走散一两个女仆。

高克定 （十分不满）就他怪相！动不动就把爹搬出来！（眼看着这场热闹要散，格外振起精神在仆人面前争回“面子”）哼，三天不分短和长，拉拉扯扯又何妨！（又不由自主睨视着喜娘。）

〔剩下的女仆们掩着嘴笑。

喜　娘 我看不早了，五老爷该歇歇了。

高克定 （不理，精神更抖擞）新人原来生得乖！

〔墙外忽然一小孩声：（清脆地）胸前生对大奶奶！

〔克明的声音：谁呀？

沈　氏 （低声暗笑）报应，三老爷自己的四少爷！

〔克明的声音：你说什么？（盛怒，一巴掌打下去，立刻听见哭声）混账，你哪里学来的这种下流腔！

〔黄妈似乎半推着觉新由正中门走进。

〔觉新痛苦地皱着眉，丰满俊厚的脸有些苍白，紧紧地咬着下唇，压下内心的哀怨。眼睛仿佛茫无所视，对这新房里耀目的颜色与亮光似乎感到一阵昏眩。他已脱下了马褂，还穿着那件深蓝洋绉新袍子，态度大方，却毫无精神地踱进来。后面随着觉慧。

喜　娘　（欣喜地）姑少爷，您可来啦。

沈　氏　（拉着觉新）你看大少爷，都是你，都是你，你接亲舒服，我们受气！

黄　妈　（拉出一把椅子）来吧，大少爷，坐下吧，陪陪新姑娘吧。

高克定　来，来，坐坐，这边坐！（硬拉觉新和新娘子坐在一块）坐，坐，（把觉新按在床上，颠颠倒倒地）明轩，你得受我五爸这一杯酒！

觉　新　（苦涩地）我，我实在不想喝。

沈　氏　（伶俐地）咳，眼前一枝花！

高克定　（指手画脚）柳腰一掐掐！

觉　慧　（看不下）我看五爸回去睡吧。五爸酒喝多了。

高克定　胡说！谁说我喝多了，明轩，你，你们坐近点。（拉着觉新向新人边推移）再坐近点！

女仆们　我们大少奶笑了。

大　家　笑了，新娘子笑了。

〔新人更把头低下。

觉　新　（要立起）五爸！（外面更锣声。）

高克定　（按下）坐下，坐下，我给你们唱个喜词。

黄　妈　哎呀，都三更了。

觉　慧　（早看不顺眼，又强忍下去）五爸，您不要喝了吧！

高克定 （把嘴角一揩）那么喝酒！

觉　慧 （指新，有些气愤）您没有看见大哥喝不下去？

黄　妈 （圆场）好，新娘子代一杯，五老爷就回去了。

沈　氏 好，也好。

喜　娘 （对新娘子不得已）我看二小姐就喝了吧。

高克定 （端起银酒杯，挤到新人面前）新娘子喝！

〔新人依然端凝地坐着，抬一抬头，一对沉挚的眼睛似乎很痛苦地闪了一闪，又低眉不语。

高克定 （嬉皮笑脸地）新人为何闷恹恹，莫非就想当神仙？眼前若要能称意，（干咳一声）呃哼，不成！（摇头摆尾）还得过你五爸这一关！

〔全屋哄笑。

觉　慧 五爸，您——

〔由侧门兴高采烈地又跑进来克安[1]王氏。

高克安 （看见大家还在哄堂大笑）怎么回事？是怎么回事？

王　氏 （同时）怎么啦？怎么啦？什么那么好笑？

觉　慧 （不等克安王氏说完，立刻对大家，气愤愤地）我们都走，都走，就让五爸一个人在这儿吵去。

沈　氏 （突然着恼）好，走吧，走就走吧！

高克定 （得意非凡，全未注意，又把想要站起来的觉新按在床上）明轩，好日子，别站起来。（对新娘子摇手）哎，新娘子别

1　此处川版有“和”。

急，说走就走，再也不留！

〔克明又由侧门上。

高克明 五弟，快一点了，你怎么还不——

高克定 （蓦地举起一双纤巧的绣花枕，在觉新面前摇晃）一个枕头两朵花！（转对喜娘，嬉皮笑脸地）什么花？

喜　娘 （也感到厌恶，不耐烦地）海棠花！

高克定 （慢悠悠）不对，梅——花！（觉新忽然低下头，觉慧满腔愤懑，克定依旧指指点点）新人的容貌就像她！（把绣枕塞到觉新眼前，觉新苦闷地握着拳，不动）才郎今夜来共枕，明年——

觉　慧 （再忍不下，跑到克定面前，一把抢过枕头，扔在床上，愤怒地）五爸，你这是什么闹房，你简直是折磨他，苦他，害他，杀他！

高克定 （同时）老三，你这个东西，你？

高克明 （同时）老三，老三，你怎么啦？

觉　慧 （并未停止，一直接着自己的话，畅快地控诉）你们老老少少在一旁明明晓得他难过，痛苦，你们在一边打哈哈看戏，看戏打哈哈！你们没看见大哥急得要流眼泪！大哥，你，你是一条牛啊！

高克明 （插进）觉慧！觉慧！

〔苏福突由侧门上。

苏　福 （警告）老太爷来了！

〔全屋立刻肃然，鸦雀无声，喜娘扶着新人立起。大家望着，陈姨太扶着高老太爷由侧门进。

高老太爷 （立在门口，和蔼里带着威严）你们在闹什么啦？

高克定 （晓得老太爷没听见，立刻打起欢喜的笑容）我，——（支吾，指觉慧）他，他们在闹房呢！

觉　慧 （忍不得）爷爷！（觉新立刻示意止住他。慧才耐下。）

高老太爷 （温和地）觉慧，闹房也要斯文点，粗声粗气，外面听着像打架，这就不合古礼了。

陈姨太 （随声，得意地）就是啊，哪有这么闹的？

高老太爷 （对着克明，克安，克定并在一排[1]的兄弟们）不走的亲戚们还没有睡的，打牌的，你们这做长辈的人也该再去看看啦！

高克明等 是，爹，——是！——就去，爹！

高老太爷 （回头）不早了吧？

陈姨太 可不是不早了！（电灯光渐渐黯淡。）

高老太爷 （对大家）你们大家也该让他们歇一下子。电灯快熄了。

高克定和几个[2]女人们 是！

〔仆人们先静静出门，主子们还等待着。

高老太爷 好，好，走啦！我们都走吧，（望觉新）新儿，你也不必出来了。

〔陈姨太扶着高老太爷由正门下，大家随下。屋内只剩下一

---

1 “并在一排”川版作“这一排”。

2 川版无“几个”。

对新人，黄妈和喜娘。电灯熄灭。黄妈拨亮锡灯盏。喜娘去剪掉烛花。洞房顿觉寂静，不过依然明亮温暖。

〔觉新走到方桌前，瑞珏——新嫁娘的名字——还立在原处。黄妈望了一下，轻轻走到喜娘面前。

黄　妈　（笑着，低低地）大少奶奶，该换换衣服了吧？

喜　娘　是啊！（回头）二小姐，好吧？

瑞　珏　（微颔首。）

〔喜娘扶着新娘子走进床头右面的幔帷里。

黄　妈　（走到觉新前面，诚挚地）别想了，大少爷，睡吧，累了一天了。我去打水去了？

觉　新　（点点头，出神地望着黄妈提起一只粉红的洋瓷水罐由侧门走出去。）

〔独白——倦怠而失望的神色，低沉的声音。缓缓地，自在地，像幽咽的泉水暗暗流出来。每句的语脚，和语助词，绝不着重，轻轻滑过[1]。随着情绪变成各式语调说出。

觉　新　（点头，沉重地一声长嘘）

嗯，牛，我是牛啊！

啊，为什么？

为什么今天我成了

不能说话的牲口，

被人牵来牵去，

1　“绝不着重，轻轻滑过”川版作“不要着重，只轻轻滑过”。

到处作揖叩头？

天哪！难道真是为着死了心，

就从此分手？

甘愿同另一个人

锁在一处，

挨到了白头？

甘愿？谁肯说出这“甘愿”！

不过是前天，我远远

望见了她，此刻我还听见

她在低声的哭，

她的眼望着我，说不得一句话！

她不再希望了，就等着死！

（望望门窗）信送去了这半天，

（急促）怎么，我的心忽然好跳；

别是现在——

她，她已经不在人间！

哦，梅呀，我来，我来陪你一道。

我一刻也不能在这间房里待！

〔他立刻昏昏茫茫地向正门跑[1]。

〔黄妈提着水由正门走进，淑贞随在她后面，立在门口，天真地微笑着，十分好奇地窥望着这夜半的新房和新人。

1 “向正门跑”川版作“步向正门跨出”。

黄　妈　（惊愕）大少爷，你又上哪儿去？

觉　新　（失神）不上哪儿。

淑　贞　（怯怯地）大哥！

觉　新　嗯。

黄　妈　睡吧，快睡吧！（一面拿出脸盆倒水，一面低声，笑眯眯地）大少爷，你说她俊不俊？

觉　新　（愣在门口）啊，谁？

黄　妈　（快慰地）现在中意了吧？

觉　新　（茫然）哪个？

黄　妈　新娘子，大少奶奶啊！

觉　新　（走回来，冷冷地）我没有看。

黄　妈　（倒好了水，指着笑）这个小傻子啊，你怎么还不看？个个人都说你没接钱家的梅表妹才真福气呢！（回头喊）大少奶奶，洗脸水打好了。

喜　娘　（由幔帷里探出身来）劳驾您，黄奶奶，放在那儿吧。

黄　妈　（拉着淑贞）走，四小姐。

〔黄妈与淑贞由侧门下。

觉　新　（来回踱步）

都是我的仇人！

一个个都夸这新娘子好，

可（愤愤地）我为什么要看，

为什么要看！

她跟我有什么相干？

就一生，一生要守在我身边？

天，见着阳光的

如今要攒到地洞里躲，

我丢弃了一个神仙，

换来的命运，

至多不过是

和一个平凡的女子过。

不，我闭上眼，再也不看——

我走，还是走，再也不回头！

〔他立刻向门走去，刚走了一两步，喜娘和瑞珏从幔帐中步出。

〔瑞珏换了轻便的衣装：一身天蓝色的软缎短袄和长裙，裙子下沿绣着黑白两色的花朵，红缎鞋屏着金花。新嫁娘是圆圆脸，洁白微带红晕的两腮，高高鼻梁，衬托着不大不小的一对双眼皮的眼，厚厚的嘴唇十分敏感。她虽只有十七岁的年龄，却举止十分端凝，端凝中又不免露出一点点孩提的稚气。黑黑的眸子闪着慈媚的光彩，和蔼而温厚。一头乌黑的发，梳得光光地拢到后面，绾着一个低低的松松的发髻，髻上插一只珠花。她微颦着眉，柔和的脸上浮泛一脉淡淡的愁怨。

喜　娘　（和颜悦色）姑少爷，您还到哪儿去？不早啦！

觉　新　（不觉停足）嗯，——嗯。

喜　娘　您真该歇歇了，姑少爷，辛苦了一整天了。（瑞珏走到梳妆台前，侧着身子，凝视着上面的烛光）姑少爷，您，您也宽宽上衣吧？

觉　新　（摇头。）

喜　娘　（指着床边的椅子）您不这儿靠靠？

觉　新　（点头，但是不动。）

喜　娘　不要什么啦，您？

觉　新　不要。（回身向左面长窗走去。他走到窗前，掀起窗幔挂在钩上，推开了一扇窗子，背着手伫立凝神，望着窗外的景色。月光照着那一片莹白的梅花，湖光潋滟，庄严而凄静。）

喜　娘　（瞟了觉新一眼，走到瑞珏面前）二小姐，我，我走了。

瑞　珏　（低声）不。

喜　娘　（体贴地）饿了吧？

瑞　珏　（摇头。）

喜　娘　喝口茶？

瑞　珏　（摇头。）

喜　娘　那么，我——

瑞　珏　（望望觉新，恳求的[1]神色）不，别走吧！

喜　娘　（同情却像玩笑的口气）小姐，你，你们也该睡了。（立刻转身。）

瑞　珏　（忽然拉着她的手，低声，紧促地）别，别走，我——

喜　娘　怎么？

1　“恳求的”底本、校本均作“恳求地的”，当作“恳求的”。

瑞　珏　（怯怯地）我怕！

喜　娘　（低笑）怕什么？（安慰地）老太太不嘱咐过？这不就是自己的家？

瑞　珏　（恐惧地四面望了一下）家？这儿？（闭上眼，把手帕放在眼角上。）

喜　娘　（低声，警惕地）不要再哭了，人家忌讳！

瑞　珏　（手抵着唇，哀婉地抑止）我，我没有。

喜　娘　（劝慰）快别哭了，一会儿姑少爷看着不高兴。（替珏擦泪）二小姐，你福气呀，新姑爷人才好呢。

瑞　珏　（摇头）这些人——可怕，（不觉露出孩子气）我，我真想回去呀。

喜　娘　（扑哧一声）回去？（不觉回头望望还在窗前伫立的觉新。）

瑞　珏　（泪又流下来）妈一个人在家里可怜！

喜　娘　别哭啦，二小姐，你今天是孩子，明天就是大人了。（娓娓地）后天回门，不又看见老太太啦？老太太不是说了又说，叫你——

瑞　珏　（点首，慢慢压下心中莫名的恐惧）我知道，知道，你走吧！

喜　娘　（高兴）啊，这就对了。（转身向觉新走了两步）姑少爷，睡吧，我走了！（请了一个安，觉新点点头，她又回到新娘子面前）二小姐，这我可——

瑞　珏　（不禁又——）不，你还是别走？

喜　娘　（埋怨里含着怜惜）二小姐，你看你，哪有这样的！（低声哄着）你看新姑爷性情才温存呢，相貌才大方呢，大大的眼睛，高高的鼻梁，才像你呢[1]！小姐！

瑞　珏　（听了，忽然抬起头觑一下觉新的背影。）

喜　娘　闹了一天，二小姐你还没看见吧？

瑞　珏　（摇摇头，又默默地望着喜烛。）

喜　娘　（倒不相信了）真的？

瑞　珏　（天真地点点头。）

喜　娘　（笑着）我的二小姐，那你就快看吧，我可要走了。

瑞　珏　（匆忙）刘四姐！

〔黄妈由侧门上。

黄　妈　（对喜娘）刘四姐，睡去吧。（意在言外，望着这对新人）再待一会，天就要亮了，新娘子新郎还要到上房送茶请安呢。

喜　娘　（笑笑）晓得了，黄奶奶。（对珏）这我可出去了，二小姐。

瑞　珏　（迫不得已，低声）你，你就来。

喜　娘　（笑着敷衍）嗯，就来的。（忙忙和黄妈检拾一下睡前用的物事。）

黄　妈　（到灯前，对新，笑喝喝地）吹灯吧，大少爷？

觉　新　（回身）
瑞　珏　（抬头）　（都有些慌张，低声）不。

〔珏立刻又低下头，新复望窗外。

黄　妈　好，就不吹灯。（到新面前，善意叮咛，低声）大少爷，懂事点！别再出去了。太太直怕你真出来睡，还在院子外面

1　“才像你呢”川版作“可象你呢”。

守着呢。

觉　新　（望望她，苦恼地，低声）哎，我不会的，你请她老人家睡吧。

黄　妈　（到门口，回头）我关门啦？

觉　新　（不顾）嗯。

黄　妈　（四面望一下）咦？

喜　娘　找什么？

黄　妈　四少爷不在这儿？

觉　新　不在这儿。

黄　妈　（唠叨地）这下我们可走啦，（对新）关门啦。（又望望珏）真是，可该睡了！（对喜）走吧。

〔黄妈与刘四姐由正门走出。

瑞　珏　（抬头又想再叫刘四姐，刚“呃”出一声，立刻觉到新也回头，于是变成一声轻微的咳嗽，又低下眉。）

觉　新　（望望珏，又转过身长叹）唉！（走近窗前较远的一头，把另一扇窗扇又打开，屋子里渐渐浸进深夜的寒气。外面杜鹃在湖滨单独而寂寞地低低呼唤了一两声，又消歇了。）

〔半晌。

瑞　珏　（缓缓地抬起头，漆黑的眸子怯怯地向四面觑视，闪露出期待抚慰的神色。一种孤单单的感觉袭进她的心里，使这离开了家的少女，初次感觉复杂到不可言状的情怀。她低声叹了一口气，一时眼前的恐惧，希望，悲哀，喜悦，慌乱，都纷杂地汇涌在心底，终于变成了语言，低低地诉说出来。）

〔她的声音亲切温婉，十分动听，如湖边一只小鸟突在夜半醒来，先还凄迷地缓缓低啭，逐渐畅快而悲痛地哀歌起来。

好静哪！

哭了多少天，可怜的妈，

把你的孩子送到

这么一个陌生的地方，

说这就是女儿的家。

这些人，女儿都不认识啊。

一脸的酒肉，

尽说些难入耳的话。

妈说那一个人好。

他就在眼前了，妈！

妈要女儿爱，顺从，

吃苦，受难，

永远为着他。

我知道，我也肯，

可我也要看，

值得不值得？

女儿不是

妈辛辛苦苦

养到大？

妈说过，

做女人惨，

要生儿育女，

受尽千辛万苦，

多少磨难

才到了老。

是啊，女儿懂，

女儿能甘心，

只要他真，真是好！

女儿会交给他

整个的人，

一点也不留下。

哦，这真像押着宝啊，

不知他是美，是丑，

是浇薄，是温厚；

也不管日后是苦，是甜，

是快乐，是辛酸，

就再也不许悔改，

就从今天，

这一晚！

觉　新　（缓缓摇首）

唉！——

梅呀，为什么这个人不是你？

瑞　珏　（翘盼）

他——他想些什么？

这样一声长叹！

天多冷，靠着窗

还望些什么哪[1]？

夜已过了大半！

觉　新　（同情地）

这个人也，也可怜，

刚进了门

就尝着了冷淡！

就是对一个路人，

都不该这样，

我该回头看看她，

哪怕是敷衍。

可就在这间屋，

这间屋，我哪忍？

我不愿回头，

为着你，梅，

我情愿一生

蒙上我的眼！

瑞　珏　（期盼地）

他怎么还不转过头来？

什么事啊

引他想得这样深？

1　“哪”川版作“呀”。

这神情，仿佛
在哪里见过。
像渔船进了
避风的港，
我的心忽然
这样宁静。
一个人能这样
深沉地叹息，
我懂，总该有些性情！

觉　新　（犹豫）
可我还是该回过头去吧？

瑞　珏　（纳闷）
他在念着谁？
不说一句话。

觉　新　（又转过去）
不，我情愿再望望月色，
这湖面上的雾，
雾里的花。

瑞　珏　（猜测着）
他像要来怎么又不来？
别，别他也是像我
一样地怕吧？
〔夜风吹动窗帷。

觉　新　（抖颤[1]）

啊，好冷！

这一阵风！

〔转过身拉掩窗帷。

瑞　珏　（脸上不觉显出欣喜的希望）

啊他——

觉　新　（又回头靠着窗槛。）

瑞　珏　（失望）

他又转过头去啦！

觉　新　唉！

瑞　珏　（无望）

又一声长叹！

他像忘记了

背后还有个人。

〔忽然惊恐地

啊，难道他——

他已经厌恶了我？

天！（急促）这屋里好冷，

我要喊哪！

妈，我说过，

我不愿意嫁，

1 “抖颤”川版作“颤抖”。

〔哀痛地

接我回去，

女儿想回家！

觉　新　（又打了一个寒噤，缓缓闭上一扇窗，回转身，珏立刻低下头。他冷冷地端详着她。）

怎么她还在那儿不动，

像一尊泥塑的菩萨。

这是什么孽！

要我一生

陪着这个人，

眉都不会皱一皱，

一块会喘气的石头！

瑞　珏　（侧过脸，含羞，紧张地）

他在看着我，

我心又在跳，

他是什么样子？

仿佛那么凶地盯着我，

我好怕呀！

哦，我只要抬一抬头，

抬一抬头！

天！为什么头像千斤重啊！

觉　新　（踱到火盆旁）

她在想些什么？

一个纸糊的美人！

等谁？

要等到天亮？

我不，决不和这个女孩[1]

睡在一房。

随她！

任凭她坐，她睡，

她哭，她闷，

我知道她不是我的人。

〔夜半湖边上传来杜鹃的欢叫，非常清脆的声音，跳动着生命的活泼。

瑞　珏　（轻微地）哎！

觉　新　（谛听）

这是什么鸟在唱？

瑞　珏　（迎着杜鹃的歌声，才抬头，正望着新的侧面，半晌，欣喜地。）

妈，真地，您没有骗我。

他是个人！

女儿肯！

〔远处杜鹃声更清快地传入耳鼓。

怪，这相貌，

1 “女孩”川版作“女儿”。

仿佛在梦中见过，

像曾经在画里，

在春天——（低首寻思。）

觉　新（闪出一丝笑容）

啊，这是杜鹃，

耐不住寂寞，

歌唱在春天的夜晚。

〔迎着杜鹃的酣唱，新向窗前走。珏不觉也抬头谛听。

瑞　珏（含着天真的喜悦）

啊，什么鸟，

叫得这样好？

怎么一会儿

我的心好暖！

〔一面听一面徐徐立起。远远一两声木梆传来，不禁又缓缓地低下头。

半夜里唱，

好自由！

不像我，

为着谁？

苦苦地守候！

（长叹）唉！

觉　新（回头）

谁在叹？

〔二人目光相遇，刹那间愣住。又各自低头转身。

是她？

〔惊愕地

那纸糊的美人，

可她的眼睛分明

放着光，

这是谁呀？

这眼神！

哦！不，我是在做梦，

我当是我的梅，

借着她，

对我说话。

瑞　珏　（回望着他，焦灼而怜悯地）

好好地，为什么

又皱起眉头？

这个人像永远过着秋天，

可怜，心里不知藏满

多少忧愁！

觉　新　唉！（坐下。）

瑞　珏　（关怀地）

啊，他又在叹气！

〔忽然

是不是我来先叫他睡？

〔摇头

不，新娘子冒失了，

日后就会追悔。

觉　新　（拨弄火盆）

唉，梅，我怎么还不见你的信，

知道么？我现在[1]牢里受罪。

瑞　珏　（偷偷望望他，无限地怜惜）

多少心思啊，压着眉头！

他也累了，我看得出，

这一天的跪拜够他的受！

真该歇歇了，

让我去叫他吧，（走了两步）或者

他比我还不好开口。

觉　新　（不安地）

这个人是怎么？

她仿佛要到我身边，

像是要说话，又在走。

瑞　珏　（欲行又止）

不，女儿家总该腼腆。

可，怪，为什么一见面

就觉着这样投缘？

---

1 “现在”川版作“此时在”。

觉　新　（转头，厌恶地）

我不爱，我恨！

是她赶走了我的梅。

好急人哪，这死沉沉的，

真的这样默默地苦到老？

瑞　珏　（踌躇）

去！说！为什么我的腿总是不肯？

嗐，怕什么，他要明白的，

就知道我不是没有分寸，

不然就随他想，我

不是放荡啊，反正！

觉　新　（感到）

天，快来个人吧！

我真忍不住这静！

瑞　珏　去吧，（鼓起勇气）

我就去，去叫他。

〔走近他旁边。

觉　新　（蓦抬头。）

瑞　珏　（想要张口。）

〔忽然床下砰叽一声，有了响动。

瑞　珏　（惊）啊！（回头。）

觉　新　（嘘出一口气）

谢谢天！

受难的有了救星！

〔立起。

〔床下有猫，似乎被一件重物压着，尖尖地大叫一声。

觉　新　谁？

瑞　珏　（自然地）

为什么不早？

又来了人！

又来了人！

觉　新　（到床边）

谁呀？出来？

〔由床下爬出一个穿袍子马褂，却满脸泥污约有十三四岁的孩子，手里抱着一个硕大的猫，十分狼狈地立起来。

觉　新　（才看出）四弟。

觉　英　（气极，对猫）死猫，死猫，叫你别叫，你偏叫！

觉　新　（诧异）你怎么进来的？

觉　英　（顽皮地）我从幔子（指床头幔子）背后小窗户爬进来的。（扫兴地）可憋死我了！（指他们）他们真成！[1]这半天，一点动静都没有。

觉　新　谁叫你跑到床底下藏着？

觉　英　陈姨太！（狡猾地）她说在床下面就听得见天上的牛郎织女打喳喳。

1　此句川版作"（指一对新人们）你们真成！"。

觉　新　（微叹）天上的牛郎织女是见不着面的！

〔房外黄妈的声音：四少爷，你在哪儿呢？三老爷找你呢！

〔房外克明的声音：觉英！觉英哪！

觉　新　（对英）你听，三爸！

觉　英　（同时，面无人色）我爹！（手足失措）怎么办？怎么办？

觉　新　（笑着）快去吧，走边上的门！（指通里院的门。）

〔英立刻跑到门口，忽然"哎呀"一声又跑回来。

觉　新　怎么？

觉　英　有人，还有人！（急慌慌对床下低促地喊）你，你怎么还不出来呀？

〔床下的声音：（缓悠悠地）能出来啦？

觉　英　嗯！（手向床下乱摸）快出来吧！

〔果然由床下蠕蠕爬出一个穿绛紫色袍子，戴着红疙瘩瓜皮帽的小孩，年约八九岁，手里还提着一双有带子的鞋。

觉　新　（吃了一惊）五弟，你也在这儿？

〔黄妈的声音：（同时）四少爷，你倒是藏在哪儿啦，你再不出来，三老爷要拿皮鞭子打你呢！

〔克明的声音：（严厉地）觉英！

觉　英　（屏气静听，一听见父亲又喊，立刻）糟了！快跑！（狠命地一把拉起五弟就跑。）

觉　群[1]　（被拖走了两步，窘迫地举着那双鞋，不肯再走）鞋！鞋！

1　"觉群"新文艺版、川版均作"五弟"。

没穿鞋！

觉　新　（连忙由五弟手中拿过鞋，慌慌地蹲下为他穿。）

觉　英　（同时暴躁）你看你！你看你！

觉　群[1]　（狼狈回头解释）光着脚，要挨打，挨打！

〔克明的声音：（仿佛更近）觉英！

觉　英　你看！你看！（急躁）快，快，快穿！

〔王氏的声音：（尖锐地）老五，老五啊！

觉　群[2]　（也恐慌）啊呀，我妈也来了！（突低头对新）快，快，大哥！快！（新愈着急愈穿不对，五弟的脚更急得乱蹬。）大哥，不对，不对！这不对，不对！

瑞　珏　（一旁看着，一直想动手帮忙，此刻忍不住走上前）穿反啦！

觉　新　（抬头望了她一下，笑着）哦！（又低头为五弟穿鞋。）

觉　群[3]　（连叫）不对，不对！

觉　英　（插嘴）大哥，你不会穿，还是让，（指珏）让她来吧！

觉　新　（无可奈何地笑了笑，立起，羞涩涩地）好，好，你来吧！

〔珏微笑着立刻蹲下为五弟穿鞋。新如释重负地立起来。

〔王氏的声音：老五啊！老五啊！

觉　群[4]　（要应声。）

---

1 “觉群”新文艺版、川版均作“五弟”。

2 “觉群”新文艺版、川版均作“五弟”。

3 “觉群”新文艺版、川版均作“五弟”。

4 “觉群”新文艺版、川版均作“五弟”。

觉　英　（立刻堵住他的嘴）别答应，老五！别答应。

〔王氏的声音：老五啊！老五！

觉　英　（放下手，对五弟，警告地）别！别！

瑞　珏　（立起）好了。

觉　英　（拉着五弟蹑手蹑脚，神气活现地）我们偷偷回去！

〔两个孩子连忙蹑足走到门口。

觉　群[1]　（忽然想起）哎呀，不成，四哥，床底下还有。

觉　新　（出乎意外）还有？

觉　群[2]　（没有办法）六弟！

〔两个孩子又忙回床前。

觉　英　（对床下）出来，快出来。

觉　新　（望望珏，颇为不安，转对床下）出来吧，六弟！

觉　群[3]　（不得已）他睡着了！

觉　新　（有些着急）你们这两个孩子！他会冻着的！

〔新立刻到床前蹲下，珏上前撩起床帷，新弯下腰伸手向里面摸。此时五弟已爬进去，觉英也跪下去，正——

〔黄妈的声音：四少爷！四少爷！

〔王氏的声音：老五，你这么晚把老六带到哪儿去了？你这个死东西！

1　“觉群”新文艺版、川版均作“五弟”。

2　“觉群”新文艺版、川版均作“五弟”。

3　“觉群”新文艺版、川版均作“五弟”。

觉　群[1]（由床下伸出头，对英）都是你！都是你！

〔两个孩子生拉活扯地从床下拖出一个更小的孩子，只有六七岁，衣服臃肿，穿得像圆球，脸睡得红喷喷的，还没有睁开眼睛。新立起来。

觉　英（没轻没重地）起来！快起来！

瑞　珏　别拉他，别这样拉他！（连忙蹲下去扶起，轻轻拍着还在揉着眼睛的孩子，衷心地喜悦，温和地抚爱着）醒了！醒了！呃——（不觉望望新。）

觉　新（在一旁望着珏逐渐发觉她的可爱，连忙答应）六弟，六弟。

瑞　珏（温厚可亲地）醒醒，醒醒，妈妈叫呢！

〔屋外克明的声音：（怒喊）觉英！觉英！不学好的东西！你滚到哪儿去了？

觉　英（对那最小的孩子狠命一摇）你还不快走！（拉起六弟就跑。）

觉　世[2]（没醒清楚，十分委屈，哇地一声哭出来）妈啊！

觉　英（顿足）小鬼！叫你不来，你偏要来！

觉　群[3]（助威）下次闹房再也不带你。

瑞　珏（低声恳求）不骂他！不骂他！（对六弟，天真地，小大人一般，温存地）就好了，不哭了！

〔黄妈忽然推开正中的门进来，三个小孩吃一大惊。

---

1 “觉群”新文艺版、川版均作“五弟”。

2 “觉世”新文艺版、川版均作“六弟”。

3 “觉群”新文艺版、川版均作“五弟”。

黄　妈　（笑着指他们）啊！我猜你们就是到这儿捣乱来了。（走向觉世[1]。）

觉　英　（恨恨地）讨厌！坏鬼！

黄　妈　（指着那抽咽着的孩子，笑着骂）哎，六少爷啊！（拉着他，回首对觉英，恨得牙痒痒地）快走吧！快去挨打去吧！（笑着抱歉）哪有这么晚还来闹房的！（指点那最小的孩子的头额）你呀，也会找地方哭！（忽然转对珏）真是哭得好，哭得妙，生个娃娃成年地笑！都好都好！风调雨顺的，越哭越发！

〔黄妈赶着孩子们唠唠叨叨地走出侧门。

〔半晌。

觉　新　（仿佛抱歉地）我们家的孩子真多！

瑞　珏　（出她的意外，愣了一下，诚挚地）我，我喜欢！

〔湖边的杜鹃一声声酣快的低唱。

瑞　珏　（低声怯怯地）天快亮了吧？

觉　新　（很温和地）嗯，还早吧？第一遍鸡还没有叫呢。

〔杜鹃声。

瑞　珏　（望新，谛听）这是什么叫？

觉　新　（渐渐觉她可亲）杜鹃。这外面是一片湖。

瑞　珏　（欣悦）一片湖？（不觉走到窗前，杜鹃声）今年杜鹃叫得这样早。

1　“觉世”川版作“六弟”。

觉　新　（望着她的背影）嗯，湖边上有梅花。

瑞　珏　（扶了窗槛向外望，天真地）好多的梅花啊，像一大片雪。

觉　新　（也跟过去）嗯。（忽然）你，你喜欢梅么？

瑞　珏　（感到一阵强烈的快乐，声音几乎是抖抖[1]地）我喜欢。（羞怯地回过头望着床）那床上不是？

觉　新　（立刻走到床前，向帐檐凝了一刻，回头）你绣的？

瑞　珏　（低头腼腆地）嗯。

觉　新　（不由得低声称赞）好。（望望窗户迟疑一下，忽然去把妆台上油灯吹熄，像是征问她的赞许）吹了灯？

〔灯熄了，窗外月光如水，泻进屋内。屋里只有桌上龙凤烛的低弱的光，照着一角。

瑞　珏　（没有惊讶，自然而宁贴地）嗯，吹了灯好看月亮。

觉　新　（十分快慰，仿佛遇见一个故友，而又不敢冒认，那样欣欣然，涩涩然地[2]，微微点头，望着她。然后走到窗前，把整个一排长窗窗幔完全拉开。窗扇是新方才就开开了的，此刻在一片迷离的月光下，湖波山影，和远远雪似的梅花像梦一般地从敞开的窗里涌现在眼前。）

〔月明如昼，杜鹃轻快响亮地在湖滨时而单独，时而成双，又时而一先一后地酣唱。

---

1 “抖抖”川版作“颤抖”。

2 “仿佛遇见一个故友，而又不敢冒认，那样欣欣然，涩涩然地”川版作“仿佛遇见一个久失的故友，而又不敢冒认，那样欣欣然，戚戚然地”。

〔半晌。二人不语。

瑞　珏　（望着窗外这仙境一般的夜色，颤抖地）啊！

觉　新　（感叹）春天了！

瑞　珏　（不觉接下）像梦！

觉　新　（咳了一声。）

瑞　珏　（低声，温和而自然地）冷了吧？

觉　新　（微笑）不。

瑞　珏　（忽然低低哭起来。）

觉　新　怎么？

瑞　珏　我——怕！

〔远远有一个小女孩哀哀地哭泣声。

瑞　珏　（抬头）有人在哭啊！

觉　新　（谛听）大概是四妹淑贞，五婶又给她裹脚呢。

〔正中的门有人轻轻地敲。

〔觉民的声音：（低声）大哥！大哥！

觉　新　（走向门）二弟？（立刻打开。）

〔觉民由正中的门走进。

觉　民　（低声）琴妹从梅表姐那里回来了。

觉　新　怎么样？

觉　民　（点头）好，不过——

觉　新　（等不及）怎么？

觉　民　（慢慢拿出他的信）这是你给她的信。

觉　新　（魂出了壳[1]）什么，她？

觉　民　（安慰地）没有，她好好的。不过她母亲已经带她下了乡。（递出[2]那信。）

觉　新　（徐徐接下）下了乡？

觉　民　嗯，走了。

觉　新　（低头望着手中的信微叹，缓缓地）走了——也好！（泪流下来。）

〔觉民悄悄由正中门下。珏慢慢转过头来，望着新，微笑的面颊上闪着莹莹的泪光。

——幕徐落

1 “壳”新文艺版作“窍”。

2 “递出”川版作“递还”。

第二幕

第一景

离第一幕有两年半的光景，夏夜，在高家一个小庭院里。

月色溶溶，照着这小小的院落，幽闲而静谧。院左修竹蓊郁，竹影零乱地掩映在正房的纱窗下。房前是宽畅的走廊，离地尺许，廊上两根黑漆圆柱在磨砖的廊道上拖着两道长而渐细的影子。廊正中屋檐下挂着一盏红牛角灯，暗暗的红光投射在两正屋中间一条昏黑的宽甬道上。这甬道代替了一般正房的堂屋，深长得如同隧洞。甬道的尽头即是湖滨，远远望得见夜雾笼罩着的湖水。月黑时湖水愈发明亮，像一片熠熠发光的黑缎。甬道两旁的正屋，右面住着觉慧，左面住着觉民。各有一门通甬道，靠走廊上都开着一面轩敞的立窗。二屋[1]寂黯，没有灯影，主人都出去了。廊前是石阶，和铺砌成花纹的石子路，引入院中的细草坪上。院中靠左疏疏落落摆着石桌石凳，更左是一片荫密的竹林，竹林后仿佛隐约着一座老旧的亭榭。院中靠右有一棵修剪得矮矮的棕榈树，树前有一条长藤椅和矮凳。更右横一道垣墙，爬满绿荫荫的长春藤。墙正中开一个小月门，通觉新住的小院。墙外有

1 “二屋”川版作“两屋”。

一株高大古老的杨柳，细长的枝条从墙外垂进来，在右面屋檐前摇曳着。走廊右端是正房的墙基，有一小门。由门下石阶可以沿着右垣墙与正房外墙的夹道向屋后走[1]，通着其他的院落。

时当盛暑，十点钟了。仍未退凉，几乎还和午热一样的闷燥。四处是虫声。没有一丝风，只有荫密的竹林里才透出一点点微凉。

院外不断有低低的木鱼声，时而夹杂一两声清澈的铜磬。

开幕后静了一刻，觉新跟随三老爷克明由走廊小门走进来。克明穿着一套淡青的官纱衫裤，换了一副玳瑁边的眼镜，须髭略微改了样式，神态依然腐朽自得。摇着一把椭圆形的宫扇，手持一份《黎明周报》。觉新穿白夏布长衫，面容略形削瘦，神色忧郁，时常微微地闷咳。克明踱到右面窗前。

高克明 （向窗内喊）觉慧！觉慧！

觉　新 三弟！

高克明 （又走到左面窗前，新随后，明用扇轻轻叩着窗棂）觉民，觉民哪！

觉　新 （低低地）二弟！二弟！

高克明 （望望觉新）不在，都不在！（走到廊中，望着月光，嘘出一口长气）这两个孩子又不知跑到哪儿去了！（摇着扇子，下了走廊，走向石桌前放下报章，拿出手帕擦额前的汗。）

觉　新 （随着克明走入院内立在月光中，委婉地）这么晚他们不会

---

1 “走”川版作“行走”。

到哪里去的。

高克明 （严厉地）明轩，你不可一味这样的袒护他们。“长兄若父”，你们父亲故去将近三年，我但看你在放纵，就没有看见你管束过他们。

觉　新 （强笑着）也，也是因为弟弟们有时也有他们的道理。

高克明 （轻视地）有什么道理？专做些危险，可怕，不安分的事！上次为着演戏闹事，这已经离奇，现在又办什么，什么，（拿起报章对月光望一望）《黎明周报》。这些督军省长我们小百姓平时叩头敷衍还来不及，他们这些学生动不动就请愿，写文章，开口乱说话，这真太不知死活了。

觉　新 （依顺地）三叔，您放心，我一会儿就说他们。

高克明 （大不谓然[1]）说他们？你应该痛骂，告诫！严加告诫！刚才我跟你说过老三的一句非常非常糊涂的话，（指着）就在这个报里面，是——（用力回想）是什么？一句（冷笑）白话文？

觉　新 “口是为着说话的”。

高克明 （侃侃然）那就放屁！你告诉觉慧，口是为着吃饭的。“病从口入，祸从口出”。老三这孩子我最不放心，说不听，打不听，早晚必闯大祸。闯下了祸，祸及全家，看你这个做长兄的如何得了！

〔婉儿由走廊小门走进来。她较以前更出落得俊秀，依然是

1 “大不谓然”新文艺版作“大不为然”。

忠厚可喜，并且是很懂事的样子。举止说话虽然不免偶然仍有点孩子气，然而也沉稳多了。她穿着白底子小蓝花裤，浅蓝夏布短褂，背后垂一条稍长的发辫。

婉　儿　（对明）三老爷，老太爷叫您。

高克明　晓得了。

婉　儿　大少爷！——

高克明　明轩！（把周报递给觉新）这张《黎明周报》交给你，由你负责对老三告诫。（回身向走廊小门走。）

婉　儿　（连忙）三老爷，老太爷跟客人到湖心亭去了。

高克明　（望望婉，又转身向正中甬道走，走了两步，又对新）哦，少奶奶究竟年纪太轻，还是孩子气重，一个做长嫂的——（忽然变做一种非常不满而又不愿再说的神气）唉，怎么可以想起来出去看什么文明戏呢？好了，你总应该知道如何对她讲。（对婉，不经意地）在湖心亭？（不等回答即由甬道下。）[1]

觉　新[2]　（低头看一下手中的报章，嘘出一口气，向左面月门走。）

〔木鱼声渐歇。

婉　儿[3]　（望望新，同情地）大少爷，五太太说请您现在过去打牌。

觉　新　（烦厌得——）又找我？（无可奈何地）不是姑太太在打么？

1　此句川版另起一行作“〔克明不等回答即由甬道下。”。

2　底本无“觉新”，据新文艺版、川版改。

3　底本无“婉儿”，据新文艺版、川版改。

婉　儿　姑太太家里来了客人，要走，五太太请您去接她的手。

觉　新　（皱着眉，向走廊小门走去，后随婉儿，但未到一半路，忽然听见垣外传入小儿的啼声，不觉笑着转对婉儿，踌躇地）好，你先去，我就来。（向小月门走。）

婉　儿　（追上前，急促地）大少爷！

觉　新　（停住）什么？

婉　儿　（走近新，轻轻地）冯老太爷又来了。

觉　新　哦。

婉　儿　（戒惧地）我怕又是为鸣凤来的。

觉　新　（怜悯地）鸣凤早知道么？

婉　儿　她知道一点。

觉　新　（关心地）她怎么样？

婉　儿　她大了，不是个小孩子了。

觉　新　（不大明白）怎么？

婉　儿　（暗示地）她不言不语，倒像心里挺有打算的样子。（忽然恳切地）大少爷，您千万救救她吧。她性子烈，脾气彊[1]（读若“绛”）得很，逼紧了，说不定会出事的。

觉　新　我明天去跟太太讲，不过就怕冯老太爷说并不是要她当姨太太——

婉　儿　（忍不住抢说）可那还不是——（望见瑞珏由垣墙小月门进来）少奶奶！

---

1 “彊”川版作“犟”。

〔瑞珏较前两年略瘦，眼睛水汪汪的，微微含蓄着别人看不出的忧愁，望着觉新总是那样诚挚地期待着什么似的，脸上依然是一团天真而和气的笑容。她穿着淡青洋纱上身和长裤，白鞋，发髻戴一朵白绒线花，一身素净，正为着公公戴孝。她小指上挂着一把细芭蕉扇，左臂夹着一本洋装书，一手持着蚊香盒，一手端着一碗绿豆汤，茶盘上斜放拧好的凉手巾[1]，看着手里的碗，怕洒出来，一步一步担心地走进来。

瑞　珏　（笑着斜转身，眼看书要从臂里滑落，忙对新）明轩，快点！书！

觉　新　（微笑，埋怨地）你看你！（立刻拿下书，婉儿也笑着想上前帮忙——）

瑞　珏　（对新努嘴，指手上的东西，欣悦地）手巾！（新忙为拿起，茶碗又歪在一边要溜，珏情急，低低嚷着）绿豆汤！（婉儿连忙上前取下茶杯[2]。）

觉　新　（把书与手巾放在藤椅上，摇头对珏笑着）你呀！

婉　儿　（也笑嘻嘻地将茶碗[3]放在藤椅扶手上）我可要走了，大少爷，一会儿去呀。（由走廊小门下。）

1　“一手端着一碗绿豆汤，茶盘上斜放拧好的凉手巾”川版作“一手端着茶盘，茶盘上一碗绿豆汤傍斜放拧好的凉手巾”。

2　“茶杯”川版作“汤杯”。

3　“茶碗”川版作“绿豆汤”。

瑞　珏　（心不在焉地）哪去呀？（转过身，把茶碗[1]蚊香盒放在石桌上，对新，天真地）我知道你准在这儿！（一面走回藤椅边取起手巾把[2]，放下扇子。）

觉　新　你怎么出来了？

瑞　珏　（散开手巾，给新）屋里热。（扬头诚挚地望着他的脸。）

觉　新　（一面擦脸，一面关切地）海儿睡着了么？

瑞　珏　（点头）嗯，刚刚把他哄着了。（接下新的手巾）刚才他还直叫你找你呢。

觉　新　（立刻向小月门走，忽然停了脚，回头笑着）你说我去不去？

瑞　珏　（亲切地）干什么？

觉　新　看海儿。（欣喜而又有些忸怩地）我想去，我又怕把他亲醒了。

瑞　珏　（一直母亲似的不忍拂他的意，温柔地）不要紧的，去吧！亲醒了，我再哄他。

觉　新　（几乎是孩子一样地顽皮而纯挚的神情）他哭了呢？

瑞　珏　（睁大了“吓人”的眼睛，笑着说）哭了我就打他的小手心！（诚挚地）不会哭的！他断了奶这半年，不大好哭了。

觉　新　不，等一会，等他睡得再熟一点我再看。你把蚊帐给他掖好了么？

瑞　珏　掖好了。

1　“茶碗”川版作“汤杯”。

2　川版无“把”。

觉　新　（忍不住）他，他现在什么样子？

瑞　珏　（笑望着新）他？（新连忙点头）头发乱稀稀的，脸上笑眯眯的，身上汗几几[1]的，——（笑出来）怪！你为什么不自己进屋去看呢？

觉　新　（走了一步，又转过身来，温良地对珏笑着）不，还是不。（说不出来的那样轻微的一种不好意思）我一去就要亲他，亲了他就要抱他，抱醒了他，又不让我放下；海儿会热出一身的痱子的。

瑞　珏　（天真地笑）你为什么这样不好意思啊！

觉　新　（面上浮起快活，激动地）有了孩子，真像前后左右都有了希望似的。（忽然紧紧握着瑞珏的手，满眼感激的目光，低声）瑞珏！

瑞　珏　（仰起头，诚挚地）明轩！（又低下头，转身端起茶碗）你喝点绿豆汤吧？

觉　新　嗯！（接下喝了一口，坐在藤椅上。）

瑞　珏　（顺手拿起扇子，轻轻为他挥摇，低低地）热不热？

觉　新　有一点。（啪一下打在自己的小腿上。）

瑞　珏　（放下扇子，把放在石桌上的蚊香盒拿过来，放在新的脚下。）

觉　新　什么？

瑞　珏　蚊香。你的书拿来了，我给你拿灯去吧！

觉　新　现在不想看，你也凉快一会儿吧。

1　“汗几几”川版作“汗渍渍”。

瑞　珏　（怜惜地）明轩，你累了！办了一天的公，坐累了吧？这么热的天。

觉　新　（慢慢苦恼又爬上眉头）累倒不。

瑞　珏　（笑着搭讪）就是——

〔远远又是木鱼声，铜磬声。

觉　新　（聆听）这是谁在念经？

瑞　珏　陈姨太。

觉　新　（警觉地）大后天又是父亲的阴寿了，父亲生前喜欢吃的菜你记得吧？

瑞　珏　（点头）记得。

觉　新　今年早一点预备吧。省得陈姨太在爷爷面前挑剔。

瑞　珏　（低下头）嗯。

觉　新　（勉强地笑着）你知道么？前一次三弟邀我带你出去看他们演戏的事不知谁告诉三爸了。

瑞　珏　（抬头惊望）哦！

觉　新　（幽默的样子）三爸刚才又大大告诫了我，我们一顿。

瑞　珏　（不觉握着觉新的手，同情地）明轩！

觉　新　他说爷爷不久也会晓得的。

瑞　珏　（焦切地）爷爷不会又骂你吧？

觉　新　那倒——

瑞　珏　（愧恨得要流下泪，安慰着）不要气，明轩。都怪我，都怪我，那天要不是我说去，就不会去的。——（忽然立起，诚恳地）让我现在到爷爷面前认错去好不好？

觉　新　（拉住她）不，你别去，去了，陈姨太更要说俏皮话了。（困难地）她现在不大高兴你。

瑞　珏　（莫明其妙）怎么？

觉　新　因为，（顿了一下）现在爷爷有时不舒服，总喜欢你在旁边伺候，她就说你会在爷爷面前献殷勤。

瑞　珏　（不知若何是好，迷惘地）我不该么？（缓缓地）孝顺爷爷？

觉　新　（沉静地点点头）该，当然应该。

瑞　珏　（脸上立刻浮出欢喜肯定的笑容）该，我们就不管这些。

觉　新　（被她的勇敢所鼓动）对，不管。

瑞　珏　（望着他，笑起来）明轩，你现在真高兴吗？

觉　新　（点头）高兴。

瑞　珏　（天真地）真高兴？（新还未答，她又摇头，微笑望着新）我说你是假的！

觉　新　我？

瑞　珏　（微微颦眉，望着前面）嗯，你总是皱着眉头，像想什么心思的样子。（忽又转头望着新，企慕地）明轩，我老觉得你有许多许多话都没对我说！

觉　新　（叹一口气）瑞珏，话有什么用呀！

瑞　珏　（恳切地）你为什么不把我当作你的朋友呢？我知道你心里头是非常不快活的！

觉　新　（突然改了语气，提起精神笑着）珏，你现在还教鸣凤么？

瑞　珏　（立刻接下新的语气，又活泼地）教。（赞美地）她真聪明，真懂事！你知道么？她还会讲佛经呢。这么一点大的孩子！

觉　新　那是死了的大妹教给她的。（嗟叹地）都太早熟了。

〔远处木鱼声渐低渐缓，随后一声清脆的磬，翳入空间消逝。

瑞　珏　嗯，鸣凤不像我刚来的时候那么活泼了。

觉　新　（沉思地）我也常看见她站在湖边上望着莲花发愣。

瑞　珏　嗯，是怪，她有一次跟我谈起舍身爱人的道理，讲得才透彻呢！（无意地）有人讲，她有点像梅表姐[1]小时候那么聪明。

觉　新　（吃了一惊）谁说的？

〔婉儿由走廊小门上。

瑞　珏　（坦白地）五婶。

婉　儿　大少爷，您还没去呀？姑太太都等急了，客人在姑太太家里派人催过好几道[2]了。

觉　新　（笑着）什么客人，这样不客气？

婉　儿　听说是钱，钱——

瑞　珏　（仿佛来了灵感）钱大姨妈？

婉　儿　（点头）对啦。

觉　新　（惊愕）真的？

瑞　珏　（欣喜地）那么梅表妹一定也跟着来了？

觉　新　（一半自语）她——她们忽然进省来干什么？

瑞　珏　（关切地）明轩，走，我们就去问问去。

1　“梅表姐”川版作“梅表妹”。

2　“几道”川版作“几次”。

〔甬道外，远远觉慧的声音："四妹！四妹！"

瑞　珏　（高兴地）听了两年的梅表妹，这回可要见着了。走吧，明轩！（新似乎在发呆。）

〔远远淑贞喊着："三哥！三哥！"

婉　儿　说不定梅小姐的姑老爷也一块儿来了。

瑞　珏　明轩。

觉　新　（指着）大概是三弟从湖边上来了，我还要跟他——

瑞　珏　（温和地催促）姑妈不还在等着你吗？

婉　儿　大少爷快去吧，大家都在等着呢。

瑞　珏　（委婉地）待一会儿再找三弟说话，好不好？

觉　新　（点头）也好。

〔觉新，瑞珏，和婉儿由走廊小门下。

〔觉慧的声音：（渐呼渐近）淑贞，淑贞，你还不快来？

〔移时，觉慧由甬道进。他现在较前两年又高大多了，周身的力量，神采奕奕，迈着大步，轻快地踱进来。他穿淡灰色的学生制服裤，白衬衫，宽大舒适，一手拿着鱼竿，一手提着鱼笼，走到廊正中立住，对着月光，迎着吹来的快意的风。

觉　慧　（扔下钓竿，叉腰跨步，一手提起胸前的衣服，畅适地）喝，好痛快的风！（回头）鸣凤！你还不快来，鸣凤！

〔鸣凤声：（低低地）嗳！

〔鸣凤由甬道走进。她比以前消瘦得多，面色苍白，眉目间神情异常冷漠沉静。美丽聪灵的大眼睛早已消失了活泼焕发的光彩，贮满了忧愁。从她的目光神态里，看得出她对人对事的明了，与对自己的意见的肯定。确是显得十分成熟了。她穿着洁白细洋布衫裤，长长的发辫缠着淡黄头绳。手里拿着刚由湖里采来的半开的素心莲，还水淋淋地闪着滢滢的水珠。

觉　慧　（拉过鸣凤，吹着过堂风）好不好，凤？

鸣　凤　（立在月光下，望着慧微笑）好。

〔淑贞声：鸣凤，慢点走，你在哪儿啦！

鸣　凤　（很自然地和慧分开）这儿呢，四小姐！

〔淑贞声：好黑呀。

觉　慧　（对甬道）四妹，你走过那段黑路就好啦。

〔淑贞声：（怯惧地）鸣凤，你扶我一把吧！（凤要去。）

觉　慧　（拦住她，低声）鸣凤，别扶她，让她自己走。

〔淑贞声：（恳求地）三哥！

觉　慧　（鼓励地）三哥说，你自己走，你要学习自己走黑路。

〔淑贞声：（颤颤地）我怕！

鸣　凤　（怜惜地）我去吧？

觉　慧　（拉住她，低声）先别去。

〔淑贞声：（更怯怯地）我真怕！

鸣　凤　（低声）不，我去接她！

觉　慧　（按住凤的手，故作未听见）啊？

〔淑贞声：（恐惧地）我实在怕！

觉　慧　（放开凤的手，示意让她去接淑贞，口里仍大喊）怕也得自己走。

〔鸣凤放下莲花，走进了甬道。

〔淑贞声：三哥！

觉　慧　（故作粗声粗气地）三哥在睡觉呢！

〔淑贞声：（忽然大喊）三哥！——

〔慧也吓了一跳，立刻向甬道走。忽然由黑暗里传出笑骂——

〔另一个女孩子的声音：什么三哥，什么猴儿三哥！不要叫他。

〔琴小姐领着淑贞由黑甬道走出，鸣凤在一边扶着，手里又举着两三朵莲花。琴较在第一幕时更丰满些，落落大方，穿一身女学生装，上身白洋布短衫，下面黑绸裙，短短的两个小辫拖在背后。淑贞和昔日迥异，面庞依然保持小女孩儿的丰润，却完全失去前两年的活泼，态度文静，行动困难，脚裹得很[1]小了，穿着小绿花衫裤。

觉　慧　（急切地）四妹怎么啦？

鸣　凤　四小姐叫石头绊倒了。

琴小姐　（安慰地）四表妹，不要紧吧！

淑　贞　（掸掸身上的土，怯怯地）不要紧的。

〔鸣凤放下手，又拿起方才放下的莲花，微笑着走进甬道，开了右边觉慧的房门踱入。

觉　慧　（笑着）我就气你这一点。没有人扶就会跌跤，一个人——

琴小姐　（揉着淑贞的小手）你还说呢，方才四表妹都急得要哭了。

1　川版无“得很”。

觉　慧　（近淑贞，诚挚地）真对不起，四妹，你——

淑　贞　（诚心诚意）不，不要紧的。只要三哥以后不甩下我就成了。

〔右面窗中透露出灯影。

觉　慧　（有意义地）可你以后得跟我走啊。

淑　贞　（腼腆地）跟，跟三哥走。

觉　慧　（故意撩惹）跟我走，你还听五婶的话要裹脚？

琴小姐　（警告）三表弟，你怎么又提起这个啦？

觉　慧　（一半严肃，一半调侃）你不知道我多气！从大哥结婚那天起，五婶就硬把（指着）她关在屋里半年！我跟五婶闹，跟五爸吵，（笑着）她在屋里一声不哼，仿佛天下太平，这不是她的事。好，等半年，我们四小姐斯斯文文地出来了，就成了这个要命的闺秀相！（说得琴和淑贞都笑起来）你说我气不气？

淑　贞　（委屈地）谁说我不想哼，可后来妈不许我哼，——

觉　慧　那你就不哼，你就不——

琴小姐　（讽笑地）三表弟，这不是开会，你又在布道了。

觉　慧　（爽快地）我知道的不多，现在我还没有道可布，不过我就恨胆小，怕东怕西，畏首畏尾，不肯自己走一条明白路的人。

〔在慧的话还未说完的时候，觉民静静地由甬道走进，他看见觉慧正激昂地说着，和琴对望一眼，便微笑地倚着圆柱谛听。他换了一副当时算是很时髦的眼镜，穿着瘦裤腿的制服下身，上衣拿在手里，衬衫的袖子卷起来，露出茁壮[1]的臂膊，显得十分的[2]魁伟。神色依然那样纯厚可喜，有时甚至于有些羞涩。

琴小姐　（辩护地）四表妹还小呢。

觉　慧　琴表姐！（瞥了觉民一眼）如果有一天，我要发现你也是胆小的，明明看着一条大路在眼前，而没有勇气去走，那我就不理你们，（笑着）不理你，也不理他！

觉　民　（静静地笑）怎么把我也拉进去啦？

琴小姐　（有一点羞，对觉民）二表哥，你懂他说的是什么吗？

觉　民　（含糊）不，不懂。

琴小姐　（对淑贞）你懂三哥说什么？

淑　贞　（摇头）我——

琴小姐　（得意地对慧）你看，四表妹也摇头说——

淑　贞　（忽又天真地点点头）我懂！

琴小姐　（惊愕）你懂？

淑　贞　嗯。（望望觉慧，又转对琴。）

琴小姐　（望着觉慧笑）那就是我不懂了。

觉　慧　（大笑起来）谁懂谁不懂，心里总是明白的。（转对觉民）二哥，你把船拴好了么？

觉　民　拴好了。

1　“茁壮”川版作“粗壮”。

2　川版无“的”。

琴小姐　那么我们快走吧，说不定妈妈已经打完了牌，要回家了。

觉　民　鸣凤呢？

觉　慧　鸣凤！

鸣　凤　（在窗内应声）哝。

觉　民　（对窗）琴小姐那本英文书你放在哪儿啦？

鸣　凤　（在窗内）在石桌上，我去拿。

觉　民　（对窗）不用了，你做事吧。（觉慧已经到石桌前，把书和书袋都拿过来递给觉民）一块去吧，三弟？

觉　慧　（望着琴和民，笑嘻嘻地摇头）不，我还要送四妹回去呢。

琴小姐　那就让我——

淑　贞　（勇敢地）我要一个人走，不要人送。（觉民为琴收拾书籍和书袋，琴随后也过来整理。）

觉　慧　千金小姐哪能一个人走路呢？

淑　贞　（急了）不，我不是千金小姐，我不愿意当千金小姐！

琴小姐　（回头）我看还是——

觉　慧　（同时）好好，不是千金，（指着）那你是不是我的小信徒？

淑　贞　（点头，稚气地）是！

觉　慧　（得意地）是，就让我今天送你回去。

淑　贞　不，不。

琴小姐　（笑着）还是我送四妹一道回去吧。

觉　民　（无意间不自觉地）嗯，我们也可以再走走。

觉　慧　（知趣地）那（望望他们）也好。（琴看了觉民一眼，觉民低下头。）

淑　贞　（娇痴地）不——好。

觉　慧　（做出吓人的神气）再不好，先生就要发脾气了，发大脾气了。

淑　贞　（偎依在觉慧身旁）不发脾气，不发脾气，三哥！

觉　慧　（笑出）那你就让琴表姐带你回去。

淑　贞　（依顺地）嗯，嗯，（忽然对着觉慧的耳边）可你明天要带我到湖边上钓小螃蟹。

觉　慧　好。

淑　贞　还有鸣凤，她才会钓呢。

觉　慧　一定！

淑　贞　（高兴地）以后我们三个人每天在湖边上钓！我们三个——

觉　民　四妹，快走吧，（望着竹林的后边）天边上乌云都起来了。

琴小姐　走吧，有风啦。（拉着淑贞）四表妹，快走吧！（对慧）走啦，我们。（慧点点头。）

淑　贞　（一面走着，一面回头）三哥，你一会儿告诉鸣凤啊！

觉　慧　（愉快地）嗯，就告诉。

〔琴和淑贞一同由走廊小门走出，觉民随后。夜风习习，从湖边吹来一阵阵的凉气，通过甬道。树荫里的蝉早已停止了令人烦厌的噪叫。水畔青蛙还不断地酣唱。慧走向甬道两步，忽然压不下心底的喜悦，轻轻追在觉民的背后。

觉　慧　（低声）二哥！你回来。

觉　民　（走回来，挚爱地笑着）你又想捉弄谁？

觉　慧　（热烈地）不，我要告诉你一件非常重要的事。

觉　民　什么？

觉　慧　（眼里浮出快乐的光彩，低声，感动得颤抖地）我爱了一个人。

觉　民　（惊愕）呃——谁？

觉　慧　（赞叹地）世界上最可爱的。

觉　民　（笑着）那当然。可是，是谁呀？

觉　慧　（神秘地）不在我们的亲戚里。

觉　民　（猜着）那么会是谁呢？

觉　慧　（喜悦地）回头我告诉你！（仿佛忽然来了灵感）你知道么？泥土里生米，水底下出珍珠，沙漠里埋黄金，（忘却一切）天哪这都是造物的恩惠呀！

〔琴的喊声：二表哥！

觉　民　哝！

〔民立刻由走廊小门下。

觉　慧　（全身充溢着不可阻塞的生命的力量）我活着，我活着，我在活着！（大叫）鸣凤！

〔鸣凤由黑暗的甬道里沉静地踱出。

鸣　凤　（缓缓低低地）我在这儿呢！（步入月光中。）

觉　慧　（快步走到她的面前）好长的时间，你不知道我多想念你。

鸣　凤　（温挚地）您还要去钓鱼么？

觉　慧　不，不，先不，（拉着她的手）我要在月亮下面看看你。（拉她到藤椅前。像一枝月下的水仙，她安静而凄恻地立在慧前。）

鸣　凤　（微微含羞，却一点也不拘泥。一双明慧的大眼睛蓄着无限的情感，凄惘而企慕地）三少爷！

觉　慧　（温和而急切地）鸣凤，你想明白了？

鸣　凤　（低头）嗯，想明白了。

觉　慧　（希望地）那么你——

鸣　凤　（摇头。）

觉　慧　（不懂）怎么？

鸣　凤　不，我还是不，（一腔的深情）您知道我多，多爱，可是（微微叹一声）——

觉　慧　（宽解，怜爱地笑着）鸣凤，你这个小小的人儿，你的小心里哪装得下这么多忧愁？别再想了，我们中间并没有什么障碍的。

鸣　凤　（沉郁地）有的，在上面的人是看不见的。（忽然热烈地）为什么非要想着将来呢？为什么非要想着将来您娶不娶，我嫁不嫁这些事呢？（委婉地安慰）三少爷，能像现在这样待一天，就这样待一天多好呢？

觉　慧　（焦灼地）不，鸣凤，这样待下去，太闷了，我不愿意瞒着。我要叫出来，我要喊，我要告诉人。

鸣　凤　（恳求）不，三少爷，千万别！那您就把我毁了，（低声，迷惘地）把我这场梦给毁了。

觉　慧　（肯定地）这不是梦。

鸣　凤　（诚切地）这是梦啊，三少爷！您喊不得呀！（情急地哀求）三少爷，我求您！求求您！您别喊，您一喊，梦醒了，人走了，就剩下鸣凤一个人，孤孤单单的，您再叫我怎么过呀！

觉　慧　（真挚地）鸣凤，我不会走，我永远不会走。陪着你，我会永远陪着你的。

鸣　凤　（凄笑）三少爷，这不是梦话吗？（忽又天真地）可是三少爷，我真爱听哪！（凝望慧）您想我肯醒么？我肯叫您喊醒么？（欣悦地）我真愿意月亮老这样好，风老这样吹，我就听，听，听您这样说下去。

觉　慧　（不觉微叹）鸣凤，我明白你，在黑屋子里住久了的，会忘记了天地有多大，多亮，多自由！

鸣　凤　我怎么不想？怎么不想？我难道尝不出苦是苦，甜是甜，我怎么不想一个自由的地方？

觉　慧　那你就该闯一下啊！

鸣　凤　（苦笑）您要我这么[1]去闯呀！（惋惜地）要是您不是您，我不是我，我们就是一块儿长大的朋友，兄妹，多好啊！

觉　慧　（摇头）那也许不相识呢，不认识呢。

鸣　凤　（微微点头）就是说呀，常在一起，反倒会不认识了。都是主人就不稀奇了，都是奴婢就不稀奇了，就因为是您是您，我是我，我们——

觉　慧　（耐不住）鸣凤，我跟你说过多少次。你为什么还是“您”哪“您”的称呼我呢？你不觉得——

1　“这么”川版作“怎么”。

鸣　凤　（温婉地）我说惯了，您就让我这样称呼吧。（不自觉地流露）我就是一个人在屋里，低低地叫您，喊您，跟您说话的时候，也还是这样叫呢。

觉　慧　（惊讶）你一个人在屋里说话？

鸣　凤　（寂寞愁苦地）没有人跟我谈您啊！

觉　慧　（感动地）你，你说些什么呢？

鸣　凤　（又笑着）见着了，又说不出来了。（天真里透着凄凉之感）我真是有好些好些话，我一个人在屋里，真是说不完的话呀！说着说着，就觉得您对我笑了，说着说着，我又对您哭了，（眼泪流下来）我就说，说，一个人说到半夜——

觉　慧　（哀怜地）鸣凤，你就这样地爱！

鸣　凤　（点头）嗯。（凝视着月光，眼里闪着晶莹的泪。）

觉　慧　（矜怜地）这样太苦啊[1]，你！

鸣　凤　（摇头）不。

觉　慧　（悔痛）都是我，你才这样苦，是我害了你！（蓦然）不，鸣凤，我还是要告诉人，我要去跟母亲说。这样隐隐瞒瞒的，就等于是欺负你。我要跟太太说，我要，要娶你的。

鸣　凤　（欣喜，但又抑遏住更深的悲痛）不，不，您千万别去说呀，（衷心地倾诉）您不要觉得您害了我，您叫我苦，您欺负我，一样都不是。我是这样的疆[2]（读若“绛”）脾气，只要是真

1　“啊”川版作“了”。

2　“疆”新文艺版作“彊”，川版作“犟”。

好的，真正好的，不能再好的，我都甘心！不管将来悲惨不悲惨，苦痛不苦痛，我都不在乎。我在公馆这几年，慢慢我也学得能忍啦。

觉　慧　一个人不该这样认命的。

鸣　凤　（诚恳地解释）我不是认命呀！譬如说太太要我嫁人，那我就要挣了。（仿佛自语）这也许就是命，命叫我这样我干，叫我那样我就不干了。我知道我们的身份离得多远，我情愿老远老远地守着您，望着您，一生一世不再多想。（安慰而肯定地）您别难过，您放心吧，我愿意就愿意定了，不，就不定了。（孩子一般的请求）就这样好不好？求您答应了吧，您不要告诉人，您谁也不要告诉。

觉　慧　（沉思）也许，也许我想得太早了，不过早晚我要对太太讲，我要——

鸣　凤　（没奈何地）您为什么老想着那做不到的事情呢？现在不已经很快活么，为什么为着想将来，先把眼前这一点快乐就毁了呢？（提起精神，像哄着一个任性的小弟弟似的，快活而温和的口吻）您不是说今天晚上要教我一段讲月亮的词么？（拉着慧）走吧，您给我讲吧？我们进去找书来讲吧，好不好？

觉　慧　（也快活起来）好，好。

鸣　凤　（谛听甬道外有足步声，笑着）走，走，快进屋去，有人来了。

〔鸣凤和觉慧进了甬道右面的门。

〔周氏，克明，和王氏由甬道缓缓踱进。周氏穿着灰官纱短衫。黑洋纱裤子，小小的发髻上别着银发针。面容和两年前差不多。手里拿着一把细芭蕉扇。王氏穿着浅蓝纺绸褂，藏青纺绸裤子，她较两年前毫无差别，只是因为[1]衣服穿得少，更显得单薄就是了，她拿了一把桃形扇子，不住的扇。

周　氏　（沉吟）三弟，你说怎么办呢？

高克明　（不愉快）我没有什么意见。不过这是父亲的意思，他说——

周　氏　（急辩）三弟，我不是不送，不过——

高克明　（烦躁）不要多听外面的闲言闲语，冯老太爷既然说明白了要她侍候太老太太，而且要叫她读书念佛，每天做些上等人的事，吃得好，穿得好，这，这——

周　氏　（强笑）就是有人讲，世上哪有这么便宜的事啊？

高克明　所以就要多陪几年了，哪怕，哪怕——

周　氏　（缓缓地）到了老，也不许她嫁？

高克明　那也没有什么呀，反正一进了冯家的门，就升了一级，从这以后，就叫"凤姑娘"了——

王　氏　（一直冷眼望着，忍不住插嘴）就是说呀，谁的姑娘啊？是太老太太的姑娘啊？还是冯老太爷的姑娘啊？

高克明　（含含糊糊）这就不管她啦。譬若当姨太太呢？这总比当姨太太又高一层了。

1　"因为"新文艺版、川版作"因"。

王　氏　（尖锐地）三哥，这话不是这么说，当姨太太也是姨太太，也有个名分哪。（对周）这样我倒没听说过。这叫什么呢？这样，明着是“凤姑娘”为着尽孝，暗着是——（用劲的扇着）

高克明　（着恼）人家冯家以孝起家。冯老太爷既然说要鸣凤为着侍奉老母，那自然就是。我们不要以妇人之见来揣测这样一个博大的君子。（向甬道走了两步，又停住，对周氏）大嫂，送在你，不送也在你，就有这三四天的期限。反正，四弟妹，你我方才都是老太爷叫去的，也听见老太爷亲口答应冯老伯的。

〔明由甬道下。

〔半晌。

周　氏　四弟妹，你说怎么办好呢？

王　氏　（气得半天说不出话）我，我不说，我妇人之见！

周　氏　按说呢，自己真想弄一个人侍候侍候，肯说出来倒也叫人放心。

王　氏　可是他跟他的太太举案齐眉呀，他祖上世世代代都是道学君子。君子不二色呀，你没听见他方才说——

周　氏　（在石凳上坐下）怪不得冯老太太一提起他，就像敬神仙似的样子。

王　氏　（扇子一挥）是啊，所以说这老东西本事大呀。（尖刻地）世上丈夫是个什么猴儿相，太太哪有不知道底细的。可是这位冯老太爷就从早到晚，整年的都是天上文曲星降凡的样儿，仿佛刚出了佛堂就进了孔庙，你想——（忽然看见周氏立起来要走）大嫂，你到哪儿去？

周　氏　我找鸣凤去。

王　氏　哦。

周　氏　（不得已地）想想，也只好把她送去。

王　氏　（有些气愤）听三哥，送给冯家？

周　氏　嗯。（老老实实地）不过我要对她说明白，冯老太爷是要她当姨太太的。

王　氏　（赌气地）哼，还是三哥厉害！

〔王氏随周氏由走廊小门下。

〔慧由卧室门轻步走出，后随鸣凤。

〔天空湛清如水，月亮静静地仿佛悬在古柳的颠上[1]。风吹着竹叶与柔软的柳条摇摇不定。时而有一片乌云，迟缓地踱过，遮住了明月，乌云过了又露出皎洁的月光。

觉　慧　（喜悦地）她们走了。（想着方才读的词）你爱不爱？

鸣　凤　（微笑）爱！

觉　慧　（望着她）你真喜欢么？

鸣　凤　（睁了美丽的大眼睛）真喜欢。

觉　慧　记得么？

鸣　凤　（点头）记得。

觉　慧　（快意地）“明月几时有”，

1　“颠上”新文艺版作“梢上”。

鸣　凤　（低声，自然地）“把酒问青天”。

觉　慧　（惊异地望望她）“不知天上宫阙”，

鸣　凤　（望着月）“今夕是何年”。……（月光照着她苍白的脸，湛静而清丽，梦一般迷惘的眼，露出内心的渴望。）

觉　慧　（也举头仰望）“起舞弄清影”，

鸣　凤　（缓缓地）“何似在人间”。

觉　慧　（回首惊望）天，你怎么读了一遍，你就——（忽然）你顶喜欢哪一句？

鸣　凤　（含着深沉的情感）末了，“但愿人长久，千里共婵娟”。

觉　慧　（感动得几乎要抱着她，热烈地）真对啊，我的聪明的女孩子！我为什么早没有看见你呀！

鸣　凤　（沉浸在快乐里，天真地）三少爷，您怎么不早教我呀？真好这词，怎么世界上有这样可爱的人哪！

觉　慧　（感奋）有，有，所以人活着，人活着。

鸣　凤　三少爷，我真想好好地活着啊！

觉　慧　（肯定地笑着）我也是，所以——（不愿又使她难过）你快活么？

鸣　凤　快活。

觉　慧　（望着她）真快活？

鸣　凤　（活泼而喜悦地）真快活呀！

觉　慧　（拉起她的手）那么，走，我们钓鱼去！

〔凤欣快地点头，二人方转身，黄妈从走廊小门上，后随觉民。

黄　妈　鸣凤！

鸣　凤　（回头）啊！

黄　妈　（严肃地）太太叫！

鸣　凤　（低声）太太叫！

觉　慧　（诧异）太太现在叫她干什么？

黄　妈　不知道，说找她有话说。（匆忙的样子，回身就走。）

觉　慧　（对凤，宽解地）你先去吧。

鸣　凤　（悲哀地望望他）是，三少爷！

〔鸣凤随黄妈步出走廊小门。

〔觉慧望她转了弯不见影，立着发愣。

觉　慧　（没有转身，怅怅地）琴表姐走了？

觉　民　走了。（微笑）你的话呢？

觉　慧　（漠然）什么话？

觉　民　（老实地）你不是说要告诉我一个人，她——？

觉　慧　（摇摇头。）

觉　民　（诧异）怎么啦，你？——

觉　慧　（莫明其妙地怅惘）没有什么，——不说了。奇怪，我心里忽然有点别扭，说不出来的一种不舒服——

觉　民　（同情地）有困难么？

觉　慧　（深沉而慢慢地）有。

觉　民　我能帮忙么？

觉　慧　（仿佛失了凭借）你不能。

觉　民　（笑着）又痛苦啦？

觉　慧　（忽然）哪个说？

觉　民　（鼓励地）那你还不快赶你的稿子？《黎明周报》后天又要发稿了。

觉　慧　（自语）嗯，工作，工作。

〔天边上隐约闪着电。

觉　民　（诚挚地）只有工作，才能救出自己。你说过，人不是完全为爱情活着的。（手搭着觉慧的肩膀，一面说，一面向甬道走，亲切地）进去吧，打闪了，一会儿就要凉快了。

〔觉慧沉默地伴着觉民一同迈上了走廊。由黑越越[1]的走廊小门，悄悄现出陈姨太，像一个魅影，后面王氏伫立小门中不动。

陈姨太　（鬼祟地）鸣凤不在这儿？

觉　慧　（惊顾）谁？

陈姨太　我。

觉　民　鸣凤我母亲叫去了。

〔陈姨太回首和王氏二人互相诡秘地狞笑。[2]

（舞台全暗）

〔[3]再明亮时已过了一个钟点。院中放着的小物事都收捡起来。

1　“黑越越”新文艺版作“黑黝黝”。

2　此句川版作“陈姨太回首，对王氏诡密地狞笑。”。

3　此处川版有“舞台”。

〔天空逐渐弥满了乌云，月亮为浓厚的乌云所遮，透不出一点光。随着一阵阵的闪，院里也时明时暗，风吹着竹叶刷刷地急响，古柳的细枝与柔条也吹得向一边斜倾。是大雨欲落以前的情景，左右正房两窗都射出通亮的灯光。

〔婉儿提着个小灯笼，沿黑暗的小道边，送着鸣凤由走廊小门旁侧走出。鸣凤低头，沉郁阴暗的神色。

婉　儿　（喉咙有些哽，说不出话来）不，别难过，鸣凤。

鸣　凤　（平静，无表情地）不。

婉　儿　（同病相怜）我们都是苦命，落下地就注定了要服侍人，挨打挨骂。服侍够了，就当作人情一送，不管以后是死是活——

鸣　凤　（苦痛）不，不，你不要提了。

婉　儿　（敬重地）鸣凤，你是个有见识的人，就看远点吧。不要害怕，也许到了冯家那边，那老头子真把你当作亲人看，疼你，宝贝你——

鸣　凤　（听不入耳）不，我不害怕，你放心，我一点不害怕。

婉　儿　（安慰地）这就对了，好在还有两三天，说不定太太会回心转意，又——

鸣　凤　（苦笑）不会的。

婉　儿　你求了太太么？

鸣　凤　嗯。

婉　儿　她——？

鸣　凤　（绝望）没有用。

婉　儿　（又劝慰）那你就不要胡思乱想，学随和点，你真叫人不放心哪！

鸣　凤　（沉静地）我不会走错路的。

婉　儿　那就好了，我走了。——（不知情）其实你现在何必再给三少爷打水呀，过两天——

鸣　凤　（含忍地）也是侍候惯了。你走吧！

婉　儿　（难过，依恋地）是啊，我怕一会儿就要下雨了。灯给你留下吧？

鸣　凤　不用了。

婉　儿　路黑了，一个人走不好。

鸣　凤　（惨笑）惯了，我总是一个人走黑路的。

婉　儿　好，我走了。

鸣　凤　嗯。

〔婉儿由原路下。

〔一阵闪电，照亮了鸣凤，她头发微乱，衣服被风吹得贴着身子，伶仃地站着。檐上的红灯也被吹得轻轻摇摆，从甬道望过去，可以看见远远发光的湖水。湖滨的青蛙急躁地喧叫。

鸣　凤　（回身向石阶走，抬头望见慧已立在走廊中）三少爷！

觉　慧　（亲切地）鸣凤！（到凤前）我以为你不会来了呢。

鸣　凤　（悲促地）我要来的，我要来的，我要来再看您一面的。

觉　慧　（不安地）太太叫你有什么事？

鸣　凤　（闪避）没有什么。

觉　慧　真的没有什么？

鸣　凤　（抑遏）嗯，没有。

觉　慧　我刚才不知为什么这么烦躁，等了一个钟头你没有来，我以为——（忽然）方才同你来的是婉儿么？

鸣　凤　（搭讪着）嗯。不早了，三少爷，您要睡了吧？

觉　慧　不，不想睡。鸣凤，你的声音怎么发抖，我看不见你的脸。

鸣　凤　（掩饰）我好好的，您听，青蛙在湖边上叫呢。

觉　慧　现在还是闷热呀。

鸣　凤　（向往）湖底下一定清凉得很呢。（忽然）三少爷，您以后会记得我么？

觉　慧　（诧怪）怎么，为什么不记得？你为什么这样问？

鸣　凤　（淡淡地笑）我真怕您忘记了。

觉　慧　（诚恳地）我不会忘记你，永远不会！你相信么？

鸣　凤　（点头）相信。

觉　慧　（望着她）你呢？

鸣　凤　（凝视，迷惘地自语）我会想着，想着，一直到我死。（深挚地）就是死后，我还是会想着您的。

觉　慧　（笑着）不，我要活着想念你，死了就不能想了。

鸣　凤　（长叹）爱一个人是要为他平平坦坦铺路的，不是要成他的累赘的。

觉　慧　（惊异）这句话你讲的？

鸣　凤　不，少奶奶。（完全忘记了自己，深情地流露）想着吧，三少爷，想着有一个人真，真从心里爱。她不愿意给您添一点麻烦，添一丝烦恼。她真是从心里盼望您一生一世地快活，一生一世像您说过的话，勇敢，奋斗，成功啊。

觉　慧　（倾听着，欣喜而又奇怪地）你今天话真多呀。

鸣　凤　（望着他灵巧的目光）您不是说有一种鸟一唱就一夜晚，唱得血都呕出来了么？

觉　慧　（点头微笑）是呀，那是给人快乐的鸟。

〔风声，四处的虫声，远远有轻微的雷声还未滚近，又消逝了。湖滨上一个闪电，照亮了对岸的梅林，旋又暗下去，青蛙不住地叫。

鸣　凤　三少爷（仰望他，哀慕地）我就想这样说一夜晚给您听呀！（啜泣。）

觉　慧　（拍拍她的肩，怜爱地望着她，安慰着）不，不哭，不哭。

鸣　凤　（轻轻摇着头，睁着苦痛绝望的眼睛）我真，真觉得没活够呀，（忽然）您，您亲亲我吧！

觉　慧　（惊奇）鸣凤，你——？

鸣　凤　您不肯？（低头。）

觉　慧　（忙解释）不是，我就是觉得你今天——

鸣　凤　（可怜地）三少爷，我不是坏孩子呀。

觉　慧　（迷惑地）不，当然不——

鸣　凤　（坦白地）这脸只有小时候母亲亲过，现在您挨过，再有——

觉　慧　再有？

鸣　凤　再有就是太阳晒过，月亮照过，风吹过了。

觉　慧　（感动地）我的好鸣凤！（抱着她。）

鸣　凤　（第一次叫出口）觉慧！

觉　慧　嗳！

鸣　凤　（激动地）我，我真爱你呀。

觉　慧　（忽然听见足步声，轻轻推开她）有人来。

〔凤立在一旁。王氏和陈姨太由走廊小门侧进。

王　氏　（对凤）陈姨太到处找你呢。（对慧，递出一封信）这是你们学校来的信，送到我屋里去了。

觉　慧　谢谢您。（接下，忙忙一面拆一面喊着）二哥，黄存仁有信。

〔觉民由左面的正屋跑出。

觉　民　哪儿？哪儿？（二人共同就着窗户透出的灯光看信。）

〔同时鸣凤缓缓踱到陈姨太面前。陈立着有若一具僵尸。

陈姨太　（假意）鸣凤，我本来不爱管这些闲事的。不过——

王　氏　是太太对你说过了么？要你——

鸣　凤　（情急，恳求）您轻一点说吧！

陈姨太　（努嘴）那边说去，垣墙后面！（鸣凤随她们二人走向小月门。）

王　氏　（一边走一边低声）冯家这个门槛不是随便进得的，那个老头子啊，你小孩子不明白呀，那才是个——

〔陈姨太，王氏，和鸣凤走进小月门。

觉　慧　（放下信，切齿）哼，我早就知道这种军阀要查封《黎明周报》的。

觉　民　不管他，反正黄存仁已经找着另外的地方印刷出版。

觉　慧　不过现在他突然提前改成明天一早发稿！

觉　民　有什么法子，那只好赶了。

觉　慧　（肯定地）对，大家赶，现在几点？

觉　民　十一点。

觉　慧　（兴奋地）好，我们今天不睡，锁上门赶它一夜，赶！

〔二人立刻各自跑进屋内。

〔木梆更锣声由湖边渐走渐近。风萧萧，黑暗的天空不时打着闪电。一个更夫提着灯笼，敲着木梆由甬道踽踽踱进。

老更夫　（苍老的嗓音）不早了，各位老爷太太，小姐少爷们，不早了，请睡了，请睡了，请睡了，不早了，请睡了！

〔克明和周氏由走廊小门侧上。

周　氏　真是奇怪，这孩子跑到哪儿去了？

高克明　真麻烦，真麻烦，（对更夫）你见着鸣凤没有？

老更夫　（茫然）啊？

周　氏　这个打更的，疯疯癫癫的，你问他，他也不清楚。

〔老更夫敲着更锣由小月门下。

高克明　（严重）大嫂，刚才又有人报告外面风声很不好，说不定今天夜晚城内就会出事，你要特别小心。鸣凤的事快快办吧，爹说明天一见早就把她送到冯家，省得日后麻烦，这件事大嫂快点办吧，我还得到爹那儿去。

〔克明由甬道下。

周　氏　（有点慌张）晓得，晓得。

〔王氏由小门出。

王　氏　大嫂！

周　氏　四弟妹！找着鸣凤了么？

王　氏　（狡猾地[1]谎说）找着了，我也说了，叫她早早预备，明天一见早就抬到冯家。

周　氏　她呢？

王　氏　从湖边回去了。

周　氏　（有点怜惜地）这孩子！

〔周氏和王氏由走廊小门下。

〔鸣凤由小月门上，面色惨白，如同中了魇魔，恍恍惚惚地踱进院中，后随陈姨太。

陈姨太　（假殷勤，缓缓地）这也都是为你好，才叫你知道个底细，现在你明白了？

鸣　凤　（冷冷地）明白了。

陈姨太　明白就成了。不是我说的，听见没有？

〔陈姨太由走廊小门下。

〔凤茫然若失，踱到觉慧窗前。

鸣　凤　（敲着窗棂）三少爷！

觉　慧　鸣凤？

鸣　凤　我。

觉　慧　你怎么还没有睡？

鸣　凤　（安静地）我睡不着，您出来吧？

1　川版无“狡猾地”。

觉　慧　（推开窗户门笑着）不，现在不成了，我要赶着写东西了。

鸣　凤　（望着窗里，期盼地）您不能出来一会儿？

觉　慧　（坚决）不，不！

鸣　凤　（哀恳）就一会儿！

觉　慧　（温和地）不，实在不成了。

鸣　凤　（苦求）听我说一两句话吧，（挣扎着）让我再——

觉　慧　（急促地）明天吧，都留着明天吧。

鸣　凤　明天？

觉　慧　（安定）你看打更的都来了，走吧，明天，我的鸣凤。（慢慢关上窗户。）

〔老更夫敲着更锣由小月门上。鸣凤昏惑地走到院中。

老更夫　谁？

鸣　凤　（硬而颤抖的声音）我。

老更夫　（老苍苍地）你怎么还不睡呀？

鸣　凤　（冷冷地）我要寻死去。

老更夫　（愣了一下）真的？

鸣　凤　嗯，我去跳湖。

老更夫　（疯疯癫癫地）好，好，湖里有莲花，湖里的水凉快，去吧，去吧，没有人拦着你的。

鸣　凤　（哀伤地）您不拉我一把？

老更夫　（硬生生地）不拉，不拉，死了好，死了好，活着没意思。

鸣　凤　（哀哀地）我去了。

老更夫　去吧，湖里面有人等着你。

〔鸣凤缓缓由甬道走出。天空打着闪，远远隐约有轻微的雷，风声飒飒。

老更夫 （自言自语）小娼妇！公馆的丫头没有好的。打扮得像妖精！（雷声隐约）还要跳湖，跳神，跳鬼！（忽然）各位老爷太太，少爷小姐们，睡吧，不早了，把窗户关紧啦，要下雨啦！下雨啦！

〔大雨点开始落下来。风声逐渐峭厉。柳竹骚骚然——舞台渐黑。

〔黑暗中大雨声，风声，树叶声。

〔舞台渐明，雨渐缓，满院是淅沥的雨声，从屋檐滴到石阶上。黑暗的甬道中慢慢走出鸣凤，周身湿淋淋的，头发散开披在后面，发里有草叶水藻，手里握着残落的莲花。昏昏的红檐灯照着她一副失神凹陷的眼。她路过甬道，推了推觉慧锁上的门。

鸣　凤 （走到觉慧窗前，低低地）三少爷！

觉　慧 （以后一直在窗内答应，诧异地）鸣凤，你怎么还没有走？

鸣　凤 （平淡里埋着失望的声音）我又来啦。

觉　慧 （烦闷地）怎么又来？你？

鸣　凤 （沉痛）我舍不得你。

觉　慧 （委婉地）鸣凤，你不要再搅我吧！我有事！

鸣　凤 （轻声，哀哀地）我不是来搅你，我就想再看你一眼！

觉　慧 （温和而肯定）不！

鸣　凤 （凄恻地）就一眼。

觉　慧　（恳求地）不，我真是有事啊！鸣凤，你好好地回去吧，走吧！

鸣　凤　（含泪）那么我走了。

觉　慧　（安慰地）睡吧，不要再来了。

鸣　凤　（冤痛）不来了，这次走了，真走了。

〔鸣凤绝望地向甬道走下。

〔天空不断打着闪，淅沥不停的雨落在空空的庭院中，檐灯凄惨暗红，在风雨中轻轻摇晃着。

——幕落

第二景

离第一景闭幕时约有两个钟点，半夜二时许。雨落了一阵又停了，屋外黑漆漆的，景是在觉新的卧室内。

照一般说来，这还可以算是新房，他们——觉新与瑞珏——住在里面有两年多了。这屋子的陈设虽然没有大的改动，但较之两年前的新房已然迥异。左墙的炕椅与屋中间的八仙桌子都已移去，现在靠左墙放着一张大书桌，桌上放着笔筒，砚台，纸，与一些洋装线装的书籍，一个半旧的台灯。桌前一把有靠背的楠木椅子，桌右端靠敞窗放一把在那时比较新式的大摇椅。敞窗前放一张小圆藤桌，桌上放着那假龙泉窑的花瓶，瓶里插着白夹竹桃。瓶边一个竹编的小小细致的针线簸箩，里面有还未做好的婴儿的小鞋。正面墙门左手花架边，在那墙上挂的镜框下面，放一把藤躺椅。右墙侧门边小条桌上，只放着茶壶与几只茶杯。那葫芦形扁瓶移挂在这小条桌墙角处，里面插了拂尘。床上外层那些多余的雕花框饰因天热已经拆去，踏板也除去，两端的小坐柜只留下一只，放在床前左边。床上换了雪白珍珠罗帐，床右的幔子还是那米色绸子的，墙上的喜屏喜联等皆已取下，现在在书桌那面墙上挂着一小条幅山水画。敞窗上挂着两条上下卷的细竹帘，左边一条卷了一大半，右边的一条完全垂下来。

开幕时，觉新默默地坐在书桌前，眼前摆着一册日记之类的抄本，他看了看，又推在一旁，有点不安地立起，仿佛向窗外谛听，却听不出什么动静。于是索性合上了那抄本，轻轻地向床边走去，立在床前，静静地凝望着瑞珏和海儿。在雪白的罗帐中，母子二人安详的酣睡着。他的脸露出慈蔼欣慰的微笑。远远有一两声凄凉的犬吠，湖边的蛙声还不时传入耳鼓。他似乎听见正墙外有人走近，回转身候望。

觉　民　（在门外，轻声）大哥睡了没有？

觉　新　没有，觉民吗？进来吧。

〔门开了，觉民走进来。

觉　新　（表面平静地）你怎么起来了？

觉　民　嗯，大哥你也没睡？（警惕地）你听见刚才东面一声枪响么？

觉　新　（点头）听见了。

觉　民　（有一点担心地）我怕今天夜晚不大对吧！

觉　新　（沉重地）嗯，方才三爸来了，叫警醒点，说城里张督军的军队不大稳。

觉　民　是听说，（望着新）是不是要想个办法？

觉　新　等等看吧，（摇头）半夜里，也没什么法子可想。

觉　民　几点钟了？

觉　新　有两点多了，雨不下了吧？

觉　民　雨住了好半天了。

觉　新　（抚慰地）你还是睡去吧。

觉　民　不，我还有事。嫂嫂呢？

觉　新　（用头指了指）床上，陪海儿睡呢。

觉　民　（谨慎地）不用叫他们起来吧？

觉　新　（镇静地）不用。海儿醒了又要哭。瑞珏为着侍候爷爷的病有三夜没怎么睡了。觉慧呢？

觉　民　在屋里，为《黎明周报》赶稿子呢。

觉　新　（忽然想起来一件事）哦，（立刻走到书桌前拉开抽屉，取出一束钞票，递出）觉民，这是五十元。

觉　民　（跟随觉新走近书桌，莫明其妙地）做什么？

觉　新　（微笑）你们要的印刷费。（十分友爱地）以后别再糊糊涂涂弄得三爸又知道了。

觉　民　（笑嘻嘻地接下）晓得。（诧异地）大哥你怎么忽然又有钱了？

觉　新　（静静地）方才我跟瑞珏谈了谈这情形，她说她的积蓄里可以拿出来用。

觉　民　（犹豫地）那好么？嫂嫂的钱？

觉　新　（坦挚地）她喜欢为你们花钱，你们就拿着用吧。

觉　民　（感激地向床上望望，又转过头，无意中看见桌上那个抄本）这是什么？写得这么好。

觉　新　（又翻了翻）大概是瑞珏的日记。（幽默地笑着）我方才看了一两句，还写的是白话文呢。

觉　民　（也笑着）你不要笑，嫂嫂常跟我们借新书看。

觉　新　看什么？

觉　民　你看的她都看。

觉　新　（惊异）真的？

觉　民　今天她又从我那里拿了一本《安徒生童话》。

觉　新　（不信地）哦？（蹑足走到床前，轻轻拿起她枕边的一本书，欢忭地）可不是？她真在看。

觉　民　（感叹地）就因为你爱看。

觉　新　（望着书，又望望珏。）

觉　民　（低声）大哥，你放回去吧，她叫我们不告诉你的。

觉　新　（悄悄放归原处。）

觉　民　（赞美地）女人真怪，爱起来，自己什么都忘了。（低声）她对我们说是怕你知道笑话她，可是觉慧真聪明，他的解释——（忽然远远有一声枪响，回顾）你听，大哥，这是不是又一声枪？

觉　新　（谛听）听不大见。（走到窗前望望）外面漆黑！（踏实地）不要紧，等等再看。

〔远处断续犬吠声。

觉　民　（忽然）大哥，是明天一见早就把鸣凤送到冯家去吗？

觉　新　（沉郁地）我也听说。我正想找母亲谈谈呢。（希望地）不过也许不会。要是今天半夜真地出了大事，那明天早上还送什么人？

觉　民　（深沉地）刚才黄妈可是到处找她呢。

觉　新　（沉吟）这半夜了，（有点关心）她会跑到哪儿去？

觉　民　（无端地）不会是——？（远远有一声清晰的枪响）你听，又一声枪！

觉　新　这回倒真是了。

〔近处也有枪声响应，枪弹由空气穿过“呜呜”的金属声，一声，两声，……

觉　民　（不安地）我有点担心。

觉　新　怎么？

觉　民　（焦虑地）枪声的来处大概正是琴表妹住的地方。

觉　新　（沉重地）嗯，我也正想到这一点。

觉　民　（无意中）真是，大姨妈跟梅表姐也住在她们那儿呢。

觉　新　（徘徊长叹）不幸仿佛永远是跟着不幸的人走。

〔周氏匆匆忙忙由右墙侧门上，后随黄妈，提着灯笼。

周　氏　（低声，紧张地）你们听见枪声没有？

觉　新
觉　民　（同时）听见了。

周　氏　传说外面已经在抢东西了。老太爷都起来了。三爸把手枪也都拿出来了。老二，你赶快告诉老三，叫他起来。

觉　民　（点头）我看看去。

〔觉民由正中门下。

周　氏　明轩，你还不快把瑞珏叫醒，先把海儿抱好。

觉　新　是，是。

周　氏　（匆促地）我还是到觉慧房里看看。（转身。）

觉　新　（忽然追上前）黄妈，鸣凤找着没有？（周氏回头。）

黄　妈　没有。

觉　新　（追问[1]）母亲，鸣凤的事——

〔远远突然传来一声炮响，声震屋宇。

周　氏　（着了急）明轩，什么时候了，还谈这些丫头们的事。

〔周氏和黄妈忙由正中门下。立刻又有炮响，附近也陆续有了枪声。

觉　新　（跑到床前）瑞珏，瑞珏，起来，快起来。

〔珏早为炮声震醒，却还在蒙蒙眬眬的睡意中。

瑞　珏　（起来，坐在床上）什么？怎么？

觉　新　（缓和地）先起来一下吧，怕兵变，炮声很重，不知是不是轰城。（一面为她拿过衣服，珏接下，连忙穿上。）

瑞　珏　（笑着，一面穿，一面立起）真奇怪，我刚才还以为是打雷呢。

〔外面又一声巨响。

觉　新　（有些慌急）是像城外的大炮向城里轰，你快把海儿抱起来，我要到爷爷屋里看看去。

瑞　珏　（连忙从床上抱起睡着的海儿）不，不，你等我，我陪你一道去。

觉　新　不。（向外走。）

〔又轰一声响。

瑞　珏　明轩！

觉　新　不，我还是得去，瑞珏。

1　“追问”新文艺版作“追问”。

〔沈氏头发散乱，一手抱着一个红漆首饰盒，一手拉着还未清醒明白的淑贞。大叫大喊，十分狼狈地由侧门跑进来。

沈　氏　（不知道是真害怕，还是找个机会可以吵叫）啊呀，明轩，不得了啦，要死啦，我屋子的玻璃都震破了。明轩，怎么办，怎么办哪！

觉　新　（无可奈何地）五婶，不要紧，您先在我屋里坐一下。我要看爷爷去。

沈　氏　啊呀，去不得呀，外面走不得呀！（拉着他）你不能去呀，你那死鬼五爸也不知死到哪儿去了，这半夜了还没回来。

〔苏福由正中门匆匆上。

苏　福　大少爷，老太爷叫您快去。（沈氏不觉放下手。）

觉　新　（到珏面前）瑞珏！

瑞　珏　（望着他，诚恳地）你去吧，明轩。

〔外面又一声巨炮响，枪声续续断断。

沈　氏　（大叫）明轩，你别去，你别去，（新不顾，由正中门疾步走出。）明轩！（孤立无助的神色）这屋没有男人怎么成？（对瑞珏，埋怨地）你怎么能放他走哇？

瑞　珏　（镇定地）他走了好，去了总可以为大家拿个主意。

沈　氏　（急了）可我们叫谁拿主意呀？（望着珏抱孩子徘徊，立起拉着她）啊呀！少奶奶，你还不快收拾收拾你的细软首饰，金货，银货？

瑞　珏　我要等明轩回来。

沈　氏　好厉害，明轩查你查得这么凶啊。

瑞　珏　（无法使她明白[1]，只好笑笑）不，不是的，我就是要等他回来。我现在没有心思收拾这些东西。（对淑贞，和蔼地）四妹，别怕，坐下吧，不要紧的。

〔轰又一声巨响，淑贞大叫一声“妈”扑在沈氏怀内。海儿也惊醒大哭，珏低低地拍着哄着，轻轻走来走去，时而在窗口望着。

沈　氏　（厌人的数落着）哎呀，菩萨呀，救苦救难吧，不好啦，完了，今天夜晚（拍着淑贞，哭哭啼啼地）我们娘儿俩都要死在这儿啦，你那鬼爹爹呀！——（忽然望见瑞珏不作声向正中门疾走）少奶奶，少奶奶，你要上哪儿去？

瑞　珏　（回头）我要看看明轩去。

〔珏抱着海儿由正中门下。

沈　氏[2]　真是作死啊！作死啊！

〔同时由右墙侧门慌慌张张拥进来王氏等。她臂里夹着一只小皮箱，一手领一个孩子，觉群和觉世——在第一幕第二景[3]和三房的觉英一同闹新房的两个小孩——婉儿臂里抱着一个未断奶的女孩，还提着灯笼。

王　氏　快，快，快点进来吧。婉儿，快，小心抱好六小姐。

沈　氏　四嫂，怎么啦，怎么啦？

1　“无法使她明白”底本缺“使”字，据川版改。“使”新文艺版作“令”。

2　底本缺“沈氏”，据新文艺版、川版改。

3　“第二景”底本、川版均作“第二场”，据新文艺版改。

王　氏　完了，完了，我们的屋脊都中了炮弹了。

沈　氏　哎呀,（吓得一时都想不起称呼）谁，谁呢？哦，四哥呢？

王　氏　在上房老太爷屋里，就要来。五弟呢？

沈　氏　哎，我那死鬼呀！

〔五老爷克定急急忙忙由正中门上。

高克定　（指手顿足，似乎急于要找着沈氏母女的神色）唉，你们在这儿啊，在这儿啊！快，快，快，快把首饰盒子给我！快！

沈　氏　（翻翻眼）你跑到哪儿去了？这半夜——

高克定　（顿足）哎，我早回来了，在爹屋里！不得了,（伸手）快交给我吧,（非常着急的样子）万一乱兵进来了，——

沈　氏　（刚递出首饰盒子，又缩回手，翻翻眼）给你？

王　氏　得了，五弟妹，这倒也是。这时候你不信男人，也得信男人了。你就交给他吧！

高克定　（欲擒故纵）这样说[1]，我还不愿意要呢。

沈　氏　（忽然双手把首饰盒硬塞在他面前，仿佛不耐烦要的神色），哎，你拿去吧，拿去吧！

〔枪声渐密，四老爷克安由正中门上。

高克安　（对王氏）你怎么躲在这儿？（连说）这屋子待不得，待不得，太危险。快到三嫂屋里去，走，走！

王　氏　（欲反对）不过，四老爷——

1　“这样说”川版作“你希罕”。

高克安 （作揖）唉，我的四太太，今天你听我一次话好不好？

王　氏 （毅然）好，走，走，走！

沈　氏 （附和着，干脆地）走！走！

〔大家又都向右墙侧门拥出。

沈　氏 （盯着定）你怎么不走？

高克定 （连忙支吾）我渴，我要喝一口茶，我就来。（走向小条桌上倒茶，沈氏还在犹豫。）

高克安 五弟妹，快走吧。

〔都走出，屋里就剩下克定。他立刻放下茶杯，忙忙打开首饰盒窃看，顺手就抓了一把金饰珠练，放在袋内。克安又由右面侧门走进。

高克安 （走到克定身后，并非故意吓他）你到哪儿去了？

高克定 （惊顾）你呀！（黠笑，忙忙地）礼拜一，礼拜一那儿。烟烧多了，幸亏我没有住下。翠玉还直问你呢！

高克安 （指着）这首饰——

〔忽然又一声巨响，方才走出的女人孩子们又惊慌失措地从侧门拥挤着跑进来。后面又跑来三房的觉英。

王　氏 （埋怨）我说不去吧，不去吧。三老爷院子差一点落了一个炮弹，墙都快震倒了。（对吓得大哭着的觉世）不哭了，不哭了。

沈　氏 （连声）菩萨保佑！菩萨保佑！好险！好险！

王　氏 （唉声叹气）哪里都不安全，现在只有听天由命了。

〔周氏由正中门推着觉慧进来，后随觉民。周一壁回首急呼。

周　氏　（失了声音）少奶奶，你还在外面干什么？快进来呀，你还不抱着孩子进来，少奶奶！

〔瑞珏满脸焦虑期待的神色，不声不响，抱着海儿慢慢地踱进。

觉　慧　（紧张地，低声向着婉儿）你，你看见鸣凤没有？

婉　儿　（苦痛地）没，没有！

〔觉慧忽然回头又向外跑。

周　氏　（着急）老三，你又上哪儿去？

觉　慧　（头也不回）我有事，我有事。

〔觉慧冲向正面墙，夺门而出。

周　氏　老三，老三！

沈　氏　（立在窗前大喊，指着窗外）啊呀，糟了，糟了，东边又起火了，烧起来了。

王　氏　（惊问）什么？什么？

〔大家都拥到窗前，遥远的天空上，果然燎起一片吓人的红光，熊熊然吐着无数的火舌，中间夹杂着爆炸，房梁倒塌声和远远人们的呼喊声。

沈　氏　菩萨菩萨！救苦救难观世音菩萨！（女人们开始呜咽。）

〔克明由正中门紧张地走进，手里拿着手枪。

高克明　（严重地）好，你们在这儿也好，前街的当铺已经叫乱兵抢了。现在沿街地开门进户要来[1]，（一壁说，一壁来回踱步，

1　“开门进户要来”川版作“打门闯户要进来”。

紧握着手枪，四面莫明其妙地探望，同时还忘不了文绉绉地[1]）好，大家守在一起，现在是男人们要尽忠，女人们要尽节的时候了。

〔大家瞠然相顾，不明白他说的是什么。

周　氏　三嫂呢？

高克明　（大公无私地）我叫她在上房陪着爹，我也不管妻子儿女的死活了。

〔沈氏哇一声大哭起来，枪声不断。

沈　氏　啊呀，这可怎么好哇，天哪！

高克明　（忽然声色俱厉）哭什么，听着！不要哭了！

〔大家突然静寂无声，就看见克明一个人紧握着手枪，在屋中踱来踱去。

〔砰轰，又一声炮响。

王　氏　哎呀！（又不敢出声。）

〔正中门外，觉新和陈姨太扶着老太爷急忙走进。

高老太爷　（立在门口颤巍巍地）你们怎么都在这儿？快散开！这样子一炮下来不都完了？

高克明　爹！

高老太爷　快走，快散开，先跟我到湖边上来。

高克明　（抗议）爹，这不成！

1　“同时还忘不了文绉绉地”川版作“一直还忘不了他那文绉绉的严肃而恭敬的腔调”。

高老太爷 （愠色，厉声）什么不成！快来！你的妻子我已经叫她先去了。（转身欲行。）

觉　新 爷爷，我一个人先守在这儿吧？

高老太爷 怎么？

觉　新 万一有乱兵进来，前院也有个主人可以支吾一下。

高老太爷 （点头）也好。（对大家）你们快来！（立即出门，陈姨太扶着。）

〔大家原来还在犹豫，看见克明受了申斥，就随着老太爷，在乱枪声中慌慌地走出。只有大房的人留在后面。

周　氏 （十分不放心）觉新，你还是走吧？

觉　新 （安慰着）不要紧的。

〔瑞珏暗暗地凝神望着他。

觉　民 （勇敢地）大哥，你们都去，我在这儿守。

觉　新 （友爱地）不，你去，让我在这儿。

周　氏 （苦劝）觉新，去吧，这里太危险。

觉　新 （催促）快去吧，母亲，不要惦记着！（紧张地微笑）世上哪有这样多的危险？

瑞　珏 （沉静地）母亲，走吧，还是走吧！

觉　新 对，快走。（忽然）三弟呢？

觉　民 出去了。

觉　新 那还不快找？走，你们走！

周　氏 （毅然）好，走，走！（拉着瑞珏）少奶奶。

瑞　珏 （摇头）不，我不去，我陪着。

周　氏　（没有办法）那我们就都不走。

瑞　珏　（祈求地）明轩！

觉　新　（坚决）不，你去！

瑞　珏　（几乎是哀恳）明轩！

觉　新　（沉重而委婉地）瑞珏，你要想着我们的海儿。

周　氏　少奶奶！

觉　民　大嫂！

瑞　珏　（黯然，镇定地）好！

〔瑞珏望了望觉新，随着周氏和觉民走出正中门。外面黑暗中枪炮声逐渐轰响。觉新紧张而哀痛地望着窗外。舞台渐黑，表示经过一段相当短的时间，又明亮起来。屋外枪声渐稀，时有流弹呜地一声从空气中穿过。窗外火光渐微，觉新把躺椅搬在窗前，靠着默想，膝上摊开一本书，仿佛很安闲的神气。

〔由正中门匆匆走进瑞珏。

瑞　珏　（一眼望见觉新，就立在门口，微喘着，感谢的目光，低声）明轩！

觉　新　（回头，惊异地立起）你，你怎么回来了？

瑞　珏　（缓缓走到新面前，温厚地凝视着）我，——我要陪着你。

觉　新　海儿呢？

瑞　珏　交给妈了。（忽然扑在觉新的肩上哭泣）明轩！

觉　新　（抚慰）珏，不哭，不哭，不哭！

瑞　珏　（感动地）怎么这一会儿好像有一生那样长。

觉　新　（缓缓推开她，微笑）你看，快没事了，哪里有危险？——爷爷他们呢？

瑞　珏　都好，都在朱楼歇着呢。

觉　新　（谛听）你听，仿佛枪声稀多了。

瑞　珏　（点头）嗯。（转身向右面侧门走。）

觉　新　你上哪儿去？

瑞　珏　（自然而宁静地）我去到厨房给你拿冰糖莲子。

觉　新　（忍不住笑着拉回她）你别发疯，外面还放着枪呢。

瑞　珏　（温顺地）那你就躺躺吧，好不好？我替你守着。

觉　新　（恬静地）不，我一点也不累。（微笑）这一会儿我才觉得真舒服，真自在。

瑞　珏　怎么？

觉　新　（愉快地）你知道么？这是第一次，这个大家——

瑞　珏　（忽然领悟，笑着）这么清静！

觉　新　（点头，慢悠悠地）嗯！都走了。

瑞　珏　（一脉深情）就我同你！（快慰而天真地）这才是我们的家呀，明轩！

觉　新　（感觉到从来未有的轻松）嗯，没有人，没有任何别的人！

瑞　珏　（共鸣着同样的心情，欣喜地重复着）仿佛这个世界上只有你同我。

觉　新　（笑着举起手里的那本书，却又带几分悲哀的口气）你说这个世界，真像这本童话里说的世界吗？

瑞　珏　（娇嗔地伸手要抢回）啊，明轩，你看了我的书！

觉　新　（活泼地，像质问一个小孩子）你为什么要瞒我？

瑞　珏　（腼腆地，低下头又抬起来，笑着说）因为我，我就喜欢看这种小孩看的书。

觉　新　（爱怜地，望着她）珏，你会老么？

瑞　珏　（天真地）怎么不会？

觉　新　（打趣地）老到七十八十的，头发白了，嘴瘪了，变成个没有牙的小老太太。

瑞　珏　（不让他，笑着伶俐地）你也拄着棍儿，整天唠唠叨叨，变成个颠三倒四的老头子。

觉　新　（点头笑）那个时候——

瑞　珏　（想着惊笑起来）啊，那个时候海儿都长大了。

觉　新　（故意地）不，我们的女儿长大了。

瑞　珏　（懵懂）女儿？

觉　新　（暗示地，笑望着珏的身上）不就在这儿？

瑞　珏　（羞涩地低下头）明轩！

觉　新　（做着梦）那时候我们也有姑少爷了。

瑞　珏　（又明爽地微笑起来）嗯，我们也有儿媳妇了。

觉　新　老头子老太婆坐当中。

瑞　珏　（也愉快地和他同样做着欢喜有趣的梦）儿子儿媳妇站在这边。

觉　新　（凑趣地）姑少爷跟女儿站在这边！

瑞　珏　（忽然满心的期望，叹了一声）明轩，我们为什么不能像二弟跟琴表妹似的再——

觉　新　再——

瑞　珏　（沉挚）再从新认识，恋，恋爱一次呢？

觉　新　为什么？

瑞　珏　（再恳切温厚地望着觉新）不要以为我没见过人哪，明轩！（说不出来那样深的情感）换了地位，我能像琴表妹进学校，有机会看许多许多人，（鼓着勇气，但是非常快乐地说出来）我谁都不会要，我还，还是要挑选你呀！

觉　新　（正欲说话。）

〔袁成由正中门上。

袁　成　大少爷，姑太太跟钱大姑太太逃难来了。

瑞　珏　（欣喜地）梅小姐呢？

袁　成　也来了。（即下。）[1]

瑞　珏　（回顾新，喜悦地）梅表妹来了。

〔觉新惊愕地立在那里。

〔门外黄妈的声音：这不是梅小姐吗？快进来吧！

〔正中门开，黄妈满眼同情地让进来一位穿着素衣的削瘦女子。她立在门口，迷惘哀痛地望着屋内这一对少年夫妻。

瑞　珏　（迎上前，亲热地）是梅表妹吧？

〔那女子凄恻地微笑，点了点头。觉新目不转睛地呆望着她，琴穿着一件雨衣，提着一只小箱子，由正中门背朝观众退进来。

1　此句川版另起一行作“〔袁成下。”。

琴小姐 （对外）妈，钱大姨妈，快进来，先在大表哥屋里坐坐吧。

〔黄妈连忙为她提拿衣箱，琴转过身，惊望着这还未开始说话的三个人。

（舞台全黑）

——幕落

第三景

又过了十几天，城内的乱变已经逐渐平定。外面落着阴雨，一连几天不放晴，气候忽然转凉，有若早秋。依然在觉新和瑞珏的寝室里，早晨八时左右。觉新的书桌上放着小皮箱和路菜盒子，桌旁立着一只精细的网篮，一把老人用的黑绸雨伞斜在篮边。

〔开幕时，钱太太立在桌前正从皮箱里找着什么，刘四姐在一旁撑着箱盖。钱太太穿着宝蓝绸上身，黑绸裙，除了额上多添几条皱纹外，旁处都不见老。身骨依旧十分硬实，眼神仍然那样饱满而强傲。刘四姐——第一幕的喜娘——微笑着，小心翼翼地侍候这位老奶奶，一手替她拿着那只精细的旧拐杖。周氏正撩开窗帘，探望窗外的雨。沈氏离钱太太不远，拿着金耳挖子剔牙，一面好奇地伺望着她。

〔半晌。

钱太太 （从箱子里取出一条折好的白手帕，由刘四姐手里拿起拐杖，对刘）成了，关上！

刘四姐 （关好箱盖，殷勤地）还要什么不，钱大姑太太？

钱太太　（望望她，理也不理，转了头。）

〔刘四姐晓得她的脾气，就笑着把箱盖掩好，走到右面床前收拾堆起的被褥和床前小桌上的零碎。

沈　氏　（客气地）一会儿还是由大嫂跟我一块儿送送吧。

钱太太　（爽快地）不，别送。我上路就不喜欢人送，哭哭涕涕的，不痛快。

沈　氏　要不，叫明轩送送吧。

钱太太　（摇头）谁都用不着，麻烦！（坐下来。）

〔周氏由窗前走过来。

钱太太　（望周）雨还在下么？

周　氏　（点头）嗯。（惜别地）真是的，住了这几天就要走了。

钱太太　嗐！（难得说句笑话）就是一辈子的夫妻，到了（做"终结"讲）还不是各走各的路。

沈　氏　（看她今天兴致好，又凑趣地）我看再打八圈再走吧？

钱太太　（幽默地）不打了，再打我就该找鸣凤去了。

沈　氏　哎呀，好快呀！（望周）一恍鸣凤死了十来天了。

周　氏　（有些凄怆）嗯。

钱太太　（衷心赞叹）好，好，这孩子死得好！有志气的孩子！说不去，就不去，不像那个丫头，（鄙夷地）那个叫什么的丫头，那个四房的——？

周　氏　（怜惜地）婉儿。

沈　氏　您看，您一来都赶上了，这个死，那个嫁。

钱太太　（不满意，翻着白眼）嗐，什么嫁？那叫"嫁"？替死鬼！

送到冯家去当什么大姑，那叫“嫁”？

沈　氏　（勉强解释）也是四人轿抬去的，不叫“嫁”叫什么呢？

钱太太　“活埋人”！这个老鬼真不知害了多少小姑娘啦！

沈　氏　（顺口说）大嫂，四太太今天还在气呢。

周　氏　唉！有什么法子？老太爷的吩咐，说叫婉儿去替，太太还不是只好听着。

〔瑞珏拿一件薄织贡呢的黑坎肩由右面侧门走进来。她穿着一套淡蓝色隐约织了一点灰丝的羽纱衣裙，夹上身滚着灰边。胸前插一根穿着线的针，中指戴一个银顶针，神色悒郁，但尽力不使心里的忧愁露在面上，像是很欢忭地走进来。

瑞　珏　（微笑着）大姨妈，改好了。（持起夹坎肩）您穿上试试吧？

钱太太　（快慰地）好快呀。（一面穿一面喜爱地望着珏。珏低头为她系着纽扣）好，好。

沈　氏　我们少奶奶的针线怎么样？

钱太太　（满意）好，好！你看，正合适！（望周，夸赞瑞珏）改得多巧啊。（不觉拉起瑞珏的手，握在自己手内）四妹，我可喜欢你这个儿媳妇！（抚摸着，笑着）你看，她的手多“肉头”（“丰满”的意思）啊！

周　氏　（说笑话）那就给你做干女儿好不好？

钱太太　（爽快）好，自然好。（对珏）你愿意不？

瑞　珏　（羞涩地点点头）愿意。

钱太太　（不由摸摸她的丰润的面颊）哎，这哪像生过孩子的母亲哪!（和悦地）你自己都是个孩子噻!（忽然眨眨眼）怪，那一天是你么?

沈　氏　哪一天?

钱太太　（嫌她记性坏，不耐烦的口气）就那天，他们结婚那天。我在新房里碰见的（望周）是她么?

周　氏　（笑着）不是少奶奶是哪个?

钱太太　（回头又端详瑞珏，十分正经地）怎么看着比那一天倒小了呢?（指着珏笑）你呀，好，好，胖胖答答的，是个有福的相。（对周，忽然板起面孔说）我可不喜欢我那个女儿，脾气古怪，这第一就不像我。

周　氏　（想起来，对珏）你梅表妹呢?

瑞　珏　在走廊上抱着海儿跟琴表妹说话呢。

〔刘四姐正抬头谛听，知晓了海儿的去处，就走出侧门去找。

钱太太　（又拉起珏的手）你喜欢我那女儿么?

瑞　珏　（诚挚地）嗯，喜欢。

钱太太　（指着她，似乎是责备，其实是喜爱）你昧良心说话。

瑞　珏　（老实地）不，大姨妈。

周　氏　（打趣地）少奶奶，你得小心哪，你大姨妈的脾气！你可得顺着我这位老姐姐讲。

钱太太　（横顺是瑞珏有理）不，不，她对，她对，她有什么说什么。（望着沈）就这点逗人爱，逗人喜欢。

沈　氏　（助兴）大姐，快点把城外的房子修好，接她去住吧。

钱太太　一定，一定，就是那个地方太僻静，离城远，（对珏）要过好几道桥才到啊。

瑞　珏　（笑着）好。

钱太太　旁边还有一大片坟地。

瑞　珏　（温和地颔首）好。

钱太太　（高兴地）那就成了，等我下半年一从外县回来就催我那些佃户们帮着修，再盖两间新房子，盖好了就来接你。

沈　氏　快盖吧，快为你这干女儿盖吧。

钱太太　（笑嘻嘻地）嗯，盖，盖。

〔黄妈由右面侧门上。

黄　妈　（对钱）姑太太在三太太房里说您早点吃得太早了，再去吃碗面吧。

钱太太　还吃面，不是就走么？

周　氏　多少吃一点也好。你这趟路很远呢！

钱太太　（对周沈）好，那么我们去吧。

〔黄妈抢前打开侧门，钱，沈，周走出，屋内留下瑞珏。

瑞　珏　（半晌，渐渐脸上浮现出深沉的哀怨，望着侧门，低微地长叹一声）唉！（缓缓向书桌走去，右手搭在网篮上，对着它怨慕地注视一下。）

〔由正中门走进来觉新，穿着半旧淡灰夹袍，黑皮鞋，拿着雨伞，面色憔悴，神气有些沮丧，却强自打起若不在意的笑容。

瑞　珏　（望着新）轿子预备好了？

觉　新　（放下伞）就好了。

瑞　珏　哦。（关心地）你不冷吧？

觉　新　不。（不自觉地长叹一声，望着珏和网篮）大姨妈呢？

瑞　珏　刚出去，在三婶屋里。

〔新缓缓由右面侧门下。珏抬头望着他的背影，眼里浮起哀怨的泪。她缩回右手，取出手帕微微揩擦一下。

〔觉民穿着黑制服由右面侧门进。

觉　民　（低低地）嫂嫂。

瑞　珏　（转身，立刻掖起手帕，微笑）二弟。

觉　民　（亲切地）你好一点了么？

瑞　珏　（不明白）我？

觉　民　（同情地）你不舒服了吧？

瑞　珏　（诧异地）没有。谁说的？

觉　民　（迷惑）陈姨太。

瑞　珏　（摇头）没有。（烦恼地）她老人家为什么总好对人说我不舒服呢？

觉　民　（怜悯）嫂嫂，你嫁到我们家里来，真是委屈了你。

瑞　珏　（慰解地）别这么说，二弟，我很快活呀。

觉　民　（关心地，指着侧门）怎么刚才大哥——

瑞　珏　（哀伤地）他一向是这样，痛苦的时候多，快乐的时候少。

〔琴由右面侧门上。

琴小姐　大嫂，海儿哭着找你呢。

瑞　珏　（露出母亲的慈爱）在哪儿？

琴小姐　陈姨太房里，刘四姐抱着呢。

〔珏由侧门下。

觉　民　（讶异）梅表姐呢？

琴小姐　一个人又到湖边上去了。

觉　民　怎么让她一个人，你？

琴小姐　（悯恻）让她一个人到梅树林子再看一遍吧，这次她见着大表哥跟大表嫂，她更要想着从前在这儿的好日子了。

觉　民　我真不愿意看她穿那么素的衣服。

琴小姐　（万分同情）就是啊，怎么嫁过去半年丈夫就死了呢？

觉　民　（担忧）我怕她也活不长啊，身体这么坏，尤其现在大哥仿佛完全把她忘记了的样子。

琴小姐　（爽朗）不会的，不会的。大表哥那个人，连鸣凤死了都难过许久，一时放不下的，他怎么会——（忽然）三表弟[1]这两天怎么样了？

觉　民　（皱眉）还是那个样，简直不说话。

琴小姐　（点头）嗯，我都怕看他，冷冷的，仿佛谁都恨似的。

觉　民　（伤心地）我问他，他不理我。尸首从湖边上捞出来以后，我只听见他哭过一次，至今他跟谁也不提鸣凤。（不觉拉起琴的手）琴，我难过，他事前不告诉我，事后又不许我来安慰他。他忘记了我是他的哥哥。我爱他爱得跟，跟爱你一样，可他不理我，简直地不理我，把我看成路人，（呜咽

1　“三表弟”川版作“觉慧，”。

起来，两手蒙着脸，伤痛地挨到床前）看成路人！

琴小姐　（追过去，拿出手帕递给民，同情地）不，不难过，不难过，让我们一块来安慰他。

〔淑贞拉着觉慧的手打开右面侧门的一半，探出身来。

淑　贞[1]　（回头）三哥，我们从大哥屋里穿过去吧？

觉　慧[2]　（还在门外）没有人吧？[3]

淑　贞[4]　（拉进来觉慧，活泼地）你看哪有人？

〔觉慧穿着藏青的旧制服，裤管沾染了许多湿湿的黄泥点，皮鞋满是土污，头发有些蓬乱，面容削瘦，眼内藏蓄着强压下去愤怒的火。淑贞穿一身花衣服，提着一个精细的小鱼笼。

淑　贞　（娇嗔）三哥，你答应过我到湖边上钓小螃蟹！

觉　慧　（沉郁）不。

淑　贞　（希望的目光）那么明天吧？

觉　慧　（依然）不。

淑　贞　（恳求）后天吧？

觉　慧　（摇头）不。

淑　贞　（最后的请求，切切地）等着天晴吧？

觉　慧　（爱怜而怅恨地苦笑，摇着头）不。

1　底本缺“淑贞”，据新文艺版、川版改。

2　底本缺“觉慧”，据新文艺版、川版改。

3　此句川版作“有人么?”。

4　底本缺“淑贞”，据新文艺版、川版改。

〔他们一边说，一边走，到了正中门前。觉民忍不住由床前跑出来。

觉　民　（痛苦地）三弟！（琴随在他身后。）

觉　慧　（回头望见，冷冷地）你们在这儿。

觉　民　（拉着他的手，热热地握着，摇着，怨望地）觉慧，你不能这样，你不能对我这样，对我们这样，你——

〔由正中门踱进来钱梅芬。

琴小姐　梅表姐！

觉　民　（回头，放下觉慧的手，转对梅）回来了？

〔那苍白瘦弱的女子微微地点点头，清秀的脸上掠过一丝悲酸的笑影。她低着首[1]，整个浸沉在徘徊追念的凄恻的情怀中，沉默地踱到书桌前面，放下手中一把深绿的油绸雨伞，用手帕揩揩额前的雨珠，把眼前一绺为雨水淋湿的发撩开，轻轻拢在后面。她有二十三岁，较觉新只小几个月；神色举止看来比她的年龄应有的更为成熟老干。一种忧伤沉闷，悒郁，哀苦的情绪似乎永远在她的心底滞留不去，使人见着她不由得抑制住自由[2]的呼吸，感到她身边带来的那样沉重的气压[3]。比她的母亲通晓人情，生性也纤细聪明，因之整日处在母亲那横冲直撞，忽冷忽热的母爱中，确实有一种

1 “低着首”川版作“低着头”。

2 “自由”川版作“自然”。

3 “气压”川版作“压抑”。

不为人了解而又无法解释明白的苦痛。她穿一件银灰色的夹衫，镶着素白的绲边，一条较上身尤淡的灰白色薄薄的毛织品长裙，几乎拖在脚面。微微有些咳嗽，不时抚着胸口，仿佛里面是堵塞着的。

觉　慧　（望望屋里的人，怨咨地叹了一声）唉！（拉着淑贞走出。）

觉　民　（追去）三弟！

〔觉民追着觉慧和淑贞，疾步走出正中门。

琴小姐　（近梅，低声，同情地）看了么？

梅小姐　（低首打开了书桌上的皮箱，拿起一件背心望望，凄楚地）看了。——要走了吧，我们？

琴小姐　（怜悯地）大概还有一会儿呢。

〔外面觉民声：琴，你来一下！

琴小姐　嗯。（回首对梅）你坐坐，我就来。

〔琴由正中门下。

〔梅独自立在桌前，慢慢把背心放回箱里，哀伤地四面望着，追忆着，流连着，目光渐渐停留在那张寂寞的空床上，不觉低下头，关上箱盖，推开皮箱，再也无心收拾，缓缓向右面侧门走。

觉　新　梅！

〔她抬起头，望见新正立在侧门门口怆然注视着。她愣在屋中，半天，二人说不出一句话。

觉　新　（低声）轿都快预备好了。

梅小姐　（缓缓）那么，就要走了。

觉　新　（依依不舍）外面还落着小雨呢。

梅小姐　（沉滞地）妈说要走就得走的。

觉　新　（半晌，又——）天气忽然变凉了，你，你们的衣服带够了么？

梅小姐　够了，表嫂借给我衣服了。

觉　新　（微叹）唉！快的很，到底还是要走了。

梅小姐　（望着新）嗯，住了也有十几天了。

觉　新　（悄切地凝望着）回到乡下，每天干些什么呢？

梅小姐　（摇摇头，悒悒地）乡下没有什么事情。夜晚睡不着呢，躺着等天亮；天亮起来了，就坐着等天黑。

觉　新　（愀然）你，你也许还要回到他们家里去吧？

梅小姐　（片刻，才——）也许不必去了，人既然是不在了。——他们家里的人并不喜欢我。（微微咳起来，抚着胸口。）

觉　新　（疚痛）身体要紧呀，梅，你不能老这样地病，病下去。

梅小姐　（凄笑）也许幸而有这一点病陪着我，不然，日子会觉得更长了。

〔半晌。

觉　新　（忧虑地）姨妈还是那个样子吧？

梅小姐　（绝望）嗯，她是不会改的。

觉　新　（长叹一声）你走了，还会想，想着我么？

梅小姐　（低首）我从来没有忘记过。

觉　新　（哀伤地）这次分开了，真不知什么时候再见面了。

梅小姐　（低声）嗯。

觉　新　（忽然激动地）我们就像隔在两个坟墓里的虫一样，谁死谁生，谁也不会知道，永远见不着天日，永远出不了头。（隐泣起来。）

梅小姐　（哀痛地抚慰）你真爱哭啊！不要哭了，让我们再看一看这外头的梅林吧！（踱到窗前。）

觉　新　（随着）嗯。（凝望窗外一片凄迷的雨）雨又下起来了。

梅小姐　（伸出苍白的瘦手点指着）我们一小就在那块地方玩大的呀。

觉　新　（逐渐沉浸在回忆里）嗯，我们在这间书房里读过书，谈过话。

梅小姐　照着一个小油灯，——

觉　新　（渐近梅）做着同样的梦，同样的——

梅小姐　（哀怜地望着他）你又喝酒了，大表哥！

觉　新　嗯。（低头。）

梅小姐　（诚挚地）不要再喝酒吧，你该想着表嫂，她真是个可爱的妻子啊。

觉　新　（领会，沉闷地）嗯，我知道她好。

梅小姐　那你就不要顾虑得太多了，（沉静地）我会过得很好的。

觉　新　（冲动地）梅，让我们再通通信吧！

梅小姐　不——（心痛）何必再惹些烦恼呢？

觉　新　（迫急地）让我再知道一点你的消息！我，我结婚那一天，我托琴表妹带给你一封信，在那信里，我喊，我叫，我要你听，听着我，我——（顿住，慢慢转入低缓失望的声音）可你当天就走了，一声不响就走了。

梅小姐　（哀怨）走的好啊！佛说最痛苦的地狱的冤魂是没有喊叫的。

觉　新　（激切）可我们是人哪！我们是活着的人哪！梅，我想过，我想过，我们要互相知道一点消息。（把梅拉到书桌前）来，来，梅，你听我的话，你必须听我这一次话。你写下你的通信地址。我去拿我上次没送到你手里的信；你看了，你不写，也会写的。

〔觉新把她按在书桌前椅子上，就匆忙由正中门跑出去。

〔梅被这一阵激动弄得有些昏眩，稍微静了一下，持起毛笔，在一张便条上写了几个字，忽然一阵刺心的抽痛，忍不住掷下笔扑在桌上哀泣起来，这时由右面侧门慢慢踱进来瑞珏，抱着熟睡了的海儿凄恻地望了一刻，悄悄走到床前，把海儿放好，由床前小桌上倒了一杯水，端起来，轻轻走到梅的身旁。

瑞　珏　（温和地）梅表妹。

梅小姐　（一直在低声隐泣，突然听见耳边的声音，仓促坐起）哦，大表嫂。

瑞　珏　（递出）喝一点水吧。

梅小姐　（立起接下）哦，谢谢你。（喝了两口，珏又接在手里。）

瑞　珏　（把杯子放在书桌上，同情地）不要回去了，再多住几天吧。

梅小姐　（涩涩地）我，我也想回去的，大表嫂。

瑞　珏　（恳切）梅表妹，我是真想留你多住几天呢。

梅小姐　（点头）我知道，大表嫂。（凄笑）就是住在人家家里总有些不惯的。

瑞　珏　（微顿，哀怜地）你住了这几天，连海儿都舍不得离开你了。

梅小姐　（沉挚地）嗯，我真喜欢海儿。（忽然微笑）你说要给我他一张相片的。

瑞　珏　真是的，我几乎忘了。（走到床前，举起梳妆台前一个小镜框）就拿这一张吧，你走得太仓促了。

梅小姐　（随到床边，低头疼爱地望着熟睡的海儿，微笑）睡着了。

瑞　珏　（慈爱地俯视着）嗯。（举起相片）你要这张么？

梅小姐　（接下，一面看相片，一面望着床上的小孩，欣慰地）真乖，那一双眼睛才像爸爸呢。

瑞　珏　（快乐地指点）你看那鼻子不像么？

梅小姐　（赞美）嘴也像。

瑞　珏　还有这一对大耳朵！

梅小姐　（欣悦）都像，都像，有了这么一个孩子才真快活呢。

瑞　珏　（忽然为梅感到一种悲戚）是啊，有了孩子就不寂寞多了。

梅小姐　（垂首无语。）

瑞　珏　（拉起梅的手）梅表妹，（天真地）真的，有时我真想把海儿送给你呢。

梅小姐　（黯然）不，不，我有一张相片就成了。

瑞　珏　（愧赧地）我知道我说的是空话。不过，梅表妹，我看你要走了，（深厚地）我真恨不得把什么都给了你，只要你能快活一点，他——（恧然）他也能快活一点。

梅小姐　（惊愕）大表嫂！

瑞　珏　（悲戚）你们哭了。

梅小姐　我们？

瑞　珏　（低头）他跟你。

梅小姐　（俯首，痛苦地）大表嫂！

瑞　珏　（抬头望着梅，坦挚而温婉地）梅表妹，你千万不要弄错了我的意思，我，我——

梅小姐　（无可奈何地）表嫂，我知道你晓得。（低首）可我是要走的人了。（缓缓）并且我以后不会再来的。

瑞　珏　（焦灼）梅表妹，你，你——（绝望地）人的话真是不中用呀！我不是要你那么想我。如果我，我要你那么想，我何苦在你要走的时候，提起这件事呢？

梅小姐　（岔开，低声）大表嫂，你听，别是我母亲来了吧？（欲行。）

瑞　珏　没有，她没有来，轿子还没有预备好呢。

梅小姐　是吧？（又要走。）

瑞　珏　（恳切地）不，梅表妹，你不要走。（拉着她）我真有话讲，我也是——（几乎是乞怜地）有许多话没有人可以讲，我也苦的很呢。

梅小姐　（缓缓地）我知道，我知道。

瑞　珏　不，梅表妹，你不要想远了啊。我，我说不出。（哀切）我真不是专替自己想的人。（鼓起勇气）我替你，你们想过多少次啦，我真是——

梅小姐　大表嫂！

瑞　珏　你让我说完吧！（泫然流下泪来）我真是好几次想回自己的娘家，——

梅小姐　（惊愕）你——

瑞　珏　把他跟海儿交，交给你——

梅小姐　（哀痛）大表嫂，你真不知道你自己说的什么，我，我就要走了。

瑞　珏　（恳挚而沉痛）梅表妹，他真苦啊。我看他苦，我的心都痛了啊！（哀望）你不笑话我吧？这个家里没有人真懂得他，没有人真爱他，我知道你是懂得他的，你也是真爱他的。所以我老觉得我的话你懂，你明白。

梅小姐　（凄然）表嫂，你叫我懂什么呢？

瑞　珏　我，我真爱他呀！

梅小姐　（低首）我知道，表嫂。

瑞　珏　不，你没有明白。我真是爱他，真是说不出的那样爱，那样爱啊！他快活了，我才快活。可他这么苦，这么苦！他从来没有畅快地大笑过一次啊。所以梅表妹，我才想——

梅小姐　想什么？

瑞　珏　我才想着我方才说的话，——

梅小姐　你——

瑞　珏　（诚恳地）说来你不会信，我真是认真的，我不是说假话讨巧，我不是造作呀。你会明白一个女人爱起自己的丈夫会爱得发了疯，真是把自己整个都能忘了的。

梅小姐　（坦白）大表嫂，你真福气，一个人嫁出去，能这样爱自己的丈夫，才真幸福啊。

瑞　珏　（挚切）梅表妹，你想想吧，你就要走了。你应该好好为着他想，也为着你自己——

梅小姐　（悲哀地笑）不要说笑话吧。

瑞　珏　（诚挚地）我不是说笑话啊。

梅小姐　（望着她，缓缓地摇着头）那么，你离开他不痛苦么？

瑞　珏　（压制）嗯，——不。

梅小姐　你家里看你回来不痛苦？

瑞　珏　（低首蹙眉）嗯，——不。

梅小姐　（声音颤抖）海儿离开了你不痛苦？

瑞　珏　（泫然）呃，嗯——

梅小姐　你离开了海儿不痛苦？

瑞　珏　（哀哀哭起来）我是痛苦啊，我是痛苦啊！可我有什么法子，我真是不忍再看他那样苦啊！

梅小姐　（悯恻地）大表嫂，苦是尝不尽的。你想得太多了。（抚慰她如同自己的妹妹）大表嫂，你，你比我小吧？你有——

瑞　珏　（抬头）二十。

梅小姐　（惊讶）二十！（笑着）大表嫂，你还是我的小，小妹妹呢。不要再想了，不要这样苦自己，为什么想起那么怪，那么怪的念头呢？

瑞　珏　（纯真地）怪么？

梅小姐　（爱怜地）你能说不怪么？（感叹）人世间的事情复杂起来真复杂，简单起来也是真简单的。（诚挚地）大表嫂，你什么都对我说吧，我告诉你，我这次来了，看见了你们，我真是替他高兴哪！

瑞　珏　真的？

梅小姐　我现在知道了他真有一个人在他旁边——

瑞　珏　（真挚地）我老觉得我配，配不上他呢。

梅小姐　（微笑着）我倒是觉得他有点配不上你呢。（又转为忧愁地）不过，他身体不大好，他——

瑞　珏　（温和恳切）我会照护他的。我真，真恨不得拿出我的性命来，来——

梅小姐　（安慰地）我知道你会。大表嫂，好好照护他吧，我也尽量使你快活呢。

瑞　珏　（忽然稚气地）你不是说过你要看他小时候的相片么？

梅小姐　嗯，是啊。

瑞　珏　（忙走到书桌边，由抽屉里取出一束零散的相片，欣喜地）你看这都是。（一张一张地挑出来）这是他跟我死去的公公一块儿照的。你看多好玩，他的眼睛多像海儿，你看，（笑起来）还穿着开裆裤呢。

梅小姐　嗯。

瑞　珏　（像一只复苏的小鸟止不住地欢唱起来）这一张是跟大姨妈照的。哦，这张还有你呢。（赞美地）那时你多小啊！多好看哪！就在这书房门口照的吧？你看还有爷爷，有二弟，有琴表妹还有他。你看，你还扎着两条小辫子，一双眼睛，多大，多美啊！多聪明，多快活啊！真是——

梅小姐　（听着听着瑞珏的话，不由得低低哭泣。）

瑞　珏　（才觉出——）梅表妹，你——

〔觉新由正中门走进，拿着一封旧信。

觉　新　（惊讶）你在这儿！快去告诉大姨妈说轿子已经预备好了。

瑞　珏　好。

〔珏低头由右面侧门下。

觉　新　（焦灼地）她说了些什么！

梅小姐　没说什么。

觉　新　真的？

梅小姐　嗯。

觉　新　（举起旧札）这就是那天你没有收到的信，你看吧？

梅小姐　（摇头）不，不看了。

觉　新　怎么？

梅小姐　（无望地）看了又怎么样呢？

觉　新　（迫切）那么以后寄给你吧。（伸手）你写的地址呢？

梅小姐　（缓缓地）我没有写。

觉　新　没有？

梅小姐　（悲哀而肯定地）不想写了。

觉　新　（迷惑地）为什么？

梅小姐　（哀切）我写不下去。（瞥见方才放在书桌上的海儿的照片，满腹说不尽的叮咛，希望，和哀痛）大表哥，忘了我，想着自己，想着海儿，还想着她吧。我——

觉　新　梅！——

〔陈姨太推开右面侧门进。

陈姨太　（望了一下）哟！（回头笑说）他们俩在这儿呢。

〔梅和新远远分开，梅转身低头把海儿相片缓缓放进皮箱里。

〔由侧门走入钱太太，周氏，沈氏，瑞珏，黄妈和刘四姐都提着钱太太和梅小姐的物事。周氏用手帕擦着眼角。

钱太太 （望了珏一眼，笑对新）明轩，你这个小傻子，你不知道你手里有多大一个宝贝呀。梅芬，你跟各房的长辈们都辞过行了么？

梅小姐 都辞过了。

周　氏 （十分矜恤地）梅姑娘，你这两天病好一点了么？

梅小姐 好。

周　氏 胸口还痛么？

梅小姐 （低声）不。

周　氏 （嘱咐）以后——

钱太太 （不知体贴地）哎，我这个女儿啊，成年地病，成年地就是苦痛，苦痛，不知一年到头，哪儿来的这些[1]苦痛！（望珏）可不像我这个干女儿，成天地笑笑眯眯——

陈姨太 （似乎是打趣地）别夸了，您的干女儿现在也是有病啊！

钱太太 病？

沈　氏 （笑望珏）你吃梅子不？我屋里还有呢。

钱太太 （莫明其妙）吃梅子干什么，齁[2]酸的！

陈姨太 （尖笑，望着新）酸了才能治病啊！

1　“这些”川版作“这么多的”。

2　“齁”川版作“够”。

钱太太 （恍然）哦，哦，哦。（转向周，欣喜地）什么时候？什么时候？

瑞　珏 （羞赧地）妈！（低下头。）

周　氏 （笑着附耳告钱。）

钱太太 （连连点头）哦，哦，哦。（笑出声）我来的，我来的，到时候我一定来的。

〔梅痛苦地立在桌前凝望着。

觉　新 （悲痛地）该走了吧？

〔琴由正中门匆忙走进，后随袁成。

琴小姐 走吧，大姨妈，我母亲在外面等着。

钱太太 好，走吧，走吧。

〔黄妈，袁成和刘四姐都忙着把东西拿出门。

沈　氏 一路顺风啊！

钱太太 顺风，顺风，准顺风！

陈姨太 （顺嘴人情）我们到码头上送送吧。

钱太太 （一面拿伞，提包袱，一面翻眼）送？谁也不许送。

周　氏 （笑着）是，不送，不敢送。

〔大家说着讲着向正中门口走。

周　氏 （对钱）说定了，老太爷过生的时候——

钱太太 （快活而肯定地）一定来，一定来，为着我这干女儿，我也要来的。（回首）梅芬！

陈姨太 梅姑娘。

梅小姐 （揩拭泪水）就来了。

〔大家都走出正中门。外面有轿夫的脚步声和吆喝声，屋内只有珏和梅。

瑞　珏　（诚挚地）梅表妹，下次你来，你一定要来呀！

梅小姐　（泫然）我想来，——（悲痛的预感）我就怕，不能来了。

〔新由正中门上。

觉　新　（低声）上轿吧。

梅小姐　（望着新和珏，沉缓地）再会啦，大表哥，大表嫂。

瑞　珏　（充满了对梅的怜悯，不觉哭泣起来。）

〔琴由正中门跑进。

琴小姐　（喊叫）梅表姐！——（望出这三个人的神情，低声，同情地）上轿吧！（缓缓地）该走了。

〔梅徐徐转身。新沉默地凝望着，眼里又浮起泪光。琴也低下头，紧握着珏的手。珏悲哀地望着觉新凄恻的脸。

〔门外有人高声叫“梅小姐”。梅开始走出正门。

——幕徐落

第三幕

第一景

是草木又将凋落的暮秋，离第二幕有三个多月了。高家太翁庆寿三日，现在是第三天的傍晚，主客们都已疲惫，到处都显出一种曲终人散的空气。尤其是在花园里，此时夕阳欲下，右面那一片山影与暮色渐深时湖面升起一层漠漠的寒霭[1]，萧条空疏，令人感到凄寂而荒凉。近居室[2]湖滨上的水阁也那样静静地立在夕阳里。沿着湖滨望过去，远远的在山脚下，是一片红透了的枫林，在秋天日落时的金色的映照中[3]，说不出的凄艳。右面近前有两三株年代老而挺拔高耸的白果树[4]，立在由右方通着居住的房屋曲折引来的小径旁，那扇形的小叶都变成金黄色，远望斑斑点点，衬着后面的枫林，美丽而华贵。树后绕着矮矮的竹篱，正中开着篱扉，由篱外湖边引进一条鹅卵石砌成的小路，直领到左面水阁的石阶前。水阁是一所精致的楼榭，初建成时

---

1 “此时夕阳欲下，右面那一片山影与暮色渐深时湖面升起一层漠漠的寒霭”川版作“此时夕阳西下，右面那一片山影与暮色渐深。湖面升起一层漠漠的寒霭”。

2 “居室”川版作“宅居”。

3 “在秋天日落时的金色的映照中”川版作“在秋天日落的暮霭映照中”。

4 此句川版作“右面近前有两三株挺拔高耸的老白果树”。

曾经是金碧辉煌，如今罩上了一层时间的尘衣，在这满眼萧瑟的秋色中，黯然默立着，犹如迟暮的佳人。阁后山涧里的水淙淙然由蔓生着紫藤，青苔的岩石中流下来，成为一道小溪，从阁下竹篱间，流进湖里。这水阁是两层，下层离地有四尺许，矮矮的栏杆绕着四周。楼上的雕窗虚掩着，楼下四面卷起竹帘，窗扇门槅都收藏起来[1]，四面通风，轩亮明敞，可以穿过去望见阁后的青山。阁内的炕床，桌椅，字画都非常清楚地露出。炕床后有一小屏，屏后是上楼的木梯。门楣上悬着一块泥金字乌木匾，篆书“水云乡”，两旁悬一对崭新的黑漆楹联。阁前是一片平坦的草坪，坪上放着石桌，石凳和藤椅，桌上摆着纸烟烟具等等。

开幕时，夕阳淡淡射在草坪上，秋风吹过，白果树瑟瑟作响，扇形的黄叶悄悄地落下一些来。觉新和克安在竹篱后徐徐跟在冯乐山后面，由正中篱门走进。冯乐山穿着袍子马褂，神色泰然，仿佛眺望着四面的湖波山影，悠悠自得。将近两三年的工夫，在他的面容上留不下一丝时间的痕迹。他依然清高脱俗地对着身边两个后辈们应酬，微笑中依旧抑不住一种冷冷的倨傲。他手里握着一张红帖，进门时，刚刚[2]把鼻上一架玳瑁边的远视镜取下来，缓缓放在一个老旧的镜盒中。克安和觉新都穿着招待宾客的衣服，克安又把秋天最讲究的衣装展披在身上，态度恭谨，在冯乐山身旁忽前忽后地侍应着。觉新眉宇间露出深重的忧郁，劳累和焦灼使他较三月前显着憔悴瘦损，仿佛带着

1 “收藏起来”川版作“一扇一扇收取下来”。

2 川版无“刚刚”。

病，在客人不留意时就皱起眉头。客人转过身，他又打起精神含笑应付。

觉　新　（在篱外）请这边走吧，太老伯。

〔冯微微颔首，新侧身引着他们走进草坪。

冯乐山　（四望）这一带还算清雅。

高克安　（殷勤）是，是，比方才在寿堂里，跟那帮俗不可耐的客人们应酬，要舒服多了。老伯累了吧？

冯乐山　（蔼然）还好。（找一个石凳坐下，克安在一旁分外小心地服侍着。）

高克安　家父在前面唱戏的地方跟几位拜寿的客人招呼一下，送完了客就到此地来陪老伯的。（回头对新）明轩，你快去叫下人们给太老伯倒茶。

冯乐山　（赏玩着四面的风光，回顾）不用了。倒是这"水云乡"里，纸笔都有么？

觉　新　（有些不大懂）您说这水阁里面？（冯点了点头。）有，有，文具都在楼上预备好了。

冯乐山　（十分考究地）你先看有否古墨？最好是你们府上藏的"古渝糜"。

觉　新　是，我看看去。

冯乐山　（追嘱一句）楼上若有绿端砚就更妙。

〔新又应了一声，迈上石阶，步入阁内，踏着屏风后面的木梯，踱上楼。

高克安　（同时，讨人喜欢地）我去叫婉大姑来给您研墨吧？

冯乐山　（仁爱地）不必了，第一次回到府上给她的老主人拜寿，让她多玩玩也好。（转题）这两天你们府上的喜事很多啊。

高克安　（谄笑）这都是仰仗老伯的恩德。以前明轩的婚事蒙您成全，现在老二的婚事更要高攀了。

冯乐山　（客气而傲岸地）谈不上这么客气的话，只要舍侄孙女日后嫁过来，应对进退，都融融和和，像明轩的夫人似的，我就放心了。

高克安　（格外殷勤）那是万万不会错的。（临时堆砌着许多奉承话）老伯目光如炬，洪福齐天，明轩若不是老伯当初为他作月老说媒，现在早已死了太太，有鼓盆之戚了。

冯乐山　（莫明其妙）怎么？

高克安　（以为冯当然知晓，不觉亲昵地）您不知道，钱太太的梅小姐因为病重，从外县又搬到城里治病来了。

冯乐山　梅小姐？

高克安　嗯，病得都快要死了，这位钱太太的梅小姐。

冯乐山　（傲慢地眨眨眼）钱太太？

高克安　（笑嘻嘻地）钱太太，就是那位有名的钱大姨妈呀！

冯乐山　（睨目）钱大姨妈？

高克安　（非常希望得到热烈的反应）呃——啊，——

冯乐山　（冷冷地摇摇头）不认识。

高克安　（半晌无语，才想起踱到石阶前，朝着那一对悬在阁门两侧的楹联，慢慢神气活现地）好，好！真好！（待冯回过头）

老伯这副对联真作的好。这三天来给家父拜寿的客人没有一个不夸赞好的。

冯乐山 （才化开了冷冰冰的面孔，似笑非笑地）还不错么？

高克安 （觉得渐渐抓住了冯的心窍，更入神地朗诵出来）“翁之乐者山林也。”好！“客亦知夫水月乎？”好，真好！（回望冯，谄媚地）真是一望而知就是老伯这样的大手笔！

冯乐山 （逐渐释然，得意而又不肯尽露地微笑一下）也没有什么，不过是巧思而已。

〔新由阁门走出。

觉　新 （微咳，压下了烦恶，勉强地笑着）墨是好的。已经研好了，请太老伯上楼动笔吧。

冯乐山 好，好。（走上石阶）哦——（回望克安，仿佛有话。）

高克安 （一听觉新的话，立刻更全神贯注地赏鉴这两句杰作，哼哼唧唧地摇头摆尾，似乎到了完全忘却了物我的境界。）“翁之……乐者……山林也！……客亦……知夫……水月乎？”

〔冯望见他这样的入神，仿佛又嘉赏却又轻藐地微笑一下，随着觉新上了楼。克定从右面小径蹑足走进，穿着一身华丽的衣服：绸夹袍，缎坎肩，悬挂着有翡翠坠子的金表链。

高克定 （轻飘飘地走到克安背后，诙谐地）先生！

高克安 （吓了一跳，回首）怎么？

高克定 （讽刺）先生可谓善养浩然之气！

高克安 你又在开我的什么心？

高克定 我笑，我笑你在他面前摇头摆尾地欣赏得有趣！

高克安 （又气又笑）不欣赏他这两句鬼东西，我又得跟觉新一块陪这个老家伙进去。你愿意？愿意，我就进去。（立即走上石阶。）

高克定 （慌张，连忙拦着他）别，别，我真等急了。为着这场堂会戏忙了三天，礼拜一偷偷打发人不知催了多少趟了。

高克安 （故意）你去就是了，何必等我？

高克定 就是说呀，没你不成，她要你也去！翠玉还等着你呢！（忽然文绉绉地）"独乐孰与众乐？"大家凑个热闹吧，这三天真把我在家里憋得苦够了。

高克安 （稳稳地）去是可以，就是我囊中惭愧，没有钱！翠玉前两天又跟我要金镯子，——

高克定 （豪爽地）走，走，走，我有！你放心！也许为这个鬼戏，我还得照应一下，你，你现在先去，免得——

〔沈氏由右面小径上走入。她穿着吉服，头上手上却没有展览着那些珠宝，怒气冲冲地走进来。

沈　氏 （对定）你要上哪儿去？

高克安 （狼狈，代定说）看，看戏去！到前头看戏去。今天的戏都是克定调派的。走，五弟妹，我们一同看看去吧！

沈　氏 我不去！我不爱看那些骚婊子引[1]臭男人的戏！

高克定 （爆发）你这叫什么话？你这叫什么话？我问你，你这叫什么话！

---

1 "引"川版作"勾引"。

高克安　（见风头不对，望着克定）我，我走了。

高克定　（回头）好，你先去吧。你先到进德社去吧！

〔安由正中篱门仓促走下。

高克定　（振振有词，责难着沈氏）你怎么能够当着四哥对我这样说话？你怎么一点没有眼色，怎么能够当着人说这么难听的话！

沈　氏　（横顺说不过他）我不管，我不管，反正你把我的首饰还给我！

高克定　（急了）谁说不还？谁说不还？

沈　氏　我现在没有的戴，你看爹过生，（逼近）我现在戴什么？戴什么？

高克定　（气急）你戴个[1]××！

沈　氏　（不等他骂出来，尖声高喊）你要骂什么？

高克定　（缩住嘴，却依然倔强地）反正我是拿去抵押做了生意。无论如何，也得等生意做完，钱赚出来，才拿得回来。

沈　氏　我不管你做生意不做生意，反正我要我的首饰，我的首饰！

高克定　（顿足）活见鬼！首饰我现在没有！

沈　氏　我现在就要！

高克定　（硬横）我现在没有！

沈　氏　（更横）我现在就要！

1　“戴个”川版作“戴过”。

〔觉慧由左边小径携淑贞上。他穿着一身蓝布长袍，较前略为沉静，目光炯炯。淑贞穿着浅色的衣服，婉顺地跟随着觉慧，似乎方才谈完了一段话。

淑　贞　（吃惊）爹！

高克定　（恶声恶气）你来干什么？

淑　贞　（怯怯地）三哥带我去玩玩。

高克定　（对沈）走，回去说！

沈　氏　（气咻咻地）回去说就回去说！（对淑贞，也怒汹汹地）淑贞，你也来！（拉着淑贞回头就走。）

淑　贞　（乞怜）三哥！

觉　慧　（悯恻地）先去吧，不要紧的。

〔克定，沈氏，淑贞由右面小径下。

觉　慧　（切齿，[1]愤愤地望着他们）哼！

〔觉新由阁门走出来。

觉　新　三弟！

觉　慧　（低沉）那个老头在楼上干什么？

觉　新　（嗫嚅）给，给二弟写喜帖呢。爷爷说的，爷爷已经答应那件事了。

觉　慧　（开始诘难）冯乐山的孙女？

觉　新　不，侄孙女。

觉　慧　（沉缓地点点头）那个又丑又矮，脾气又大的那个？

1　川版无“切齿，”。

觉　新　（困难地解释着）三爸说她诗文好，家——

觉　慧　（抢说，讥讽地）家教高明，性情温雅，女德完美，为人——

觉　新　（为难）三弟，你究竟有什么意见呢？

觉　慧　（冷冷地）我没有意见，我跟你没意见。

觉　新　（痛苦地）你——

觉　慧　（望着新）大哥，我真是看不惯你。（愤愤地嘘了一声向右踱步。）

觉　新　（恳求地）不要走！你！

觉　慧　我不走，我还等二哥过来呢。（毅然）这一次，我决不许二哥学你，“不了了之”地把事情弄得一塌糊涂，害人害己！

觉　新　（担心）你要怎么样？

觉　慧　（轻藐）跟你说有什么用？你只知道跟恶势力妥协屈服，一天一天走上庸俗昏聩的路。（痛心地）大哥，你知道不知道你一天比一天老，暮气，迟钝？你难道看不出这件婚事会害了二哥一生，你自己也是受过害的人！

觉　新　（气短）可，可是你嫂嫂并不坏呀。

觉　慧　（锋利地）不过你说，她快活么？她不！你快活么？你也不！你想着那个，又丢不下这个。你弄得两个人都为着你苦痛，而你自己也没有得到快乐。你放不开，丢不下。这难道不怪你三年前踌踌躇躇，敷敷衍衍，糊里糊涂结了婚造成的错误。

觉　新　（乞求他的同情）觉慧，你知道当时我也是为着这个家庭，才勇敢地——

觉　慧　（奚落地）勇敢？你不要再提勇敢！你以为你在上次闹变乱的时候，你敢一个人在前面应付，那，那就勇敢么？先生，那不是！只是不怕死，并不够叫作勇敢。勇敢的人是有冷静的理智，正确地下了判断，长久地支持他的行动的[1]。（愤恨地）我告诉你，梅表姐现在病势沉重，进城找医生，医生都说希望很少，这条快死还未死的性命就是你害的，你三年前那点勇敢害的！而你现在还要随他们逼二哥走上你的路，逼琴表姐走上了梅表姐的——[2]

觉　新　（低声啜泣，忍不住——）不要说了，不要说了，我苦的很哪，苦的很哪！

觉　慧　（愤慨）你就会哭！哭有什么用？流眼泪在你是个享受，哭完了你觉得舒服。

觉　新　（有些气恼）三弟，你不该这样说我，你该了解，我从头至尾，一直是为着你们，为着这个家。

觉　慧　（更兴奋）不要跟我谈这个家！我爱这个家比任何人都深，比任何人都切。我知道我该服从父兄[3]，但是他们的行为也要做得值得我们尊敬！

觉　新　（同情地）我知道鸣凤死后，你整个都变了。你恨！你不

1 “长久地支持他的行动的”川版作“长久地坚持自己的行动的”。

2 此句川版作“而你现在还要听从他们逼二哥走你的路，逼琴表姐走上了梅表姐的路。——”。

3 “服从父兄”川版作“尊敬我的父兄”。

相信。

觉　慧　（凝望着前面）恰恰相反，我更信！我更爱！（忽然热烈地）大哥，你不要完全拿鸣凤的死解释我将来的种种。我爱她，（着重）真爱！我丢了她，我才知道我丢得多么多！这损失是不可弥补的。刚一死，我只想到她的死，现在我才慢慢看出她死后给我启发的问题有多严重。（肃敬地）我起过誓，我不再有我自己。我以后能活一天就[1]活一天，也许我会失败，也许我会死，也许我受尽人们的笑骂污辱，（哀痛而勇敢地）[2]但是我只有实行我的决定，我的思想，我没有什么顾虑。

觉　新　（担忧地）觉慧，你要弄些什么？你最近成天在外面闹些什么？你不要以为鸣凤的死都是这些人的责任，难道你自己——

觉　慧　（悔恨地）我有！当然有！我的错误是糊涂，愚蠢；（悲愤）然而他们的罪过是行凶，杀人！（目光里突然闪出愤怒的火焰）看看你自己的手吧，难道这双手没有沾上一点杀人的血？

觉　新　（恐惧地盯望着觉慧眼里怖人的目光）你，你这样太过分了，你真会有一天，像三爸说的——

1　此处川版有“真正”。

2　“也许我受尽人们的笑骂污辱，（哀痛而勇敢地）”川版作“也许我受尽人们的嬉笑怒骂，（哀痛却又毫不畏惧地）”。

觉　慧　（爆发）大哥，你偷偷躲在你的情感里面整天去哭吧！你永远感觉不到我所感到的压迫。（冷冷地）过去我们是弟兄，现在我们是路人。

觉　新　（惊惧地）你，你——

〔冯在楼上的声音：（悠然自得地）明轩，明轩哪！

觉　新　（抬头谛听）哝！

〔冯在楼上的声音：（得意地）你来，你来看看我这首七绝。

觉　慧　（讥刺）去吧，去看诗去吧！

觉　新　（恼怒）你——！

〔冯在楼上的声音：明轩！

〔觉新答应一声，叹一口长气上楼。觉慧同情而又友爱地望着他的背影，也沉痛地叹了一声。由右面小径上觉民和琴隐秘地走出来。觉民拿着大衣和帽子，提一个小帆布包。琴随在后面，似乎刚刚哭泣过，湿湿的手帕还缠绕在手指上。

琴小姐　（对走近身旁的觉慧，低低地）方才是大表哥吧？

觉　慧　（点点头。）

觉　民　（小声）我们没有进来，怕大哥在这儿，不，不大——

觉　慧　（坦挚）其实大哥倒没有关系。

琴小姐　（小心地）还是秘密一点好。

觉　民　（气愤）你知道么？姑妈不许我再到她家里教琴的英文了。

觉　慧　为什么？

觉　民　说怕人说闲话，说，说——（望琴，琴也低头不语。）

觉　慧　（急恼）唉，这时候，还吞吞吐吐，顾忌些什么。

琴小姐　（鼓起勇气）怕，怕——（又顿住。）

觉　民　（连忙）怕人家笑话姑妈非要抢着把女儿嫁给我。

觉　慧　这有什么，让这群好管闲事的说去得了。（对民）你的东西都预备好了？

觉　民　好了。

觉　慧　书呢？

觉　民　（指着）在帆布袋里。

琴小姐　换洗的衣服呢？

觉　民　（感激地微笑）裹在行李里。

觉　慧　哦，你的行李我已经给你运到黄存仁家里了。

觉　民　（缓缓掏出一封信）那么这信？

觉　慧　（伸手接下）交给我。你怎么写的？

琴小姐　（温和地）你看呢？（慧抽出信看。）

觉　民　（瞥琴一眼，望着慧）琴表妹看过。

觉　慧　（一面看，一面摇头）不，不，不，这口气太软了。

琴小姐　（破涕而笑）难道要用信来杀人？

觉　慧　（收起信）也好，就这样吧。（对民，鼓励地）放心吧，二哥，我相信你这一次一定成功！不过（笑着）我有一点意见，——

觉　民　什么？

觉　慧　（煽动地）我主张你一出去就不要回来，到外边读书，过了两三个月，再偷偷把琴表姐也接出去。

觉　民　（稳健）不好。

琴小姐　我看也不妥当。

觉　民　（笑着）这是你这个危险分子做的，太不安全。

觉　慧　（也笑起来）好，快走吧。在这一点，不听我这个危险分子的话也好。走吧，二哥，别再留恋了。

觉　民　（依依不舍）嗯，我走啦，三弟。——琴，走啦！

琴小姐　（泫然）觉民！

觉　慧　（忙忙摇手）不要哭，不要哭，千万不要哭！（鼓励地微笑）琴表姐，你该拉着他的手，笑着送他出门。

琴小姐　（不好意思）三表弟。（但不知不觉地牵着民的手。）

觉　慧　（低声）笑，笑，笑着一块儿走出去。

〔琴泪眼中浮出微笑，随着觉民由正中篱门向左走出。瑞珏焦灼地由右边小径踱入。她穿着深米色哔叽夹袄，周身绲着蓝，灰，白三色的绣花边，胸前两颗玛瑙扣子，黑绸裙，黑线呢软底鞋，神色忧急不安。

瑞　珏　（低促）三弟！

觉　慧　（忽然想起，在竹篱边上追喊）走后门，小傻子！（转身）大嫂。

瑞　珏　（忧愁地）大哥呢？

觉　慧　在楼上陪着冯老头呢。

瑞　珏　（跑上石阶）明轩！明轩！（喊了两声，忽然回头）三弟，你看叫不叫他？

觉　慧　（武断地）当然可以叫！（对上面）大哥！

〔新从阁门走出。

觉　新　什么事？（瞥见珏的哀痛的眼神）怎么啦？出了什么事？

瑞　珏　（忧痛地）明轩，你听了，千万不要太，太着急。

觉　新　是怎么，怎么？

瑞　珏　大姨妈打发人请你就去，梅表妹已经快，快不成了。

觉　新　（昏眩）她——

瑞　珏　（急切地）我已经叫他们把轿子预备好，你，你——

觉　新　（似乎瘫了一样）他们为什么不早告诉我，为什么不早？——（感到一种难忍的抽痛，几乎要跌倒。）

觉　慧　（忙去扶持）大哥，大哥！

瑞　珏　（忧急）我跟你去吧？（新又立好，神志逐渐清醒。）

觉　慧　（同情地）不好，大嫂，你想你去了，你跟大哥一同去了，梅表姐她心安么？

瑞　珏　（诚挚地）可我真想见她，真想再见她一面。

觉　新　（忍住哀痛）不，你不要去。你现在的身体不宜于再悲伤了。

瑞　珏　（抚慰）不要太难过了，明轩，你，你快去吧！

觉　新　我走了，（疾走两步）不过楼上冯老太爷，——

觉　慧　（顿足）我的天，大哥！你看我来侍候他！

〔新才匆匆地由正中篱门向左走出。

觉　慧　（同时，愤极）梅表姐，你好冤枉啊！

瑞　珏　（揩拭眼泪，哀痛地）三弟，是我害的梅表妹。

觉　慧　不，大嫂，你是最温厚，最无辜的。杀了梅表姐的也是他，是大哥要我来侍候的人。

〔陈姨太由右面小径匆匆上，后随王氏和婉儿。婉儿穿着藏青的衣裙，式样老旧，紧紧箍在身上像桎梏。头发梳成髻，扎着暗色的头绳，形容枯槁，人也瘦损得可惊，低首敛眉，和三月前的活泼生气大不相同。她持一串细小的念珠，缠绕在手腕上，见着人，多少有些惊恐神色，王氏和陈姨太都穿着喜庆时的衣服。

陈姨太 （匆促）孙少奶，快来吧，老太爷又叫你呢。（同情地）是觉新去看梅表姐去了吧？（对王氏）你看这多怪，到外县三个月又病成这个样子了。

王　氏 （无言）嗯。

陈姨太 （对珏）快走吧！（尖刻地）老太爷真是离不开你呀，走吧！（先走。）

〔珏随着陈姨太由右面小径下。

王　氏 （一根短短的黄象牙烟嘴里还燃着半支纸烟，她轻轻吸了一口，慢声慢气地）婉儿，这儿也清净，你坐下谈吧。（觉慧惊愕地望着婉儿。）

婉　儿 （低头）不，太太。

王　氏 现在你总是冯家的人了。

婉　儿 （无限地恨痛）太太！（叹息。）

王　氏 （坐下）唉，也不知谁作的孽，三个月的工夫硬把个人逼成这个惨相！（邀人同情）老三，你看她变成什么样儿？

婉　儿 （见礼，低声）三少爷。

觉　慧 （凄恻）坐，坐下谈吧。（婉儿坐在石凳一个角上。）

王　氏　（又吸一口烟）这件事叫三少爷听听也好。（对婉）你说吧，三个月见不着你的面，我好几次派人去看你。侯门似海，总是东推西托地见不着你的面，究竟是怎么回事？

婉　儿　太太！

王　氏　你说吧，现在你总算是回到娘家了。

婉　儿　（突然跪下来哭泣着）您再收回我吧，我实在不能再回去了。

王　氏　（放下烟，扶她立起）你起来，你起来，你光哭也不济事。我现在也是做不了你的主，你已经不是高家的人了。

婉　儿　（呜咽）太太，你救救我吧，再要我回去，我至多再活半年就会死的。

王　氏　可你总得说[1]是怎么回事呀！（不耐烦地拿起烟嘴，把烟取下，放在烟盘内，任它燃着，吹了两下烟嘴，将它放好。）

婉　儿　（怯惧地摇摇头。）

王　氏　（回头）老三，你是个公平人，你看她现在像不像地狱里的冤鬼？

觉　慧　（矜怜）说吧。

婉　儿　我怕，我老觉着四下里都是他的影子似的。

觉　慧　他究竟是怎么一个人？

婉　儿　（恨极，低而狠地）他，他不是人！（突然伸出手腕）您看我的手！我的胳膊！（慧愤怒地盯望着那手臂上斑斑点点的伤痕，王氏气得发颤。）他叫我在佛堂旁边睡，白天陪着太老

1　“说”川版作“说说，”。

太太念经，下午研墨收拾屋子，晚上又陪太老太太吃素念经，可一到了夜晚，他，他就——（恐惧地低下头。）

觉　慧　怎么？

婉　儿　（痛苦地）您看，这是我的手，我的胳膊，我的身上，他每天夜——

王　氏　（止住她）你不要提了，我明白。

觉　慧　婉儿，是怎么回事？

婉　儿　太太，我从来没睡过一夜的好觉。（哀求地）我的好太太，你叫我回来吧，回来吧，侍候您一辈子，磨成碎粉我都情愿，可是我再也不回去。您不知道在那佛堂里面照着油灯，阴风惨惨的，半夜里，他来了！天，天！您救救我吧！积积德吧！鸣凤真聪明，死得对，我这不死的才活着报应呢。（恐惧地）我真怕他又来了，又要把我——（不觉屈膝，又低声乞怜地）救救我吧！救救我——

〔冯乐山由阁门缓缓现出。

冯乐山　（和蔼可亲地）婉姑！（婉儿吓得立刻站起，面无人色。）婉姑在这儿跟旧主人叙家常了么？

王　氏　（立起）冯老伯。

冯乐山　（自然地转到觉慧身上）这是觉慧吧？你怎么多久没到我家里去玩哪？

觉　慧　（不语。）

冯乐山　（微笑着）过些天，我也给你说一门亲事。（举起两份红喜帖）好，你先去把这份喜帖交给你母亲看看。这一份呢，交给你三爸为你祖父代存。

觉　慧　（默默伸手接下来。）

王　氏　（怕觉慧在她面前惹事）老三，你先去吧。（慧才缓缓由正中篱门向左踱出。）

王　氏　（回首对冯，尖锐地）冯老伯，婉姑太笨，怕不大合太老伯母跟您老人家的意思吧。

冯乐山　还好，还好，总算是还有些慧根的。她在我家里没有几个月，全部《金刚经》已经能读能诵了，太老太太很喜欢她的。

王　氏　冯老伯呢？

冯乐山　（若不经心）我也还喜欢。很好，很好，究竟是高家用过的。

王　氏　（尖酸，表面上依然十分有礼）真是承您夸奖了。婉姑，你再到我屋里去坐坐。

冯乐山　（不便拦阻）也好，也好，去谈谈去吧。不过现在又是老太太要烧香的时候了吧？你是否该回去了呢？

王　氏　（机警地）别，好容易才来一趟。就多说一会儿话，老太太那么个慈悲人，也不会见罪的。走吧，婉姑！（拉着她就走。）

〔婉姑一直恐惧地望着他[1]。

冯乐山　（一面是峻厉可怖的目光恶狠狠地盯着她，示意叫她留下，一面又——）去吧，去玩去吧。平日也真是太苦了婉姑了，

1　“他”川版作“冯乐山”。

（非常温和的声音）去吧！

婉　儿　（不由得止步）太太！

王　氏　（回头）怎么？

婉　儿　（颤抖地）我——

冯乐山　（和颜悦色）去吧，去吧。

婉　儿　（怯怯地）那我去了？（与王氏一同转身。）

冯乐山　（又是冷峻森森的目光）去吧，去谈谈去吧。

婉　儿　（回首望着他，只得又——）太太！

王　氏　（笑着）怎么啦，这孩子？

冯乐山　（慈祥地）是啊，真是个孩子，去吧，快去吧！

婉　儿　（晓得不能走，对王）我不去了。

王　氏　来吧！

婉　儿　您先去，我就来。

冯乐山　（洒脱地）也好，你先给我到楼上研研墨，我索性把那幅长条写了吧？

婉　儿　（点头，哀恳地）太太，您去吧。

王　氏　（叮咛）好，你就来呀。

婉　儿　嗯。

〔王氏由右面小径下。

冯乐山　（半晌，感到四面无人，沉静地）哪个叫你出门的？

婉　儿　（怯惧）太老太太说的。

冯乐山　（低声）你方才对他们说了些什么？

婉　儿　没，没有。

冯乐山　你说了。

婉　儿　实在没有。

冯乐山　（淡淡地）你忘记了一会儿回了家——

婉　儿　（恐怖地）没，没有忘。

冯乐山　（低声）那你就说，说实话。

婉　儿　（失了魂）我只说了一点，一点，——

冯乐山　（额上冒着汗）一点什么？

婉　儿　（畏怯地摇头）没有什么！

冯乐山　你不说！（猝然拿起桌上还在燃烧着的烟蒂头，吹了一下，抓着婉儿的手腕，就按在上面，婉儿痛极欲呼，——）

婉　儿　（强压着自己）啊！我说，我说。

冯乐山　（汗珠像黄豆一般大流下来，嘴唇痉挛地颤抖着，冷冷望着婉儿痛苦的脸）不许喊，不许你喊！

〔觉慧早已立在篱外，再也按捺不下，疯狂了似的跑到冯的面前，拉开冯的手。

觉　慧　（粗野地）放下手，你在干什么？

冯乐山　（惊愕得说不成话）你，你，——

觉　慧　（愤怒）你为什么欺负她？

冯乐山　谁，谁欺负她？

觉　慧　不要脸，你还赖什么？你看她叫你苦成什么样子？（痛恨地）你这个假善人，伪君子。你在我们年轻人的面前装的什么道学面孔？

婉　儿　三少爷！

冯乐山　（才气出一句话，颤抖地）你，你简直目无尊长！

觉　慧　（直望着冯的脸）我的眼睛没有你，我的拳头也不会有你！我不跟你说废话，我要你立刻把婉儿放出来。

冯乐山　（逐渐恢复他的冷静倨傲的态度）你这种毫无教养的子弟，你纵然不知家法，你也应该知道国法呀！

觉　慧　哼，国法不保护你这种东西！

冯乐山　（傲慢）无家教，无修养，你不值得计较。回头我就告诉你祖父来管你。

觉　慧　（一眼望见）我的祖父已经来了，我希望你现在就对他说！

冯乐山　哼！（阴沉无语。）

〔由右面篱外望见高老太爷和高克明走来。高老太爷穿着古铜色夹袍，外面套上丝绒黑马褂，精神有些衰退，而兴致还佳，他拿一本装潢得异常精美的木版诗集，笑微微地踱入篱门，旁边克明扶掖着。克明一身袍子马褂，戴一朵小小绢制红寿花，十分忙碌的样子。

高老太爷　（见冯立在那里出神；笑着）冯乐翁又在神思些什么？又想出什么佳句？（举着那诗集）大作真令人拜倒。真是字字珠玑！

冯乐山　（怏怏）笑话！笑话！

觉　慧　冯太伯，您方才不是要跟家祖谈——

高老太爷　（十分有兴味地）谈什么？又推敲什么？

冯乐山　（愠怒，狞笑着支吾过去）哦，没什么，没什么，一两个，一两个字句间的斟酌。

高老太爷　冯乐翁。现在学生们又在闹事了。(回首)克明，方才你说此地的学生又开什么会，又什么爱国示威运动，——

高克明　(恭谨)是，是。

高老太爷　这真是昏聩糊涂，——

高克明　是，犯上作乱的行为。

高老太爷　(慷慨)真所谓“乱臣贼子，人人得而诛之”。

冯乐山[1]　(阴沉沉地)嗯，人人得而诛之！

高老太爷　(对慧)你在这儿候着干什么？还不出去！

觉　慧　是。

〔慧由右面小径下，冯渐复旧状。

冯乐山　(对婉儿，慈祥地)咦，婉姑，你对你的老主人叩头拜贺了没有？

高老太爷　叩过了，叩过了。冯乐翁，那喜帖——？

冯乐山　(一时忘记)哦，那，那，——

婉　儿　交给三少爷了。

高老太爷　哦，是，是。(客气地)屡次承情，这次二小孙又来高攀，可以说是——

〔沈氏突然由右面披头散发，哭哭涕涕地拖着吓昏了的淑贞跑进来。后面跟着陈姨太，仿佛出了大事，大惊小怪地劝阻着沈氏，连喊：“不要去！不要去！”后面还随着丫鬟仆妇们。

1　底本缺“冯乐山”，据新文艺版、川版改。

沈　氏　（大喊大叫）我不活着了，不活着了，我就跳湖死去。

高老太爷　（厉声）你在闹什么！

沈　氏　（瞧见老太爷，就扑跪地上，大哭）爹，您给我做主吧！媳妇这日子实在过不下去了。

高老太爷　（一壁望着立在一旁的客人，一壁焦急地看着这不懂事的沈氏）你，你——

冯乐山　（见机）小弟先要告辞一下。

沈　氏　（拉着高的袍襟）爹呀，您做主呀！您做主呀！

高老太爷　（狼狈）好，克明先送冯老伯到南花厅坐一坐。

〔克明随冯出篱门。

冯乐山　（回首）婉姑！

〔婉儿只得随着走出去，三人同向篱外右面步出。同时沈氏不断地哭嚎，陈姨太一边装模作样地耐着性，絮絮叨叨地劝。

高老太爷　（见客出去，厉声，对沈氏）你怎么这么糊涂？在客人旁边，也这么横吵横闹！

沈　氏　（吓住，又委屈地哭起来）爹，媳妇冤枉啊！好冤枉啊！

高老太爷　是怎么回事情？

沈　氏　（急得说不出，捶着胸口）我的首饰啊！爹呀！礼拜一呀！爹啊！我的首饰啊！

高老太爷　（望着陈姨太，焦急地）这说的些什么？

陈姨太　（原原本本地）是这样，老太爷，您听了，千万别生气，生了气，我就——

高老太爷　（烦厌）嗐，快说吧。

陈姨太　是这样——

沈　氏　（哭泣着）是这样，爹，他——

陈姨太　（气了）好，你说吧！

沈　氏　（一愣，又大哭）我见着爹，我，我又说不出来[1]了。

陈姨太　（不耐烦地叹了一声）是这样，老太爷，上次不是闹兵变么？克定就在那时候把她的首饰都骗去了，说是为她，为淑贞做了生意，可是啊，他就把首饰换了，在外面租间小房子啦。

高老太爷　（不信自己的耳朵）什么，小房子？

陈姨太　（得意地）啊，在外面姘[2]了一个礼拜一！

高老太爷　（莫明其妙）礼拜一？

沈　氏　（切齿）就是那骚婊子的名字！

陈姨太　是啊，礼拜一。那些换不去的珠宝，他也通统[3]送给这个礼拜一了。刚才她还从克定身上摸出来这个女人的相片。

高老太爷　拿来我看。

沈　氏　（由怀中掏出一张几乎揉碎了的相片，递上去）爹，您看，还是两个人一块儿照的！

高老太爷　（看完相片，愤极）该死！真该死！（对右面站着的一个仆

1　“说不出来”川版作“说不清楚”。

2　“姘”底本作“拼”，据新文艺版、川版改。

3　“通统”新文艺版作“统通”。

妇）叫他来！

陈姨太 （指着那仆妇，狐假虎威地）你叫五老爷快来！（那仆妇下。）

高老太爷 （厉声对着右面立着的仆婢们）你们这些人站这儿干什么？滚走！（对沈氏等）到屋里来！

〔右面仆人们悄悄走开。沈氏拖着淑贞，陈姨太随着老太爷向水阁走。袁成匆匆由右面篱外持一封信，两封红帖走进来。

袁　成 老太爷，两封喜帖，还有一封信，三少爷叫拿上来的。

高老太爷 他怎么自己不拿给我？

袁　成 （说不出道理）他，他，——

高老太爷 （不听他说完就走进阁内，气咻咻地由陈姨太扶着坐在迎门的炕床上，沈氏和淑贞立在一旁。）

〔克明慌慌地由右边篱外走来。

高克明 （连问袁成）怎么啦？怎么啦？

袁　成 （摇头，低声）不知道。

〔从右面小径那仆妇领着克定走进。克定神色仓皇，头发散乱，一面系着撕脱了的纽襻，一面用手帕擦揩脸上抓破的伤痕。他望着克明严重的脸。

高克定 （逡巡）爹呢？

高克明 （指着，森严地）在上面。

〔克定望见父亲一副铁青的脸，一声不响地端坐，就硬着头皮一步一步跨上石阶，步入阁内。在他们父子的对话中间，仆妇们和家里的晚辈们又四下偷偷地逐渐聚来窃听。

高克定　（低声，几不可闻）爹，爹叫。

高老太爷　（半晌，掷出相片，冷冷地）这张相片是怎么回事？

高克定　呃，嗯——

高老太爷　（厉声）问你是怎么回事？

高克定　（支吾）是，是——

高老太爷　（喘息）你还有什么话讲？

高克定　（慑服）没，没有。（不觉跪下。）

高老太爷　（切齿）你怎么会做出这种下流事情？居然想出来把妻子的首饰骗出来换了[1]，在外面，在外面，——（恨极）你，你，你哪一点像我的儿子？你哪一点像高家的子孙？

高克定　（笔挺挺地跪在地上）儿子一时糊涂，交友不慎，才，才做出这样不规矩的事情。

沈　氏　哼，你要懂得一点规矩呀，——

高老太爷　（对沈）不用你说他！（沈默然，高对克定）我问你，除了这以外，你在外面还做了些什么？

高克定　没，没有。

高老太爷　（知子莫若父，目光森严可怖）你不用骗我，你说！

高克定　那，那就是——

高老太爷　什么？

〔觉英偷偷拉着觉慧由右面小径走来窥望，觉慧的面色露出

1　此句川版作“居然想得出把妻子的首饰骗到手换了”。

极端的烦恶[1]。王氏也抱着极大的兴趣潜密地悄悄进来。渐渐阁外栏杆处也躲着人向内觑望。

高克定 （不得已地）那就是借，借了一点钱。

高老太爷 你借了多少？

高克定 有，有差不多一万元的样子。

高老太爷 （惊愕）什么？一万元？

高克定 还，还不到。

高老太爷 你跟谁借的？谁肯借给你？

高克定 崔七借了四千，黄宝昌借了三千五，还有两，两千五的样子是——

高老太爷 这么多！你拿什么来还？

高克定 （懵懂）他们都说等爹百年归山之后，我分到田产就来还债。

高老太爷 （怒极，由炕床上一跃跳下，对着克定身上一脚踹下去。外面的人看见老太爷盛怒立起，迅速地各自蹲下藏匿。）

沈　氏 （拉过克定，大喊）爹！爹！

陈姨太 （拉住高，劝慰着）老太爷！老太爷！

高老太爷 （厉声）外面是克明么？

高克明 是，爹！（壮着胆走进去。）

高老太爷 你管的什么弟弟？你成天在家里管了些什么？（指定）你给我打他！（陡然转对定）不，你自己打！你自己打你自己的嘴巴！

---

1 “烦恶”新文艺版作“厌恶”。

高克定 （望着四周围的人，哭声地）爹！

高老太爷 打！

觉　英 （躲在阁外角落里，碰一碰觉慧的臂肘，低声）要挨打了，这么大的人！

高老太爷 自己打！

觉　英 （奚落地）哼，他昨天还考我写字呢！

高克定 （果然一只手连续"噼啪"地打在自己的脸上。）

高老太爷 （愤恨）两边打！

高克定 （于是又左右开弓地继续下去。）

陈姨太 老太爷，歇歇吧，别生气了，气病了值不得！（扶高又坐在炕床上。）

高老太爷 我问你，教你这些坏事情的还有谁？

高克定 （放下手）没，没有谁了。

高老太爷 （一怒跃下，跳到他面前）我问你，还有谁？

〔窃视偷听的人又慌忙蹲藏下去。

高克定 还，还有四哥，这些事情，他，他也有份的。

〔王氏大吃一惊，立刻转身欲行。

高老太爷 （惊愕）还有克安？（苦痛地）天哪，我怎么生了这么一群宝贝呀！（对克明）叫克安来。

高克明 四弟出去了。

高老太爷 叫你四弟妹来！

〔克明出阁门。

高克明 （对着正在偷走的王氏）四弟妹，爹叫你。

〔王氏只得随着克明进去。

高老太爷 克安呢？

王　氏 出去了。

高老太爷 晓得他出去了！我问你他到哪里去了？

王　氏 我，我不知道。

高老太爷 你真糊涂，真糊涂！你丈夫的这种事情怎么会不知道。你们跟我一道到上房来！（拿起那两份喜帖和一封信，一面走，一面对克明吩咐。后面人们随他下了石阶，克定立起，王氏暗擦着眼泪，偷听的人们见老太爷要出阁门，也各自散开。）克明，这两份喜帖，你一份交给大嫂收起，一份为我收起来，明天一见早你再到冯家——（忽然瞥见里面夹着一个白信封）这是什么？

〔觉慧突想阻止，不料袁成——

袁　成 这是二少爷留下来的信，三少爷叫我送给老太爷看的。

高老太爷 （匆匆看信，颤抖）这，这说的是什么？觉民，觉民跑了？（递与克明，克明匆促看了一下。）

高克明 （惊愕得几乎说不出话）怎么老二不肯订婚逃走了？（转身）老三！（递出信）这是怎么回事？

觉　慧 （上前接信，倔强地）我不知道，他房里桌上就留了这一封信，铺盖也没有了。

高老太爷 （迭连不幸的打击使他声音都变成喑哑）叫新儿来！

觉　慧 （低声）哼，大哥——

高克明 （喊叫）明轩！明轩！（正欲去找。）

〔瑞珏由右面跑出。

瑞　珏　（哀痛地）爷爷！爷爷！出去了，他出去了。

高老太爷　（转对克明）我限你今天就把觉民这个反叛给我找回来！你先跟我到上房去。（向右走。）

陈姨太　（使人烦躁的劝解）老太爷，别生气了！气病了，多——（一面伸手去扶掖。）

高老太爷　（烦恶[1]地）走开！（对瑞珏）孙少奶！（珏上前扶持着他向右走，后面跟随克明，克定，陈姨太，沈氏，淑贞和袁成。）

陈姨太　（嫉恨而轻藐地连连咂着嘴，叹了一声）嗯！

沈　氏　（对拖在后面的淑贞，恨恶地）别老跟着我！

〔除了淑贞，觉慧和觉英，大家都由右面小径下。

〔暮色渐浓，远处山霭和湖上的雾逐渐融成一片渺茫。

觉　英　（嘲讽地）淑贞，你说“家”字怎么写？你父亲说——

淑　贞　（羞愤）你不要提我父亲！

〔觉新缓缓由竹篱后左面，整个失了魂魄似的踱来。

觉　英　三哥，你说“家”字——

觉　慧　（愤极）“家”是宝盖下面罩着一群猪！

〔珏由右面小径跑进。

瑞　珏　三弟，你二哥的信呢，爷爷还要看！

觉　新　（立在篱门中，悲痛地）珏！

瑞　珏　（回头）新！（立刻跑到他面前）怎么样？

1　“烦恶”新文艺版作“厌恶”。

觉　新　（低声）没有见着，已经——死了！（半晌，珏忍不住握着新的手哀哀地哭泣。）

〔袁成由右面小径跑来。

袁　成　（气咻咻地）快来吧，少奶奶，老太爷没进院子就晕倒在地下了。

〔觉慧，觉英和淑贞惊恐地随着袁成由右面小径跑下。珏和新还痴立在竹篱门前眩惑地凝望着右面。

〔暮色昏黑，逐渐看不清他们的脸。

——幕落

第二景

冬天的薄暮，距第一景约有两个多月，依然在那题名为“水云乡”的水阁前面。湖边的树木秃落殆尽，山空水浅，四望都是一片萧索的气象。坪上的白果树还挂着一些经过无数次风霜的黄叶，晚风吹过，枯透了的叶子随风簌簌落下，铺在篱边的小径与树下的石桌石凳上。阁上的楼窗闭得严严的，下面的门窗槅扇也都装上掩好，只有斜朝观众的一面略略敞开，隐约可以瞥见侍病的女人们偶尔轻悄地踱着步。阁上高老太爷正在做临终的挣扎，四周沉寂，只有从楼上透出病人微弱的呻吟，开幕后片刻逐渐静歇。

篱外立着袁成和苏福，不时翘望着楼门，听候驱遣。石凳上坐着疲倦困惫的觉新，穿一件淡灰的长袍，扶着前额，斜倚着石桌出神，手里拿着纸包草药和西药水等，像是刚由外面回来不久。

克明轻轻推开阁门走出，用手帕揩擦着眼角，微微咳一声，又把手帕放好。

觉　新　（立起，低声）爷爷现在怎么样？

高克明　（摇头，叹息）没有转机，大概是希望——很少！

〔半晌。

觉　新　（举起买来的药）这些药?

高克明　过一会儿看看再吃吧。他今天已经吃了两种药了。

觉　新　他老人家还肯说话么?

高克明　就前两个钟点把老三叫了去，说了几句话。现在一直昏昏沉沉的，似乎——

觉　新　（诧异地）跟老三说什么?

高克明　（无兴趣地）不知道，那时大家都在楼下。

〔黄妈由右面小径端来一碗食物。

觉　新　黄妈，你端着什么?

黄　妈　燕窝。

高克明　（低声，烦躁地）端回去，端回去，别进去了，让老太爷好好睡一会儿吧。

觉　新　楼上有人守着么?

高克明　（怜悯）有，还是少奶奶。真是！就要生产的人！她已经累了好几夜了。

觉　新　（低低叹一声，缓缓地）爷爷的寿衣我已经取来了。

高克明　（绝望地）也许今天用不着吧?（忽然）四爸呢?

觉　新　不知道。

高克明　五爸呢?

觉　新　这一天没见着。

高克明　（愤恨而悲痛地）这个混账东西，大概又不晓得跑到什么地方找他那个礼拜儿去了。（哭泣顿足）我真不明白父母要养儿女干什么？要养儿女干什么？

觉　新　（劝慰）别难过，三爸，别太难过，您先回屋睡一会儿吧。

高克明　（比以前体贴多了）我倒是睡了一会儿。你也熬了几夜了。你自己也要小心哪！

觉　新　是，是。

〔周氏面容愁惨，由阁门走出，手里捧一个橡皮热水袋。

周　氏　（低声）袁成。

〔袁成由正中篱门走进。

周　氏　（递给他热水袋）快去再换点热水来。

袁　成　是。

〔袁由右面小径下。

觉　新　（走近周氏）您看爷爷现在——

周　氏　还在发烧。（摇头）年纪大了，一病就是两个多月，老人家哪吃得住？幸亏现在是冬天，不然——

〔瑞珏在楼上悄悄打开窗户。

瑞　珏　（探出头来，低声对着下面）母亲！

〔周氏点点头进了水阁的门，珏又掩闭了楼窗。

觉　新　三爸，我怕爷爷从上房搬到这儿来搬坏了。

高克明　（嘘出一口长气）气数！陈姨太说有鬼！陈姨太请来的端公道士们也说有鬼。到处都有鬼，就此地没有鬼。闹到后来，连爹这么一个有主意的人自己也想搬，谁又敢去做这个主？

〔陈姨太由竹篱后右面匆匆上，虔诚异常地捧着一个黄布包，一路嘴里咕噜咕噜不知念些什么。

陈姨太　（瞥见克明，止住脚，愁容里露出自得）好了，好了，大仙的神药也请下来了。

觉　新　（忙上前拦住）陈姨太，这种香灰不能乱吃的呀。

陈姨太　（被他打断兴头，不高兴地）你们什么都不相信，爷爷的病就是这么耽误的。

高克明　（奈不得[1]她）好，好，好，只要不吃就成了。

陈姨太　（仍不免悻悻然）我也没说一定要吃呀。我叩了三天三夜的头，才把这点宝贝请下来，就放在病人身上搁一搁也是灵验的。

〔陈面现愠怒，赌气扭身走进阁门。

高克明　唉，就让她闹去吧，只要别又跟老三吵起来就好了。（忽然）嗳，老三呢，你叫他把他二哥找回来，你说了没有？

觉　新　说了，他还是不肯。

高克明　（失却了昔日的气概，气短地）真是家门不幸，都是些说不听管不成的子弟！他在哪儿？这两个月冯家人找了我无数次了。

觉　新　（忽然看见篱外左面——）哦，那不是三弟？

〔果然在篱外湖滨上觉慧正独自踯躅，像是在等待着谁，克明对他喊了一声就走出去。

〔周氏由阁门悄悄出。

周　氏　（低声）明轩。

觉　新　（近前）怎么？

1　“奈不得”新文艺版作“奈何不得”。

周　氏　我忽然想起一件事，方才就想同你说了。

〔袁成由右面拿进水袋来。

袁　成　大太太。

周　氏　你拿进去吧，走路放轻点。

〔袁走入阁内。

觉　新　什么事？

周　氏　（忧急）少奶奶的肚子怎么办？

觉　新　（不懂）怎么？

周　氏　我怕没有几天了。

觉　新　（还是不清楚）嗯？

周　氏　（小心地）按着迷信说（为难地）如果，如果，——其实这话我是不该现在说的，不过是——

觉　新　您说吧，自己家里的人还怕什么呢？

周　氏　（吞吞吐吐地）我怕万一老太爷就在这一两天归了天，——按着老话说，家里死了老的，产妇要在家里生小孩，那产妇的血光会冲在死人身上，尸首就会周身冒血的。

觉　新　（皱眉）哦。

周　氏　（稍痛快）这叫作血光之灾，为着孝顺老的，产妇非避一下不可。

觉　新　（担忧）那么是不是必须要瑞珏在外边生，另，另找房子。[1]

周　氏　（点头）嗯，我怕。唉，老人死了，连小辈子生小孩都——

1　“。”川版作“？”。

觉　新　（得过且过）唉，反正现在家里都还平平安安的。

周　氏　（叮咛）不过你心里总得预备着，（低声）昨天大家谈闲话，提起别人家的事，陈姨太嘴上可露出这么一句。

觉　新　（低头）真要到那一天，——

周　氏　（忧虑地）你怎么办呢？

觉　新　（烦躁）我心里乱的很，到时再说。我现在简直怕听死这个字。

周　氏　（摇摇头，也没奈何）唉！

〔瑞珏缓缓由阁门踱出，形容憔悴，穿一件宽肥的深蓝布袄，并看不出身体有多显明的异样。她依然打起精神笑着走向觉新。

周　氏　（望见珏，非常怜惜，低声对新）先别跟她说呀。

觉　新　知道。（悲戚地凝望珏。）

周　氏　（对珏）你怎么出来了？

瑞　珏　我想回屋看看海儿。

周　氏　（温和地）好，你也该看看去了。

〔周由阁门入。

瑞　珏　（笑着）是婉儿已经从冯家出来了么？

觉　新　嗯。听说（沉郁地）不过——

瑞　珏　又病了？

觉　新　（摇摇头。）

瑞　珏　（恐惧地）死了？

觉　新　（打了一个寒战）不，不，我们不谈这一类的事情。（抚慰地）你这两天身体怎么样？

瑞　珏　我还好。明轩，你自己倒是要当心呀，这两天我一点也没有照护你了。

觉　新　（祈祷地）爷爷的病会好的，会好的，好了，我们两个一定找一个山明水秀的地方——

瑞　珏　（脸上掠过淡淡的笑影）嗯，山明水秀的地方，我们也做一场好梦，好梦！

〔刘四姐由右面小径上。

刘四姐　快来吧，少奶奶，海儿又哭着找你呢。

瑞　珏　好，我来了。

〔忽然楼上开了一扇窗，陈姨太伸出头来。

陈姨太　（烦厌地）来吧，少奶奶，老太爷叫你呢。（倏地把窗门关上。）

瑞　珏　（为难）怎么办？

觉　新　（温和地）你去吧！我看海儿去。

〔珏不得已地缓缓向阁门走。

觉　新　（追上去）瑞珏，你要小心呀，陈姨太那个人——

瑞　珏　（痛苦地）我知道，除了对她尽量客气[1]还有什么别的办法？老人家病得这样沉重，难道为着怕她生气[2]，就不顺着病人的意思么？

〔克明与觉慧由篱外踱来。珏和新望见他们进来，就各走各

1　“客气”川版作“忍让，”。

2　“难道为着怕她生气”川版作“难道为着怕陈姨太”。

的路：珏进了阁门，新随刘四姐由右面下。

高克明　（最后的规诫）怎么样？老三，你说不说？

觉　慧　（摇头。）

高克明　你为什么不说？

觉　慧　（黠巧地）理由我已经跟三爸说过了。

高克明　（愤愤地）那不成其为理由。

觉　慧　（淡淡地）那就算了。

高克明　那么你二哥究竟在什么地方？

觉　慧　不知道。

高克明　（执拗）你知道。

觉　慧　（翻翻眼）知道我不说不是等于不知道。

高克明　（严重地）那么你是成心地不顾爷爷的死活。

觉　慧　哪个说的？

高克明　你情愿做一个不孝的子孙。

觉　慧　（愤懑）三爸，您不要用这些话来压我。您明明晓得爷爷这次病并不是为的二哥。哪几位长辈闯的祸，三爸也是亲眼看见的。（热烈地）我爱爷爷，为着爷爷的病，我不知挨了多少次骂。我求大家早一点找西医看，可是没有人听我，胡乱地找些医生。

高克明　（气闷地）你懂得什么，爷爷病重，多请些名医也是尽人子之道。

觉　慧　那么为什么找了些跳神跳鬼的端公，满家满院地赶鬼，硬把病人搬到这么一个小地方来？

高克明　（语塞）你晓得的，那，那是陈姨太的主意。

觉　慧　（诘问）那么为什么我们没有主意？我们为什么倒要听这个无知无识的人，她的愚蠢糊涂的主意？难道您也相信这一套？您真信？

高克明　（留着自己的体面）我自然不信。然而这是你爷爷的命啊。不随她，万一出了什么事？谁能负起这个责任？谁能担当这个不孝的罪名？

觉　慧　（愤激）对了，罪名！责任！三爸，到底哪个是真孝心？一个人还是不怕人骂，真为着老的打算，是孝心？还是怕背上一个不孝的罪名，就随着人搬神弄鬼，把老人家害得吃惊受怕，病势更重是孝心？

高克明　（气得连连地）你小孩子，小孩子，你不配跟我说话，你快把老二找来，了结冯家这段亲事，叫爷爷放心，不然——

觉　慧　（看他不讲理，也硬起来）我就是不找！

高克明　你非找来不可。

觉　慧　（重重地）我不找。

高克明　（走上前）老三，你这个！

〔周氏突由阁门疾步走出。

周　氏　（向篱外喊）老二！老二！

〔觉民由左面篱外和王氏匆忙走进。

周　氏　快点，快点，爷爷正等着你呢！

觉　民　（笑嘻嘻地）三爸！（快步和周氏走入阁门内。）

高克明　（莫明其妙，对慧）这是怎么回事？

觉　慧　方才爷爷对我说，他很后悔，只要见二哥一面，冯家婚事不提了。

高克明　（不了然）不提了？

觉　慧　（微笑）不提了。

〔克明掉头就走进阁门。

王　氏　（对慧）是你叫老二回来的吧？

觉　慧　嗯。

王　氏　（紧张）外面好乱，——

觉　慧　怎么？

王　氏　又抓学生了。我在轿子里看见的，捉了好些人，拉着在街上走。

觉　慧　哦，哦。（蓦然转身就向外走。）

王　氏　老三，你要上哪儿去？

觉　慧　到学校，找朋友。

王　氏　现在你不能去。

觉　慧　现在我才该去！（立刻由右面小径跑下。）

王　氏　老三，（对右面，警惕地）你可要小心冯乐山，这个老东西你太得罪他很了。

〔慧由右面戴好帽子，披着围巾匆忙走出。

觉　慧　再见，四婶！（向篱外走。）

王　氏　老三，老三！（慧不理，仍走。）

〔陈姨太突由阁门出。

陈姨太　（尖声）三少爷！

觉　慧　（不觉停步）什么？

陈姨太　你爷爷叫你！

觉　慧　叫我？

陈姨太　（肯定）叫你！

〔慧只得丢下帽子，依然戴着围巾走入阁内。

陈姨太　（四面望望，对王氏狠恶地）你看老太爷又叫大房的人围住了。大房的人一直是欺负我不要紧，现在他们又要谋算老爷子了。（恨极）这样没有良心，不知孝顺的人早晚没有好结果的。

王　氏　怎么？

陈姨太　（恶毒地）你看着吧！

〔瑞珏由阁门跑出。

瑞　珏　（悲痛地）陈姨太，快来！爷爷不成了。

〔突然听见楼上一片嚎哭声，陈姨太和王氏哭着跑进去。瑞珏痛极，倦极，痴颓地倚在门框上，手抚前额，没有一点声音。

〔舞台全黑，立即明亮。

〔再明亮时，是当天午夜一时。四面漆黑。水阁下层的窗户完全敞开，阁内光明如昼。老太爷的死尸，穿好了寿衣，停在屋当中。灵前燃着素烛，摆满各种死人应用的钱纸，金银锭，魂幡种种。篱外和右面小径上隐隐约约立着许多仆妇，像一堆一堆的鬼影。石阶上和栏杆外分站着克安，克定，王氏，沈氏以及孩子们等等。周氏，克明和瑞珏立在阶下。栏杆上摆着“孝子”们的缞麻衣冠和丧棒。觉新正跪在灵前叩首，陈姨太面对着死尸，阴沉不语。大家肃然无声。觉新叩毕，由门内退出阶下。陈姨太缓缓由灵前走在门当中，栏杆上的烛光倒射在她惨青的脸上，望着有若煞神。

陈姨太 （声音冷涩喑哑，阴郁庄严地）现在老太爷已经归了天，大家也都在这儿了。这件事关系老太爷死后的神灵。血光之灾，这是千灵万验的。

高克明 怎，怎么样呢?

陈姨太 （望着瑞珏）若果孙少奶在家里生产，那产妇的血光会冲犯死人，老太爷的尸体就会周身冒血，以后再念多少经文也升不了天堂。

高克安 （望望克定，回首向陈）那么按说该怎么办呢?

陈姨太 （冷酷地）那只得委屈孙少奶赶紧在外面找房子!

〔珏低头，忽然紧紧握着觉新的手。

高克明 （吃了一惊）出去生产?

陈姨太 嗯，可是要出城十五里，——

沈　氏 （点头，低声）对的，对的。

陈姨太 还得过了三道河水，才能破解。

高克定 （也应声）嗯，有这么一说。

陈姨太 不然，还是没有用，尸首冒了血就再也不能升天。（四顾）都在这儿了，大家看看怎么办吧?

〔大家默然。

高克明　（想不出应付的办法，对周氏，低声焦灼地）老三呢？

周　氏　（低促地）到处找，找不着。

高克明　老二呢？

周　氏　也出去找他去了。

陈姨太　（目光歇在克明身上，缓缓地）三老爷，您看——

高克安　（忽然）三哥，我看这件事宁可信其有，不可信其无。

高克定　（从旁附和）嗯，嗯，是的，是的。

陈姨太　（阴沉）大少爷？

觉　新　（望一望低着头的瑞珏，转对克明，苦痛地）三爸，您看——（克明毫无勇气地低下头来。新转对周）母亲，您——（周氏用手帕擦着眼角。新缓缓转头，哀视着瑞珏，——）

瑞　珏　（哀痛中抚慰着觉新）不要着急，明轩。（对陈姨太，沉静地）我就搬，（转对周氏）城外总可以找，找着房子的。

（舞台全黑）

——幕落

第四幕

高老太爷死后一星期，下午三时许，在城外钱太太的旧屋内。这屋子许久没有人住过，一进来就有一种浓重的霉气窒息人的呼吸。屋顶很低，屋梁露在外面，泥土砌成的薄墙也没有涂饰。潮湿的土地成年没有人扫过，凡是角落里都满布了蜘蛛网，几样破旧的木器也堆上了厚厚的灰尘。现在窗外层的木板窗是敞开的，空气和阳光由那方方的破烂的纸窗栏间透进来，但是这屋子里可怕的腐闷的气味却一时不易驱尽。屋左右各一小门，通着更黑暗更潮湿的小屋，正中一木门，通外面一片平坦的磨场。门两旁有窗，门窗完全敞开时，可以望见对面的青山，田野，和凋秃的柳树。在左面露出一片荒凉枯寂的坟堆的一角，和两三间佃户住的更狭陋的土屋。屋里摆着一张旧木床，光光的没有上面的框架，一张黑漆八仙桌，几张旧凳，靠床添了一张帆布躺椅。地上摆着网篮，桌上放着箱子，行李和洗脸用具都堆在空空的木床上，一只炭盆架斜斜放在床边。

开幕时，刘四姐在床边收拾东西。黄妈立在正中门栏对外面吆喝驱赶着正要挤进来的一只颟顸的母猪，母猪在门外叫，黄妈拿一根竹竿在猪身上乱打。外面不时有牛在低低的鸣吼[1]。窗前站着一个干瘦，面无表情的老农人，默默地糊着新窗纸。

---

1 “低低地鸣吼”川版作“哞哞地吼着”。

黄　妈　（舞动着竹竿）去！去！去！

刘四姐　（回首）您这是干什么？

黄　妈　（逼急地）赶猪！（指门外）这个死猪要进来。（又乱打，猪在外面乱叫）去！去！

刘四姐　（对着那老农人）喂，老人家！你的猪进屋了，要进屋了。（希望他来驱赶）你还不——

老农人　（望望刘）进来不要紧的。（又忙忙地糊他的窗户。）

黄　妈　（重重打了一下，猪大叫一声，就再也没听见叫，黄松了一口气，自语）走了，可走了，这个讨厌的猪！

老农人　（回头望望）你不赶也是会走的。

黄　妈　（不满意的瞥了他一眼）唉，这个地方我可不爱，说乡下也不像个乡下，离城远不说，四面还不见什么人家，这叫少奶奶一个人怎么住啊？

刘四姐　（不愿提起，岔开）您说这床放在什么地方呢？（指着）这边窗外靠着荒坟，这边窗外是田地。

黄　妈　（指着靠田野的窗户）自然还是这边好。

刘四姐　那就不用动它得了。（从床上移下东西，一面想打开行李，用手抹抹床沿上）咦，床都洗干净了？

黄　妈　嗯，我进门就洗了。（十分关切地）少奶奶有动静没有？

刘四姐　没有，我看也就快了。（同情地）要不是为着海儿病，今天也就来了呢。

黄　妈　（料想）怎么陈姨太他们今天又催着少奶奶搬出去啦？

刘四姐　（气愤）还不是？把一个有肚子的人像当成瘟神似的，恨不得立刻就赶她走。（不平地）有两个钱的人家忌讳就多，老的死了，下一辈子人生孩子都是罪孽。

黄　妈　（也愤然）出去生，出去生，可一时也得找着房子啊。

刘四姐　是啊，我早就说过，谁肯把房子租给人生孩子？有房子的人都有这个穷讲究啊。（无意中沾着了墙上的水珠）哎呀，这屋子好潮啊，您看，大白天，墙上直滴答水。

黄　妈　我昨天一进来，就看这屋子不成。满屋的霉味，就像埋在坟里似的。（忽然察觉）哎，我这说的是什么呀。不过（低声）也是，这屋子好久好久没有人住了。

刘四姐　（又去收拾东西）哼，要是我呀，我情愿一辈子搬出来住这种破屋子，再也不在那个大公馆里住。我们小姐嫁过来没过过一天舒服日子，可怜，她在娘家哪受过这种罪呀！

〔外面一个小孩的声音：（清脆地）爷爷，稻草来了。

老农人　（放下糨糊）喂，我来看看。

〔老农人由正中门走出。

黄　妈　（嗟叹）清水里待过的，谁肯在浑水里待[1]？老太爷一死，就整天听着上上下下为着分家吵架，谁也不顾谁。到了（“了”做终结讲，）什么都是假的。（嘲讽地）我看只有钱，钱是真的。（喟叹）哎，真是浑水了，浑水了！

〔袁成由正中门上。

袁　成　（对黄）喂，不早了，冬天天短，说黑就黑。等他们看看梅

1　此句川版作“清水里泡过的，谁肯在浑水里混”。

小姐的坟回来，你催太太跟钱大姑太太快进城吧。早一点，从大路上走，免得担惊受怕的。（客气地）黄奶奶今天还不走吧。

黄　妈　走，太太叫我回去帮着赶孝衣呢。

刘四姐　（对袁）我在这儿看屋子。

袁　成　刘四姐，您知道婉儿也埋在这儿附近么？

刘四姐　（摇头）哦，不晓得。

袁　成　您不晓得？还是我们四太太出钱修的坟呢。

〔周氏与钱太太由正中门上。周氏穿着重孝。钱太太也是灰暗色的衣服，她较前苍老，神态未变，头发却完全灰白了。

周　氏　（对刘）你们都收拾好了没有？

刘四姐　您看，就这样行了吧？

周　氏　嗯，可以了。（又想起）哦，待会儿别忘了把炭盆生起来，这屋子潮气大，要先烤两天。

刘四姐　嗯，是得生上火，太湿，又冷，坐月子的人受不了。

钱太太　（立门侧，面对门外）快点，快把稻草抱进来铺上。真是死人！（回首望见袁成）袁成，你站着干什么？还不快去搬稻草来。

袁　成　是钱太太。

〔老农人跄踉地抱着一大堆稻草走进，袁成出去。

钱太太　（指着）放在床上。（一面走到窗前查看新糊的窗纸。）你这糊的是什么？是什么？（几下把纸都撕下来，对老农）重糊！

老农人　（望着糊好了纸又被撕去的窗子）嗯。

〔袁成从正门也抱着稻草进来，放在床上。黄妈和刘四姐看见钱太太又发了脾气，连忙各自紧张地收拾起来。

钱太太　（从凳上拾起一把扫帚，指点地下）你看，你这是怎么扫的，还尽是土，尽是土，回头叫你那个斜眼孙子[1]重扫！

老农人　（又望望地下）唳，太太。

钱太太　炭灰呢？

老农人　在，在外边。

钱太太　快拿进来先把床底下这块湿地方垫好。

老农人　（从另外一张方凳旁拿起一只簸箕）唳，我拿去。

钱太太　回来！叫你四下给我买的母鸡呢？

老农人　买了，已经收了三十只了。

〔老农由正中门走出。

钱太太　袁成，你替我叫木匠没有？

袁　成　明天见早就来。

周　氏　（诧异）叫木匠干什么？

钱太太　赶紧修理房子。

周　氏　（笑着）那来不及了。

钱太太　（倔强地）来不及也得修理，我不能叫瑞珏住这么惨的房子。

周　氏　可是——

钱太太　（摇手）你别管！哎，这也怪我那没福的女儿，要不是因为

1　“斜眼孙子”川版作“小孙子”。

她一直大病了这么几个月，我老早就派人把这几间破房子修理好了。（回头对黄，刘）你们两个谁留在这儿？

刘四姐 我，钱大姑太太。

〔老农铲了一大簸箕炭灰走进，缓缓地铺在床下面。

钱太太 你要什么东西，就跟（指着）这个老佃户要，他们有四代租我们家的田了。

刘四姐 是，钱大姑太太。

钱太太 要是他们不听话，不周到，你告诉我，我可以打他们[1]。

刘四姐 （笑着）不会的。

钱太太 （翻翻眼）客气什么？听着就是了。（对周）我这都是"老太爷佃户"，一年到头都是懒声懒气的[2]。（转头）哦，刘四姐，要是一两天少奶奶来了，你就叫那个斜眼的孩子进城到我家里找我，听见没有？

刘四姐 听见了。

钱太太 （对那佃户）喂，我问你呢？

老农人 听，听见了。

钱太太 还有，红糖，糯米，香烛，黄钱，同催生的些东西——

周　氏 这都带来了。

钱太太 哦，那接生婆！（对老农）张二，你叫你媳妇请了没有？

老农人 请好了，随叫随到。（走出正门。）

1　新文艺版无"我可以打他们"。

2　此句川版作"这些人都是我的'太老爷佃户'，一年到头，懒声懒气"。

周　氏　不过，大姐，（嗫嚅）明轩的意思说要找个西医，西——

钱太太　（固执地）西什么？我不相信西医。我欢喜接生婆。我们钱家——

周　氏　（勉强）可是明轩说——

钱太太　（有些悻悻）媳妇是你们家的，也不是我的，你们要西医接就西医接。

周　氏　（只好敷衍）照我看，也，也是接生婆好。

钱太太　（才露出一丝笑容）就是说啊，那就成了。（逐渐兴奋）我看这次一定还是个儿子！昨天我去看她，从后面还是看不出有肚子，不是那么满腰宽。还是男孩子好。我这块地方专生男孩，你看张二这个佃户家里就没有一个姑娘。（回头）黄妈，你看呢？

黄　妈　嗯，一定，一定，准又是个少爷。

周　氏　（走到右面小门前，向内探望）哦，这里面还有一间屋子呢！

钱太太　里面更小，比外面还潮湿。嗐，都是陈姨太出的鬼主意，什么要出城啦！要过桥啦！她一天不害人她心里不舒坦。

周　氏　这两天她倒又跟我们大房的人拉拢起来了。

钱太太　为什么？

周　氏　还不是要大房的人替她说话，好多争点产业啊。可现在她祸也闯下来了，大家都暗暗催着少奶奶搬，都觉得非搬出去不可，明轩这两天到处找房子又找不着，——

钱太太　（越想越恼）嗐，你们为什么早不对我说？不对我说？不对我说？

周　氏　少奶奶倒是想到了，就是明轩觉得梅表姐刚刚故去，你心里——

钱太太　（叹气）唔，梅芬这孩子也是真没福啊！咦，怎么明轩还没有来，老在她坟上干什么？

黄　妈　（同情地）大少爷一定还在梅小姐坟上难过呢。

钱太太　（落泪）梅儿命苦，命真苦啊！跟着我这个妈，没过过一天的痛快日子。一生只有一件事对得起她，我把我的棺材让给她睡了。

周　氏　（也陪着流泪）不要再伤心了，以后就把少奶奶当作你的女儿看吧。她生下的孩子也就是你的外孙了。

钱太太　（擦着泪）嗯，嗯。

袁　成　（对周）太太，不早了，回去吧。

周　氏　（对钱）大姐，回去吧，我们一块儿进城吧。

钱太太　不，你[1]家里有事情的人，你先回去吧。我还要在这儿再照料一下。

〔觉新由正中门上。他穿一件灰布棉袍，白布鞋，手里拿着孝袍和麻绳腰带。他走进门，顺手把这些放在一边。满眼沉重的悲痛，颜色较前些天更暗淡，脸上的胡须也长深了。他依然强打着精神应付着眼前的琐事，时时有些微咳。

黄　妈　大少爷回来了，梅小姐的坟——（周示以眼色，黄住了口。）

1　此处川版有“是”。

觉　新　母亲，乘太阳还没有落，您先快回去吧。我还想在路上绕到督军署再打听一下三弟的消息。

钱太太　怎么，老三还没有消息？

周　氏　唔，自从他们爷爷断了气那天晚上起，觉慧这个傻孩子，听见他们同学为着爱国游行出了事，就不顾死活，跟这群同学们一块去混闹，从那天晚上起，七天了，四处托人找，到现在连个人影都没有见着。

觉　新　这些衙门里的人说话也不知是真是假，我天天去打听，他们总推说没有这个人。

钱太太　（惊愕）怎么，老三入了监了？

觉　新　他的同学们都这么说，并且说这跟冯乐山有关系，是这个老东西陷害的。

钱太太　倒是像这个人做的事。

周　氏　可他到了我们家，给老太爷吊丧，哭得才痛呢。

钱太太　别听他这个，他做得像。昨天你们家婉儿这坟上他还派一个人来烧纸，对了，还有祭文呢。

周　氏　祭文？

钱太太　他那祭文还不是狗屁！从前我用过一个丫头，也叫他写过一篇祭文，这个苦命的丫头也是他弄去[1]——嗐，不提他，不提他，干干净净地房子不提他。明轩，你倒是赶快想法找老三吧！也叫你（对周）这个做继母的好放了心。

1　此处川版有“的！”。

周　氏　他父亲临死之前，就把这三个没有母亲的孩子托给我，连指着觉慧说“老三！老三!”就是不放心他，你看现在——（哭泣）我怎么对得起他的父亲！

觉　新　（安慰）母亲，不要难过了，快回去吧。我一定设法把三弟找着的。（为她拿着大衣预备送她出门。）

周　氏　（痛苦中经验过来）再要回来，我真是要天天守着他，真跪着求他再也不要出门闹事，我真是叫这个孩子吓伤了。（走到门口，回对新）明轩，你别忘了，就回来，爷爷的假坟要等着你开工呢！时候都看好了。（黄妈和刘四姐也一同出门。）

觉　新　嗯，记得，记得。

钱太太　（对周）我也送送你。（对新）你就在屋里歇歇等着我，回头跟我一块走。我先去看看叫他们买的母鸡肥不肥。

〔周，钱和三个用人一同走出。觉新愣了一刻，望望这四周凄惨零落的景象，百感交集，一种说不出的酸痛像一只铁掌紧紧抓牢他的心，他忍不住扑在方桌上呜咽起来。正中门推开，缓缓走进来觉慧，他换了衣装，穿着一个[1]短短的蓝布旧棉袄，青夹裤，手里拿着一顶破毡帽，头发散乱，脸上沾了尘垢，目光炯炯，十分小心地悄悄走近觉新。

觉　慧　（低声）大哥！

觉　新　（抬头，半晌，惊愕地）三弟，你——（立起。）

1　“一个”新文艺版作“一件”。

觉　慧　（深挚地）我特为跑来看看你。

觉　新　你怎么成了这个样子？你怎么来的？

觉　慧　（沉静地）我同几个同学想法跑出来了。

觉　新　（惊诧与关切）这么说你是给关起来了？

觉　慧　（点点头）嗯。

觉　新　（紧紧拉着他的手）你吃了苦头了吧？

觉　慧　（愤恨激成的冷静的微笑）还好，没有什么。

觉　新　（急切）那么你——

觉　慧　（不想提起）不提这个。他们恐吓我，说我扰乱治安，要枪毙我。前天夜晚，他们已经把我推出去了，一排枪都对准了我的头——

觉　新　（急迫）你——

觉　慧　（微笑）别着急，大哥，你看我现在不是在你眼前了？

觉　新　（追问）那么，什么证据呢？

觉　慧　（冷笑）这些军阀们杀人还用得着什么证据？

觉　新　怎么，快要放枪以前又把你赦免了[1]？

觉　慧　嗯。（忽然感动地）我在要死的前一刻，我第一想起的人就是你！大哥，我才知道我多么爱你！

觉　新　（热烈[2]握着他的手）三弟！

觉　慧　（友爱地）大哥，我上次说错了，我们是弟兄啊，好弟

1　“快要放枪以前又把你赦免了”川版作“快要放枪，又把你免了”。

2　“热烈”新文艺版、川版均作“热热”。

见啊！

觉　新　（眼泪流下）是啊，弟弟。

觉　慧　（激情）大哥，好大哥，那一会儿我真想见你，我要对你说许多许多话。我要把我得到的认识完全告诉你。大哥，所以在我临走以前，我非要见你一面。

觉　新　（略惊）你上哪儿去？

觉　慧　（长嘘一声）我要离开家乡了。我方才明明看见母亲进来，我不能见她，我怕她拉着我，不放我。这个家不需要我，我更不需要这个家，而且这个地方对我是危险的。

觉　新　（担心）他们是不是还在追着你？

觉　慧　（冷静地）逃出来的人自然还有进去的可能。

觉　新　（愤恨）那么冯乐山这个混账东西——

觉　慧　（不屑一理，微笑地）我现在倒不那么恨他了。这几天我才渐渐认识，我的敌人不是一个冯乐山，而是冯乐山所代表的制度。他伪善，他怕人说他伪善；他诬陷了我，他得了意。可是，我绝不会让冯乐山跟冯乐山类似的这一群东西终生得意的。大哥，我好后悔呀！

觉　新　你后悔什么呢？

觉　慧　（悔痛）我在临死的那一刻，我才想起我过去浪费了多少时间，为着梦想，为着错误，为着不晓得怎么活着，为着不知道时间的宝贵，耗费了我多少生命啊！（恳切地）大哥，生命真好啊，你真要积极地热烈地活下去呀！只有失过了自由的人才知道，只有尝过快死的经验的人才明白。我现在不懂为什么鸣凤会死得下去。对于一个要死而真想活着的人，一分钟的自由都像藏着无限的幸福似的。

觉　新　那么你来告诉我就是——

觉　慧　（有力地）我来告诉你不只在这个，我要比这个具体[1]。我要你答应我，你要勇敢，你真需要振起精神，重新为人。（恳求地）这次嫂嫂生了小孩，你就把她接出来吧，让她帮你一同去闯。嫂嫂真好啊，你现在还能说你所得到的是你所不要的么？

觉　新　（摇头）不，这句话我早忘记了。

觉　慧　（诚恳地）你要给她幸福，你不能再叫她为你牺牲下去。

觉　新　嗯，我答应你。

觉　慧　再五婶跟五爸打了架以后，第二天就答应我把四妹的脚又放了。

觉　新　（同情地笑）我知道。

觉　慧　这孩子又可爱，又可怜，你必须把她送出去读书，最好将来送到我那里。

觉　新　嗯，好。

觉　慧　最末一件你现在该把大嫂送到医院生养，你不能再听陈姨太他们的摆弄，为着死人，害了活人。

觉　新　（嗫嚅）不过这是没有办法的，太，太晚了！

觉　慧　那么你至少不能把嫂嫂送到城外这个可怕的地方来。

1　此句川版作“我来告诉你不只是这个，要比这个具体”。

觉　新　（叹了一口气）太晚了！

觉　慧　（逼起他的怒火）太晚了，太晚了，（大声）我跟你说过，没有太晚的时候！

觉　新　（挚爱地）觉慧，如果你真地要走了，为什么我们分别以前还要吵架呢？

觉　慧　（愧赧地）不，大哥，我是舍不得跟你再吵了。不过我真是相信世上任何事，要做，都没有太晚了的时候。你不要消沉哪！你一直是被这个"太晚了，太晚了"误了的。

觉　新　可是——

觉　慧　（诚恳地）你真得听哪！（看表）啊，我真要走了。我明天一见早要同几个朋友一同离开此地的。

觉　新　（忽然拉住他）不，三弟，你别走，你还是回家吧。我，我可以把你藏起来。

觉　慧　（决然）不，我不肯躲躲藏藏。我也不能丢开我的朋友们不管。

觉　新　那么你也应该见见二哥。

觉　慧　我已经看见了。

觉　新　（不舍）你出去干什么呢？

觉　慧　我也许读书，也许做别的。好，我走了。

觉　新　不，你别走，三弟。

觉　慧　（谛听）让我走吧！我仿佛听见外面又有人来。

觉　新　（向外走）那么，你的通信处？

觉　慧　我到一个地方就会写信告诉你。

觉　新　我好给你寄钱。

觉　慧　也好吧。走了，大哥。

觉　新　（又拉住他）三弟，你明天一早再要见我一面。

觉　慧　好，看吧。（走近窗前外望。）

觉　新　（望着慧）你一定要来，我好给你路费。

觉　慧　（望着外面，急促地）好，好，（惊愕）咦，怎么嫂嫂又来了？

觉　新　（惊惧）怎么她来了，别是已经——？

觉　慧　我倒是想见见嫂嫂，可惜现在不成了。（握着觉新的手，满眼的泪光）再见了，大哥，记着我的话，没有太晚的时候！

觉　新　再见，三弟！

〔门外人声嘈杂。钱太太推门进来，觉慧低首从她身边走过，出了房门。

钱太太　（匆促地）这是谁？

觉　新　一个乡下孩子。

钱太太　快点！快点！来了，把床铺好！

〔刘四姐扶着瑞珏进来，后随陈姨太。瑞珏穿着大衣，里面是孝服。陈姨太身服重孝，做出一种走了长路，风尘仆仆的样子。

瑞　珏　（悲痛地）明轩！

觉　新　（低声）瑞珏！

陈姨太　好容易，可送到了，好长的路！快点，大少爷，快去找接生婆吧！快点去叫——

钱太太 （冷冰冰地）早都预备了。陈姨太，你坐下歇歇吧，不用再张罗了。（陈默然）真是，谁出的这个主意，到城外生孩子？（一壁埋怨，一壁和刘四姐收拾床和其他的用具）现在什么都没有，什么都挤一块啦。（陈找一个方凳坐下，气得半晌无语。）

觉　新 （对珏，低声）肚子痛的很吗？

瑞　珏 （点头）嗯，有点。（四顾，恐惧地）明轩，这个地方怎么这个样子？沿着小路都是一堆一堆的坟哪？

觉　新 不要紧的。（抚慰）你看窗户外面不是田么？

瑞　珏 （怯惧）明轩，我们这屋子怎么——

觉　新 （望望钱，对珏示意，叫她不要说）珏，不要怕，——

瑞　珏 （找话说）我刚才路过梅表姐的坟了。

觉　新 （不安）谁指给你看的？

瑞　珏 陈姨太。（新回顾陈。）

陈姨太 （不好意思）也是轿夫说的。

瑞　珏 明轩，你别回去吧。

觉　新 （为难地）我，我——

瑞　珏 （温和而肯定地）不，明轩，你还是回去好。（微笑）明轩，这儿倒是有一点像在家里呢。

觉　新 （顺着她，安慰地）是啊，多好啊！

瑞　珏 有杜鹃叫。

陈姨太 （立起）不早了吧？（卖功地）觉新哪，刚才大家都忙着给老太爷盖假坟的事，孙少奶奶肚子痛，简直没有人送，幸亏我在旁边才送来了。

觉　新　谢谢您，陈姨太。

〔苏福由正中门进。

苏　福　快回去吧，城门要关了。

陈姨太　（望新）怎么样，走吧？

钱太太　（放下了“活路”，慢慢走来，像是客气地）您不再坐一坐？

陈姨太　（不知究竟）不坐了。

钱太太　（看见新在拿帽子，诧异地）你也走？

觉　新　（低头）嗯。

陈姨太　（歉意的解释）没法子，本来老太爷的假坟今天就要动工，现在孙少奶要生了，赶紧就得立刻开个头了，所以呀，非得他去不可。

钱太太　为什么非得他去？

陈姨太　（理由充足地）他是承重孙哪！

钱太太　（愈问愈有气）为什么非要盖假坟？

陈姨太　这也是为着死了的上人好，不然老太爷身上还是要冒血的。

瑞　珏　（看情形不对）明轩，你走吧。

觉　新　嗯，走。（却提不起脚，——）

钱太太　（倔强地）哦，我倒想起来了。瑞珏[1]，你来了，路上你数过过了几道桥？

瑞　珏　（不明白）啊？

1　“瑞珏”底本作“端珏”，据新文艺版、川版改。

钱太太　（气愤）我数过，只有两道半，靠我门口的这个是半道，桥塌了。两道半，陈姨太，您说这成么？还有，我这儿离城门口至多也不到六里，您说，这不会出事么？

陈姨太　（又气又怕）走，走，走，大少爷。

钱太太　哦，我还有一句话要问你。

陈姨太　（忽然硬起来）你说，什么吧？

钱太太　（冷冷地）你这一辈子当姨太太，你下一辈子还当姨太太不？

陈姨太　（气极）你呀，你是个疯子！走，大少爷！

〔陈姨太一怒而下。

觉　新　（愧惭）您，您不一同回去么？

钱太太　（瞪眼）我跟你说过，不去！我要陪（望珏）我的干女儿，走吧你们！

觉　新　（温和地）瑞珏，我知道大姨妈会在这儿守着你的。

瑞　珏　（安慰地）你放心，走吧。

觉　新　嗯，走，（慢慢向门走）走了。

〔新由正中门出。

瑞　珏　（到窗前）明轩！

觉　新　（在外面）珏！

瑞　珏　（忽然转身，皱着眉头）干妈，我又痛，痛起来了。

刘四姐　怎么，怎么，少奶奶？

钱太太　（对外大呼）张三，快去叫接生婆来！

〔舞台全黑。

〔再明亮时已是翌日的清晨。两窗都用花布床单严严遮上，只从那隙缝间透露出微光。瑞珏面容惨白，沉默无声，躺在床上，旁边多了一个借来的木制摇床。屋正中燃起熊熊的炭火。房中添了许多东西，如木盆，水壶等等，但现在都摆好，已经不十分零乱了。屋内很暗，桌上还点着昨夜的残烛。钱太太拿着一碗鸡汤呆呆立在床边，望着瑞珏的脸。旁边是刘四姐，正持着一件婴儿的衣服，怜悯地凝视着。二人都一夜未睡，头发有些散乱，却都紧张地探望着，没有一丝倦容。四周寂静，微闻远远有鸡鸣声。

〔半晌。

刘四姐　（低声），我想，不要紧吧？

钱太太　（不答。）

刘四姐　（对珏低声）二，二小姐。

钱太太　（低声）不要叫她。（对刘）那个接生婆呢？

刘四姐　到张二屋里歇着了。

钱太太　（压着声音，气愤地）她还歇着？（又欲出门。）

刘四姐　您别去啦？乡下人！再叫她来也是没用。这整正一夜她已经把少奶奶摆弄坏了。

钱太太　（揩擦着眼角）可怜，瑞珏！（慢慢走开，哀痛）要真有个三长两短，我要陈姨太赔命。

刘四姐　您方才叫人催大少爷来了吧？

钱太太　嗯，天刚亮，城门也就是才开，也许觉新已经在路上了。

刘四姐　唉，钱大姑太太，您一夜都没有合眼，您去睡一会儿吧？

钱太太 （摇头）不，我不睡。（和刘四姐共过了一夜的苦难使她对刘体贴起来）你把这碗鸡汤喝了吧，我看她现在也吃不下。

刘四姐 我也吃不下。（把鸡汤又倒在炭盆边上的小锅内，焦虑地）怎么会产后的人不能吃东西？

〔床前摇篮中小儿啼声。刘走过来，摇了两声，啼声渐止。

钱太太 （回头望一下）唉，这才不值呢，一个丫头！为着生一个丫头，这才不值呢！（沉思）刘四姐，（刘悄悄过来）我看这样子不成，还是赶紧请一个洋大夫来看看吧。

刘四姐 洋大夫？

〔正中有人叩门声。

张　二 （在门外）刘四姐，开水来啦。

刘四姐 （走到门前）哦。（由门缝取进水壶，和颜悦色地）劳驾您张二爷，您进来把这窗户再弄严点吧，这面还是进风。

张　二 （在外）不要紧，没有风，外面下着大雪呢。

刘四姐 （恳求地）您进来弄弄吧，我够不着。

张　二 我们不进月母子房。（仿佛说完就走了。）

钱太太 张二！张二！

〔钱喊着走出正中门。刘四姐拿起一张方凳放在窗前，预备上去，重掖严紧这临时的窗幕。

瑞　珏 （似由昏昏沉沉中醒来，微弱地）不用弄了。

刘四姐 （连忙下来）二小姐，您，您好些么？

瑞　珏 （失望地）不要弄了，弄不弄都一样。

刘四姐 （摸摸珏的前额）二小姐，您觉得怎么样？仿佛烧得比刚才还厉害些。

瑞　珏　（没有答应刘的话，满心期望着觉新来）他还没有来么？

刘四姐　（安慰地）就来了，要不，再叫人催催吧？

瑞　珏　（低促）不，不要催。（体贴地）外面下了雪，路上不好走呢。

刘四姐　奇怪，大少爷怎么还没有来？

瑞　珏　（哀痛地希望着）他，他会来的。他能早来就早来了。我能等，能等，就怕这个身体，由，由不得我，——

刘四姐　二小姐，您别这么想，别这么想。

瑞　珏　（低弱地）孩子呢？

刘四姐　（把孩子抱起）这儿。

瑞　珏　（望了一下）可怜哪，这个小孩儿！（抓着刘四姐的手）刘四姐，你日后好好替我看着她呀。

刘四姐　（凄然）二小姐。

瑞　珏　（微笑）一会儿大少爷会把海儿带来吧？

刘四姐　一定，一定会带来看妈的。

瑞　珏　（摇头）不，不会，海儿还病着呢，我都忘了。（忽然眼泪流出来）哦，妈！妈！女儿想你呀，想你呀！

刘四姐　（也忍不住流下泪）是啊，要是老太太在身边，看见二小姐生儿育女，吃了这么多的苦，她，她老人家——

瑞　珏　（含泪自语，声音低弱得几乎听不见）生儿育女，吃苦受难，都是应该的，就是——

〔钱太太由正中门上。

钱太太　（掸着身上的雪）好了！来了，来了！

刘四姐 （期望地）大少爷吗？

钱太太 （高兴地，连连）大少爷，大少爷。

〔觉新慌慌由正中门上，满身都是雪。一进门就立在门前，望着珏，满腔的情感使他说不出一句话。

钱太太 （低声，对刘）走，我们先出去。

刘四姐 （点头。）

〔钱与刘出了门。

瑞　珏 （悲喜交集）明轩！

觉　新 （感动地）珏，我的可怜的珏！（走到床前）我来了，珏！

瑞　珏 （凄婉）我等着你呢，我的明轩，你好么？

觉　新 （点头，温和而感激地）好。（一面忧凄而爱怜地凝视着她，不觉缓缓摇头。）

瑞　珏 （痛苦地微笑）我一直在祷告，千万等我见着了你，我，我才能走。

觉　新 （忍住要流下来的泪）不，别这样说！瑞珏，你不走的，你不离开我！不！（蹲跪在她的床前。）

瑞　珏 （沉痛地凝望着）我是不肯离开你，我的好人！可我，（微弱地叹了一声）我不成了！

觉　新 （悔恨）他们为什么不昨天就告诉我这情形。

瑞　珏 （抚慰）是我没有告诉他们，我怕他们找你，逼你回来。

觉　新 （痛切）不，珏，你会好，你就会好的。可你真该告诉人叫我昨天晚上就来的。

瑞　珏 （哀凄地）你不能得罪家里的那些人哪。

觉　新　（说不出的苦痛）瑞珏，我的瑞珏——

瑞　珏　（摸着新的手）不，不要说了，明轩，我的人，我懂，你不要难过。你待我好，这不是你的错。是我，是我怕那些人又为难你，我才不愿意叫人找你去的。

觉　新　（紧紧握着她的手）珏！

瑞　珏　（微笑）你看我能等，我能等，你来得再晚，我还是能等，能等。“死”再厉害，再催得紧，“死”也不能够把我——

觉　新　（急切）珏，你不要提到死，你不要——

瑞　珏　（断断续续地）现在你到底来了，我看见了你，我的人。我知道，不成了，我，我要走了。（苦笑）别太难过呀，我的好人，我真是不愿意提，我怕看你伤心，我怕看你那伤心的样子，新！可我舍不得糊糊涂涂地跟你分开，分开，——（新哭出声）明轩，你不要哭啊，我一想到以后没有人照护你，我的心好痛啊，好——

觉　新　（泣不可抑[1]）珏，不分开，不分开，你不会走的，你不能走的。

瑞　珏　（如同抚慰孩子似的）是，我不走，我要为你，为你还留一会。（看觉新忽然立起，急切地拉着他）明轩，你要上哪儿去？

觉　新　我要去找医生去。

瑞　珏　（急切地）不，你不要再走，我没有多少工夫了。（苦闷地）好黑呀，明轩，你把两个窗户的幔子都拉下来吧。

---

1 “抑”底本、新文艺版均作“仰”，据川版改。

觉　新　（犹疑，哄着她）不，珏，那冷啊！

瑞　珏　（哀恳）我要亮，我要亮光。明轩，你听我一次话吧。

觉　新　（低声，哀痛）好。

〔新走到两个窗前把幔子都拉起。一片银光反射进来，屋内突然明亮。窗外浩浩无际的大雪洒落下来，盖满了远处的坑谷和高陵，雪压低了树梢，左面的坟堆也渐渐平坦，大地是一片皓白。

瑞　珏　（望着那孩子睡的摇床，慈爱地）明轩，你还没有看看这个小孩呢？

觉　新　（愧惭地）嗯，珏！（跑来俯视小摇床）她真像你呀，珏！

瑞　珏　（凄恻地微笑）你猜对了，她是个女孩。

觉　新　（忽然）珏，你记得我们说的笑话么？等我们到了七十，八十了——

瑞　珏　嗯，我也正想着这个呢。（脸上浮出悲哀的笑）到了七十，八十了，儿子儿媳妇站在这边，——

觉　新　（不觉随着她）女儿跟姑爷——

瑞　珏　（似乎是高兴地接下来）——站这边。（突然意识到，哀痛地）可现在我——（低低哀泣起来。）

觉　新　（抚慰她而又像急切地恳求她）珏，不，不，你一定要活下去的。

瑞　珏　海儿好了点么？

觉　新　好多了，他说明天就要来看妈妈了。

瑞　珏　（仿佛自问）明天？（泫然绝望）可怜，都这么小，这两个孩子。

觉　新　（大恸）珏，你好苦呵，你真不值得呀，嫁了我。

瑞　珏　（凄婉而哀切地）不，不苦，我爱，我真爱，我值得。明轩，你一生太委屈了，以后，我真希望你——

〔觉民携着琴由正中门走进，二人面上都冻得通红，带着紧张而悲戚的神色进来。

觉　民　（望望她[1]，同情地）嫂嫂。

瑞　珏　你们来了。

琴小姐　（近床前）你好吧。

瑞　珏　（藏起她绝望的悲哀）好。

琴小姐　（鼓励）你，现在精神并不坏呀。

瑞　珏　（回光返照，微笑）我现在是觉得精神忽然好起来了。琴表妹，姑妈已经答应你们了吧？

琴小姐　嗯，答应我跟二表哥一同出去读书了。

瑞　珏　（一双苦痛凹陷的大眼望着他们，像望着天上的飞鸟一般羡慕）真好，你们真幸福。

觉　新　（对民）三弟呢？

觉　民　他走了，他给我一个纸条带给你。（把一张纸条交给新，新默默看着。）

瑞　珏　三弟回来了。

觉　民　嗯，又走了。

1　“她”川版作“珏”。

瑞　珏　（温和地）什么话，念给我听听吧。

觉　民　（由新手中取回纸条读）“大哥，我走了，生活是要自己征服的。你应该乐观，你必须做一个顶天立地的汉子。任何事情都没有太晚的时候，你要大胆，大胆，大胆哪！”

瑞　珏　（望新，恳求的目光）明轩，这就是我要对你说的话呀。

〔正中门推开，刘四姐携带淑贞走进。淑贞渐渐又恢复从前的活泼，脚又放得能自由跳动了。

刘四姐　少奶奶，袁成把四小姐送来看你了。

淑　贞　（跑到床前）嫂嫂！

瑞　珏　你怎么来了？

淑　贞　（微笑）我，我要来看你。

琴小姐　（惊讶）你怎么一个人就敢——（望着她的脚。）

淑　贞　（欣然）你看，我现在可以自由走路了。

瑞　珏　（拉着贞的手）你快活么？

淑　贞　快活。嫂嫂，（天真地）你呢？

瑞　珏　我，我也快活。

淑　贞　好大的雪呀，嫂嫂，外面才好看呢！

〔外面杜鹃啼声。

琴小姐　（低声，对民）这不是杜鹃？怎么下着大雪杜鹃还——

刘四姐　（笑着）这是那个佃户的斜眼孙子[1]学的。

〔不断的杜鹃啼声传来。

1　“斜眼孙子”川版作“小孙子”。

瑞　珏　（忽然）明轩，你记得我第一天来的夜晚，杜鹃在湖边上叫么？

觉　新　（泫然）记得，那时候是春天刚刚起首。

瑞　珏　（梦一般地迷惘）嗯，春天刚刚起首。

觉　新　（绝望袭进他的心，凝视着她，沉痛地）现在是冬天了。

瑞　珏　（声音低弱而沉重）不过冬天也有尽了的时候。（逐渐闭上眼。）

淑　贞　（忽然）大哥，你看，嫂嫂闭上眼了。

觉　新　珏——

〔大家匆忙却是静静地围上去，钱太太也推门走进。

〔外面杜鹃一声声凄婉而痛彻地鸣唱着。

〔窗外正落着漫天的大雪。

——幕落[1]

1　此句川版作“幕落·剧终”。

附　录：

为了不能忘却的纪念

《家》这个剧本是根据巴金同志的同名小说《家》改编的。

我记得是一九四二年，重庆的酷热如蒸的日子，我在重庆附近唐家沱的长江上，浮泊着的一只江轮里，俯扑在一张餐桌上，写着这个剧本。那是一个不大的江轮的餐厅，早晚都很清静，只有中午和黄昏时，一些轮船上的水手和我一同进餐。他们见我打着[1]赤膊，背上流着一串一串的汗珠，还在昼夜不停地写，一位中年人惊讶地说："真是！你们写戏的，原来也很辛苦啊！"这一生，我忘却许多应该记住的事情，但这一句话，不知是否为了它的诚恳，我却一直记得。

在那轮船上，我大约住了三个月，度过整整一个夏天。在这期间，我每写完一段落，便把原稿寄给我所爱的朋友。我总要接到一封热情的鼓励我的信，同时也在原稿上稍稍改动一些或添补、或删去一

【题注】据1979年1月上海文艺出版社新1版排印，通校1978年8月6日《文汇报》初刊本（校注称"原刊"）、1985年6月四川文艺出版社"曹禺戏剧集"本初版（校注称"川版"）。原刊文末有"编者按：剧本《家》即将由上海文艺出版社出版，这是曹禺同志为这本书写的重版后记。"。

1　川版无"着"。

些。在厚厚的复信里，还有一叠复写过的《家》的稿子。自从我写《北京人》，我的所有的文稿都是经过我所爱的朋友的手，或抄誊过，或略加改动过[1]。我的这位朋友，在“四人帮”横行时，经常不断地探视我，在相对无言中，曾给了我多大的勇气与[2]韧力啊！但是她身体衰弱了，没有等到粉碎“四人帮”的胜利到来，终于过早地离开我和孩子们。对于革命，对于社会，我的朋友是默默无闻的。然而我将永远感激她。因为她通过我，总想为人民的事业尽一点力的[3]。

如今，我和众多的文艺工作者一样，要鼓足所有的力量，为提高中华民族的科学文化水平，为实现四个现代化而尽心地写作，如果我身边仍然有着我所爱的朋友，那该是多么好啊！

但我将不气馁，决不停止我的战斗。我要把失去的时间夺回来，为了祖国，为了谆谆教导我们[4]的党，和许多伟大的无产阶级革命家对我们的期望。

自然，也为了我这小小的不能忘却的纪念。

有一件事，必须在此地提的。

那一年，当我终于完成《家》这个剧本，我送给巴金同志看时，心里是很不安的。我怕他不同意我的改编，尽管大致情节与人物都是根据原作，但终有些不同的地方。而我的老友巴金同志读完后，便欣

---

1 “或略加改动过”原刊作“或改动过”。

2 “与”川版作“和”。

3 原刊无“的”。

4 “我们”原刊作“我”。

然肯定。这使我终生不能忘怀。[1]

当初，我把《家》的剧本交给巴金同志时，他还是旺盛的中年，如今巴金同志却已满头的白发，似乎是皤然老翁了。但我知道他有许多写作与翻译计划，他充满蓬勃的朝气，为着我们共同的目标而努力工作。

我祝我的老友巴金健康长寿。

曹禺

一九七八年七月十四日[2]

---

1 此处原刊有“‘文人相轻’这句话对于巴金同志这样胸襟宽广的人，是完全不适用的。”

2 原刊无“曹禺　一九七八年七月十四日”。

黑字二十八

【题注】据1945年11月正中书局沪一版排印。通校1940年3月重庆正中书局初版（校注称“渝版”）。署名均为“曹禺 宋之的编著”。此版系演出本，其中“职员表”、“演员表”、舞台设计图随文照排。

序

《黑字廿八》在上演的时候，原名《全民总动员》。这是为了纪念中华民国第一届“戏剧节”而写作的脚本。

关于这个脚本的产生，其中是有些波折的。

第一：当时正是武汉吃紧的时候（虽然在上演之前二日，武汉是已经自动放弃了。），在军事上我们正从第一期抗战进入第二期抗战这一新的阶段；在政治上我们的号召是后方重于前线，政治重于军事，这种号召的最有力的响应，是全民总动员，总动员来参加抗战工作，打破日寇侵略的迷梦。为了表现这一情势，所以肃清汉奸，变敌人的后方为前线，动员全民服役抗战，成为我们写作的主题。

第二：当时舞台上的优秀演员大部分集中在重庆。这些演员参加“戏剧节”的热诚，是无从比拟的。因为在全国，这是我们戏剧界的第一次“戏剧节”，所以在写作之初，我们便从演出委员会接受了那样奢侈的一个演员名单。但为了这样奢侈的演员名单来写剧本，却并

【题注】据1945年11月正中书局沪一版排印。通校1940年3月重庆正中书局初版（校注称“渝版”）。

不是容易的事。这需要庞大的题材和细心的安排。

第三：我们须要声明的是，在最初，我们并无意写一个新的戏。我们的目的本来是为了更接近现实的要求，根据《总动员》这剧本来编改。但改动一个既成作品，却是一件吃力不讨好的工作。这种编改的结果很难与原作的精神相统一。基于这个原因，我们才开始决定来创作。但《总动员》已经是深深的影响了我们，我们必须承认，《黑字廿八》和《总动员》这二者之间，还有着很亲密的血缘关系。

这脚本是写成上演了。上演以后，我们发觉了其中有些地方，因为写作的匆忙，并不能如我们所拟想的那末满人意。特别是在《全民总动员》这一点题工作上，还遗留着一些弱点。所以现在就以《黑字廿八》这一剧名，与诸君相见。而把《全民总动员》这个丰富的剧名，留给下一次的机会。

末了，为了纪念第一届的演出，我们愿意把Cast留在下面。

职员表

演出委员会委员

张道藩　余上沅　余克稷
徐之弼　章　泯　张德成
富少舫　宋之的　罗学濂
姜公伟　郑用之　黛丽莎
赵　丹　沙露斯　冯什竹
应云卫　潘孑农　杨子戒
吴漱予

主任委员　张道藩

副主任委员　余上沅

总干事　吴漱予

前台主任　余克稷

文书组　吴祖光　廖季登

事务组　梅锦泉　杨鹏云

交际组　郑用之　罗学濂
黛丽莎　章功叙
胡光燕

宣传组　姜公伟　萧崇素
赵铭彝　潘孑农
杨子戒　葛一虹

票务组　梁少侯　田天绣
　　　　郑眠松　王景祥
纠察主任　方丝乐
纠察　胡光燕　张永书
　　　　陈光武　陈季文
　　　　朱崇懋　唐鹤生
舞台监督　余上沅
编剧　曹　禺　宋之的
导演团　张道藩　余上沅
　　　　曹　禺　宋之的
　　　　沈西苓　应云卫
执行导演　应云卫
装置设计　陈永倞

剧务主任　孟君谋
剧务　金　毅　易　烈
提示　陈　健　万长达
事务　李　农　施文琪
后台主任　陈永倞　郭蓝田
布景　任德耀
灯光　朱今明
服装　程梦莲
道具　黄耀东
化装　金　毅
效果　蔡松龄
事务　耿　震

演员表（以出场先后为序）

剧中人	全民总动员原名	扮演者
玛　莉	莉　莉	白　杨
杨兴福	陈云甫	王为一
邓疯子	同　上	赵　丹
吴　妈	同　上	沈蔚德
江云峰	谢柏青	江　村
夏晓仓	侯凤元	曹　禺
沈树仁	张希成	施　超
夏迈进	侯文杰	洪　虹
耿　杰	冯　震	魏鹤龄

剧中人	全民总动员原名	扮演者
刘瞪眼	同　上	余师龙
韦　明	彭　朗	舒绣文
张丽蓉	张太太	英　茵
范乃正	马公超	高占非
瑞　姑	芳　姑	张瑞芳
陈　虹	同　上	凌琯如
丁　明	同　上	章曼苹
时昌洪	同　上	戴　浩
导　演	同　上	潘孑农

剧中人	全民总动员原名	扮演者
胡长有	同　上	余上沅
电灯匠、王喜贵	同　上	顾而已
孙将军	同　上	张道藩
新闻记者	同　上	宋之的
宪兵队长	同　上	耿　震
宪兵甲	同　上	林颂文
宪兵乙	同　上	乔文彩
卫　队	同　上	寇嘉弼
警察甲	同　上	李铮普
伤兵甲	同　上	杨育英
男　孩	同　上	蔡　骧
伤兵乙	同　上	何治安
	韦　明	黛丽莎

剧中人	全民总动员原名	扮演者
女　孩	同　上	王菲菲
花　匠	同　上	柏　森
暗探甲	同　上	蒋少麟
暗探乙	同　上	姚亚影
暗探丙	同　上	刘厚生
警察乙	同　上	胡智清
汉奸甲	同　上	张世骝
汉奸乙	同　上	叶燕荪
汉奸丙	同　上	朱平康
汉奸丁	同　上	李乃忱

（中華民國第一屆戲劇節演出裝置圖
陳永倞設計）

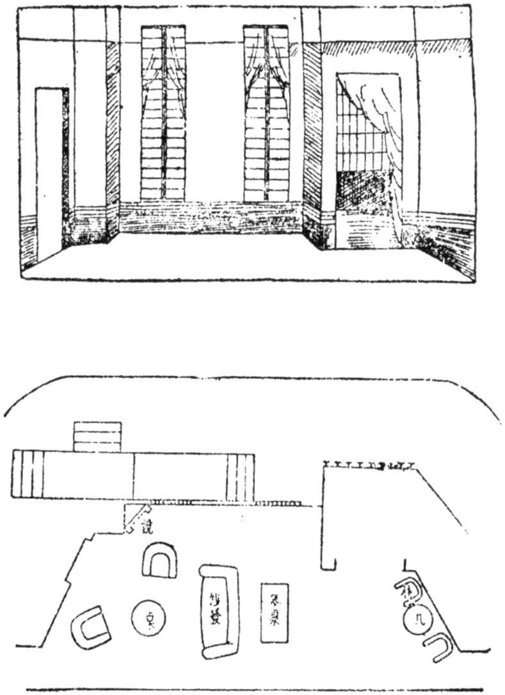

第一幕

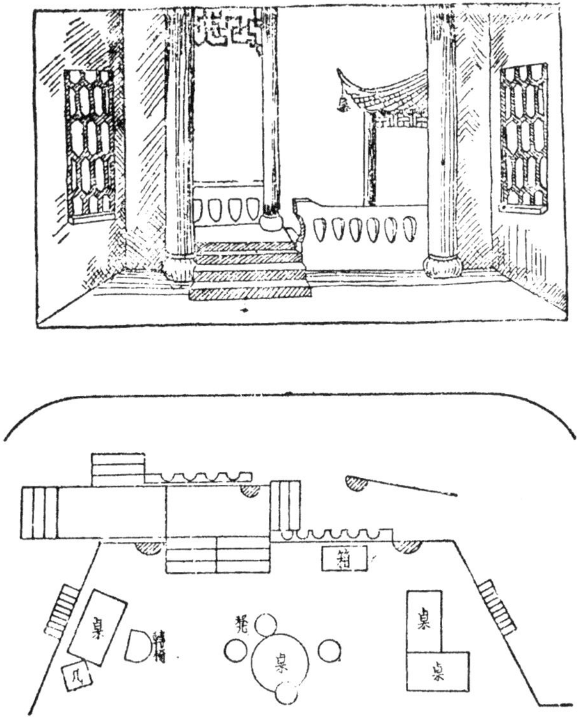

第二幕

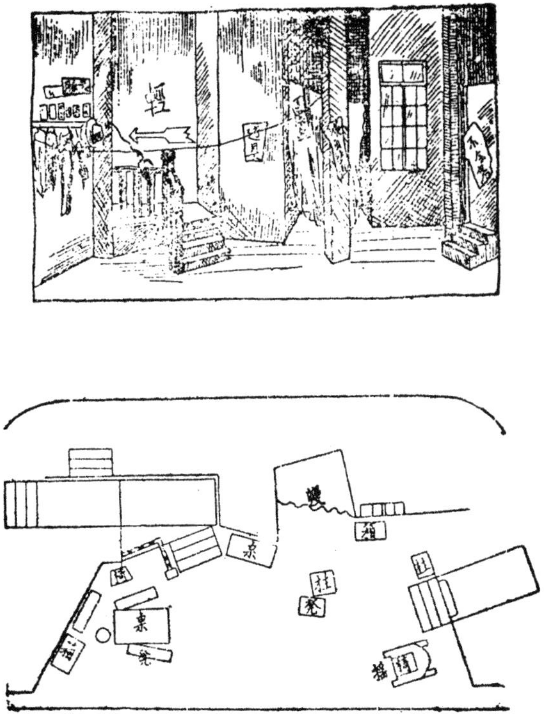

第　三　幕

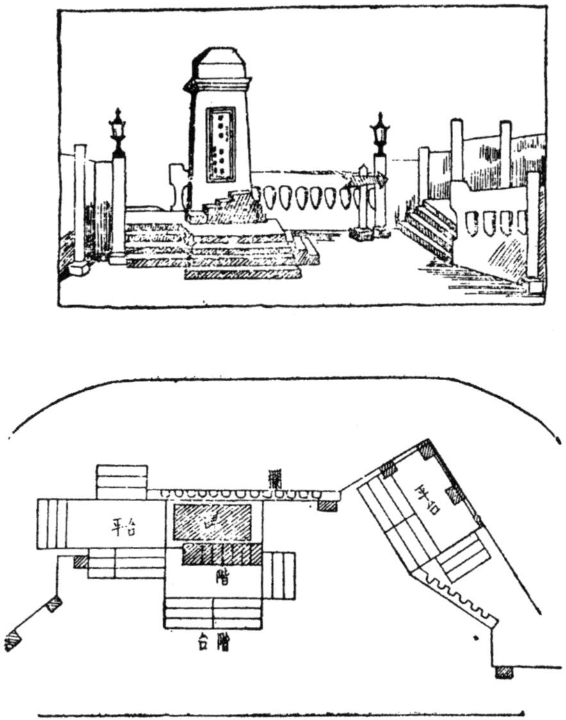

第　四　幕

第一幕

人　物　夏玛莉　杨兴福　夏晓仓　沈树仁　夏迈进

邓疯子　江云峰　耿　杰　吴　妈

时　间　午后一时

地　点　夏家的客厅

景　　夏家的客厅，左右各一门，右门通室外，左门通内室。屋子的陈设是新旧合璧，有沙发，也有穿衣镜，使人一看，便是一个商人式的会客室。

〔开幕时玛莉正哼着一种趋时的小调，站在穿衣镜前化装——她现在正画着眉毛。画好了，做个眉眼，觉得不如意，于是又着手修改。杨兴福，一个寄食在夏家的穷亲戚，蹑手蹑脚的上。

兴　福　（站在玛莉的身后，有顷）四姑娘——

玛　莉　（也许是因眉毛没画得如意，发了脾气）你这是怎么着？老瞅着人家忙的时候，来东拉西扯，这——要不得嘛！

兴　福　四姑娘要能够在忙里抽闲……

玛　莉　（这时眉毛已经画好了，很得意的）得咧，得咧，我忙是为了国家，又不是为我自己！咳呀！我可不能再耽搁时候了。（于是乎涂口红）

兴 福 发点慈悲吧！四姑娘！

玛 莉 修修好吧！杨先生！

兴 福 人家说，四姑娘手面广，上自将军，下至难民，都跟您混得很熟，今天这儿开会咧，四姑娘做主席，明天那儿宴客咧，四姑娘去演说，四姑娘，你以后要再演什么说，把我杨兴福三个字也演进去，管保就有我吃的了！

玛 莉 你瞧你这人，真有点俗不可耐，（但显然是被兴福的恭维弄和顺了。）我请你参加点意见，你看我的嘴唇，还像那爱神的弓吗？

兴 福 您别抬举我咧，连爱神的弓是个什么样子，我都没有见过！

玛 莉 哼！（专心的去涂左嘴角上的黑痣。不晓得从什么时候起，玛莉喜欢用一个手指头点在那颗痣上。这据有些人研究，是为了点什么，但为点什么呢？这只有玛莉自己知道。）真是个废物。

兴 福 （满腔郁闷）咱姓杨的也不是没阔过——

玛 莉 （不理）

兴 福 也一大把一大把的赚过大洋钱！

玛 莉 也不是一生下来就靠求人过活的，是不是？

兴 福 以前——

玛 莉 你在东北也玩过女人，赌过钱，抽过鸦片烟，是不是？这我都晓得了！

兴 福 （苦笑）也帮过穷朋友的忙呢！四姑娘！

玛　莉　天底下，我最讨厌你们这种人，大丈夫，要跌得倒，也爬得起来，国家到了这步田地，你为什么还不拿枪，上前线，去打鬼子呢？一天到晚的跟我缠来缠去，我才不管你这本闲账呢！

兴　福　四姑娘，你忘了我还有老婆，还有孩子，他们现在还留在南京受罪，连个音信都没有呢！

玛　莉　你简直是疯子嘛，疯子，我们家里现成的已经有了一个，这下又添上你！一个半疯子，可真够人受了！

〔这时候，正好是疯子悄悄地走进来。他也是夏家的一个穷亲戚。不过他是不是真穷，也没人晓得。说他穷吧，他可从没有向人借过钱，说他不穷吧，他可又老是到夏家来吃碗闲饭。他究竟一年到头做些什么事情，人家也不知道，他一忽来，一忽儿又去了。人家讨厌他，也不在乎，人家恭维他，他也未见得高兴。他只顾自己讲自己的傻话，惹得满座不欢，所有夏家的人，都叫他疯子。

疯　子　谁？是哪一位，成了半疯子！

玛　莉　这可有趣，讲着疯子，疯子就来了！疯子，我给你介绍个徒弟，你得好好训练训练他，他还没毕过业呢！

疯　子　毕业是文明词啦，四姑娘，你从什么地方学来的？

玛　莉　（不悦的）得咧，别又是这个老套子！

疯　子　老套子，我抱着你满街跑的时候，你难道忘了吗？

玛　莉　真是个——疯子！

疯　子　女大十八变，越变越混蛋哪！

玛　莉　快编讲义吧，好去传徒弟呀！

疯　子　徒弟，有这么一手，我可真得传给你。在这里正经人家，你可千万别讲老实话，一讲老实话，你就是疯子，你得学乖，装假，要能够骗人，那更好啦！

玛　莉　我可没工夫听你这种三字经，我听不惯这一套，我还得去开会呢！（于是她把手指点在那个痣上，做一个想的姿势）各界抗敌后援会是在四点钟，妇女慰劳会是五点钟，法大使招待会也是四点钟，职业妇女救亡协会是三点钟，劝募寒衣游艺大会筹备会是在两点半钟……

疯　子　泄气大会是在一点半钟，红嘴唇比赛小会是在三点二十分……

玛　莉　唉呀，你快别捣乱了，我的时间简直不够分配！（突然想起）唉呀，还有欢迎孙将军的大会呢，我怎么忘了。

疯　子　忘了倒好，省得孙将军看着你不顺眼！

玛　莉　孙将军是为国家受伤了，他这次到后方来，我们妇女界的领袖，是一定要向他致敬的！

疯　子　你还是别敬吧，你这一敬，小心他会炸了肺！

玛　莉　疯子！疯子！疯子！

疯　子　再叫三声，也不中用，叫满了一万声，你才认识疯子呢！

玛　莉　啊！糟了！那个欢迎会的入场券呢？

疯　子　丢了！

玛　莉　你怎么晓得？

疯　子　我猜嘛！

玛　莉　可真糟了！（于是又把手指指着黑痣，她用这手，总是恰当其会。）吴妈！吴妈！

〔吴妈上。

吴　妈　什么事？小姐！

玛　莉　欢迎会的入场券，你看见没有？

吴　妈　看见了！

玛　莉　哪儿呢？

吴　妈　这儿！（她于是取出一大捆来）

玛　莉　不是这些！

吴　妈　这不是十几个呢吗？这个？这个？这个？

玛　莉　都不是，我要那蓝底黄字的！

吴　妈　（找了半天）就是没有蓝底黄字的！

玛　莉　你去给我找呀！

吴　妈　已经丢了，怎么能找得着呢？小姐，我看您还是去开个别的会吧！您不是常常是这样的吗？

玛　莉　不，不，就是这个会重要，你去找，你去找！

吴　妈　这不是跟我为难吗？到哪儿去找呢？准是我扫地扫出去了，要是垃圾桶里没有，我可就找不着了！（下）

玛　莉　嗐！（赌气的坐在沙发上）

兴　福　（嗫嚅着）四姑娘——

玛　莉　我头痛死了，你少啰唆吧！

兴　福　你演说的时候，记住我杨兴福——

玛　莉　（大闹）走开，走开，走开——

〔吴妈上，见小姐生气，欲退。

玛　莉　吴妈！

吴　妈　您可别生气，垃圾桶里也没有，准是那拾破烂的王四给拾了去咧！

玛　莉　真倒霉！

吴　妈　丢了就丢了吧，这算得了什么呢？可是江先生来了！

玛　莉　他又来了，他又来了，不管刮风下雨[1]，他总往这儿跑，人家心里难过呢！

疯　子　听见没有，徒弟，四姑娘，这一刮风，说不定就要下雨了，现在趁着还没有起雷，你我还是躲一躲吧！

兴　福　四姑娘，记着，杨兴福，木易杨，兴盛的兴……

疯　子　享福的福，是不是？我看你只配受罪，小心四姑娘用雷殛了你。

玛　莉　请江先生！

〔疯子下，杨兴福也没奈何地下。

吴　妈　是！（下）

〔江云峰是个害忧郁症的人，心里想的常常跟嘴上说的背道而驰，结果是自己费了很大的劲，而别人还是莫名其妙。因此，他常常生自己的气，时间一久，竟至连别人带自己都觉得不可信任了。

云　峰　玛莉！

---

1 “刮风下雨”底本、校本均作“括风下雨”，当作“刮风下雨”。

玛　莉　（即使是自己真生气，但也由于习惯，把手指点在痣上了）啊，江先生，欢迎得很。

云　峰　（很窘的）你想不到我会来吧？

玛　莉　哪里，我正想着你呢！

云　峰　（更窘了）你一定想不到我会来的。

玛　莉　请坐吧！（指着自己身边的一把椅子）请坐在这儿来！

云　峰　不，我这儿很好！

玛　莉　你今天没事吗？比方说，开会——

云　峰　有是有一个会……

玛　莉　你又耽误工作了！

云　峰　嗐，我也想不来的，可是——别管我吧！

玛　莉　还是这个样子，老朋友，你该去养养病了！

云　峰　哪儿还能够养病，日本人一步比一步逼得紧了。

玛　莉　噢，前线上听说打得很激烈呢！

云　峰　听说，玛莉，你打算怎么样？

玛　莉　我呀，我誓与地方共存亡啊！

云　峰　那又何必呢？

玛　莉　你看我要不要现在立一个遗嘱呢？

云　峰　又没有儿子，立遗嘱干吗呢？

玛　莉　没有遗嘱那成什么话呢？万一我牺牲了，不是白搭了吗？

云　峰　万一你不牺牲，岂不是丢人吗？

玛　莉　万一不牺牲，那是侥幸，侥幸是我们大家都想不到的啊！

云　峰　也好，你的遗嘱要写好了，可以交给我，我给你去登个报！

玛　莉　啊，老江，你是太好了！

云　峰　（半天忧郁的）要能够去跟他们干一下也好！

玛　莉　（注意的）跟谁？

云　峰　有些人！

玛　莉　有些人是谁呀！快告诉我，你晓得我是愿意知道的！

云　峰　这是一件秘密！

玛　莉　秘密呀，我怎么不知道？

云　峰　秘密嘛，你怎么能知道？

玛　莉　他们竟好意思不邀我参加呀！

云　峰　这事情你干不来的！

玛　莉　没有我干不来的事！

云　峰　这是要打仗的呀！

玛　莉　要穿军装吗？那太有趣了！我想了多久了，至于是少将，还是上校，我倒不在乎！

云　峰　这种打仗，是不能够穿军装的。

玛　莉　连军装也不穿，那成什么样子？我不赞成。

云　峰　有什么法子呢？是在敌人后方啊！

玛　莉　在敌人的后方吗？这倒奇怪了。是谁组织的？

云　峰　我也还不大清楚！

玛　莉　你瞧你这人，就这末泄气，唉呀，我顾了听你讲话把时间都耽误了，我可要去开会了！

云　峰　玛莉，你别误会，我是真不知道，并不是知道了不告诉你！

玛　莉　那个为首的你总该认识呀！

云　峰　就是他——弄得我莫名其妙！

玛　莉　连为首的都莫名其妙，那底下的群众就可想而知了！

云　峰　参加的人听说倒已经有了几百个，就是谁都不知道哪个人是领袖！

玛　莉　他这末神秘吗？

云　峰　可不是？只听说他是个了不起的人，有大本事，一向不肯露面，只在背地里活动！

玛　莉　这个人倒有趣！

汪云峰　也难怪他，汉奸这末多，要一走漏风声，事情就不好干了！

玛　莉　他们到底干些什么呢？

云　峰　他们是讲究实干的，他们组织起来，就要到敌人的后方去工作，把敌人的后方变成前线，让敌人没法在占领区内立足，使敌人越前进，越感困难！

玛　莉　我对那个领袖发生兴趣了，我一定参加，你介绍我参加好吗？

云　峰　你不是说誓守此地吗？

玛　莉　你这个傻子，死守此地和到敌人的后方去，还不是一样的为了国家吗？我希望那领袖真像你所说的，又伟大，又漂亮，又能干，又神秘，就像美国电影里的强盗一样，一下子，就端着两根枪站在你的面前。你想，我要能够跟这种人站在一块，够多有趣！

云　峰　有趣是有趣！

玛　莉　不只有趣，简直要成为历史的佳话呢！就凭了我跟他，一个英雄，一个——一个——我跟他一定会使后方的老百姓幸福的，那团体是什么名字？

云　峰　我已经说了，我还不大清楚。

玛　莉　我要找耿杰来，他也许比你知道的多一点儿！

云　峰　你未免想的有点过分了！

玛　莉　我要找耿杰，他在那儿？

云　峰　也许在孙将军欢迎会上吧！我想！

玛　莉　该死，我偏偏把入场券丢了！不过也不要紧，我会打电话找他的！

〔夏晓仓与沈树仁上。

晓　仓　树仁兄，请！请！

树　仁　不客气，不客气！

玛　莉　爸爸，我告诉你，我就要到后方去了！

晓　仓　我正在准备，你看什么地方好？四川呢，还是香港？

玛　莉　不，我不到咱们自己的后方，我要到敌人的后方！

晓　仓　鬼话！

云　峰　玛莉，你可别乱讲，这是非常秘密的！

玛　莉　哦，爸爸，这是非常秘密的。

晓　仓　鬼话连篇！

树　仁　晓仓兄，你也不能这样说，他们是有他们的道理的！

玛　莉　爸爸，我这就要和你商量，我现在先去打个电话！

云　峰　玛莉，我要走了！请你打电话的时候小心点，这个消息是很秘密的！再见，夏老伯！

晓　仓　再见，玛莉，送送江先生！

玛　莉　我送你几步。

〔玛莉与云峰下。

树　仁　令爱对救国工作，倒非常热心呢！

晓　仓　不过如此！俗话说，老马识途，更何况自己的女儿呢！我倒不担心她。

树　仁　那么，你担心谁呢？令郎么？

晓　仓　迈进这孩子，脾气倒很古怪，他不像他的姊姊，是说干就干的！现在虽然还老实，将来恐怕要靠不住！所以我想快点把他们送到后方去，省得将来麻烦，树仁，你看怎么样，到四川呢，还是香港？有人劝我们到四川去躲一躲，不过汉口一失，重庆也免不了要被轰炸；到香港呢，欧洲局面这末紧张，万一打起来，也还是糟糕；只有昆明最保险，就是偏僻一点，我这些家当，搬起来也不容易！

树　仁　你的生意近来怎么样？

晓　仓　可就是说啊，生意是好极了！金价一个劲的涨，不瞒你说，我那个金店，这个月就很赚了点钱！

树　仁　其实日本人来了，也不是没买卖做！

晓　仓　还做买卖呀！他们抢都抢光了！特别是我这一行，金子啊，谁看着不眼红！

树　仁　我不是这个意思。俗话说，时势造英雄，趁这年月，不好好赚他几笔，可真成了傻瓜了！

晓　仓　可不是说嘛！就是心里发慌，你想亲戚朋友差不多都走光了，万一真有个三长两短，可怎么办？

树　仁　要是为了国呢，那自然又是一说，要是为了自己呀，我现在倒有一票生意！

晓　仓　怎么，要打点金首饰吗？这也没什么稀奇！

树　仁　你存货多不多，比方说金子跟银子？

晓　仓　这话可很难讲！

树　仁　我说话也许有点冒昧，不过听说你们贵同行，很有些人把金子往香港运，是不是？

晓　仓　这个——我可不大清楚！

树　仁　（狡猾的）晓仓，你太见外了，这种事情，你还有不大清楚的吗？

晓　仓　路倒是一条发财的路，不过——我是没干过！

树　仁　（有深意的）晓仓，天下的人没一个傻子，谁干谁不干，大家心里是有底的！

晓　仓　你这话是什么意思！

树　仁　没有什么，我不过是想跟你谈笔生意！

晓　仓　谈生意用不着这一套。我老实告诉你，做生意的人是不讲交情的！

树　仁　我并不是想靠了交情，找你的便宜。我不过是告诉你我们谁都有点小秘密，不愿意人晓得的！

晓　仓　哼！

树　仁　那是犯法的啊！

晓　仓　（想了半天，终于没有发作。）树仁，你要是缺钱用，到我柜上拿过三百两百的，我倒不在乎，你也用不着拿这种大帽子来压我！

树　仁　哈哈，你把我沈树仁看成什么人了！好吧，我跟你打开窗户说亮话，我想介绍你一笔生意，不过这生意上有个道德问题，就是大家要守秘密，我想既然我们每个人都有点秘密，那就只好彼此关照了！

晓　仓　笑话！我空手起家，能够做到现在这地步，全凭了信义。我就是看不惯那种笑面虎，嘴上一团和气，暗地里却踢人一脚！

树　仁　那么晓仓，我们一言为定！

晓　仓　我总不会卖朋友就是了！

树　仁　现在市面上的金子是个什么价钱？

晓　仓　要是卖出呢，一般的市价是两百换，心要是狠一点，也许可以做到两百四十换。

树　仁　现在有人要收买市面上的金子，可以出比市价高一倍的价钱。

晓　仓　干什么，疯了吗？

树　仁　因为有急用！

晓　仓　是不是为了欧战？

树　仁　这一层，你无须知道。

晓　仓　但是，摸不清头路的事，我不干！

树　仁　好吧！告诉你也不要紧，要到国外买军火。

晓　仓　买军火由政府负责呀！

树　仁　一切你都不要管，我只问你愿不愿意做这笔买卖，这是于我们大家都有好处的。

晓　仓　但是我要知道那对手是谁！

树　仁　我也是帮朋友的忙！

晓　仓　那朋友是谁？

树　仁　是——（正在这时候，玛莉上，树仁也就急忙的停止了）

玛　莉　爸爸，我电话打通了，我到敌人的后方去，就要到敌人的后方去，我这就要去了！

晓　仓　真是莫名其妙！

玛　莉　还有更神秘的呢，跟我们一块儿去的，有一个不露面的英雄，他是军队出身，还是绿林出身，没人知道，只知道他个儿很高，样子很好，两手打枪，山崖上跑马……

晓　仓　（不耐烦的）咐，咐，咐，现在可不是讲笑话的时候哇！

玛　莉　他就是这团体的领袖呢！

树　仁　（在玛莉讲的时候，他就已经非常注意了）什么团体？

玛　莉　对不起，这是要守秘密的！（幻想的）他从来也没爱过女人，只是有一次，他可真的动了心了……他大概有三十几岁吧，老百姓都崇拜他，日本人都怕他，我们就要把后方的老百姓组织起来，给敌人一个顽强的打击了！

树　仁　他现在在此地吗？

玛　莉　这，我也不能告诉你。——并且，爸爸，孙将军，就是那使得日本鬼子胆战心惊的孙将军，要亲自到我们的劝募寒衣游艺大会呢！

树　仁　他答应了吗？

玛　莉　那自然啦！他也许当场讲演呢！

树　仁　你们的游艺会就要举行吗？

玛　莉　那自然，天已经冷了，前线上的战士还没有寒衣呢！

树　仁　（有意义的）如果需要我的话，我很愿意参加！

晓　仓　你倒有兴致和他们小孩子鬼混！

树　仁　也要替国家做点事才对，我们报国的机会实在太少了，四小姐，我一定参加！

玛　莉　那我们也一定欢迎。

〔夏迈进上，这是一个十八九岁的青年，纯洁热情，对于一般的社会现象，异常不满，但自己却也不晓得怎么干才好。因此，他便寻求书本子的安慰，读书成癖，现在，他也仍然夹着两本书。

迈　进　（向屋内招呼）爸爸，沈先生。（接着，是一片沉默，便自己随便坐下，展读臂下的杂志。）

玛　莉　（不满的）看你这孩子，就是这末冷冰冰的，中国人要都像你，亡也就快了！

迈　进　（反攻）你倒很热，可也没见你干出什么事来！

玛　莉　呀，我忙都要忙死啦！——

迈　进　白忙，瞎忙，也可以说，无事忙！

玛　莉　看这孩子，就是不学好！

迈　进　你讲话当心！

玛　莉　我怎么不当心啦，我怎么不当心啦！

晓　仓　（不耐烦的）又吵嘴，又吵嘴！

树　仁　迈进也是太肝火盛了！

迈　进　哼！我才不肝火盛呢，我不过瞧不惯这样子罢了！国家到了这地步，大家还在那儿讲空话，要干，就干，不干，就别乱讲！一天开上十次会，一个会讲上十句话，那不是放屁吗？

玛　莉　（大怒）你这是说谁？

迈　进　谁有这个毛病我就说谁！

玛　莉　（方欲发作，忽然意识到这是在客人面前，而在客人面前发脾气，又是与她的身份不合的，便忍下去。）我现在没工夫跟你吵，你反正吃饱了饭没事干的！

迈　进　我不干就不干，要干点实际的，不像你，一天到晚的没事忙！

树　仁　（开玩笑的）迈进兄，你人小嘴可是硬啊！

迈　进　我心比嘴还硬！

玛　莉　沈先生，你别看他人小，可一肚子的坏心眼，就因为我比他多做了点事，他心里就不舒服了，要依着他呀，顶好是把全世界的女人都锁在厨房里！

迈　进　（跳起来）你这是什么话！不管是我的姐姐还是别的人，能够实干的我就佩服，只讲空话的我都认为胡闹。比方，韦明——

玛　莉　又是韦明！

迈　进　是的，因为我认识的女人，只有她是顶好的！

玛　莉　是呀，因为是顶好的，就难怪你韦明韦明的叫的那么甜了！

迈　进　我不准你讲这种话！

玛　莉　是侮辱了那梦里情人了吗？

迈　进　你凭良心讲——

玛　莉　凭我的良心讲，你打错了主意了，韦明爱耿杰，你是白费了心机！

迈　进　你懂得什么是爱？

玛　莉　是呀，我不懂，只有那害单相思的人才懂呢！

迈　进　滚你的吧！

晓　仓　（不悦的）迈进，不准你作声了！你从什么地方学来的这些下流话，不是“滚”就是“屁”，越来越不成样了！

迈　进　你不懂！（以书蒙上脸，不语。）

晓　仓　树仁兄，我们方才谈的事情，我又考虑了一下，我觉得这事情——

树　仁　（急忙阻止他）这个事情只有我们两个人才好谈，让我们慢慢的商量吧！现在，四姑娘，你可以把游艺会的情形告诉我一点了，我既然也参加了一份，就希望能够多做点事情。比方说游艺会都有了什么节目？准备募多少件寒衣？怎么样送到前线去？参加的都是些什么人？孙将军是每场都来呢？还是只在开幕那一天？在什么时候？（正在这时候，吴妈持一名片上，交给玛莉。）

玛　莉　耿杰，啊，他来了！

树　仁　（注意的）耿杰，这名字倒怪熟练的！

玛　莉　就是迈进的情敌啊！

迈　进　（轻蔑的在沙发里摇动着）哼！

玛　莉　不过迈进，你可别介意，我邀他来，并不是存心跟你为难，我是有——

迈　进　（截住她）算了吧！

玛　莉　你一定要这样，我有什么法子呢！

〔耿杰上，这是个二十七八岁的青年，衣服简单，却很整洁，态度谦虚，却很冷静。因为过去在生活上有过很多的折磨，所以就面容上推测，倒像三十以外的人。他讲话的时候，常常用商量的口吻，但商量里面，却有一种类似命令的东西。

玛　莉　让我给你们介绍，沈树仁先生，一个募寒衣运动的新同志，耿杰先生，我的父亲，我的弟弟你是见过的。怎么，你是从欢迎会上来吗？孙将军的伤怎么样？

耿　杰　孙将军吗？伤是很重，不过精神很好，真不愧一个民族英雄！

树　仁　听说他就要回前线是不是？

玛　莉　那怎么会呢？起码也要养好了伤啊！

耿　杰　不，他等不到伤好，就要回去的！他说，前线的弟兄们，有比他受伤还要重的，都没有退下来，他这点伤实在不算什么！

晓　仓　要是大家都拿孙将军做个榜样就好了！

耿　杰　但是孙将军却很谦虚的说，他是以大家做榜样的，在前线，他只能算个学生。这恐怕也是实际的情形，前线的弟兄们，没一个是怕死的。

树　仁　前线的牺牲也太大了！

耿　杰　是的，他们都为了保卫我们老百姓，保卫我们的安全牺牲了。可是我们究竟为他们做了些什么呢？一点什么也没做，安慰是没有的，救济是没有的，……他们有的是南方人，有的是北方人，有东三省人，有云南新疆四川人，有蒙古人，有回族人，也有满族人，他们都为了我们这些同宗同教乡亲邻里在前线上拼命，可是我们——啊，对不起，因为方才遇见了孙将军，心里很难过，话又说多了。

玛　莉　不要紧的。你已经请好了孙将军到我们的游艺会讲演吗？

耿　杰　是的，希望能够借了他的力，多给前线的将士募几件寒衣。

玛　莉　那一定会的！

耿　杰　假使后方的老百姓，能够为前线的将士们想想，那就好了！

玛　莉　其实只是想到，也还是不够的！我们要跟他们一道儿干，老耿，从前人们都讲我只说话，不做事，现在我却想轰轰烈烈的干一下！

耿　杰　怎么？

玛　莉　不是说有一个团体要到敌人的后方去工作吗？

耿　杰　这是——谁说的？

玛　莉　江云峰告诉我的！

耿　杰　他怎么知道的？

玛　莉　你无须隐瞒，这儿都是自己人，沈先生呢，是寒衣运动的同志，爸爸和弟弟也绝不是汉奸！

耿　杰　我倒不是这意思！

树　仁　我们这儿的人都是靠得住的！

玛　莉　老耿，我要参加这个团体！

耿　杰　你吗？

玛　莉　我决心了！

耿　杰　我看不大合适！

晓　仓　对啦！我也是说，不大合适！

玛　莉　因为我是女人吗？

耿　杰　倒不是这意思，我怕你吃不了这个苦。况且随时都会被敌人捉住枪毙的！

玛　莉　吃苦，我不怕，枪毙我更不怕！

晓　仓　玛莉，这可不是说着玩儿的！

耿　杰　比方说，要你剪掉头发，你做的到吗？

玛　莉　做得到！

耿　杰　要你穿起乡下人的粗布衣服，你做得到吗？

玛　莉　更做得到了！

耿　杰　要和乡下人混在一道工作，晚上，要随便在什么地方都能睡觉，也许是供鬼神的土地庙，也许是又臭又脏的芦苇坑，白天，要能够跑一百里路，也许一点水都喝不着，也许只能啃几片硬窝窝头，这些你都做得到吗？

玛　莉　做得到！

晓　仓　况且日子一久，没有衣服换，就要生蚤子的！

玛　莉　这个——我也不在乎！

耿　杰　好吧，你明天就出发。

玛　莉　（吓住了）明天——就要出发？

耿　杰　是的！我负责介绍，他们现在也很需要人，先锋队已经出发了！

树　仁　到什么地方呢？

耿　杰　对不起，这个，连我也不知道！

玛　莉　但是——为什么要明天呢？

晓　仓　是啊！我看你是去不成！

玛　莉　明天，连准备都来不及呀！

耿　杰　既然决心了，还要什么准备呢？要是半夜里给日本人包围了，你还要准备上一年吗？

玛　莉　可是——我还要主持游艺会呀！

耿　杰　别人会替代你！

玛　莉　韦明吗？

耿　杰　也许是韦明，也许是别人！

玛　莉　但是——总要见见那团体的领袖，那个不露面的英雄啊！

耿　杰　他并不是英雄，他跟我们是一样的人，到时候，你自然会见着的！

玛　莉　但是总要见见本人，才放心啊！

晓　仓　你看，她已经不准备去了！

迈　进　（非常激动的跑到耿杰跟前）耿先生，要是真有这末一个团体，我去！

玛　莉　你说什么？小兄弟！

迈　进　请相信我！我去！

晓　仓　迈进，我是不喜欢你也跟着你姐姐胡闹的！

迈　进　请介绍我，我去！

玛　莉　他是讲笑话的！

晓　仓　耿先生，他在讲笑话，别理他吧！

迈　进　我马上可以给你证明，我并不是讲笑话，你相信我是讲笑话吗？

耿　杰　（感动的）不，我相信你是在讲真话！

晓　仓　我不准你去。

迈　进　等到把日本人打跑了，爸爸，你再对我说这句话吧。

晓　仓　但是耿先生并不是日本人！

迈　进　耿先生，为什么要扯上耿先生？

晓　仓　我知道你是跟你姐姐赌气，傻孩子，她是说着好玩，你却当了真了！

迈　进　不，我为什么要赌气呢？再傻的人也不会拿命来赌气的！

晓　仓　那末，你是真的了！

迈　进　我明天就走！

玛　莉　你怎么可以，你还是个孩子啊！

晓　仓　耿先生，你看这就是你到我家里来的结果！

迈　进　为什么又扯上耿先生，我告诉你，你再扯上耿先生，我马上就走——

晓　仓　（大怒）你敢，好孩子，养了你这们大，倒学会了这一套了，你忘了你是吃谁的饭长大的！

迈　进　不管吃谁的饭，我这个人是属于国家的！

晓　仓　好，好儿子！你说的好，你忘了谁是亲的谁是近的了！

迈　进　再没有人比国土更可亲更可近的了。

晓　仓　什么？养了你这末大，你连一点感激的意思也没有吗？

迈　进　我是一个中华民国的国民，并不是你的私产。

玛　莉　你不是疯了！

迈　进　没有人能够阻止我救祖国的决心，没有人能够劝解我对日本鬼子的仇恨，爸爸，你也不睁开眼睛看看，这是什么时候了！

晓　仓　给我滚，你给我滚！真把我气死了！我一辈子都不要看见你，让你去被日本人给宰了！（他摇摆着向内室走去。）

树　仁　你看，怎么生这末大气呢？气坏了可怎么好，回头我们还要谈生意呢！

晓　仓　我不干，我不干，那鬼鬼祟祟的生意我不干！（下）

树　仁　我去劝劝他，玛莉，你也劝劝迈进，别这末小孩子脾气！

玛　莉　你看你这孩子，快去给爸爸赔个礼吧，你只要说声不去，他会一切都忘了的！

迈　进　赔礼是可以的，不去，我却不干。

玛　莉　这可怎么好啊，老耿，你看这可怎么好呀！

〔大家默然。

〔杨兴福急上。

兴　福　（满头大汗）四姑娘，疯子说，你不肯给我介绍工作。……

玛　莉　去，去，人家越有事，你越在里面搅。

树　仁　这位是——？

兴　福　你多提拔吧。我叫杨兴福，木易“杨”，兴盛的“兴”——

玛　莉　少废话，他是——我们一个穷亲戚，住在我们家里谋事的。

树　仁　（忽有所触）谋事吗？

兴　福　对啦，我从前在东北——

玛　莉　你少说句行不行？

树　仁　要是不怕钱少呢，我倒正缺个书记呢，明天请到舍下，一块去吃点便饭。

疯　子　（急追上）徒弟，徒弟，你怎么跑了——？出了什么毛病了？

玛　莉　去，去，这儿没有你疯子的份！

耿　杰　迈进要到敌人的后方去。

疯　子　到敌人的后方去啊？

耿　杰　是的，他们父子冲突了。

疯　子　好啊！迈进，好志向啊！

玛　莉　可是老耿，你不能把那个领袖，把那个不露面的英雄介绍给我吗？

疯　子　你为什么要认识他呢？

玛　莉　你不用管，我要认识他。

耿　杰　要认识他是容易的，他就在我们旁边，在我们大家伙的旁边，是你，是我，也许是他，是个极平常的人，你也许天天看见他，可是并不知道他，在现在，这样的人是多得很的。

玛　莉　就在我们大家伙旁边，我也许天天看见他，是谁？是谁？是谁呢？

疯　子　是鬼！

玛　莉　疯子！

——幕急下

第二幕

时　间　第一幕后二日。

地　点　一古老的办公厅。

人　物　刘瞪眼　杨兴福　邓疯子　韦　明　耿　杰

沈树仁　张丽蓉　瑞　姑　范乃正　玛　莉

景　一古老的厅堂，——是团体里的办公室。从正面进来，墙壁剥落，凋零不堪，使人怀疑是破庙改成的。左方有条几，上堆服装道具等件，右有写字台，是办公的地方。

〔开幕时，刘瞪眼正跟杨兴福检点舞台上的道具跟服装。瞪眼报数，兴福记账。

瞪　眼　马靴，四双！童子军服，十二套！工人服，十套，伤兵服，四套，绷带，一大捆，记呀！怎么着，睡着咧！

兴　福　……

瞪　眼　（拍桌子）睡着了吗？你……

兴　福　（突然惊醒）啊……

瞪　眼　（瞪眼）你到底记了没有？（他把那簿子取过来，看了一眼。）真要命，全记错了！马靴不是马蹄，童子军不是童子鸡，又不是下馆子，用的着你点菜呀！

兴　福　我心里尽想着昨天的事，别管我吧！

瞪　眼　你想着昨天，我可是想着后天，后天戏就要上台了，要大家都不管，那可只有大家坍台了！

兴　福　我心里乱的很，一点精神也没有！

瞪　眼　（动了肝火，本想发作，看了看兴福那副脸色，又软下来了。）杨先生，不是我说你，你这样子怎么行！从你到这儿帮忙那天起，我没见你笑过，老是这么垂头丧气的，像死了人似的，一个人心思想的太多，就会生病，就会——

兴　福　就会死，是不是！我愿意死！

瞪　眼　杨先生，你这种话，我可不爱听，要是你连活着的勇气都没有，还救什么国呢！

兴　福　瞪眼……（觉得不大客气，马上改嘴）对不起，你贵姓是——

瞪　眼　我姓是姓刘，可是他们都管我叫瞪眼，没关系，你就叫我瞪眼好咧！

兴　福　刘先生，你不晓得我多难！

瞪　眼　我怎么不晓得，全团的人都听玛莉说过咧，你的孩子老婆，还都在南京，生死不明，是不是？

兴　福　（望了瞪眼一眼）刘先生，你不明白我！

瞪　眼　我怎么会不明白你呢？我太同情你咧，全团的人没一个不同情你的！

兴　福　也许——将来你们明白了，会恨我的！

瞪　眼　不会，不会，孩子老婆全在南京，这也不能怪你呀！

兴　福　嗐！——到那时候，你们就不会说这种话了！

瞪　眼　（半天）你这个人，可真是有点怪！那时候的事，说它干吗？我们还是赶快把服装道具清理出来吧！

兴　福　（没奈何的点了点头）

瞪　眼　马靴，四双！童子军服，十二套！工人服，十套！伤兵服，四套！绷带，一大捆！奶罩……把这个给你，交给玛莉，我没工夫替她保管这个！

兴　福　这是什么？

瞪　眼　什么？问玛莉去！（不放心的看了一眼）你没记错吧？女衣，一件！救护队服装，八套！记好了没有？

〔疯子悄没声的上。

瞪　眼　（接下去）手枪，两杆！步枪，十一支……

疯　子　忙啊！二位！

瞪　眼　（吓了一跳）武装带，二套！炸弹，七个！

疯　子　炸弹什么样，我瞧……

瞪　眼　别动！

疯　子　（已经把炸弹拿在手里了）这是真的，还是假的？

瞪　眼　（向兴福）记呀，你，国旗一面，指挥刀三把，大鼓一面——

疯　子　大鼓干什么用？

瞪　眼　（没好气的）敲的！

疯　子　（敲鼓）倒顶好听！

瞪　眼　（把鼓槌夺过来）隔壁在排戏呢！你疯了！

疯　子　我可不是疯子，我自己倒觉着很机灵，人家可都叫我疯子，疯子就疯子吧，有什么法子！

瞪　眼　疯子，这儿没你的事，别在这儿捣乱，行不行！

疯　子　瞪眼，你想暴动吗？

瞪　眼　暴动？什么意思？

疯　子　你看你又是手枪又是炸弹的！

瞪　眼　这是戏用，都是假的！

疯　子　我说呢，要是真的，可完了蛋了！

瞪　眼　你看你把东西都给我捣乱了！

疯　子　二位看见范乃正没有？

瞪　眼　你自己没有腿，没长眼睛？

疯　子　我人生地不熟，怕找错门儿！

瞪　眼　真要命，跟我走！

疯　子　你看，这不结了，早带我去，也省我跟你搅！

瞪　眼　你是存心跟我搅哇！

疯　子　您多费心吧！伙计，跟我疯子打交道，总没你的当上，（向兴福）回头见哪，徒弟？

瞪　眼　他怎么会是你的徒弟！

疯　子　你要看着眼红，也磕头拜师好了，价钱还公道，请我吃一顿饭就行了！

瞪　眼　走吧！你个疯子！（二人下）

〔兴福把东西略为整理了一下，就待在一边出神，半天，叹了口气，唱起来了。心中有事酒……

〔沈树仁仓皇的上。

树　仁　兴福你呀，一个人，谁也不在这儿！

兴　福　（急忙站起来）沈先生！

树　仁　坐下，坐下，不，坐下吧！天快下雨了！

兴　福　（向窗外望了一眼）外面老高的太阳！

树　仁　哦！我说什么来着？我忘了一句话，我说了一句什么话？

兴　福　你说天快下雨了！

树　仁　瞎说，我又不是疯子，我怎么能——我心里有事！你说什么？

兴　福　我没说什么！

树　仁　你说了你说——

兴　福　我说外面老高的太阳。

树　仁　那没关系，没关系，我总得想个办法，我要想个法子。

兴　福　沈先生，你怎么咧，你看起来神色很不好！

树　仁　是吗？大概不很好……兴福就你吧，你替我办件事！

兴　福　（为难的样子）沈先生我想——

树　仁　（从他的神色里，洞知了一切。）你想什么？你碰了鬼了！

兴　福　沈先生，你要愿意，我想把昨天你给我的钱还给你！

树　仁　还给我？说的倒容易，那钱又不是我的，还给我有什么用！

兴　福　不管钱是谁的，我都不要了！我杨兴福现在是穷了，从前也阔过。老祖宗虽说没做过大官，可也没缺过德！不能说到了我这一代，因为穷，就……

树　仁　兴福，放明白点！谁的祖祖世世都做汉奸，这也是事情挤的，叫作没法子，只好大家硬着头皮干下去了！

兴　福　（爆发了两日来的积郁）不，我不干，我不干，我姓杨的这一辈子没关系，我不能玷辱我的祖宗，连累我的儿子呀！

树　仁　（威吓的）你不干，别跟我说！

兴　福　跟谁去说，你告诉我，跟谁去说？

树　仁　你一定要知道吗？

兴　福　我要知道，我怕什么，跟谁去说我也不怕！

树　仁　跟那——黑字二十八！

兴　福　黑字廿八，他是谁？

树　仁　他是个刽子手！中国人的死对头，没人认识！

兴　福　他在哪儿？

树　仁　没人晓得！

兴　福　他在哪儿？我要把钱还给他！

树　仁　还钱容易，还利息可就难了！

兴　福　他要多少利，我给他去借！

树　仁　这利息用不着借，现成的就有！那就是你的头，跟你孩子老婆的命！

兴　福　我的头，跟我孩子老婆的命！

树　仁　（冷酷地）你想想吧！

兴　福　（呆呆地）我的头跟我孩子老婆的命！

树　仁　哼！他要绝你的种，断你的后，挖了你祖宗的坟！

兴　福　（大恸）瑞姑……瑞姑……我的孩子啊！

〔沈树仁冷酷的看着他，半天渐由冷酷装作虚伪的同情，温柔的。

树　仁　兴福，又何必这么伤心呢！我比你也好不了多少，大家吃了这碗饭，也只好死心塌地的干下去了！说不定将来有一天……

兴　福　别管我，别管我吧！

树　仁　事情总要做的，你这样子，于自己又有什么好处呢！

兴　福　瑞姑她们[1]在南京受罪，我却在——

树　仁　俗话说得好，吃得苦中苦，方为人上人。现在吃点儿苦，算得了什么？说不定日本人打进来的时候，你我都能够飞黄腾达呢！

兴　福　哧！

树　仁　到那时候，连地方都是我们的了，还怕瑞姑不跟着享福吗！

兴　福　沈先生，你不知道我……

树　仁　我知道，我知道——（突然的）可是兴福，你倒是给我去做件事呀！这算你私人帮我个忙，很容易，一点也不费事，你只要到门口去走一趟就行了！

兴　福　干什么？

树　仁　到门口去瞧瞧，瞧瞧那个人还在那儿不在？

兴　福　谁呀！

树　仁　靠左首，大概廿步左右，一根电线杆子[2]底下，有一个人！他大概五十左右吧，穿得很破乱，像难民，也像要饭的花子，个儿不高，身体很胖。一见了人，他那两只眼睛……（打了个冷战）他为什么有那样的两个眼睛呢，那眼睛是让

1 “她们”底本、校本均作“他们”，当作“她们”。

2 “电线杆子”底本、校本均作“电杆线子”，当作“电线杆子”。

人胆寒的！

兴　福　他要是不在呢？

树　仁　他现在一定还不会走！要不在那根电线杆子底下，也一定就在左近的什么地方，他嘴上还有几根胡子，很好认的！

兴　福　我见了他怎么样呢？

树　仁　你见了他，就回来告诉我！

兴　福　没什么关系吗？

树　仁　一点关系都没有，你放心吧！

〔兴福犹疑的下。

〔沈树仁一个人在屋子里走来走去，仿佛心神不定的样子。他一会儿显出倾听的神气，一会儿又焦躁的搓着两手。最后他跑到摆服装道具的那儿去，弄弄手枪和炸弹，又翻了翻军衣和别的什么，及至听到了人声，就急忙的坐下来。

〔韦明和疯子上。韦明是一个热情的女性，她在热情里也些微还有点理智。这种理智，是由于多年的政治生活教养出来的，常常要被热情所淹没。

韦　明　（没看见沈树仁）邓先生，你是找乃正是不是？

疯　子　我要——（看见了沈树仁）找你！

韦　明　找我呀！

疯　子　自然哪，我问你一句要紧的话！

韦　明　（郑重地）什么话，邓先生！

疯　子　你可得老实的告诉我！

韦　明　邓先生，你干吗这么婆婆妈妈的，韦明说过一句假话吗？

疯　子　不准难为情！

韦　明　你怎么啦，邓先生！

疯　子　也不许撒娇！

韦　明　邓先生，我要发脾气啦！

疯　子　你什么时候跟耿杰结婚？

韦　明　（料不到是这样一句话，吃惊的）邓先生！你看你开的是什么玩笑啊！

疯　子　结婚嘛，也是开玩笑。（突然掉过头来向树仁）天下没一个女人不会撒娇的，沈先生你说是不是？

树　仁　（也料不到有此一着，急忙站起来）对于这个，我没有研究！（和韦明招呼）韦小姐！

韦　明　（明白了疯子的用意）沈先生，我怎么没看见你？

树　仁　你竟惦记着听疯子的话了！韦小姐，你要结婚吗？耿先生可是个好人——

韦　明　听他瞎说！

疯　子　老沈，你为什么不去看排戏，可真有个意思！“……我把你个汉奸……”你别害怕呀，我这是给你学个样子，怎么样？韦明，表情还不错吧！

韦　明　沈先生，你别生气，他是我们这儿有名的疯子！

树　仁　（装作不在乎的样子）没有什么；我跟他开玩笑，开惯了！

疯　子　对咧，我昨天还跟你太太说咱们是老朋友呢！

韦　明　沈先生，你看他可不是越来越没样了！

疯　子　爱信不信，我昨天还陪你太太一块儿吃饭呢！

树　仁　那真不胜荣幸之至了！

〔耿杰匆忙的上。

耿　杰　韦明，你怎么躲在这儿来了？导演排戏没有人，已经在发脾气了！

韦　明　叫我有什么法子！

耿　杰　有什么法子，你是剧务啊！

韦　明　大家只拣那出风头的角色演，至于挨骂的，谁都不肯干，这叫我有什么办法？

耿　杰　没办法也得想办法呀！戏后天就得上了！

韦　明　汉奸为什么偏是男的，要是女的，就好办了！没人干我就自己干！

疯　子　你可以女扮男装啊！男人们看起来，你是个女人，女人们看起来呢，你变成了个男人，那不是两面光，大出风头吗？

韦　明　疯子，你真想拿我开心吗？

疯　子　说真的！怎么能到了今天角色也不齐，你们办事也太疏忽了！

耿　杰　所以呀，也难怪导演发脾气，他这次已经是再三地将就我们了！

韦　明　怎么办呢？我又不能凭空的变出一个人来！

树　仁　（听了半天，打定主意）不用你变，韦小姐，现成的倒有一个！

韦　明　谁？

树　仁　我！

疯　子　不行，你胆子太小，我不赞成！

韦　明　沈先生，你真的肯演——汉奸吗？

树　仁　只要是为了团体，我什么都肯！

韦　明　想不到——也好！耿杰，你看怎么样？

耿　杰　合适倒是合适！

韦　明　那么，就决定了！我们去征求一下导演的意见看！

树　仁　现在吗？

韦　明　现在！

树　仁　现在，不，——我在等一个人！

疯　子　你等谁？

树　仁　不关你的事！

疯　子　关谁的事？

树　仁　疯子！

〔外面刘瞪眼喊："有没有个姓沈的？"

树　仁　（注意）是找我吧？

〔刘瞪眼喊："姓沈的有没有？"

韦　明　（跑到门口）瞪眼，找谁呀？

瞪　眼　找姓沈的！

韦　明　大概是找沈先生的！

树　仁　（犹疑的）找我的！奇怪！奇怪！（下）

疯　子　（焦躁的）乃正为什么不来？

韦　明　邓先生，你找他究竟什么事？

疯　子　有点事！

韦　明　老邓，你未免太仔细了。

疯　子　不怪我仔细，是怪咱们这儿人太杂！

耿　杰　你可以打个电话，到他家里问问看！

疯　子　他难道这时候还在家里陪太太吗？不过——我去试试看。

〔跑下。

〔剩下韦明和耿杰，两个人仿佛都想讲点什么，但是讲不出，半天。

韦　明　空气多紧啊！

耿　杰　你是说前方的战事吗？

韦　明　也许是前方的战事，也许是别的什么。简直压得我们连喘口气的工夫都没有！

耿　杰　这样的日子你过不惯吗？

韦　明　不，我是太习惯了！我怕什么？我什么全不怕，不过——我有时候也爱胡思乱想，你说，一个人老胡思乱想多无聊！

耿　杰　那可真是无聊！

韦　明　你对这样的人大概不喜欢吧？

耿　杰　我不喜欢！

韦　明　没有例外吗？比方说要是我——

耿　杰　谁都一样！一个人要少胡想，多做事！

韦　明　难道我事情比别人少做了吗？

耿　杰　我没有这样说。——你自己说你老胡思乱想吗？

韦　明　我是说疲倦了的时候；……人总不是一架机器呀！

耿　杰　要是疲倦了，多睡一会就好了！

韦　明　（半天）耿杰，你说疯子多好笑！

耿　杰　他找乃正什么事？

韦　明　不晓得。我问了他半天，他不肯讲……疯子方才还问我——

耿　杰　问你什么？

韦　明　问你什么时候结婚呢！

耿　杰　我是不结婚的！

韦　明　是吗？

耿　杰　起码在抗战的时候不结婚！

韦　明　我也这末想！

耿　杰　你吗？

韦　明　不相信吗？

耿　杰　相信倒也相信的，可是你太热情了点！

韦　明　这话什么意思？

耿　杰　自然不完全是指结婚，对于工作，你也一样，你太容易冲动。

韦　明　可是你呢？你还不是一样？你常常跟乃正吵嘴。

耿　杰　不是我跟他，是他跟我。

韦　明　不管是你跟他，还是他跟你，结果都是一样的，你应该避免这个，这对于我们的工作，是很有妨害的！

耿　杰　我也晓得是很有妨害，可是——

韦　明　你看，这就是你的毛病！

耿　杰　我要尽量想法避免。

韦　明　算数吗？

耿　杰　算数！

〔沈树仁和张丽蓉（树仁太太）上。

树　仁　我当是谁，原来是我太太，让我来介绍，这是耿先生，这是韦小姐；韦小姐，我的太太对您的学问跟才干，素来是佩服得五体投地的。她想拜您做先生呢！

韦　明　不敢当！沈先生，那末等一会，就请你到排演室来吧！

树　仁　好，好，不过对于艺术，我可真外行啊！

韦　明　太客气了！（韦明和耿杰下）

丽　蓉　（看见韦明他们出去了，便焦急的跑到树仁身边）树仁，又出事了！

疯　子　（吃惊的）什么？——什么事？

丽　蓉　住在隔壁的江先生今天早上被人家给暗杀了！

树　仁　江大舌头吗？

丽　蓉　可不是！他有三天没回家了，江太太急的不得了。今天早晨，江太太听人说飞机场那边死了一个人已经两天了，还没人认尸，一副模样儿，好像江大舌头，江太太赶紧跑了去，可不是他男人？尸首都烂了！

树　仁　江太太晓得不晓得是给谁害的？

丽　蓉　听说是什么黑字——

树　仁　别瞎讲——

丽　蓉　那个黑字还送了封信给江太太！

树　仁　信上怎么说?

丽　蓉　信上全是些恫吓的话，叫江太太不准在外面瞎讲，要是不听，就一家子都要活不成——

树　仁　也太狠了!

丽　蓉　树仁!

树　仁　啊!

丽　蓉　你还不走啊?

树　仁　走!我走到那儿去呢?

丽　蓉　随便那儿，外国也好，香港也好，就是别再留在这儿了!

树　仁　你还不晓得，江大舌头就吃了这要走的亏了，他要是不想走，黑字也不会干掉他，吃了他这碗饭，一辈子就算完了。到处都有黑字号的人，他们随时都能要你的命，这——

〔杨兴福上。

兴　福　沈先生……

树　仁　怎么样?这是我的内人没有关系的!

兴　福　有一封信!

树　仁　信?

兴　福　那个要饭的老头子交给我的!

树　仁　(恐怖的)他——他交给你一封信!

兴　福　就是这一封!

树　仁　(接过了信)他怎么——他说什么?

兴　福　他说他是黑字廿八!

树　仁　黑字廿八啊?

兴　福　是的！

树　仁　那么，是他了，他自己来了！

丽　蓉　谁？他是谁？

树　仁　他就是——他怎么交给你的？

兴　福　我一出门他就跟上我了！起初他向我讨铜板，后来，他忽然捉住我的手，他说："你不是沈先生派来的吗？"我说："是的"，他说："把这封信交给他"：就是那封信！

树　仁　他还说什么？

兴　福　他说他是黑字廿八，要你小心点！

树　仁　（战栗的）要……我……小心点！

丽　蓉　（突然的）树仁！

树　仁　等一等！兴福，现在没你的事，我要跟我太太讲几句话！

〔兴福犹疑的看了他们一眼，下场。

丽　蓉　快，树仁，快听我说，马上捉住他，这对你是好的！

树　仁　蠢话！

丽　蓉　把他捉住，把那个黑字廿八捉住，这样你就可以自救了！政府一定原谅你的。

树　仁　你以为他是个小孩子呀！

丽　蓉　树仁，要错过这个机会，你要一辈子也不能翻身了！

树　仁　（半天）少啰唆！（看信）

丽　蓉　（哀求的）树仁，树仁求求你，捉住他吧！为了我，为了孩子们……

树　仁　（冷冷地）你想坏我的事吗？

丽　蓉　不，我为什么要坏你的事，我只要求你平安无事，别像江大舌头那样遭了人家的暗算就好了！

树　仁　你这种话，就分明是叫我快点死！

丽　蓉　树仁，你不知道我是怎么的担心——

树　仁　空担心有什么用！（看完了信折好，放在衣袋里。）

丽　蓉　那么告诉我信上说什么？不是又要你——

树　仁　是的！这件事倒很麻烦！

丽　蓉　不要答应吧！把信撕了，拿来给我，我把它撕碎就没有事了！

树　仁　笑话——好了，你别搅我——我要仔细的想一想！

丽　蓉　不，你不告诉我，我是不准你去干的！

树　仁　你真想——你晓得不晓得我们是在别人的地方，在这个地方，我还要偷——

丽　蓉　偷什么？偷什么？告诉我，你要偷什么？

树　仁　告诉你也不要紧，我要偷一种文件——

丽　蓉　什么文件？

树　仁　看你这个麻烦劲，天下的事就坏在你们女人手里！

丽　蓉　（歇斯底里的）是的，是的，是坏在我们女人手里，你怎么办吧！你怎么办吧！我不准你去偷，我不准……你的心，就这样狠哪！

树　仁　就是要走也得想个法子呀，光这么乱吵一会，济什么事？今天早晨，当我进门的时候，一个老头儿站在电线杆子底下，冲我打暗号，我晓得是又有了什么命令，可是我装作没看见，走过来了。你晓得怎么样？他那两个眼睛，就像两把利箭，恨不得立刻就把我宰了！谁在这种情形底下，都要打冷战的——这就是那黑字廿八，黑字廿八呵！你想得到吗？他就跟在我后面，我看不见他，他可看得到我，他随时都可以把我结果的！

丽　蓉　树仁，你难道就这末过一辈子吗？我真害怕，天天都是坏消息，今天某人被政府逮住了，明天某人又被黑字给干了，自从我知道了你吃这碗卖命的饭，我心里一天都没放下过，昨天邓先生还跟我说——

树　仁　哪个邓先生？

丽　蓉　（吃惊的）你不晓得吗？

树　仁　见鬼！我又不在旁边，我怎么晓得！

丽　蓉　他说是你的朋友，跟你约好的！

树　仁　我没有跟谁约过呀！

丽　蓉　这真奇怪……还在咱们家里吃过饭才走的呢！

树　仁　（恍然大悟）哦，哈哈，别是疯子吧？

丽　蓉　反正是你的朋友，谁晓得是疯子还是聋子！

树　仁　是不是讲话颠三倒四的？

丽　蓉　倒也不见得，跟我谈了半天呢！他说，战事这末紧，你们怎么不躲躲呀？你们又不缺钱，又不——

树　仁　听他的鬼话，他是个疯子，有名的吃白食的！

丽　蓉　树仁，你还是想个法子走吧！

树　仁　我正在这儿想法子，你放心，不出十天，不管黑字是多么厉害，总有法子逃出他的手！

丽　蓉　为什么还要等十天呢？也许在这十天里面，你要出什么事的！

树　仁　那不会，现在我手里只有两件事，一件就是刚才讲的偷文件，一件要跟夏晓仓做笔生意。

丽　蓉　树仁，你算了吧！还做什么生意呢！

树　仁　你不懂，这笔生意是跟平常不同的，我们要收买全中国的金子，要是这笔生意做成功，我们还怕什么黑字，可惜夏晓仓这个老家伙，太滑头，不容易上套，不过也不要紧，我已经买下一个人，这个人是他的亲戚，说不定有点用处！

丽　蓉　唉！这种日子，什么时候才能过完呀！

〔玛莉扯着韦明上。

玛　莉　（兴奋的）明姐，明姐，快来，快来，听我告诉你——

韦　明　什么事情？这样兴奋啊！

玛　莉　一个大秘密！

树　仁　一个大秘密呀？

玛　莉　你们都来听吧！我高兴死了！

韦　明　你快说吧！我还有事呢！

玛　莉　（张口结舌的）他，那个人，被我给找着了！

树　仁　谁？谁被你给找着了！

玛　莉　要死喽，还有谁？就是他呀！

树　仁　闹了半天，我还是莫明其妙！

玛　莉　那个——英雄，那个——首领啊！噢，我想我用不着说他的名字，你们也该知道了！

树　仁　什么？你把他找着了，在哪儿？

玛　莉　这我可不能告诉你，你知道，我要对他负责任，守秘密的！

韦　明　玛莉，快别瞎扯了！

玛　莉　为什么是瞎扯，你心里不大舒服是不是？他对我说了好多好多的话呢！

韦　明　（不感兴味的）玛莉，我可真没工夫听你这好多好多的话，我得走了！瑞姑还等着我呢！

树　仁　瑞姑？

韦　明　是的！你认识她[1]吗？

树　仁　不——也许我弄错了！

韦　明　那末我要去了！瑞姑邀我到难民收容所里去一下，你把你的大秘密讲给沈先生沈太太听吧！可是，沈先生，你见过导演了吗？

树　仁　我——还没有！

韦　明　怎么得了，他又要发脾气了！

树　仁　我就去！

玛　莉　（急忙地）你怎么能走，我话还没有说完呢！

树　仁　那我就等一回儿！

韦　明　那末，沈先生，你别再忘了啊！（下）

1　“她”底本、校本均作“他”，当作“她”。

玛　莉　（撇嘴）她到什么难民收容所，瑞姑也不过是个难民，用得着她这末关心？她因为那个英雄现在属于我了，在吃醋啊！

树　仁　瑞姑是个难民吗？

玛　莉　可不是难民？韦明顶会装腔作势了！

树　仁　她从什么地方逃出来的？

玛　莉　谁？

树　仁　瑞姑！

玛　莉　我不晓得！你干吗也这么关心？

树　仁　没什么！因为她恰巧跟兴福的女儿同名！

丽　蓉　树仁，我要回去了！

玛　莉　怎么？我的秘密还没讲完呢！

树　仁　是呀，玛莉小姐的秘密还没讲完呢！

丽　蓉　我要走了！孩子还得喂奶呢！我要不在家，娘姨一定会弄得乱七八糟的！

玛　莉　只要几句，只要几句好了！沈先生你猜怎么着？他顶漂亮，一点也不像我们想的那么丑，特别是眉毛那么一挺，嘴那么一绷，真是英俊极了！虽然受过伤……可都在腿上，一点关系也没有，他还指给我看了，说这是在什么地方受的伤，那是在什么地方受的伤，真可怜，你相信吗？我掉泪了！

〔疯子和乃正上。

疯　子　谁？谁掉泪了？

玛　莉　真倒霉，又是你！

疯　子　又是你——吗？沈大嫂——你也来了！

丽　蓉　我这就要走了！

疯　子　沈大哥！你不是要演汉奸吗？导演在等你呢！

乃　正　（范乃正是个四十一二岁的人，曾经参加过北伐，他很沉着，有胆略，但有时候却不免偏于固执。他认真，果决，但有时候却又不免武断。在这群人物里，他是最有威望的一个，大家都很尊敬他。）玛莉为什么掉泪？

树　仁　玛莉在讲她[1]的秘密呢！

乃　正　秘密？

树　仁　还是大秘密呢！

疯　子　大到逢人便讲了！是不是？玛莉！

玛　莉　哧，我总不至于跟你疯子讲，沈先生，你要见导演吗？我陪你去！

树　仁　好吧！范先生，再见！

疯　子　沈大嫂，你要走了吗？我回头去看你！

丽　蓉　不敢当！

〔玛莉、树仁、丽蓉下。

疯　子　（忽然回头向乃正）乃正，你怎么才来？

乃　正　我有事耽误了一会！

疯　子　那么，我就交给你了！

---

1 “她”底本、校本均作“他”，当作“她”。

乃　正　弄好了吗？

疯　子　都弄好了！

乃　正　交给我吧！

疯　子　（从口袋里掏出一捆文件来）这是全份，里面有一件是给上头的报告书，其余都是人名单跟实力调查表。不过已经出发的跟几个较重要的人名，我没写进去。

乃　正　为什么？

疯　子　因为谈起来话长，你有时间吗？

乃　正　你最好是告诉我！

疯　子　（严重的）乃正，我们的事情弄坏了！

乃　正　什么，你说？

疯　子　在我们的队伍里我发现了内奸！

乃　正　是谁？把他逮起来！

疯　子　我要知道是谁，也就好了！

乃　正　那么，坏了什么事情呢？

疯　子　我得到一种情报，说是日本人已经在封锁线上加急戒备了。你想，日本人有什么必要这末干呢？要光是这一点，也还不稀奇，在豫东，在鲁北，他们竟派遣了大批的政治警察，开始在民间搜查了，这种搜查说明了什么呢？在现在，他们要没有必要的理由，肯这样干吗？不，这完全为了对付我们。一定有内奸跟日本人通声气，日本参谋本部很晓得，要是他们在占领区内不稳定，他们的皇军一定在阵地上立不住脚，要是占领区里老百姓都武装起来向他们进攻，他们的皇军一定要溃败！所以我们的工作，他们是最怕的！

乃　正　那么，我们怎么防止内奸？

疯　子　我们必须除清内奸，防止是不够的！因为他们的毒液已经散布在我们的心脏，滋生是很快的！我们要一下子把他们清除掉！嗐，夏迈进他们今天早上走了，我怕他们通不过封锁线呢！

乃　正　有这样的严重吗？

疯　子　怎么，你不相信吗？

乃　正　我不大敢相信，因为当规定路线的时候，耿杰曾经很有把握的说这一线是最安全的！

疯　子　乃正，这是你的偏见，耿杰是不错的，他为他们规定路线的时候，那一线本来是很松懈，顶安全的！

乃　正　老邓，我们不要绕弯子，假如真有内奸，你究竟是怀疑谁？知道这事情的，只有你，我，耿杰，韦明，我们四个人。要是我们四个人靠得住——

疯　子　乃正，我懂你的意思，你知道不知道，在你的话里，起码已经陷害了一个同志，这是不好的，自己弟兄，要相互信赖，对于敌人，才需要真正的无情呢！我并不是说，我们的计划已经全盘泄露了，我不过是说，事情不很顺手，日本人已经有了风声了！

乃　正　那末，可见事情并不严重了！

疯　子　事情是严重的！从那一点风声里他们会探听出全部的计划来，现在唯一的事情，我们要晓得，在我们的周围，是不是真的有人暗算我们！

乃　正　你又讲笑话了！他既暗算我们，还会让我们晓得吗？

疯　子　假使我不是傻瓜，我总有法子知道他的！

乃　正　不过夏迈进他们这五个人，总不会有什么危险吧？

疯　子　乃正，最危险的，还是这个文件！我为什么不把重要的姓名填进去，你现在懂了吗？

乃　正　不，为什么？

疯　子　假如我们的估计是对的，那么，那个内奸一定会想尽方法来偷这个东西，因为只有这个东西到了他们的手里，才可以防止我们的敌人后方的活动！

乃　正　疯子，说老实话，你疑心谁？

疯　子　我疑心谁，我不能告诉你！（门外有响动）谁？谁在门外边？

乃　正　（很迅速的开了门，沈树仁正站在门边，一时他很慌乱，但立刻就本能地镇静了。他谦卑的鞠躬）谁？

树　仁　我，沈树仁！

乃　正　你干什么？

树　仁　（走进来，寻找）我丢了点东西，我想一定是丢在这儿。（他借了寻找的机会，很注意的看了那摆在桌上的文件两眼）怎么？怪事，也没有吗？

乃　正　（迅速的把文件放在皮包里）我怕你记错了地方了！

树　仁　也许是！怎么会不见了？奇怪，奇怪，——哦！范先生，你看我这个人多可笑？头脑子简直不中用了！

疯　子　（冷冷地）你的东西，也许根本没有丢吧？

树　仁　不，千真万确的丢了！咦，范先生有个新闻你听说了没有？跟韦明很熟的那女难民瑞姑，就是杨兴福的女儿！

疯　子　真是无巧不成书！

乃　正　什么，怎么这么巧？

树　仁　谁都不会相信的，天下竟有这种巧事！可是你不信吧？他们父女两个却真的相认了，现在还在抱头痛哭呢！

乃　正　见鬼！疯子，你想这里面会不会有什么花头！

疯　子　那可更不得了，成了花花世界了！

树　仁　不，这是千真万确的，瑞姑是兴福的女儿，才从南京逃出来的。唉！可怜的很，可怜的很！

乃　正　沈先生，劳你驾，请韦小姐跟那个瑞姑到这儿来一趟！

树　仁　你要看看她吗？长得很漂亮呢！（下）

乃　正　疯子，我们才讲到内奸，就来了个莫明其妙的人，这中间，怕有什么背景！

疯　子　也难说！

乃　正　也难说，什么意思？

疯　子　天下的事，也有偶然，也有巧合！

乃　正　我不相信！

疯　子　做事太武断了，会吃亏的！

乃　正　我们试试看吧！

〔沈树仁，韦明，耿杰，杨兴福，瑞姑上。

树　仁　范先生，你看，就是她！模样儿很不错，不是吗？

瑞　姑　（害羞的躲闪着）

兴　福　（伤心过后，已经是相当的兴奋了，推瑞姑）瑞姑，见见范先生，给范先生行个礼，你不是从小就爱给叔叔伯伯行礼吗？嘿嘿，这孩子还这末没出息，一见人脸就红。

瑞　姑　（行礼）范老伯！

兴　福　范先生，怎么范老伯！这孩子，就这末不知好歹！人家范先生会是你的老伯，真是——嘿嘿，范先生，你可别怪她，她才十四岁，一点事儿也不懂，什么事也不懂！

瑞　姑　（涨红了脸）范先生！

兴　福　（称赞的）唉，这就对了！（但看见范乃正冷冰冰的站在那儿，一语不发，不觉有点手足无措。）范先生，你说可是——碰着了，嘿嘿——站远点，小心你身上的臭味把范先生给熏着。

乃　正　韦明，这小孩子是什么人？

韦　明　（早已不满意他的态度）你难道不知道吗？

乃　正　是的，我还没弄清楚！

耿　杰　（也不满意）乃正，你好大架子啊！

乃　正　对那种来历不明的人，我向来是不留情面的！

耿　杰　（生气）你能说瑞姑——

韦　明　（截住他）耿杰——乃正，你这话什么意思？

乃　正　我的意思也很简单。现在前方的战事很紧，汉奸到处活动，我们团体里，不能让那些来历不明的人走出走进！

瑞　姑　（难堪的）爸爸，走吧！

兴　福　（按她[1]的嘴）别作声，范先生要生气了！

韦　明　乃正，我很佩服你，你的顾虑很周到，但是瑞姑，她是个孩子呀！

乃　正　孩子，也未见得靠的住！

韦　明　疯子，你觉得怎么样？

疯　子　我呀，爱怎么样就怎么样！——

耿　杰　乃正，你连孩子都怀疑呀？

乃　正　我不止是怀疑孩子，甚至于还怀疑我们自己，自己人里头，也难保就没有奸细！

耿　杰　你是不是——

韦　明　（截断他）乃正，瑞姑可是例外，我是很知道她的！

乃　正　你要是知道她，她也不至于今天才见到杨兴福——她[2]的爸爸了！

韦　明　瑞姑！

〔瑞姑欲步又止，非常胆怯的低下了头。

兴　福　去呀，韦小姐叫你！

韦　明　瑞姑，来，你怎么从南京逃出来的，怎么到了第四难民收容所，怎么认识了我，又怎么碰见了你的爸爸，统统讲给范先生听一遍。

瑞　姑　（正犹疑不决的时候）

1 “她”底本、校本均作“他”，当作“她”。

2 “她”底本、校本均作“他”，当作“她”。

乃　正　我没工夫听！

耿　杰　乃正，你也未免太过分了。

乃　正　我还没有过分到陷害同志那种程度！

耿　杰　（气愤的）乃正，你讲话要明白点！

韦　明　耿杰，不准你开口，乃正你的意思是：我们里面，有人陷害了自己的同志吗？

乃　正　大概是的！

韦　明　疯子，你晓得不晓得？

疯　子　我不晓得！

瑞　姑　（向兴福）爸爸，走吧，走吧！

兴　福　孩子，再等一等，范先生……范……

乃　正　（突然冷酷的）瑞姑！……你叫瑞姑吗？

瑞　姑　是……的！

乃　正　谁是你的爸爸？

瑞　姑　（畏缩的不敢答应）

乃　正　（进一步）你爸爸是谁？

瑞　姑　（用手指了指兴福）

乃　正　他为什么是你爸爸？

耿　杰　这真奇怪了！

瑞　姑　我……不知道！

乃　正　你怎么能不知道？

瑞　姑　他……就是！我……不懂！

乃　正　你是什么地方的人？

瑞　姑　南京！

乃　正　你爸爸呢？

瑞　姑　也是南京！

乃　正　怎么这末巧？

瑞　姑　我……不知道！

乃　正　你住在安徽什么地方？

瑞　姑　不，是南京！

乃　正　为什么不住在南京了！

瑞　姑　南京被日本鬼子占了！

乃　正　日本鬼子待你好吗？

瑞　姑　不，他们……把房子都烧了！

韦　明　乃正，你这样拷问一个孩子是有罪的！

乃　正　（更严厉的）你姓什么？

瑞　姑　姓杨！

乃　正　你爸爸姓什么？

瑞　姑　也姓杨！

乃　正　你妈住在什么地方？河南吗？

瑞　姑　不，也是南京！

乃　正　她在什么地方？

瑞　姑　（恐怖的）她在……

乃　正　你说！

瑞　姑　她在……她死了，被日本鬼子给杀了哇！（放声痛哭）爸爸……带我走吧！离开这儿吧！带我……妈……你在哪儿啊……

乃　正　算了，可疑之点也还是很多！

耿　杰　自然哪！在你的意思，最好是大家关起门来做皇帝！

乃　正　我是想关起门来做皇帝，可是你呢？你却陷害了几个同志！

〔大家哗然。

耿　杰　你说什么？

乃　正　我说你陷害了几个同志！

韦　明　乃正，你讲话可得负责任啊！

乃　正　我自然负责任！

耿　杰　好吧！拿证据来！

乃　正　你要证据吗？

耿　杰　拿来！

乃　正　（匆匆的在一个纸条上写了几个字）在这儿！

耿　杰　（看完了字，恐怖的）你可不能造谣啊！

乃　正　拿我的头来担保！

耿　杰　（匆匆的把纸条撕碎，丢在地下）谁身上有表，几点钟了？

树　仁　十一点三刻！

韦　明　你要干什么？

耿　杰　不要你管。

韦　明　难道是真的吗？

耿　杰　来不及了！（冲下）

韦　明　耿杰，耿杰，——（追下）

树　仁　想不到耿先生竟会——

疯　子　闭住你的鸟嘴吧！乃正，走，把耿杰追回来！

乃　正　他为什么跑了？

疯　子　把他追回来再说！（急拉乃正下）

树　仁　（把地上的纸条拾起来，展开）“夏迈进等正在途中遇险……”哼！（有决心的）总有一天，我叫你们认识认识我沈树仁！

——幕急闭

第三幕

人　物　陈　虹　丁　明　时昌洪　刘瞪眼　玛　莉

江云峰　韦　明　沈树仁　导　演　胡长有

瑞　姑　范乃正　杨兴福　张丽蓉　邓疯子

电灯匠　孙将军　新闻记者

景　幕开在××剧场后台的化装室内。屋内靠左（以观众左右为左右）横着一段突起一尺高的短走道，上有栏杆，走道之左，直通戏里面的“后台”，“后台”的工匠职员，穿梭似的跑上跑下，由隆起的走道右部走下来，取道具，拿衣服，煞是忙碌。台后靠右开一窗，看见外面的空场。右墙上开一小门，内为更衣室，有的演员从里面换好衣服走出来。在小门与走道栏杆之间，有一盏电灯照着，三两个后台职员整理物件。右前方有一把破沙发，沙发上放着报纸。台左在那隆起的走道前面立着一张化装桌子。吊起的电灯，用黑纸罩着，光直射在围桌化装演员的脸上，台前左墙挂着许多红红绿绿的衣服。台中偏右有一根柱子，上面贴着许多后台职员注意点的告白，上面乱涂着过往的剧目伶人字迹，布景内和其他的墙壁一样零乱，现在又加上了很整齐的标语。瞪眼正试验戏中即将应用的“效果”，两手不断的敲着军鼓，声音忽高忽低，时而歪着头，耳朵几乎贴在鼓皮上听着，口里不住地数着“一二三四”随声打着鼓点。演员们有些在化装。有些聚在一处低声谈论，有些疲乏了，坐着出神。在烦闷而紧张的嘈杂声里，扮伤兵的时昌洪烦躁地踱着步，捧着剧本，死命的背记着自己的词，分明是困难得如吞一粒一粒的石子！

陈　虹　（立在桌前化装，一个喜欢撩人的女演员）喂，丁明，前面第二幕是快演完了吗？

丁　明　（正在化装室门口有意无意的听着）差不多，大概义勇军快上场了。（看看化装室的人们，叹口气，走出来）

陈　虹　（笑）怎么，演戏演累了？

丁　明　演戏倒不累，可是像这么等着上场，你看，一个个拉着长脸，仿佛等着就要上法场砍头似的，我可真受不了。

陈　虹　（低声）你看他们一个一个的怪相。（忽指时昌洪）喂，丁明你瞧瞧这个。

昌　洪　（一个极富于幽默的人物，举手热烈的来回走）谢谢，谢谢，我们的亲爱的兄弟，谢谢，谢谢，谢谢，我们的后防的民众，你们省吃俭用，省下钱来捐寒衣，我们全体伤兵都是万分感动的。

丁　明　走马灯！

陈　虹　（提提她的袖子，指着瞪眼）你再瞧瞧这个。

瞪　眼　（歪着头）一二三四，一二三四，哼！

丁　明　（嘘出一口气）哼，神经病！（忽然笑起来，奚落地）唉！看戏的真是活神仙，花了五角钱舒舒服服地坐在前面，就把我们后台的人们一个一个吓得成这种鬼相。喂，瞪眼，你这是干什么？

瞪　眼　（抬头望望没理她[1]，又打下去。）

陈　虹　瞪眼。

丁　明　喂，我问你，你这是干什么？

瞪　眼　你没瞧见？打鼓！

陈　虹　谁要你现在打？

瞪　眼　我练习。（口里又念“一二三四”随着鼓点单调打下去。）

丁　明　（重重地）前台演着戏呢！

瞪　眼　（瞪白眼，又重重地）知道！（又打下去）

陈　虹　（笑起来）知道你还打。

瞪　眼　（愣头愣脑地）小姐们，没看见？门关着呢！听不见！

昌　洪　（早已忍不住，忽然把帽子往桌上一掷）听不见？那是你不是他们，不是我！咚咚咚打得像哭丧，你瞪眼的神经受的了，我的神经受不了！

瞪　眼　（立起，慢条斯理的）演员老爷，还是一会前台的戏要紧，还是你演员老爷的神经要紧？

昌　洪　戏，戏自然是要紧，可——

瞪　眼　那就得了，那我还是打。（又去拾鼓槌）

昌　洪　妈的，这家伙简直是吃石头长大的。

1　“她”底本、校本均作“他”，当作“她”。

瞪　眼　（翻翻眼）你管！

昌　洪　（把眼一愣，拿起剧本，气愤愤的更高声读起）谢谢，谢谢，谢谢我们的亲爱的弟兄，谢谢，谢谢，谢谢，谢谢我们的后防的民众，你们省吃俭用省下钱来捐寒衣，我们全体伤兵都是万分感——

瞪　眼　（同时也愤愤地重敲起来）哼，一二三四，一二三四，……（外面观众鼓掌声，忽然一阵风似的玛莉由通后台的门跑出来。）

玛　莉　伤兵，快上！快上！该你了。

昌　洪　（扔下剧本）倒霉，倒霉！（由后台门跑下。）

玛　莉　死鬼！谁在后台拼命的敲，敲得我在台上的词几乎都忘了。

瞪　眼　干什么？

玛　莉　你呀！导演叫我告诉你，他们没有死，别在后台替他打鼓报丧。

瞪　眼　那么导演听见了？

玛　莉　（俏皮的）他没听见，他是聋子。

瞪　眼　那么，他为什么不自己告诉我？

玛　莉　前台灯忽然灭了。

丁　明　什么？（大家紧张起来，渐渐围着玛莉）

玛　莉　嗯，台上灯忽然灭了一半，他急得直跳脚，催人收拾。

瞪　眼　（手忙脚乱）糟了，糟了！（由通台右门跑下。）

陈　虹　玛莉，你在台上么？

玛　莉　（神气活现）怎么不？汉奸正在抓着我的手，跟我说“小姐，你真美，我真爱你”。（手舞足蹈）啪的一声，我打汉奸一个嘴巴，我说：“滚，你个汉奸，我恨你，我真恨你”，我正表情表得紧张的时候，啪的一下灯灭了。鼓，瞪眼这个鬼鼓不知为什么也响起来，汉奸忘了词，我气得直发昏！喝！（长叹一口气，模仿外国明星，用手帕连连扇着。）

陈　虹　啊！真的？这可糟！（玛莉仿佛累得说不出话）底下怎么样？你快说啊！

玛　莉　（喘气）我的妈，你等等啊！

丁　明　快说呀，以后台上怎么样呢？（演员们围起玛莉你一句我一句的乱插嘴。）

玛　莉　以后啊！幸亏我灵机一动，我就立刻编了一句词，说：“灯怎么忽然灭了？（忽然神来）哦！别是我们中国的飞机来了。这儿的汉奸们就放警报吧！”喝，下面大鼓掌！

陈　虹　真的？

玛　莉　可不是！这一下，我就头望着天空，两手放在胸前，做一种又渴慕又热诚的表情，我说：“啊，我的祖国的飞机！”下面大鼓掌，满院子的人大鼓掌。

陈　虹　好，好！（拍掌）

玛　莉　（飘飘然）还有！你听后面啦，我接着说（一大表情）：“啊！我们的飞机，我的祖国的飞机。（仰天摇头做渴望状）你赶快下你那个美丽的蛋来毁灭这些丑恶的汉奸吧。”

丁　明　观众听着怎么样？

玛　莉　鼓掌！欢呼！欢呼！鼓掌！简直是疯了。

丁　明　那么台上的汉奸呢？

玛　莉　你说沈树仁？我从来没见过这么一个沉不住气的演员，他要跑！

演员们　什么要跑？

玛　莉　嗯，就是他，沈树仁演了一半汉奸，想不出词，就要跑下场！

丁　明　玛莉，你下了场，导演对你说什么？

玛　莉　（扑粉）他忙得没工夫跟我多谈。

陈　虹　我不信，导演自然要夸我们的玛莉聪明了。

〔云峰匆匆由外门上。

云　峰　玛莉，韦明呢？（一身大汗）

玛　莉　云峰，你今天一天到哪里去了？

云　峰　我有事，韦明呢？

玛　莉　（气了）不知道！

丁　明　韦明在后台。

云　峰　我要找韦明，玛莉，我先进去一下。

〔云峰进后台门。

玛　莉　哼，自己不小心，叫人把文件偷了，一个个慌成这样子。（得意忘形）这帮办事的人我一个也瞧不起。

丁　明　陈虹，你猜今天前台有多少人？

陈　虹　我想总有三千人。

玛　莉　三千人？五千人也有了，刚才我在台上随便往下一望，台下黑糊糊的一大片，楼上楼下都满了，你们想这些人都是为着谁来的?

丁　明　(俏皮的)那还用说,自然是为着看我们的玛莉来的。

玛　莉　不,不,今天大半是为着看孙将军来的。

丁　明　孙将军——

〔云峰与韦明上,韦明衣服朴素,打扮成一个女职员的样子。

陈　虹　嘘!韦明来了。(丁立刻住嘴。)

韦　明　(低声对云峰)那么,疯子说一会准来。

云　峰　嗯,他现在在前台。

韦　明　刚才你在前台吗?

云　峰　嗯,我正跟老范说着话,正说到今天晚上要小心。

韦　明　灯就灭了。

云　峰　嗯,灭了,仿佛前台后面有两个人拿着家伙向前台冲。

韦　明　灯亮得快,你们为什么不抓他们?

云　峰　灯亮了,人都坐得好好的,始终没有发现那两个人是谁。

韦　明　奇怪,灯怎么会忽然灭了?

云　峰　我想这件事一定跟偷我们文件的事情有关系。

玛　莉　喂,韦明,你说孙将军究竟来不来?

韦　明　我哪里知道。

丁　明　我想他不会不来吧?

韦　明　很难讲,现在已经十点半了,戏已经演了一大半,给他留的座位还是空空的。

玛　莉　韦明,不是我们写了一封公函向孙将军致敬,请孙将军来看戏吗?

韦　明　这是谁说的？

玛　莉　不是孙将军也答应来吗？

韦　明　玛莉，你又从哪里知道的？（注视云峰，他低头。）

玛　莉　你不用管，反正我知道就得了。

〔沈树仁由后面隆起的短道慢慢走上。

玛　莉　哟！（得意）汉奸回来了。

树　仁　（神色不定）哦！玛莉小姐。

韦　明　（低声）云峰，我警告你，拿团体的机密来买女人的爱情，对你是危险的。

云　峰　（不由己地望着玛莉）玛莉！

韦　明　不要说了！

玛　莉　怎么，汉奸为什么不说话啦！

树　仁　对不起，我把词都忘了。

玛　莉　方才你是怎么了？为什么你直想跑？

树　仁　不怎么，灯一黑觉得有点怪就是了。

玛　莉　幸亏孙将军还没有来，不然，汉奸忘词我们就得依军法从事。

树　仁　（探听）哦，一会儿孙将军一定来么？

玛　莉　那当然是——

韦　明　（岔过话头）玛莉，我反对在后台乱起外号，我反对你叫沈先生汉奸。

树　仁　对呀！韦小姐，您真是好人。

玛　莉　沈先生，你反对吗？

树　仁　玛莉小姐叫我自然是不敢反对，不过也不十分赞同。

玛　莉　那么，汉奸，你既然不赞同，我以后就老叫你沈先生。

树　仁　谢谢，谢谢，不敢当。

玛　莉　不过，沈先生，你可别害怕，我们这个团体里可有真的汉奸了。

韦　明　玛莉，你又在造什么谣言？这是谁说的？

玛　莉　韦明，你们几个人不要鬼鬼祟祟地计划着事情不告诉我。哼！我是神仙，我都知道。

树　仁　奇怪，那么这会是谁呢？

玛　莉　反正不会是你，不会是我，自然不会是韦明小姐的耿杰咯，你看，沈先生，这儿有谁像？

树　仁　是啊，有谁像呢？

韦　明　玛莉，前台正演着戏，你拿这些无谓的谣言扰乱人心是不应该的。

玛　莉　谣言？我什么时候说过谣言？谣言多得很呢！譬如说，有人讲今天晚上，汉奸们要到剧场来捣乱，至于说要扔炸弹——

韦　明　玛莉！

玛　莉　你看，我说过吗？我现在不说，你们知道吗？我一点也不怕，我不怕谣言，我不怕恐吓，我不怕炸弹，我只是为着我的国家，我的美丽的祖国，就如同领导我们到敌人后方的队长。

云　峰　玛莉，你疯了。

玛　莉　那英勇无比的无名英雄——

〔瞪眼匆匆跑上。

瞪　眼　（扔摔炮，砰然作响，大家吓了一跳。）

玛　莉　死鬼！是谁？可吓死我了。

陈　虹　瞪眼，你这是干什么？

瞪　眼　放枪，放枪！

玛　莉　什么？

瞪　眼　第二幕远远地有枪声。

玛　莉　你为什么在这儿？

瞪　眼　在这儿前台听得远。

玛　莉　谁告诉你的？

瞪　眼　对不起，导演告诉我的。

〔大家哄然笑，导演上。

导　演　陈虹丁明到后台预备上场。

陈　虹　（高兴的）是，导演。

〔陈与丁下。

导　演　大家快点准备，前面第二幕快完了。第二幕的义勇军预备，上台上左边的门，不要弄错了，瞪眼！

〔后台的人们有些由通后台门下。

瞪　眼　有！

导　演　第三幕的鼓！鼓！不要到了该打鼓的时候反而忘了。

瞪　眼　是的，可是——

导　演　还有远远炸弹的声音，你试验好了吗？

瞪　眼　嗯，在这儿,（举起手里两三个黑球）开幕以前我就在这儿试的，前台听着很像。

导　演　韦明，你当然记得第三幕，你什么时候上场。

韦　明　晓得。

瞪　眼　可是，导演，那鼓方才不是你答应让沈先生打吗?

导　演　哦，是的。

树　仁　我还要打鼓?

导　演　嗯，瞪眼一个人忙不过来，其余的人我怕又打错了。

树　仁　可是，我太累了，我要回家去。

导　演　树仁，你昨天晚上排演没有到，大家等你两点钟。今天又把词弄错了。

树　仁　那是因为台上的灯忽然灭了。

导　演　好，过去的事不要提了，以后不许你再弄错。

玛　莉　对，对，沈先生，你好好干，将功折罪，打得好我请你回家吃咖啡。

导　演　瞪眼，告诉他什么时候打，说清楚。

瞪　眼　一共打三次，沈先生，你在台上躲在那个大树后头打，第一次是韦明小姐在台上说:“我不怕!”你打第一通鼓，要急，要响。

导　演　打完了，远远有放枪的声音。

瞪　眼　嗯，那我管，就在化装室里做声响。

导　演　第二次是台上日本军官说:“等一等”完了——

树　仁　我打第二通鼓。

导　演　打得要沉重，要慢，完了，瞪眼放第二个手榴弹，声音要比以前近。

瞪　眼　我知道。

导　演　树仁，第三次鼓最要紧！

瞪　眼　对了，要紧，沈先生，日本军官喊完了“预备”你就打，响响的，紧紧的。

树　仁　打完了你就放枪。

瞪　眼　不，手榴弹，顶响的手榴弹，（从口袋拿出一个更大的黑球）我特别做一个顶响的，你们看大不大？

韦　明　（低声）导演，难道方才出的错误真是因为演员们不小心的错误吗？

导　演　（摇摇头）这里面的情形仿佛很复杂。

韦　明　你是说那灯灭了的事？

导　演　嗯，那灯灭得最奇怪。

韦　明　导演，请你特别注意我们背后的（向后指）那个人。

导　演　（回头望望沈树仁）不，不！不会是他，灯灭的时候他在台上。

韦　明　那么这里面还有谁呢？

导　演　问题就是：是谁呢？

〔胡长有，一个看门的老头上。

长　有　哦，韦先生。

韦　明　干什么？

长　有　有人要见夏家大小姐！

玛　莉　（很高兴地）找我？

导　演　不见，后台化装室不准闲人随便进来。

长　有　可是他说他是夏家大小姐的父亲。

导　演　你告诉他，就是他的祖父来也是不见。

玛　莉　对了，不见，（大公无私的样子）你跟那个老头说，就说我说的，不见，不见，不见定了。

导　演　（不悦地）得了，玛莉，请你把工夫好好地用来读词吧。（玛莉毫不在意，态度自如地走到右边的更衣室内。）

长　有　（紧问）那么找沈先生的客？

树　仁　谁？我的客？

长　有　（很聪明地）不是您的太太，沈先生！

韦　明　那么又是谁呢？

长　有　这人也没说他姓什么，他说一提沈先生就知道。

导　演　告诉他，沈先生没有工夫，演完戏再说。

树　仁　那么，让我出去看看。

韦　明　（忽然）沈先生，你不能出去。

树　仁　为什么？

导　演　台上的汉奸就要上场。

树　仁　（闪避）那么我去见他一会。（就走）

导　演　（阻止）不成，树仁，我们的团体不是没有纪律的。请你别忘记昨天你已经误了团体的工作。

树　仁　（有些惶惶）可是我有要紧的事。

韦　明　沈先生（厉声）戏！团体！募寒衣运动！现在没有比这个

更要紧的事情。

树　仁　（犹疑）那么——

导　演　那么（推他坐下）就请你坐下，等着上场。

〔半晌，大家不语，一个一个凝视沈树仁的举动。

树　仁　（忽然立起）不，不成，我得出去。

导　演　你敢去?（玛莉由更衣室出。仿佛在找东西，看见争执起来，怔住。）

树　仁　（虚弱的笑）为什么不敢?

韦　明　（高声）团体制裁！大家叫他服从指挥！

众　人　（树仁向右望，有人呼喊）坐下!（树仁向左望，有人呼喊）坐下!（乱哄哄地）服从导演，不许现在出去！坐下!

树　仁　（不得已，坐下，强笑。）笑话，笑话，何必这样“小题大做”？一个无聊的朋友来看我，你们叫我不见就不见，这也没有什么!

韦　明　（无意中露出）既然是个无聊的朋友，那就更好了。

树　仁　韦小姐，你说什么?

韦　明　我说既然是无聊的朋友——

〔瞪眼由通“舞台”门跑上。

瞪　眼　快！快！汉奸！汉奸上场。

玛　莉　快去！汉奸快去吧!

树　仁　谁，谁是汉奸?

韦　明　得了，沈先生，谁说你真汉奸了！我们说的是台上的汉奸！快去吧。

〔沈树仁不安地望了众人一眼，被瞪眼一把拉下去，导演与群众随下，屋内只剩下韦明，云峰与玛莉。

玛　莉　（又在找东西）云峰！

韦　明　（望望玛莉，蔑视地，回过头去，低声）云峰，对不起，我就要上台，你先去看看那个人是谁？

云　峰　你说找沈树仁的人？

韦　明　（翻眼）当然。

云　峰　（犹豫）你真疑心他？

韦　明　这个东西靠不住。你快去，可是你要小心。

云　峰　知道。

韦　明　机警！

云　峰　知道！（向门走。）

玛　莉　（忽然）云峰，糟了！糟了！

云　峰　什么？

玛　莉　云峰，你快来，快来！

云　峰　干什么？

玛　莉　我的粉盒丢了，云峰，你赶快跟我找！

云　峰　（奇怪）跟你找粉盒子？

玛　莉　自然，云峰！为什么不？

云　峰　（韦明笑起来，云峰有些难为情）对不起，现在韦明叫我做的事，比为你找粉盒子要紧一点。

韦　明　（轻蔑地）对不起！

云　峰　（紧接）玛莉！

韦　明　（忽然对云峰）快去！

玛　莉　云峰！云峰！（忽然转过头，气势汹汹地）韦明，为什么云峰忽然对我这样？

韦　明　（坐在桌后化装，面对观众，漫不经心地）他对你怎么样？我不知道。

玛　莉　韦明！

韦　明　（慢悠悠地）干什么？

玛　莉　（更大声，仿佛逼她注意。）韦明！

韦　明　（还是照镜子化装）干什么呀？玛莉小姐！

玛　莉　（看了她半天爆发）我不喜欢你，我一点也不喜欢你。他们都崇拜你。我的弟弟，耿杰，云峰，他们都把你当神仙看！可是我知道你，你自私，你比谁都自私！你只想你一个人爱国，旁人爱国，你就不愿意。你不许我爱国，什么事情你都瞒着我。你看我是个外人，你瞧不起我。可是我告诉你，我，我的行为是比你爱国的！

韦　明　（回头上下打量她一下）哦！

玛　莉　（仍毫不觉得）嗯！你看今天，我借衣服，我烫头发，我买鞋子，我背剧词，我演讲，我写文章，我是报馆记者，最后我来演戏。并且明后天我就要到敌人的后方，我已经预备好了遗嘱，我要跟随我们那神秘的无名的英雄。韦明，我夏玛莉要拿事实来证明，我是——

韦　明　（忽然立起来按住她）玛莉，请你容我问你一句话。

玛　莉　什么？

韦　明　（慢悠悠地）你是不是要找你的粉盒子啊？

玛　莉　嗯！自然！（老实话）我花二十五块钱才由香港买来的。

韦　明　（仿佛吃了一惊）哦，二十五块钱一个粉盒子！（冷冷地望着她）那你忍心把它丢了么？

玛　莉　（莫名其妙）为什么我要丢了呢？

韦　明　对呀！那我看你还是赶快去找你的粉盒子好，不要尽在这儿说废话了！

玛　莉　（愣了一下，忽然明白，大哼起来）你这个坏东西，我早就知道你心眼不好，你不喜欢我，你嫉妒我，你不像一个爱国的人。（恨极）你小气！你自私。我瞧不起你！我一点也不喜欢你！（韦明抬头，仿佛要说话，终于冷冷地望她一眼，又不理她。玛莉不由得委曲地哭起来）可是你为什么不相信我，不相信我呀？（抽咽，候韦明的回话。）

韦　明　嗯，玛莉！（玛莉以为有正经话和她讲，韦明却笑笑）你的粉盒子我仿佛看见是陈虹拿去的，她现在在台上。

玛　莉　（气极，跑到韦明面前）你这死鬼，（顿足）我恨死你！（突然哇的一声哭着跑出去。）

韦　明　（望她出去，摇头一叹）可笑！

〔云峰由通外门上。

云　峰　（垂头）韦明！

韦　明　你见着那个人没有？

云　峰　（摇头）没有，跑了。跑了。

韦　明　跑了？

云　峰　我出去的时候，他已经走了好远。

韦　明　那么你为什么不追他？

云　峰　追了几步，一拐弯他就看不见了。我只见他一个背影。

韦　明　大概是个什么样子？

云　峰　我只记得不高，有些胖，穿着黑衣服，外面看，像买办。

韦　明　可惜，轻轻把这个人放跑了，你不去找玛莉吗？

云　峰　玛莉呢？

韦　明　到后台找粉盒子去了。

云　峰　唉！

〔瑞姑由通“舞台”门上。

瑞　姑　韦姐姐，韦姐姐。

韦　明　干什么？

瑞　姑　（高兴地）真的我们已经请了孙将军吗？

韦　明　谁告诉你的？

瑞　姑　（拉着韦明的手）韦姐姐，今天晚上孙将军准来吗？

韦　明　瑞姑，谁告诉你的？

瑞　姑　没有谁告诉我，我方才听见玛莉小姐跟沈先生这么说！

云　峰　现在？

瑞　姑　嗯，现在，在台上怎么？

韦　明　云峰，你看！你看！（走来走去）我们为什么要糊里糊涂介绍这么一个莫明其妙的沈先生进来？为什么我们的嘴都是这样不小心任何的秘密都保守不住？

云　峰　韦明，我对不起朋友，我一定好好地跟玛莉说说。

韦　明　不是说说就是了，我的云峰先生！你要监视她，寸步不离地守着我们的玛莉小姐，并且请你原谅我，说句老实话，团体并不一定反对你们谈爱情，可是十分反对你跟她谈爱情的时候又谈团体的秘密的。

云　峰　（低头）韦明，（忽然抬起头来）请你相信我。

〔云峰向通“舞台”门走出。

瑞　姑　韦明姐姐，（望着她）你生了气了？

韦　明　（沉思）没有，没有，（忽然和蔼地）瑞姑，你为什么这么喜欢见孙将军？

瑞　姑　因为他爱国家，打日本，他保护我们。

韦　明　对，我的孩子，只有这种爱国家，救民族的军人才值得我们拥护，除这以外还有什么原因你想见他？

瑞　姑　（想着）除这以外——那就因为，因为（天真地）我很爱他。

韦　明　（惊讶）你爱他？

瑞　姑　（睁着大眼）自然，难道你不爱他么？

韦　明　我——（想不出答语）我当然爱他。

瑞　姑　并且，韦姐姐，（低声）我跟他写过一封信。

韦　明　你跟孙将军写信？

瑞　姑　（点头）嗯，我在上面告诉他：“我在这儿演戏，就装我自己，一个逃难的孩子，我希望你来看我演戏，”末了，我说“你一定要来，我们都很爱你”。

韦　明　（热烈地抱着她）我的孩子，你真可爱，瑞姑，你这么寄到他的司令部去了？

瑞　姑　嗯，可是，韦姐，我现在又有点盼望他不来了。

韦　明　怎么？

瑞　姑　我有点怕。

韦　明　为什么怕？

瑞　姑　我怕他来了，我演不好，他会笑话我。

韦　明　（才明白）哦！也许，也许他还是不来的好，（忽然）沈先生待你们怎么样？

瑞　姑　嗯，很好，他给我父亲许多钱。

韦　明　为什么给钱？

瑞　姑　不知道，可是父亲心里并不快活，我知道他一不快活就老说“死”。韦姐，这一两天我父亲一见沈先生总是那么个样。（畏缩可怜的脸色）真的，韦姐，沈先生真不是个好人，真那么可怕吗？

韦　明　嗯，（回头望）沈树仁是——

〔沈树仁由通“舞台”门上。

树　仁　（很和气地）瑞姑。（韦立刻站起来）

韦　明　沈先生！

树　仁　对不起，韦小姐，瑞姑的父亲叫她，（转向瑞姑）瑞姑，来呀，你爸爸找你呢。

〔瑞姑立起，向沈树仁身边走时，范乃正由通外门上。

乃　正　韦明，你找我干什么？

树　仁　（很客气）哦，范先生，今天您可是辛苦了。

乃　正　还好，还好。

树　仁　（和颜悦色）走啊，瑞姑。（沈携瑞姑下。）

乃　正　这个家伙怎么会跟瑞姑这个小孩这么熟？

韦　明　就说的是呀！

乃　正　你找我有什么事？

韦　明　我希望你赶快到孙将军司令部去，请孙将军不要来。

乃　正　（不高兴地）怎么？你又改了主意了。

韦　明　我怕我们这种举动对他不是慰劳，反而成了他的累赘。

乃　正　（故意点出）所以你现在忽然想起来了，就忽然地不要孙将军来了。

韦　明　我现在觉得他还是不来的好，他刚出医院不久，并且明天就又要到前线去。

乃　正　对，你的理由都对。不过，韦明，孙将军当初是我同耿杰当面再三请的，孙将军当面答应的。

韦　明　我记得。

乃　正　而你到后来也主张请孙将军来。

韦　明　我没有忘记。

乃　正　那么，为什么，我请问你，为什么现在又要改？难道韦明小姐脑子一转，世界就要变动一次吗？

韦　明　（诚恳）乃正，我有点担心。

乃　正　担心什么？

韦　明　我老觉得今天晚上要出事情。

乃　正　什么事情？要出什么事情？

韦　明　刚才台上的灯忽然黑了。

乃　正　我看见的。

韦　明　我听说有人向前排跑，仿佛对于坐在前排的将领有些不利。

乃　正　（大笑起来）韦明，难道你也相信那些鬼话吗？为什么自己演戏演得好好的，故意要造些谣言来吓唬自己呢？

韦　明　云峰告诉我——

乃　正　云峰告诉你，那是因为他跟玛莉讲爱情多了，他有点神经衰弱，叫他回家喝一碗热开水盖点厚被好好睡一次觉，他就不会跟你说那些胡话了。

韦　明　真的没有人捣乱？

乃　正　我们倒逮着一个。

韦　明　什么人？

乃　正　什么人！一个小偷！怎么样？（尖刻地）难道因为场里现在没有汉奸，我们恰巧抓着一个小偷也得当汉奸办么？

韦　明　乃正，你以为现在没有一个人可疑的么？

乃　正　你说谁？

韦　明　（慢慢地）刚才的沈先生？

乃　正　你说沈树仁？

韦　明　嗯！

乃　正　（伸手）你拿证据来。

韦　明　我现在没有。

乃　正　你没有证据，怎么能肯定他是汉奸？

韦　明　可是我想他跟我们的文件被盗是有关系的。

乃　正　那么，韦明，我想他跟我们的文件被盗是没有关系的。

韦　明　你真的相信他，就这么完全相信他?

乃　正　韦明,（冷冷的笑一下）我决不袒护任何一个人，只要你有证据！证据!

韦　明　哼，我要是有证据，我立刻报告宪兵团逮捕他，用不着听你这一套婆婆经。

乃　正　韦明，请你原谅我，说句老实话，我很佩服你的精神，你很苦干，你也很认真，但是你有时犯了初加入秘密工作的通病，就是“神经过敏”,“感情用事”!

韦　明　（沉着）你真这么觉得吗?

乃　正　譬如这次文件被盗，你到处疑心你的朋友，以至于连沈树仁这么一个无所谓的滥污人你也疑惑，你认定那文件是他偷的。

韦　明　（插进）请你容我声明一句，我只是怀疑他，到现在为止，我还没有认定。

乃　正　然而你固执的认定那文件一定不是耿杰偷的，这不是有点感情用事。

韦　明　（渐渐觉出）范先生，你这话是什么意思?

乃　正　我这话是说——请你原谅我又说一句冒昧的话——我这话是说，女人最好不要讲爱情，讲了爱情，她的判断就会靠不住，她的眼睛就该找一个眼科大夫看看，因为哪怕这个男人是个汉奸，她也要替他不花钱做义务辩护的。

韦　明　（气极，镇压自己）范先生！为你这句话，我可以打你的嘴巴。

乃　正　你看是不是又动了感情了？

韦　明　所以现在我给你看看，我可以管制我自己，一个女人并不一定是你所说的一个感情的脓包，我爱耿杰，但是他如果真是如像你所说[1]的偷了团体的文件，背叛了国家，我答应你，第一个惩罚他的，必定是我。

乃　正　耿杰是我的朋友，我爱护他并不亚于你。不过团体文件一丢，他立刻失踪。一直到现在，毫无消息，这种事实你怎么解释？

韦　明　（等一刻）我现在没有解释，但是我想这件事跟他没有关系。

乃　正　（尖刻的）哦！你就这么相信他，完全相信他！

韦　明　（正直的）国家的安全第一，在这个时候，发生了这样的事，哪怕是耿杰，我也不愿意说他完全相信得过。不过在这个团体，有的是比他不值得我相信的朋友，所以范先生，我希望你今天特别谨慎。我很担心，你没有听我的话，一会儿孙将军到了剧场，我盼望不会——（由衷心流露出来的真挚）哦！我愿意我现在的心里是一时的病态，我的想象完全是女人神经失常的想象。我愿意你以后整天笑我是个神经过敏的女子。哦，范先生，我情愿死一百次，一千次，我也不愿意我们的忠勇爱国的将领，因为我们的疏忽，受一点损害的。

乃　正　（大受感动）韦明，（握着她的手）请你放心，我在前面已经

1　“像你所说”底本缺“像”，据渝版改。

警戒得很周密，决不会出事。（放手）自然我也感觉到严重，不过即使要发生事情，我想刚才前台灯灭过一次，倒也平平安安的过去[1]。我想这事情大概是没有了。对不起，韦明，我刚才说话说得重一点。但是我们都为的是国家，我想你不会是因为团体文件被盗的事情跟我闹意见！（又伸出手）是不是？

韦　明　（爽直地伸出手）你放心，我不会。（硬朗朗地）我决不肯因为个人的私事使我们的团体受损害，我决不偏袒出卖国家的汉奸，不过范先生如果有一天，你也处在现在这个情形，我想我批评你还不至于像你批评我这么刻薄。好，我想我的话说完了。

乃　正　好，再见，我到前台去看看。

韦　明　再见。

乃　正　（向通外面的门走了两步，忽然回头）哦，我现在有一句话该告诉你。

韦　明　什么？

乃　正　（微笑）孙将军早已经来了，坐在第二排中间，再见。

韦　明　（惊愕）他来了。（范点点头，由通外门下。韦衷心喜悦）孙将军——（由通舞台左门跑下）

〔杨兴福吃力地抬着一件很重的木箱由通舞台门走出，慢慢放下木箱，揩拭着额上的汗珠，靠在柱前喘气，忽然四

1　“平平安安的过去”底本缺“的”，据渝版改。

面望。

兴　福　唉！（到左首拿起帽子，包袱，向通外门走。）

〔沈树仁由通舞台门上。

树　仁　（看见杨兴福走到门口，恫吓地。）杨先生，您上哪儿去？

兴　福　（回头突见沈树仁在身后，几乎吓掉了魂。）啊，沈先生！

树　仁　您大小姐还在后台等着您呢！您怎么一句话也不说就偷偷地溜了呢？

兴　福　沈先生，（哀求的）我实在有点头痛，我可以回去了吧？

树　仁　（跑到左首沙发上坐下）谁拦你啦？你走啊！

兴　福　（知道神色不对）不是的，沈先生。我没有说假话，这两天我一晚上，一晚上睡不着，今天已经为您累一天，台上灯也替您弄灭了，耿杰先生来的信也替您偷了。再留在这儿，我会病倒的。

树　仁　病倒？（刻薄的）那么我这几天给你的钱也很够你买一副好棺材了。

兴　福　唉！现在我倒愿意躺在棺材里。

树　仁　那还不容易，我这里有手枪，我家里有毒药。

兴　福　（抬起头）沈先生，你还叫我做什么吧？

树　仁　（斜目）我看您有点不耐烦[1]。

兴　福　唉！（听天由命地）已经到了这步田地，还说什么？

树　仁　你知道就好了，我们都是过来人。

1　“有点不耐烦”底本缺“有”，据渝版改。

兴　福　（忽然忍不住，敲着自己的头。）可是我为什么干这个？我为什么干这个？我怎么会这么糊涂？我饿死也不该干这个。

树　仁　（立起四面望[1]，低声恫吓。）你发的什么疯？

兴　福　（跳起来，对着沈的脸。）我还给你钱，我还给你们钱。我不要你们的鬼钱，我不要。

树　仁　（忽然啐他一脸唾沫，顺手推他，倒在化装桌上。）呸！不要？混蛋，你当你在你家里，说不干就不干，你想跑，你忘了你现在干的什么买卖？这钱就是你的卖身价，你这个混蛋，（抓着他的衣领）你想跑？你跑到那儿去？我们就要剥你的皮，我们叫你亲眼看着我们怎么的收拾你的女儿，叫她活不得死不得。

兴　福　（用力摔开他，喘息着。）你们这些鬼！你们忘了，（嘶出）我们这里还有法律，还有国家呀！

树　仁　（啪地打他一个耳光）你这个混蛋，你当了汉奸，你这种败类，你还想国家保护你！妈的，你滚到宪兵团那儿去，他们查出来你做的事情，第一，就枪毙你。法律不保护你这种东西；国家不要你这种东西！

兴　福　（昏惑）那么，我成了什么人？

树　仁　（指着他）你不是人，你是汉奸！你是汉奸！你就得服从我的指挥。我叫你做什么，你就得做什么，只有这样你能活得下去。

1　“四面望”底本缺“四”，据渝版改。

兴　福　哦,(困兽之斗)我不想活下去。

树　仁　(冷冷地)你不想活下去,你现在就可以死。(对着他的耳朵)不过你的女儿,我跟你说过——

兴　福　(忽然)沈先生,我是汉奸,你是什么人?

树　仁　(没想到)我……

〔外面有争吵声,在通外的门口,张丽蓉,吵着要进来,胡长有拦着她。

长　有　不成!不成!

丽　蓉　我非进来不可。

长　有　对不起,沈太太,导演嘱咐过,不准闲人随便进来。

丽　蓉　我是闲人么?我有事,我有要紧的事,我要见沈树仁,他是我的先生。

树　仁　胡长有,这是怎么回事?

长　有　对不起,沈先生,您在这儿。

丽　蓉　树仁,(见着亲人,不由得哭泣起来。)怎么回事?你是卖给他们了,为什么我见都不能见?

树　仁　(对着胡长有)去!去!(胡长有由通外门下)兴福,请你暂时出去一下。

〔杨兴福由通舞台门下。

树　仁　(关上门)我不叫你到这里来,你为什么要来?

丽　蓉　你今天看见晚报了没有?

树　仁　看见了。

丽　蓉　宪兵已经把那两个汉奸枪毙了。树仁,我怕极了,我们走,我们不要他们的钱，树仁你赶快把钱还给他们，我们走，我们赶快走。

树　仁　唉！还？拿钱容易，还钱难，我告诉过你，这个圈套进得去，是逃不出来的，妈的，我难道是傻子，我怎么不知道弄够了钱，跑到香港地方去舒服？

丽　蓉　为什么？为什么？

树　仁　我现在已经加入了韦明他们的团体，可以容易跟范乃正，韦明天天在一起，我知道鬼子自然要大利用我，做破坏工作，鬼子不肯放我的。

丽　蓉　你真走不了。

树　仁　哼，人走了，恐怕脑袋就要留在这里。

丽　蓉　树仁，可是我们家已经被人搜了。

树　仁　（着急）搜了？你怎么不早告诉我？

丽　蓉　我怕你太着急了，我不敢告诉你。

树　仁　你真糊涂，家里怎么搜的？

丽　蓉　树仁，没有人进来搜。

树　仁　你这说的是什么话？

丽　蓉　我刚才走进你的书房，东西已经翻得乱七八糟，我问老妈子，她说没有看见人进来。

树　仁　那么我的书桌里面的信件丢了没有？

丽　蓉　我没有看。

树　仁　（急）你为什么不看呢？

丽　蓉　不要着急，说不定真是个小偷。

树　仁　奇怪,（摇头）不会，不会，韦明他们里面有厉害人，可是这会是谁？这会是谁？

〔邓疯子由通外门上。

疯　子　（瞪着眼。）沈太太，您来了。

丽　蓉　疯子你来这儿干什么？

疯　子　我找玛莉小姐来了。

丽　蓉　干什么？

疯　子　我来告诉她一个好消息，沈先生（低声）她父亲要卖了他的金子买军火。

树　仁　你听谁说的？

疯　子　咦,（翻翻眼）不是你当面对我说的？

树　仁　放你的屁！

丽　蓉　你跟这个疯子谈什么？树仁！我们不管是谁偷的，现在我们就走，就走。

树　仁　疯子，玛莉小姐在后台，你去吧。

疯　子　我,（摇头）我现在有点累，不想去。

树　仁　我们要在这儿谈话。

疯　子　我要在这儿看报。（拿起报纸看，几乎遮着全脸。）

树　仁　（自语）混蛋，丽蓉，走，我们到那屋去。

〔沈与沈太太由通更衣室门下，后台群众欢呼声。许多演员由通后台门上。

丁　明　这一幕我们演得不错。

陈　虹　我看见孙将军笑了。

昌　洪　我说完了我那一段“谢谢，谢谢，我们亲爱的弟兄”，他就对我大鼓掌。

陈　虹　得了，别跟自己的脸贴金了，孙将军就轻轻地拍了几下，我都看见了。

昌　洪　（幽默地）不是，你没看见，他点了点头。（忽然坐下，像煞有介事模仿孙将军很庄严地点头。）就这样，对我表示深深的赞许。

玛　莉　（不信的语气）嗯，那是因为我骂汉奸那一段表情表得好！

丁　明　好，好好，你们都好。

瞪　眼　可是韦明小姐演得最好。

昌　洪　好，韦明好，韦明好，韦明万岁！

瑞　姑　孙将军是不是有大胡子的那个人？

玛　莉　你没看见？你在台上怎么不望底下看？

瑞　姑　还看呢？我在台上怕都怕死了。

〔韦明由通舞台门上。

瞪　眼　韦明来了。

昌　洪　韦明万岁。（几个人跟着喊）演得好。

玛　莉　讨厌，这也值得喊万岁。（躲在一边。）

韦　明　瑞姑呢？

瑞　姑　在这儿。

韦　明　你演完了，该回家了。

瑞　姑　不，我要见孙将军，我不走。

韦　明　可是他不会到后台来，他也就要回司令部的。

瑞　姑　不，韦姐，我要见他。

〔这时邓疯子听见韦明的声音，放下遮着脸的报纸，忽然被正在收拾道具的瞪眼发现。

瞪　眼　糟了！糟了！喂，你们瞧，疯子来了。

疯　子　（立起来，慢吞吞地。）你们大家都好啊。

众　人　疯子！

疯　子　都没有死啊？

瞪　眼　出去，疯子，这是后台，别疯疯癫癫地把我们的戏闹砸了。（推他出去。）

疯　子　瞪眼，你推我！

瞪　眼　嗯，我推你，怎么样？

疯　子　（指指他）你小心炸弹把你炸死。

瞪　眼　去去去，少废话。谁叫你进来的？

疯　子　范先生叫我来的。（一面说，一面躲在韦明的背后。）

瞪　眼　干什么？

疯　子　找韦明小姐算账。（又躲在她后面。）

瞪　眼　算账？

韦　明　瞪眼，是的，有一笔账现在就要算清楚。

疯　子　（由韦身后露出头）你看，（与韦走两步，忽然转身到台前抓着瞪眼。）喂，瞪眼，我昨天找着一个眼科大夫，专治斜眼，对眼，大眼，小眼，火眼，烂眼，直眉瞪眼——

瞪　眼　去，去，去，疯子，我可先告诉你，你可别摸我这一屋子的乱七八糟的东西，我的摔炮可放在这里。（把一个盒子放在靠墙的桌上。）我回头要用，你要像上次似的把我预备好的摔炮又弄坏了，那我就（想不出词）——我就把你的头拧下去。

疯　子　（模仿他）那我就——我就再换一个。

〔大家哄笑。

导　演　（由通舞台的门露出一个头）瞪眼，快来做效果，群众上场！大家一齐来！

瞪　眼　咱们回头见，疯子！

〔群众随导演下场，台上只有韦与疯子。

韦　明　（与疯子走在一个不引人注意的角落）怎么样？邓先生！

疯　子　（做手势）等一等。（四面望望。）

韦　明　有结果没有？

疯　子　差不多，我想明天我就可以把事办完，肃清这帮东西，我们就可以到敌人的后方去了。

韦　明　邓先生，我不大明白。

疯　子　我想今天晚上可以抓着他。

韦　明　谁？你说抓谁？

疯　子　自然是计划偷我们文件的人，阻止我们到敌人后防的人。

韦　明　哦，你是说此地汉奸的首领？

疯　子　嗯，可也许不一定是汉奸！

韦　明　那是什么？

疯　子　你怎么一定知道他是中国人？

韦　明　什么，现在这里真还有日本人？

疯　子　为什么不？这个人这些天专门破坏我们的工作，说不定他今天晚上还要在剧场闹个从来没有的大乱子。

韦　明　这么说，一会儿真要出事情？

疯　子　谁知道,（来到化装桌前）也许有，也许没有。

韦　明　偷我们文件的人究竟是谁呢？

疯　子　自然不是耿杰，我知道他现在在干什么。

韦　明　你知道？（忽走近疯子）那你为什么早不说？你为什么不出来证明他？

疯　子　（坐下，冷冷地）他一时受点冤枉，也许那个真的不会跑掉。

韦　明　（愤愤地）邓先生，为着一个卑鄙的沈树仁，我们怎么能够这样忍心牺牲耿杰？

疯　子　那是韦小姐您这样想，我们这个团体只认识国家，不承认有所谓感情的问题的。

韦　明　可是我们还得要一点公平啊，我们不能让一个真爱国的同志平白受当汉奸的冤枉。

疯　子　那么（立起微笑）我是疯子！

韦　明　（看他不理，只得——）那么，请问你真的是谁呢？

疯　子　我现在也不知道。

韦　明　你现在说话忽而谨慎了。

疯　子　我现在能告诉你的就是我要在明天我们开始以前，把这个真的捉着。这个人也许现在就在戏院子附近等着看我们出笑话。

韦　明　什么笑话？

疯　子　我昨天做了一次小偷,(四面望望，突然由口袋抽出一张纸秘密地交给韦。)我弄到一封很有道理的信，你看!

韦　明　什么?(念)黑字二十八，黑字二十八，这是什么?怎么又是号码，又是字?

疯　子　我想了一天一夜，里面的意思算是勉强弄清楚了。

韦　明　什么意思?

疯　子　(着重地)就是他们决定要在今天晚上炸剧场。

韦　明　但是我们前台警戒得很周密。

疯　子　我看见，所以我在奇怪他们[1]用什么方法来损害我们的将领。

韦　明　你说他们的目的是为孙?

疯　子　嗯，孙将军!

〔后面前台号呼。

韦　明　奇怪!这是什么?

疯　子　(立起来)别是第二幕演完了?

韦　明　不，已经演完了。

〔瞪眼跑上。

瞪　眼　(兴高采烈)诸位，你们知道吗?孙将军现在要上台了。

疯　子　为什么?

瞪　眼　他看完第二幕正要走出去，忽然被观众发现了，大家大欢呼起来，非请他上台演讲不可，你们听!(欢呼声，鼓掌声。)

疯　子　混蛋!谁想得这个坏主意?请孙将军上台讲演。(向通后台

1 “他们”底本缺“他”，据渝版改。

门跑。）

瞪　眼　你干什么？（拦住他。）

韦　明　（走上前。）瞪眼，他有事，让他去。

瞪　眼　（抓着他）可是，疯子，你要小心！

韦　明　不要闹，瞪眼，你听，前面孙将军大概已经在演讲了。

〔疯子，韦明，瞪眼由通舞台门下。远远听见孙将军沉重而有顿挫的声音在讲演。

〔由右面更衣室内走出沈树仁。

树　仁　出来吧！

丽　蓉　（由通右门出）怎么样？树仁，我想飞机票一定不成问题。

〔由左面门上走出一个矮胖子，穿着电灯匠的衣服，后面跟随胡长有。

长　有　沈先生，这是后台，又叫来的一个电灯匠，请你跟刘先生说一声。

树　仁　好，叫他在这儿等着，你去吧。

长　有　是，沈先生。（胡下。）

丽　蓉　树仁，你方才已经答应我，你不要三心两意，明天你究竟走不走？

树　仁　好，（忽然来了勇气）不管他，走，我们明天飞香港。

丽　蓉　（大喜）树仁，这是五百块钱，你点一点，今天演完戏立刻到黄家伯伯那里交飞机票钱。我现在就回家收拾收拾行李。

树　仁　好，好。（拿钞票。）

电灯匠　沈先生，我是戏院子隔壁的电灯匠。

树　仁　知道，你在旁边等一等。

电灯匠　您这儿是不是要二十八尺黑电线？

树　仁　不知道，不知道。

电灯匠　不对吧，你不要黑电线，二十八尺？

丽　蓉　（对电灯匠）你这个人怎么这么讨厌。

树　仁　（注视他）什么？黑——二十八。

电灯匠　（沉重地点点头）嗯，二十八。

树　仁　（恐惧地望着电灯匠）哦！

丽　蓉　树仁，你的手怎么直打战，你快数呀。

电灯匠　（以目示意令沈太太走。）

丽　蓉　你愣什么？不舒服了么？

树　仁　没有，没有。你听，他们也许快来，不用数了。你先回去，我，我就回来。

丽　蓉　也好。

〔沈太太由通外门下。

树　仁　哦，（不安的笑容）您就是黑字二十八号？

电灯匠　（点头）叫人把门看好。（沈不知所措向通外门走）（厉声）走错了，这个门我有人看。

树　仁　是，大佐。（向通后台门喊）兴福！兴福！（杨走入时电灯匠转过身坐）你看着后台的门。

兴　福　干什么？

树　仁　你别管，有人，就来告诉我。（杨逡巡出。）

电灯匠　（半晌，突然）哼，你要发财了。

树　仁　怎么？

电灯匠　哼，到香港做你的买卖不可以发财么？

树　仁　哦，（不知所云）那是因为我太太说走，我只好骗骗她。

电灯匠　那么，你说这一套废话骗我做什么？我又不是你的太太。

树　仁　我没有说瞎话，大佐，我敢赌咒——

电灯匠　（狞笑）啊哈，不要赌咒，中国人的嘴里是常常发誓赌咒的。（突然严厉）你接到我的命令没有？

树　仁　接到的。

电灯匠　（坐下）今天晚上非做到不可。

树　仁　（嗫嚅）可是他们已经注意我。

电灯匠　（爆发）你是个猪，为什么惹人注意你。我叫你爱国！你为什么不爱国。

树　仁　大佐，他们并不是傻子。

电灯匠　我知道这里面有一个人是厉害的，有本领的，一个瘦瘦个子，他跟着过我，但是我们今天这个机会不能丢的。我来了，方才已经丢了个机会。你们这些猪，灯破坏得太早了。我们要的人现在才来。

树　仁　我知道。

电灯匠　（狠恶地）没法消灭他！

树　仁　前台警戒很严。

电灯匠　我不是说前台。就在这里！他现在在讲演，利用机会，我已经替你预备一个好东西。（拿出来一件很玲珑的黑圆球，轻轻放在桌上，二人静默中，外面大鼓掌。）

树　仁　什么？（低声）炸弹？

电灯匠　小心！爆烈性最大的炸弹。

树　仁　可是大佐，我不会扔炸弹。

电灯匠　谁要你动手？想法子，想法子找人。

树　仁　现在？

电灯匠　嗯！就是现在！但是我不许你连在里面。想想，想想有什么法子办成功这件事，我们不露一点嫌疑。

树　仁　那，——我只好找杨兴福。

电灯匠　靠不住，我不要这种新手。

树　仁　但是现在一时哪里去找？

电灯匠　就是要想啊。（外面大欢呼，看表，）他快，他的讲演快完了，一会儿就许到此地来，（时间迫促，他连拍着桌子）你想想，就在这间屋子用。（狞笑）这个炸弹的威力刚刚好的。

树　仁　（握着拳）然而总得一个人动手啊？

电灯匠　（逼近他）你想想，这个炸弹还小，外面可以伪装——

树　仁　（来回走着，额上冒着汗珠）但是总得有个人，有个人才成啊！（外面大鼓掌声）

电灯匠　快，快，他也许快讲完了。看有没有法子利用这里没关系的人？

树　仁　（来回走）让我想想！想想！（外面又有欢呼声）

电灯匠　沈树仁，你是真的跟你太太到香港么？

树　仁　（惶恐）没有，大佐。我没有。

电灯匠　猪！（抓住他的衣服）不要骗我！这件事做成功，我们放了你，到香港，随便你到那里。

树　仁　（不相信）真——的？

电灯匠　自然真的。

树　仁　永远脱离关系？

电灯匠　可以，永远——

树　仁　永远！（喘气）永远，（狂热起来）哦，我得办，我得办！

〔外面又大鼓掌声。

电灯匠　也许，就要完了，快！想。

树　仁　（打着头）我，我是在想呢。

〔忽然杨由右门伸头。

兴　福　有，有人来。（瞪眼由通舞台门跑进来。）

电灯匠　（立刻盖上炸弹，低头看报。）

瞪　眼　哟，沈先生，您在这儿。孙将军大概快讲完了。疯子刚才没到这屋子里来？

树　仁　没，没有。

瞪　眼　谢谢天，我的宝贝炸弹算保住了，（跑到放摔炮的桌子前）你替我看着点，别叫人乱动。这种假东西碰了水就不响了。

树　仁　知道。

瞪　眼　咦！这是谁？（指电灯匠）

树　仁　他，刚才叫来的一个电灯匠。

瞪　眼　混蛋，你这么迟才来。（啐口唾沫）不要了。（跑到门口）沈先生，鼓，鼓，别忘了，第三幕是你打鼓。

树　仁　（若有所思）鼓？

瞪　眼　喂，忘了？你打鼓，先生！三遍！我可等你的鼓抛炸弹！记着打了鼓才抛炸弹！鼓，炸弹，别再忘了，沈先生。鼓，炸弹！（跑下）

树　仁　（一直看瞪眼走出去，发愣，喃喃地）鼓！炸弹！炸弹！鼓。

电灯匠　你想出来了没有？他们又要演戏了。

树　仁　戏？

电灯匠　怎么样？

树　仁　戏？鼓？炸弹？炸弹？（忽然想出来）对了，戏！戏！戏！为什么不是戏呢？（忽然拿起桌上的炸弹跑到放摔炮的桌上拿出假的和真的比。）

电灯匠　小心！

树　仁　（放下摔炮，忽然魔鬼似地大笑起来）我有了，我真地想出来了。

电灯匠　你想出来了？

树　仁　嗯，包在我身上，但是你说办成功我同我太太是可以走的。

电灯匠　我保护你们走，只要你做到。

树　仁　如听见响，请你叫太平门旁边的人预备，我怕万一弄不好，我是要躲的。

〔外面又鼓掌欢呼声。

树　仁　快走吧，大佐。也许他们就来了。

电灯匠　真没有问题？

树　仁　（拍胸）没有问题。

电灯匠　好，（微笑）我信托你，我就在这戏院附近等你成功。（走到

门口）那么？我送给你一件东西保护自己。（拿出一支手枪）

树　仁　嗯，谢谢大佐。

电灯匠　记着你要守信用，跟我做到！（低声，狠恶地）你还记得上次那个狗不听我的命令逃到香港去了么？现在这个人跟他的老婆，忽然在香港叫人打死了。

树　仁　（惊吓）都死了？

电灯匠　（点点头，阴毒地）嗯，我们就用的是这把手枪。

〔电灯匠下。

树　仁　这种禽兽！（忽然）杨兴福，杨兴福！

〔杨进。

兴　福　（无神地）沈先生。

树　仁　你都听见了没有？

兴　福　听见了！

树　仁　好，把瞪眼的那二个假的拿一个过来。（自己戴上手套）

兴　福　（拿过来）沈先生，我们不能做这样的事情啊。

树　仁　（一把抓过来假炸弹）拿过来！（拿起桌上的炸弹）你看这二个像不像？（杨不语，沈二手秤衡这二个圆弹的重量，欣喜地）轻重倒是差不多，大小也还不大离。（抬头望着发痴的杨兴福，大声）我问你这二个像不像？

兴　福　（连忙）像，像！

树　仁　放屁，我看一点也不像，第一个颜色就不像。你拿着这个。（将假的给他）

兴　福　（拿着）干什么？

树　仁　把上面的纸取下来，跟这个（指真的）包上去。

兴　福　（乞怜地）先生！

树　仁　混蛋，快做！

〔外面大欢呼声。

树　仁　快点包好，小心！（把那个假的放在一个角落藏起来）别啰唆！小心掉了。

兴　福　（一面包着）沈先生，您不是也想跑吗？

树　仁　自然。（帮他包裹）哼，祖宗缺德才干这个。

兴　福　那么，您还要做这种事干什么？

树　仁　（说不出味道）你不要管！弄好了没有？

兴　福　放在哪里？

树　仁　把它放在那个盒子里。（杨手捧着伪装的炸弹，走到化装桌左面的道具箱旁，几乎一脚碰到。幸亏为沈抢住，杨战战兢兢地把炸弹放在箱内。）守着它，小心别叫旁人碰，什么时候瞪眼来拿，你再走。

兴　福　（放下盒子）沈先生，这不成！我们不能这样做！孙将军是救我们的将军，我们不能一点良心都没有！

树　仁　（把拳打去）你个鬼！我早料到你有这一手。你不要嚷嚷，这个东西是你放的，纸是你包上去的。记着你的手指上的指纹已经在纸上面，盒子上面，洗也是洗不掉的。你现在敢叫，我就立刻证明是你干的事情。并且记着我刚说的话！有了一点不是，你的命是小事，你的女儿我们会要她活不得死不得的。

兴　福　（打了一个寒噤）嗯嗯。（眼泪流下来）

〔外面大欢呼鼓掌！喊："孙将军万岁！"

树　仁　大概是讲完了。（回头向杨兴福）傻站着干什么？坐在旁边，放聪明一点。（杨坐在桌旁，沈正由通后台门下，瞪眼由通后台左门上。）

瞪　眼　（跑着喊）讲完了！鼓！鼓！我的鼓！该第三幕了。喂，沈先生，你别走！你先拿着鼓槌。

树　仁　（和气地）谢谢瞪眼。（拿着鼓槌）

瞪　眼　你还知道什么时候打么？

树　仁　哦！我当然知道。（沈由通后台左门下。）

〔疯子与韦明同由通后台右门出。

疯　子　（摇头）奇怪！奇怪！

瞪　眼　（把鼓向后搬）韦明！我们不是请孙将军来参观后台么？

韦　明　他就来，现在正跟范先生谈话呢。

〔瞪眼搬鼓由通舞台右门下。

〔导演与丁明陈虹由通后台左门上。

导　演　快！快！二位小姐，扑点粉，第三幕就开幕。

丁　明　知道，知道。

陈　虹　她们不都还跟孙将军谈话么？

丁　明　你就催我们？（二个人只好噘着嘴坐起扑粉。）

导　演　（同时说）沈树仁呢？

兴　福　在台上。

导　演　韦明你也预备。

韦　明　知道，我还早。

〔导演由通舞台门跑下。

韦　明　邓先生，你在奇怪什么？

疯　子　（走来走去）奇怪，方才居然一点动静都没有。

韦　明　哦，也许汉奸们故意放些谣言。

疯　子　（摇头）不会，不会的。前一点半钟，我在附近看见那个日本鬼子，坐着车，我只跟了二三步，这家伙非常机警，立刻觉得后面有人，三拐两拐就不见了。

韦　明　反正，今天总算完事，孙将军一会儿就要走的。

疯　子　奇怪，我亲眼看见他们的密令，他们的命令不会不实行的。据我的经验是不会的。

〔瑞姑兴高采烈地由通后台左门上，后面跟了几个演员。

瑞　姑　爸爸，我今天真见着孙将军了。爸爸，你为什么一个人在这儿。

兴　福　瑞姑，你赶快回去。

瑞　姑　不，我得看，我得看孙将军一直上了车。

兴　福　不，听话，瑞姑，你现在就得回去。

瑞　姑　你呢？

兴　福　我不能走。

瑞　姑　那我更不回去了。

兴　福　孩子，你听我的话的——

韦　明　嘘！孙将军来了。

〔大家起立，孙将军由通舞台左门上，后随许多演员职员，大家一致鼓掌。孙将军很有威严，穿军服，面呈褐红色，非常健壮，约有四十几岁，左手有弹伤，架在板上。双目炯炯有神，声音沉重，但笑起来很和蔼，甚至有些憨气，他的智慧藏在一片真朴里，使人觉得非常可亲。

孙将军 （笑着点头）很好，很好，诸位今天很辛苦的。

乃　正 这就是我们的化装室，乱七八糟的。

玛　莉 （插进一句）出后台总得先过这里。（不自然地尖笑，把纸烟盒拿出来）孙将军，您不抽根纸烟？

孙将军 （不舒服地看了玛莉一眼）谢谢，我不会。（转过头来向范）范先生，我回头请你转告诸位同志，这次募寒衣运动，这样大成功都是诸位努力的结果，我们全体将士都是很感谢的。

玛　莉 （走向前）孙将军，您太客气了，您这是——（韦明把她拉下来，玛莉噘着嘴，只好不说。）

乃　正 （看玛莉，玛莉只好不说）我们很惭愧，我们尽的力很少，请孙将军转告前方的弟兄们，请他们放心在前线打仗，我们后方的民众必定尽力顾到前线他们的饱暖，在后方他们家中的生活。

孙将军 好，我谢谢你们。（与范握手。）

〔导演由通后台门跑上。

导　演 快！（在突起短道上）第三幕的演员们预备。（大家对他“嘘”一声，他忽瞥见孙将军，走到台中鞠躬）哦，孙将军，对不起。（低声向演员们）预备，前面第三幕的戏已经开幕了。

（导演又由通舞台门下。）

丁　明　孙将军，我听说您身上的伤还没有完全好，就又要回前线去。

孙将军　谢谢，你说我的胳膊？谢谢你，差不多可以说完全好了。

陈　虹　报纸上说您身上还有四颗子弹没有取出来。

孙将军　（笑着坐下，放下帽子）哦，这是神话，军人自然应该不怕死，不过这个传说也有点过分。

韦　明　您明天一定就要走？

孙将军　（爽直地）自然！一个军人伤好了，就应当立刻回前线去。

乃　正　我们明天再来欢送您。

孙将军　不必了，今天不是已经送过了么？今天你们诸位演的戏我很喜欢。（忽然后台的鼓恶兆似地响起来。孙回头望一下。正在这个时候，有一位新闻记者举着照相机走到孙的面前。）

新闻记者　孙将军，我是时事通讯社的记者，对不起，我请您允许我跟您照一张相。（孙将军点点头）请在这儿照吧。（孙将军与许多人向右后墙移，新闻记者正在对光。玛莉挤上前去，与孙将军并列，鼓愈打愈响）

韦　明　（低声）奇怪，这是什么？

疯　子　鼓，台上打鼓。

韦　明　时候还早，刚刚演第三幕怎么就打起鼓来？

〔杨慢慢立起来，恐怖地望着通舞台的门。导演由通舞台左门跑上。

导　演　（喘气）韦明！快上！韦明！

韦　明　怎么？（大家做嘘声，令导演勿高声说话。）

导　演　（低声，急促地）混蛋，混蛋，打鼓打早了十分钟！快上！

〔韦明由后台左门跑上。

疯　子　怎么！打早了十分钟？（导演失望地抓着头）（瞪眼由通舞台右门跑上）

瞪　眼　（拿着二根藤条）怎么办？导演！第一遍鼓完了该放机关枪。怎么办！导演？

导　演　没法子，管他的，放机关枪。

〔鼓忽然停止，瞪眼用二根藤条拼命在地板上乱打了一阵。

疯　子　瞪眼，怎么，鼓是打错了么？

瞪　眼　（没理他）导演！第二遍鼓咱们换人打吧？

导　演　换不下，他在台上大树后面藏着，并且一换人更乱了。只好让他打下去。走！（推着瞪眼走下。）

兴　福　（不敢离开，非常惧怕，向瑞姑招手紧张地望着她低声）瑞姑！瑞姑！你快回家！回去。（瑞姑只摇头，望着孙将军，想接近而又不敢。）

新闻记者　谢谢孙将军！

孙将军　（一边拿起帽子，一边很愉快地对着演员们）说起来你们也许不相信，这是我第一次看这样的戏。

昌　洪　您觉得我们演的还像在前线上的事情么？

孙将军　嗯　还好，就是你们在台上的战壕里打仗那一段跟我们不大一样。实际打仗是相当辛苦的[1]。对不起，我要走了。（第二遍鼓又隆隆地响起来。）

丁　明　怎么回事，第二遍接得好快。（忙由后台门下。）

玛　莉　孙将军，您的车子还没有开进来吧！

孙将军　不，不要紧，走路不更好么？再见，诸位。（走了几步）

玛　莉　（赶上去）孙将军，能不能请您为我在这个本子上签几个字？（孙将军只好回到化装桌上坐下写。于是陆续有人请他签名。）

〔瞪眼由通舞台门跑上。

瞪　眼　陈虹！快上。（陈虹由通舞台门下。）台上又出事了。（跑向左去）

疯　子　（一把拉着他）什么？瞪眼！

瞪　眼　个王八蛋，他打鼓又打早了五分钟！（跑到化装桌左的道具箱旁。）

兴　福　瑞姑，走，爸爸跟你一起走。

瑞　姑　不，爹，我们等等。

乃　正　（低声对疯子）怎么，今天台上老出事情？

疯　子　（紧张地）怪！怪！

乃　正　哼！（笑着）怪的事情多着呢，刚才沈树仁居然跟我上了条陈，说是请孙将军在化装室吃茶点，多坐坐，大家好交换意见，你听听，这种怪话！真是无知识。

1　“是相当辛苦的”底本缺“是”，据渝版改。

疯　子　嗯，怪！怪。（瞪眼由箱内取出一个炸弹，由桌前走过，走到隆起的走道上等待。）

兴　福　瑞姑，你不走，我就走了。

瑞　姑　您先走[1]也好。（还是不动，杨只好陪着她。鼓更响起来。）

瞪　眼　（咬牙切齿）个混蛋，下了台，我非揍他不可。

疯　子　你说谁？瞪眼。

瞪　眼　（不理他，仍自语）妈的，他明明晓得什么时候打鼓，他不知又犯了什么神经病，一个劲儿地都往前提。

疯　子　你究竟说的是谁？

瞪　眼　（一肚子的气，狠狠瞪他一眼）你管呢？

疯　子　你手里拿的什么？

瞪　眼　（恶生生地）炸弹！炸死你！

〔忽然后台仿佛韦明在前面跑，急促地喊“疯子！疯子！”后面导演在后面追喊：“韦明！韦明！”

韦　明　（由通后台左门跑出，喘气）疯子！你注意！打鼓的是沈树仁！

疯　子　沈树仁？

〔鼓更急促地响三下，蓦地停止，瞪眼举起炸弹正向下掷。

疯　子　（跑到面前）你放下！

瞪　眼　干什么？

疯　子　这是真炸弹！

1　“您先走”底本缺“先”，据渝版改。

瞪　眼　混蛋，你别疯！（二人争抢起来）

兴　福　（提着瑞姑向外跑）炸弹，走！走！

〔众人都莫明其妙。

导　演　（一手由瞪眼手里抢过来）给我！

〔瞪、疯放开。

韦　明　小心。

导　演　（两手将纸包拆开，露出无数的小摔炮）这不是摔炮吗？（疯子失色，大家哄笑。）

瞪　眼　（气昏了）对了，这是真炸弹！真炸弹！我费了一下午挑了多少好摔炮做的，就叫这个疯子一下子弄坏了。他妈的我——（忽然猛虎扑食似的向疯子扑去）

疯　子　（一句话说不出，低头）

乃　正　不要闹，瞪眼，孙将军还在这儿。（瞪眼只好回去）

孙将军　（起立）好了，剩下的留着我从前线再回来时候写吧。（对着职演员）在后台坐这么一会，很有意思。

导　演　对不起，我们太胡闹了。

孙将军　不，我倒不这么觉得。我想，大概演戏也跟打仗一样，前前后后都一丝一毫也不能犯错误的，是么？

导　演　是，孙将军。

孙将军　这种精神是好的，（看表）哦，我真的该走了。（找帽子）

瑞　姑　（很羞涩地）这是您的帽子。

孙将军　哦，谢谢你。

瑞　姑　孙将军，我求——我求您一件事可以吗？

兴　福　瑞姑，孙将军太累了，你让孙将军回去吧。

孙将军　不要紧的，（仁慈地）什么事？小姑娘？

〔后台的鼓已沉重地响起来。这时瞪眼望望低头呆坐的疯子，已向那道具箱子走去。

兴　福　（不由的打个寒战）哦！瑞姑！

瑞　姑　我想送给您一个纪念品，您，您愿意收下吗？（拿出一本小册）

孙将军　（接下来）啊，这是什么？你写的吗？

瑞　姑　这是您抗日以后，您每次打胜仗的记载，我，我从各处抄——抄下来的。

孙将军　（很为她的真挚所感动）哦，谢谢，谢谢你。你叫什么名字？

瑞　姑　我姓杨，叫瑞姑。

孙将军　瑞姑？杨？（忽然想起欣欣然）啊，是你，是你前两天写给我的一封慰劳信，是吗？

瑞　姑　（点头）是。

孙将军　你家里有谁呀？

瑞　姑　只有父亲（指）在那儿。

兴　福　（敬礼）孙将军。

〔瞪眼拿出炸弹由桌后人群中走到隆起的短道上。

孙将军　（近半步）你很福气。我从前也有这么一个好女儿。

玛　莉　您的小姐呢？

孙将军　故去了。

乃　正　不在了？

孙将军　嗯，叫敌人的飞机轰炸死的，跟我的内人一同殉的难。

乃　正　啊，是在死守巩县的那五个月里头。

孙将军　嗯，（几乎泪涔涔然，拍着杨的肩）杨先生，好好的教育你这个孩子，教她将来为我们的新中国尽力，你有什么困难，我可以帮忙的，好吗？瑞姑？（瑞姑点头，孙将军与众握手告别。）

〔鼓忽然停止，瞪举起炸弹，口念数目“一二三四五六七……”预备扔下。

兴　福　（大为孙将军的人格所感动，跑到疯子面前，低声）邓先生，这个才是真真的炸弹。

疯　子　（忽然立起）你怎么知道？

兴　福　我，是我放的。

疯　子　（跑到瞪眼面前）瞪眼，你看后边。（瞪眼回头时，炸弹已为他抢了，瞪眼正想夺回，却被疯子一拳打倒。）

瞪　眼　你个混蛋！（爬起来抢，但疯子一手将炸弹用力扔出窗外，只听轰然巨响，窗户玻璃震成碎片，房顶泥土漏下来，大家恐惧的乱跑。只有孙将军屹然不动，瑞姑扑在他的脚前。）

玛　莉　哦，天塌了。

瑞　姑　（同时）哦，妈呀！

韦　明　孙将军！（孙将军沉静地侦察四面）

昌　洪　（同时）怎么回事？

玛　莉　（同时）有汉奸！快藏！（藏在桌下。）

丁　明　（由通后台左门跑出来，同时。）瞪眼。好响，简直像真的。

瞪　眼　（由地上爬起来）妈的，这还会是假的？

〔大家乱藏。

乃　正　（在乱哄哄的声音里，大吼）大家不要乱动！危险！

〔众人略静。

疯　子　（跑到窗前瞩望忽然大声）再见，韦明，你看抓真的来。（忽由窗户跳出）

乃　正　（向时）找宪兵！快！韦明，到后台叫他们抓住沈树仁。（时跑下。）

孙将军　（镇静地）不要紧，过去了，大家起来吧！

瑞　姑　（恐惧地）孙将军，您没有受伤吧？

孙将军　（和蔼地）没有，小姑娘，可是范先生，外面不会死人吧。

乃　正　不会，外面是个大空场。

孙将军　你听出这种炸弹的响声吗？

乃　正　不明白，孙将军。

孙将军　这是敌人新发明，爆炸性最快的炸弹，方才再多摇动一会，就可以在屋子里出事。我听着仿佛是没到地上就爆炸的。

玛　莉　好危险。

〔宪兵一小队由外面跑进。

宪兵队长（跑在门口）孙将军受伤没有？

乃　正　没有。

宪兵队长　大家不许乱动，听候检查（向宪兵们）到后台！（宪兵们下）

（孙将军卫队跑进来）

卫　队　（关切地）军长您没有受伤！（孙将军摇摇头）司令部有紧急电话，请您立刻到司令部。

孙将军　好，就去。

〔老远有枪声两三下。

玛　莉　怎么回事？外面放枪？

韦　明　（在窗前）也许是疯子把真的已经抓着了。

〔疯子由通外门跑进。

韦　明　（急促地）怎么样？逮着了没有？

孙将军　（一看是疯子）刚才，是你么？

韦　明　是他救的我们。

孙将军　谢谢！请你随后到司令部来。

疯　子　（立正）是，将军。（孙将军下）

〔紧接着宪兵由后台通右门拥沈树仁进。

导　演　就是他！

瞪　眼　就是这个混蛋。他是汉奸！

导　演　（指杨兴福）还有他——有嫌疑。（杨兴福低头为宪兵看守）

宪　兵　（对沈树仁）走，到宪兵司令部！

树　仁　你们要说我是汉奸，你们得拿出证据来。

韦　明　（冷笑）要证据，邓先生，把证据拿给他看！

疯　子　证据，我没有证据。

韦　明　疯子，你怎么啦？这是怎么回事？

疯　子　他们两个并不是汉奸！

宪　兵　不是汉奸?

众　人　不是?（面面相觑）

疯　子　（肯定）嗯，当然不是。

韦　明　（低声）你是怎么回事?

疯　子　（切齿地）不要管，真的已经跑了。

——幕急下

第四幕

人　物　警察甲　警察乙　伤兵甲　伤兵乙　男小孩一
女小孩一　韦　明　瑞　姑　难民甲　难民乙
难民丙　难民丁　其他难民……　丁　明
陈　虹　江云峰　工人大队　学生　女救护队
杨兴福　邓疯子　张丽蓉　沈树仁　花　匠
王喜贵　汉奸一　汉奸二　汉奸三　汉奸四
范乃正　夏晓仓　玛　莉　暗探甲　暗探乙
暗探丙　宣传大队　其他各色人等

景　中山公园纪念碑前，左右有小道，通会场及园外，小道西侧树木阴深。

〔开幕时，远处有喧闹声，警察甲追小孩乙上。

警　察　喂，喂！小王八蛋，找揍哇你……哪儿跑……

〔一个伤兵模样的人截住了警察。

伤　兵　怎样喳，乡亲？

警　察　我非揍他不行！

伤　兵　算了吧！他小孩子！

警　察　（寻思了一下）不行，不行！（又要追过去）……今天上面已经关照了，要特别留神……他有意捣乱……

伤　兵　（拦住他）他一个难民，没家没业的，你何苦呢？

警　察　不看你老哥面上，我非揍他不可，捣乱吗？简直的是……提防着点……（他一路咕噜着去了）

伤　兵　（对小孩子）你呀，也不是个东西，老在人群里乱窜，以后也学着改改。

小　孩　来，买点东西吧！

伤　兵　（望了他那个匣子一眼）

小　孩　买点糖？

伤　兵　（生气的）你看我像吃糖的！

小　孩　牙膏，三星老牌子！

伤　兵　滚你的，老子不懂这一套！

小　孩　八卦丹，万应散呢？

伤　兵　我又不害瘟疫，吃这个干吗！日本鬼子的枪弹打在腿上，这叫硬碰硬没法子！

小　孩　香烟呢？

伤　兵　（露出馋涎欲滴的样子，拿起香烟放在鼻子上闻闻，又放下，垂慕之至。）

小　孩　买一包吧！这是顶好的牌子！

伤　兵　（再一度拿起香烟，又放下，莫明其妙的笑着。）

小　孩　买吧！买一包！

伤　兵　（突然生气的）没钱，没钱，告诉你没钱，你是怎么着？

小　孩　没钱，你也没钱，你怎么没钱呢？

伤　兵　老子上前线打仗，受了伤，怎么会有钱？

小　孩　是打鬼子受的伤吗?

伤　兵　不打鬼子还打自己人，妈的!（又贪婪的对香烟望了一眼）

小　孩　（拿了一盒烟，想了一想）给你——拿去吧!

伤　兵　什么?

小　孩　白送给一盒抽!

伤　兵　（激动的）妈的，看不出你这小鬼。（忽然生气的）我不要，你的烟里一定有毒，我不要!

小　孩　有毒，为什么?

伤　兵　为什么，为日本鬼子坏，把毒药放在香烟里，害咱们中国人。

小　孩　不，我这个烟是顶好的!

伤　兵　也不一定!（一把拿过了烟）让我看看，有毒没有!（他抽了一支）你这烟倒很好吃……妈的……（突然想起来了似的，懊丧的）我不能白抽你的啊……你怎么办呢?

小　孩　我呀！我白送给你，你为什么受了伤，不是为了我们吗?你为什么在前线打鬼子，不是为了保住我们的家乡吗?这盒烟算得了什么，等咱们打胜了，你再还我好咧!

伤　兵　不……妈的！这我受不了，你这小鬼倒会说话，妈的，怪我在前线不卖命啊！你!

〔后台一阵欢呼。

小　孩　这干什么?

伤　兵　这是“欢送”!

小　孩　什么是“欢送”?

伤　兵　欢送就是欢送，你少问，你——（痛苦的）啊，不行，我不能白抽你的，走，走，给你借钱去！

小　孩　钱，我不要。

伤　兵　不要，我揍你——走走，借钱你——

小　孩　不，不——

〔两人争执伤兵乙上。

伤兵乙　丁大头，你这是干什么？

伤　兵　（得救的）啊，老崔，借给我一毛钱！

伤兵乙　没有！

小　孩　你就是有也别借给他！

伤兵乙　怎么？

小　孩　他在前线打仗受了伤，我送给他一包烟抽——

伤　兵　我怎么能要他的呢？我怎么能呢？

小　孩　他没有钱买，我不是应该送给他吗？

伤　兵　不，不——老崔，借一毛钱给我吧，他一个难民，我怎么能——

伤兵乙　我没钱，我的钱等会还有用处呢？

小　孩　就是有钱我也不要。（跑下）

伤　兵　你别跑啊，你别跑啊，老崔，我认识你！（伤兵追小孩下）（他一路唠叨着下，不提防和韦明相碰）对不起，小姐！我不是故意！（下）

〔韦明和瑞姑上，瑞姑已经是穿了军装）

韦　明　看到这种情形，真是让人兴奋，（突然笑起来）瑞姑，你穿上军装，倒真的精神多了。

瑞　姑　（害羞的低下头）觉着怪别扭的！有时候忘了还好，一记起来就——

韦　明　就害臊了，是不？你看脸都红了，傻孩子，头发又掉在脸前来了！你看那么多穿军装的女孩子，都不害臊，打鬼子害臊是不行的！

瑞　姑　跟那末多生人在一道，不害怕——

韦　明　你真是个乡下大姑娘，不怕敌人的飞机大炮，却怕自己同志。你怎么不怕我？

瑞　姑　你——因为你——你马上就要到前线来吗？

韦　明　就来，今天我们欢送你们上前线，明天别人就要欢送我们上前线，我们都要上前线的，都要上前线的！我这儿工作一结束，就去跟你们一道——

瑞　姑　那我就放心了！

韦　明　什么？

瑞　姑　（胆怯的）我说——

韦　明　你说你不放心我，小傻瓜！

瑞　姑　我怕——

韦　明　又怕——

瑞　姑　怕我一离开你，你就净想着耿杰了！

韦　明　（脸色一暗，失掉了活力）

瑞　姑　你还没忘了耿杰！

韦　明　不，我早把他忘了！（她[1]背过脸去）

瑞　姑　（半天，含着眼泪）韦姐，我要是得罪了你，你别过意，我真是难受，我替你难受，也不知道怎么回事，我总觉得你想他，他到哪儿去了，他为什么还不回来呢？

韦　明　……

瑞　姑　我早想说，我不敢，今天我们就分开了，我实在忍不住——

韦　明　小妹妹，你放心吧！我答应你，我一定要忘掉了他，不管他是活着，还是死了，我都要把他忘掉的。工人，学生，所有的中国人，连难民，连伤兵，连你——都为了打鬼子，穿上军装了，我难道还会为了一点私情，整天的想着耿杰吗？

瑞　姑　……

韦　明　怎么，你又哭了！

瑞　姑　没有！我——（勉强的笑着）没有！

韦　明　（感动的）瑞姑，小妹妹！——你难过吗？

瑞　姑　不——我没有！

韦　明　不难过，你为什么掉泪呢？

瑞　姑　我想起了——爸爸！

韦　明　怎么？

瑞　姑　昨天夜里回去，爸爸哭了一夜，有很多人都说爸爸是汉奸。

韦　明　你怎么晓得！

瑞　姑　昨天在戏园子里，要没有疯子，宪兵就把爸爸抓起来了呢！

---

1 “她”底本、校本均作“他”，当作“她”。

韦　明　（勉强的）既然疯子说他不是，可见得他真的不是了！

瑞　姑　人家都说疯子的话靠不住啊！

韦　明　为什么？

瑞　姑　因为他是个疯子！

韦　明　不，傻孩子，“疯子”的意思，不是这末解释的！你晓得你这次是跟谁到前线上去的？

瑞　姑　孙将军！

韦　明　是的，不错，孙将军，可是你们还有一个领袖，跟你们在一起工作的，那个人就是疯子。

瑞　姑　是吗？

韦　明　傻孩子，要不是我跟疯子两个人担保你，你难道就这末容易的穿上军装了吗？

瑞　姑　那爸爸为什么还哭呢？

韦　明　也许是他觉得受了委屈，也许是——瑞姑，要是你爸爸做了汉奸，你怎么样？

瑞　姑　我不晓得——爸爸不会的！爸爸是个好人。

韦　明　要是他做了呢！

瑞　姑　（啜泣）韦姐，你为什么问我这句话呢？

韦　明　我看你跟我想的一样不一样！

瑞　姑　韦姐，你是什么意思啊？

韦　明　你很爱你的爸爸吗？

瑞　姑　很爱！

韦　明　我是很爱耿杰，我相信，要是耿杰做了汉奸，我一定一枪打死他的！

瑞　姑　不，韦姐，那是不会的——

〔一群难民型的军人从左角拥上来，有的穿着不整齐的军装，有的还是褴褛的短打，一路呼喊着："走哇！走哇。"

韦　明　别挤，别挤，把我衣服挤碎咧！

难民甲　衣服是挤不碎的，您哪！嘿，韦小姐，立正！（举手行军礼）

韦　明　对不起，你是——

难民甲　我不是第七收容所的四和尚吗？您记性真坏，您不是到我们收容所里去过几趟，还教了我们两个歌的吗？

韦　明　怎么，你也来欢送出征将士吗？

难民甲　嗯，我们也要出征啊，您哪！朋友们，这是韦小姐，一个——什么来着——一个——模范儿女哇！敬礼！

〔大家一齐立正。

韦　明　（兴高采烈的）诸位都上前线吗？

大　众　上前线！

难民甲　小姐，我跟你说吧，咱弟兄们都齐了心了，非跟鬼子拼个死活不可！

韦　明　大家都是一块儿的吗？

难民甲　现在在一块，从前可远咧！我是南京——

难民乙　我保定府——

难民丙　我徐州府——

〔有说上海的，有说太原的，有说开封的，有说彰德府的，有说蚌埠的。

难民甲　咱们家虽没了，国可要保，我们现在都编在壮丁第十四大队！

难民丁　（一个须发皆白的老头子）不，我是——

难民甲　你，你是谁？我不认识你呀！

难民丁　我是第三难民收容所的代表！

难民甲　（翻白眼）带表？带什么表？怀表还是挂表，打日本鬼子还要带表，你他妈汉奸吗？

难民丁　（着急的）我不是汉奸，我是个代表！

韦　明　"代表"的意思，就是许多人公推的个头儿！

难民丁　对咧！对咧！

难民甲　头儿！你也是个头儿！（向大家）他也是个头儿！

难民丁[1]　我们那个收容所的老太婆都组织了老太婆剧团，到乡下宣传去了！小孩子也都自力更生，擦皮鞋去了，小伙子都当壮丁上前线了，剩下我们几个没用的老头子，集了几个钱，想给大家买点东西！

难民甲　多少钱？

难民丁[2]　（掏出钱来）这儿，你看，两块二毛五！

老　四　两块二毛五也是好的，这是他们那几个老年人的心。大家不要忘掉，他们是难民哪，就是一分一厘都是好的，能拿枪的，拿枪上前线。不能拿枪的，在后方做工作，出钱！

1　"难民丁"底本、校本均作"难民乙"，当作"难民丁"。

2　"难民丁"底本、校本均作"难民乙"，当作"难民丁"。

都是男子汉，大丈夫！都是保卫国家的战士！

〔陈虹，丁明，江云峰及两个工人扛了一大捆寒衣上。

陈　虹　韦明，你早来咧！

丁　明　我们可累死了！

瑞　姑　那是什么？

陈　虹　那是寒衣，乃正的主意，预备当场献给出征将士的。

云　峰　这儿，这儿（指挥着工人）打这里走！

〔工人吭唷吭唷的随云峰下场。

难民甲　弟兄们，排好队！

〔众难民排队。

难民甲　立正，开步走！一二一，韦小姐，咱们会场里见！

韦　明　会场里见！

〔众难民下场。

丁　明　韦明，你交际真广啊！

瑞　姑　我们在难民收容所的人，没一个不认识韦姐的！

陈　虹　韦姐，咱们大家伙是给全体出征将士献寒衣，你猜玛莉，她[1]献什么？

韦　明　不知道！

陈　虹　她[2]献花篮！

韦　明　献花篮，献给谁？

---

1 “她”底本、校本均作“他”，当作“她”。

2 “她”底本、校本均作“他”，当作“她”。

丁　明　玛莉说，他今天也要到会的，是吗？

韦　明　谁？

丁　明　那个英雄！

韦　明　玛莉怎么晓得？

丁　明　我不知道！

〔云峰跑回来。

云　峰　快来吧，两位小姐，别竟顾了谈天，寒衣还得点数，还得分发呢！

陈　虹　来了，快走吧，今天云峰肝火盛，又要发脾气了！

〔远处有欢呼声。

丁　明　这是干什么？

陈　虹　大概是什么大人物来了！今天欢送出征将士，特别是欢送负伤回前线的孙将军，许多党政军的领袖，都要到场呢！

韦　明　我们一块去看看！

〔大家下。

〔欢呼声继续不断。

〔疯子偕张丽蓉上场。

疯　子　沈大嫂，你说沈大哥一定在这儿吗？

丽　蓉　我想一定是在这儿！唉，为他这个死鬼，我都累死了！邓先生，这儿倒还安静，我们歇歇腿再走吧！

疯　子　也好，我正想问你几句话！

丽　蓉　什么？

疯　子　沈大嫂，我跟沈大哥从小同学——

丽　蓉　你跟他从小同学！

疯　子　（一板正经的）可不是，而且从小就亲近得像亲兄弟一样！

丽　蓉　邓先生，我真是感谢你，昨天夜里要不是你，他真要冤枉死了！

疯　子　这算不了什么！沈大哥有事，我这个小兄弟要不出来说句公平话，那还算人吗？

丽　蓉　唉，邓先生，要是树仁也像你一样，我就放心了！

疯　子　多年没跟树仁见面，树仁真有点变了！

丽　蓉　是有点变了！

疯　子　而且变得很奇怪！

丽　蓉　唔！

疯　子　（突然的）沈大嫂，你希望不希望树仁好！

丽　蓉　我哪儿能不希望呢？可是我的话，他一句也不肯听！邓先生，你昨天救了他的命，他也许会听你的话的，邓先生，你劝劝他吧！

疯　子　劝，是可以的，可是劝，也要有个道理啊，树仁这个人，空口说白话，怕是无济于事的，沈大嫂我要先知道病在哪儿就好了！

丽　蓉　他那个病啊——

疯　子　很复杂是不是！

丽　蓉　是的！本来呢，他昨天已经决定走了！谁晓得晚上会出那个倒霉的事，我看他仿佛受了很大的刺激，一回到家里就发疯，一会儿哭，一会儿又笑，直闹了一夜，天才亮，人家又来找他了！

疯　子　谁？谁来找他？

丽　蓉　邓先生，你要能想法劝他离开这儿就好了！

疯　子　我现在是要晓得那个找他的人是谁？

丽　蓉　这个人哪！

疯　子　沈大嫂，要是不相信我，我们就可以不谈了！

丽　蓉　（犹疑的）我不是这意思！

疯　子　我老实告诉你，沈大哥吃了什么人的亏，我全晓得！

丽　蓉　你吗？

疯　子　是的，你以为我是傻了吗——昨天晚上，要不是我替他说的话，他现在恐怕已经没命了！

丽　蓉　你的意思是说……

疯　子　我想你比我还要明白！

丽　蓉　嗐！你既然都知道了，还有什么话说呢！

疯　子　沈大嫂，你是树仁的太太，我是树仁的朋友，我们要是不救他，恐怕总有一天，他会被人给逮起来的！

丽　蓉　叫我有什么法子呀？我的法子都用尽了，可是没用，没用，你不晓得他这个人是多么固执呢！

疯　子　你晓得不晓得，昨天他们虽然放了他，可是还疑心他，他要是想逃，怕也不大容易的！

丽　蓉　那么，他就算完了吗？

疯　子　完却还没有这么快！

丽　蓉　（感情的）邓先生，你救救他吧，你想个法子吧，他就是你这末个朋友，除了你，我们再也没有一个帮手了！

疯　子　法子倒还有一个！

丽　蓉　什么法子？什么法子？

疯　子　这是最后的一着棋，不过有一个条件！

丽　蓉　只要能救树仁，什么条件，我都可以答应，哪怕要我死！

疯　子　并不要你死，只要你相信我。

丽　蓉　你还以为我不相信你吗？

疯　子　我们现在只有想法子使树仁自首！

丽　蓉　到官厅里去投案吗？

疯　子　那当然是最好！

丽　蓉　他怎么肯呢！

疯　子　他也许不肯，但是你，可以替他干哪！

丽　蓉　我，邓先生，你使我糊涂起来了！

疯　子　一点也不糊涂，你不是说一早就有人找他到公园里来吗？

丽　蓉　是的！

疯　子　那个人是谁，你晓得不晓得？

丽　蓉　我不晓得，他们是很秘密的。

疯　子　一点影子也没有？

丽　蓉　我只听见他说，又是黑字……又是黑字……

疯　子　是不是黑字二十八——

丽　蓉　好像是的。

疯　子　（兴奋的）那很好，他们现在一定还在园子里。

丽　蓉　你的意思是要把他抓住吗？

疯　子　对了，那是个头，抓住他，你的丈夫就得救了。

丽　蓉　（怀疑的）你是——邓先生，可是我们并不认识他呀！

疯　子　你的丈夫认识他！你可以用话套你的丈夫，让他讲出来，你也可以盯住你的丈夫，你要是愿意，这事情你一定办得好的！

丽　蓉　你是要我——

疯　子　骗出树仁的话来！

丽　蓉　（突然恐怖的）你……你是谁？……你不是……不是树仁的朋友……

疯　子　对啦，你猜对咧！

丽　蓉　（痛苦的）邓先生，你原来是——

疯　子　一个政府的间谍！我老实告诉你吧！

丽　蓉　怎么，你……你什么……

疯　子　在家里谈天吃饭的是我，偷掉了你家里的信件的是我，放掉你丈夫使他逍遥法外的是我，要逮那黑字二十八的也是我！你丈夫的命，就在我的手掌心里，我要他死，他不能不死，我要他活，他不敢不活，现在只有一个法子，可以救你的丈夫！要是事情成功了，我放你丈夫走。说一句，算一句，你考虑考虑吧！

丽　蓉　（半天）邓先生，你的话靠得住吗？

疯　子　我从来不骗女人！

丽　蓉　可是——

疯　子　路只有一条，没什么“可是”，我要是抓他，今天他可跑不了，昨天所以放了他，就是给他一条自新的路，你想想看吧！

丽　蓉　（决然的）邓先生，我相信你，我们一家人的命全在你手里。

疯　子　那么，你同意了！

丽　蓉　我完全服从你！

疯　子　很好，我等你的信。要是你盯准了，你可以通知我！我派几个人跟着你，你只要看见像这样把白手巾缠在臂上的（系自己的手）就是我的人，最好把全盘的计划都套出来，我们就可以一网打尽了，这样你一方面救了你的丈夫，一方面替国家除了一个大害，国家不会辜负你的！

丽　蓉　谢谢你，邓先生！

〔花匠提大花篮，后随玛莉晓仓上。

丽　蓉　啊，玛莉小姐，你看见树仁了吗？

玛　莉　对不起，我没留心！

晓　仓　树仁今天也来了吗？我正要找他！

丽　蓉　我也在找他！再见！（下场）

晓　仓　玛莉，我看你是白费心机，这么多人，你晓得谁是他？

玛　莉　除非他今天不出发，他要是出发呀，我总会跟到他的！

花　匠　小姐，这花篮究竟放在什么地方啊？

玛　莉　我现在也还不知道呢！

花　匠　您也不知道哇？

玛　莉　这没有什么大惊小怪的！

花　匠　我不能这末给你提一天啊！

玛　莉　也许要一天！

花　匠　也许要一天，你别跟我开玩笑咧！

玛　莉　为什么是开玩笑！

花　匠　我们花店里忙的很呢！

玛　莉　给你钱就是了！

花　匠　可是小姐，老这末提来提去的，花一叫太阳晒，就会死了的！

玛　莉　少说废话！

花　匠　是，小姐！

晓　仓　玛莉，你是真的，还是假的！

玛　莉　什么？

晓　仓　我说你是真心要给那个英雄献花，还是说着好玩的！

玛　莉　我不懂你的意思！

晓　仓　这有什么不懂呢？你要是说着好玩，那就叫他给你这末提着，一天，两天，就是十天也不要紧，反正闲着也是没事干，这几个工钱我也不在乎，你要是真的，那就趁早，把这篮子花送进粪坑里去，多少也给国家添肥料，总比这末白白的烂掉了强！

玛　莉　爸爸，你也说这种话吗？

晓　仓　怎么？

玛　莉　你们都侮辱我，都欺侮我，都瞧不起我！

晓　仓　玛莉，你错了，我是你的爸爸，怎么会瞧不起你呢？

玛　莉　我这次献花献定了，我一定献给你们看，不管他是不是英雄，我都要把花献给他，看你们怎么样？

晓　仓　何必发这末大脾气呢？我也是好意，献花倒没什么，我是怕你也像迈进一样，跟着他跑了。

玛　莉　他要是欢喜我，我就跟着他跑。

晓　仓　你看麻烦不麻烦！

玛　莉　爸爸，你看他会不会欢喜我？

晓　仓　这我怎么知道呢？

玛　莉　我想他会的，我见了他讲什么话，我都想好了，我要说：你是我们中国第一个大英雄，你是我们无名的领袖，我钦佩你，我敬仰你，我爱慕你，我崇拜你，这一点点的花……

晓　仓　算了，我不爱听这一套。（台后有欢呼声）

玛　莉　为什么欢呼，别是他来了吧？

〔有喊口号，并鼓掌的声音。

玛　莉　我们快去吧，一定是他来了。

花　匠　小姐，人太多，挤不进去，花也要碎了。

玛　莉　这可怎么好呢？……

〔在这个犹疑的时候，王喜贵上，他假装作了一个年老的难民，背上背着一个杂货箱子，走到晓仓的面前。

喜　贵　先生，买盒香烟吧，白金龙、前门、三炮台——

晓　仓　不要，不要，什么全不要！

喜　贵　小姐呢，来包牙粉！

玛　莉　我用你这种鬼牙粉！

喜　贵　我们是难民，没法子！

玛　莉　谁有法子呀？我还不是也正没法子吗？走，挤挤看！

花　匠　挤挤看就挤挤看，你都不怕，我怕什么呀！

玛　莉　少废话吧！

〔三人下。

喜　贵　（望着他们的背影，鄙视的）马鹿！（他把箱子放下来，四处瞻望了一下）这个地方倒很不错！

〔沈树仁把帽子戴得很低，垂头丧气的走上，没注意到王喜贵，但王喜贵却已经注意到他。

喜　贵　先生，你买黑皮鞋油吗？这里还有二十八盒！

树　仁　（未注意，仍旧往前走）

喜　贵　黑皮鞋油二十八盒，你不要吗？

树　仁　（一惊）什么？

喜　贵　别嚷，黑字，二十八！

树　仁　（机械的）是，大佐！

喜　贵　看看有人没有！

树　仁　（机械的向四外看了看）是，大佐！

喜　贵　命令你拿到了吗？

树　仁　是，大佐！

喜　贵　你对你的任务，还有什么疑问没有？

树　仁　是，大佐！

喜　贵　（没注意到树仁的变态）没有疑问吗？

树　仁　是，大佐！

喜　贵　这是你最后一次的机会了！

树　仁　是，大佐！

喜　贵　听说昨天有人要抓你！

树　仁　是，大佐！

喜　贵　可是又有一个人把你救了！

树　仁　是，大佐！

喜　贵　那是个什么人？

树　仁　是，大佐！

喜　贵　什么，是你的朋友吗？

树　仁　是，大佐！

喜　贵　一个什么样的朋友？

树　仁　是，大佐！

喜　贵　什么，我问你是个什么样的朋友？

树　仁　是，大佐！

喜　贵　什么"是大佐""是大佐"，你不懂我的话吗？

树　仁　是，大佐！

喜　贵　你没有听见我跟你讲话吗？

树　仁　是，大佐！

喜　贵　你没听见我跟你讲话，你疯咧！

树　仁　是，大佐！

喜　贵　混蛋（一拳打过去）我叫你"是，大佐"！

树　仁　（仿佛才意识到自己是站在王喜贵身边）大……佐……

喜　贵　你再敢讲"是大佐"！

树　仁　（无意识的，完全由于习惯的）是，大佐！

喜　贵　（又是一拳）我要你的命！

树　仁　（屈辱的）大佐，我没有错呀！

喜　贵　你没有错，你鬼迷了心咧！

树　仁　大佐！

喜　贵　我方才问你的话，你听清楚了没有？

树　仁　我听……我……

喜　贵　你难道一句也没听见！

树　仁　可是大佐，你仿佛没问我什么话呀！

喜　贵　你个混蛋，我晓得你是找死了！

树　仁　请你原谅，大佐，我方才实在是有点发晕！

喜　贵　那么，你所担任的工作，你大概也忘记了？

树　仁　这倒没有。

喜　贵　是什么呢？讲给我听！

树　仁　要我等党政军的领袖都到齐了的时候，就向主席台上放三枪。

喜　贵　放完了枪呢？

树　仁　我就喊："汉奸""汉奸"，把会场的秩序捣乱！

喜　贵　乱了以后呢？

树　仁　乱了以后，我就跟弟兄们联络起来，向重要的领袖射击！

喜　贵　场子里的弟兄们，你都联络好了没有？

树　仁　我正在联络！

喜　贵　很好——限你半点钟，要完全联络好，好了以后，到那边一个亭子后面找我！

树　仁　是，大佐！

喜　贵　（在箱子的底层取出一排子弹）我昨天给你的家伙在身边不在？

树　仁　在这儿！

喜　贵　很好，这儿再发给你一排子弹！

树　仁　是，大佐！

喜　贵　记住，子弹不要全放完了，要留下最后的一颗！

树　仁　是，大佐！

喜　贵　你晓得我的意思吗？

树　仁　不晓得！

喜　贵　（冷酷的）笨蛋！那最后的一颗是要留给自己用的！

树　仁　（没有了解话内的含义）为什么？

喜　贵　不为什么，要是这次再不成功，你最好是把枪口对准自己的脑袋！

树　仁　把枪口……对准我……自己……的脑袋！……

喜　贵　你以为这是好玩的吗？

树　仁　打死……我……自己！

喜　贵　算了罢！昨天救你的是个什么人？

树　仁　他是个疯子。

喜　贵　疯子？

树　仁　对咧，大佐，你看，就是那个背着小孩子的。

喜　贵　啊……他往这儿来了！快点！躲开，快，快！

树　仁　是，大佐！（急下）

喜　贵　（也急忙的去背他的箱子）那么，果然是他了！（疯子背女孩上）

疯　子　（向王喜贵）卖糖的，卖糖的！

喜　贵　（只好站住）

疯　子　来两个铜板的糖！

喜　贵　两个铜板的糖不卖！

疯　子　不卖糖，你背了箱子干吗？

喜　贵　我不是不卖糖，是不卖两个铜板的糖！

疯　子　为什么？

喜　贵　我是难民，两个铜板的糖，不够本！

疯　子　你哪里是难民——

喜　贵　我不是难民，难道还是汉奸吗？

疯　子　你跟汉奸也差不了多少！

喜　贵　（吃惊的）什么？

疯　子　你简直是奸商嘛！

喜　贵　别跟我老头子开玩笑，你要什么糖，口香糖，橡皮糖，还是薄荷糖？

疯　子　小妹妹，你要什么糖？

女　孩　我什么糖也不要！

疯　子　不要糖，你吵什么？老在人群里乱挤，把你娘挤丢了，就赖在我身上，这算什么呢？

女　孩　我要婆婆！

疯　子　你不是要打鬼子吗？还要婆婆——

女　孩　我婆婆也要，鬼子也打！

疯　子　你是寻我的开心吗？

喜　贵　你糖究竟买不买？

疯　子　不买，不是早告诉你不吃糖了吗？

喜　贵　（咕哝的）你这倒真是寻我的开心了！（背起箱子，预备走了）

疯　子　（忽然注意到他的箱子）喂！你等一等——

喜　贵　干什么？

疯　子　你的箱子倒顶好看！

喜　贵　箱子好看，你要买吗？

疯　子　我买是不买，怎么这样黑，很好看，很好看！

喜　贵　黑的，有什么好看？我要是有钱，早把它漆成红的了！

疯　子　当中还有一条红线！

喜　贵　你要看着好，就卖给你，不买，就别啰唆！

疯　子　谈谈有什么要紧！

喜　贵　你是不要紧，我家里的老婆孩子，还指着我吃呢！

疯　子　你有几个孩子？

喜　贵　有九九八十一个，你管的着吗？

疯　子　好好，何必发这末大火呢？

喜　贵　捣乱吗？你是——（才走了两步）

疯　子　（终觉得有些可疑）站住，你箱子里是什么东西？

喜　贵　（故意把箱子往地上一摔）有什么东西！鸦片，吗啡，你要看吗？

疯　子　问问，怕什么！我干么要看你那些烂货！

喜　贵　（一边咕哝着，一边下）晓得你们这些大爷，专门拿我们难民开心——

疯　子　（总觉得有点不对劲，便把女孩放在地上）小妹妹，你在这儿等一等——

女　孩　（拼命的拉住他）不，不，我要婆婆——

疯　子　我有要紧的事；我给你去买那个黑箱子！

女　孩　不要黑箱子，要婆婆！

疯　子　你看，黑箱子比婆婆还要紧！

女　孩　不，婆婆最要紧。

疯　子　糟糕，什么事都叫你给耽误了！

〔韦明上。

韦　明　邓先生，这是谁的孩子？

疯　子　这是——你不要管，我把她[1]交给你了！（急跑下）

女　孩　我要婆婆，我要婆婆！

韦　明　别吵，你怎么认识他的？

女　孩　婆婆走了，他来了，他说他带着我找婆婆，他又跑了，啊——（哭）

韦　明　别哭，他走了，还有我呢！你喜欢我吗？

女　孩　你？

〔瑞姑和范乃正上。

1　“她”底本、校本均作“他”，当作“她”。

瑞　姑　明姐，范先生找你！

乃　正　韦明！你怎么躲在这儿来了，马上我们就献寒衣了，你倒躲在这个地方了！

韦　明　走吧！我带你去找婆婆！

〔韦明带小孩下场。

瑞　姑　（迟疑地）范先生。

乃　正　（停住）干什么？

瑞　姑　我想——问你一件事！

乃　正　什么事？快点，时间快到了！

瑞　姑　范先生——

乃　正　什么事呀？快说，你倒是快说呀！

瑞　姑　你这样一催……我忘掉了！

乃　正　糟糕，糟糕……想起来了没有？

瑞　姑　范先生……

乃　正　别这样吞吞吐吐的说，要说把要点说出来，第一是……

瑞　姑　没有！

乃　正　唉，我没有时间了，再说吧！

瑞　姑　范先生……

乃　正　……

瑞　姑　你还恨耿杰吗？

乃　正　（一惊）耿杰……你怎么会想到他？

瑞　姑　因为韦姐想他，所以我也——想他，他们说，是你把他逼走的！

乃　正　不，我没有迫他，是他自己——

瑞　姑　要是他现在回来你会跟他好吗？

乃　正　我会！我得承认他是个人才，人才在我们，是需要的。

瑞　姑　范先生，你想他是不是会被人害了？

乃　正　这……我想——不会的。

瑞　姑　耿先生一定是个好人……

乃　正　为什么？

瑞　姑　因为——韦姐喜欢他！

乃　正　你这样相信韦明吗？

瑞　姑　（害羞的低下头）

乃　正　她喜欢的人，就不会坏吗？

瑞　姑　（热烈地）坏人不会跟她好起来的。

乃　正　（注视瑞姑）（半天，也热情的）小朋友，你真是太好了，疯子也说对于自己人，我们要相互信赖，对于敌人才需要真正的无情，你使我知道什么是朋友。你愿意跟我做朋友吗？

瑞　姑　愿意的！

〔两人都很感动，一会儿。

乃　正　可是，瑞姑，不管怎么样，耿杰却造成了一个严重的错误，因为他的过失，那到敌人后方工作的五个朋友，现在还渺无消息，想起来，怕是凶多吉少的！

瑞　姑　难道不可以挽救了吗？

乃　正　太迟了……（忽然想起来）哦，你今天不是要到前方去吗？

瑞　姑　是的！

乃　正　好！我们再谈，我现在太忙！（匆匆跑下）

瑞　姑　太迟了，真是太迟了吗？范先生——已经走了！

〔杨兴福上。

兴　福　瑞姑！孩子！是你吗？

瑞　姑　（吃惊的）爸爸！你怎么也来了？

兴　福　我在家里坐不住，跑出来看看你！

瑞　姑　看我？爸爸，你身上不舒服，应该多睡一会儿的！

兴　福　我睡不着！

瑞　姑　你一定要病了！

兴　福　你真的要走了吗？

瑞　姑　是的，你不是答应了吗？

兴　福　走的好——还是走的好！

瑞　姑　爸爸……你怎么啦？

兴　福　我，没什么，我难过——

瑞　姑　因为我要离开你吗？我还要回来的！

兴　福　你回来的时候，我也许——

瑞　姑　（恐怖的）爸爸，你什么意思？

兴　福　没什么，没什么，孩子，忘掉吧，忘掉这些话，忘掉你这个爸爸（哭）！

瑞　姑　（悲痛地）爸爸！

兴　福　我是不配做你的爸爸的，你要记得你的妈……你的妈，她……

瑞　姑　你难过吗？你觉着不好吗？

兴　福　不大好……不大好，孩子，你答应我吗？

瑞　姑　答应什么？

兴　福　忘掉我，记着你的妈，你的妈是被日本鬼子害死的！

瑞　姑　爸爸你为什么讲这些话呢？

兴　福　我——算完了，我是个坏蛋，我不是人了，孩子，抬起头来，让我望你一眼。

瑞　姑　怎么？爸爸！

兴　福　记住，孩子，我要是……你原谅我吧……

瑞　姑　（惨痛地）爸爸！

兴　福　好了！好！

〔半天两人都沉默。

兴　福　孩子……这儿有一封信，你交给韦明小姐！

瑞　姑　什么？

兴　福　只为我不配——这是耿先生写给她的！

瑞　姑　耿先生的信，耿先生给韦明的信？……爸爸，（痛苦的）你做了什么事情啊？

兴　福　忘了吧！忘了吧！孩子！

〔沈树仁与张丽蓉上。

树　仁　离开我，别啰唆，这对我是没有什么好处的！

丽　蓉　不，不，树仁，我不能，你不告诉我，我是不离开你的！

瑞　姑　爸爸！这种事我怎么能忘的了啊！（急跑下）

树　仁　（注意的）兴福，又出了什么事了？

兴　福　没有，没有，没有。

树　仁　奇怪，今天什么事，全这末不顺手？

丽　蓉　什么？树仁你说什么事？

树　仁　你别管！

丽　蓉　你告诉我，我就不管了！

树　仁　我不能告诉你！

丽　蓉　起码你要告诉我，那个老头子是谁？

树　仁　哪个老头子？

丽　蓉　亭子后面跟你讲话背着箱子的那个老头子！

树　仁　这，你不需要知道！

丽　蓉　我要知道。

树　仁　真怪了！

丽　蓉　树仁别骗我，你们一定又在捣什么鬼了？

树　仁　别瞎说！

丽　蓉　怎么，为什么兴福跟你戴一样的帽子，全是黑边加红线？

兴　福　这是上边的命令啊！太太！

树　仁　（禁止他）兴福！别乱讲话，幸亏这是我的太太，要是别人，就凭你一句话，就该死了！

兴　福　是。

树　仁　你到那边去看看，我要跟我太太说几句话。

兴　福　是！（走下）

树　仁　丽蓉，你今天是疯了还是怎样着？

丽　蓉　我一点也不疯，我是不放心你，你难道还怕我吗？

树　仁　我不是怕你，我是怕他——

丽　蓉　他是谁？

树　仁　那个老头子！

丽　蓉　为什么怕他呢？

树　仁　他就是黑字——二十八！我要是把秘密泄露给人，就要受处分的！

丽　蓉　难道自己的老婆也不可以吗？

树　仁　不管什么人都不可以！

丽　蓉　不，树仁，告诉我吧，树仁！求求你！

树　仁　走开！快！有人来了，你别跟着我，走开，你要坏我的事了！

丽　蓉　你不告诉我，我是不离开你的。

树　仁　你要问什么？你不是已经晓得了吗？

丽　蓉　我完全不晓得，我担心得很——

树　仁　你已经注意到帽子！

丽　蓉　那帽子是什么意思？

树　仁　那就是暗号！

丽　蓉　你的同党，都戴着那样的帽子吗？

树　仁　是的，你怎么这末啰唆！

丽　蓉　他们都在什么地方？

树　仁　他们是——丽蓉，你今天跟平常有点两样啦？

丽　蓉　不，你告诉我！

树　仁　（厉声的）丽蓉！

丽　蓉　怎么？

树　仁　（依旧厉声的）你为什么问这个呢？

丽　蓉　那是因为——因为——

树　仁　你的样子不对！

丽　蓉　（慌张的）我——我——

树　仁　因为什么？你说！

丽　蓉　因为——我爱你！

树　仁　不对……（凶狠的）你的样子早告诉我了，你没有学会撒谎呢！

丽　蓉　树仁，你怎么？

树　仁　你是不是跟人勾结，是不是想害我？

丽　蓉　树仁，你疯了。

树　仁　哼！我只有现在最明白，你不肯说吗？

丽　蓉　我……不……

树　仁　（掏出手枪来）你这个下贱东西，你说！

丽　蓉　树仁，你怎么？

树　仁　我毙了你！

〔疯子忽然上场。

疯　子　（冷冷的）怎么，沈大哥，夫妻两个玩手枪吗？

树　仁　不要你管！

疯　子　我是不想管，可是他们（指身后）他们要管！（这时，疯子身后闪出两个暗探，都把手枪对着沈树仁，迫近身来）

树　仁　（大受刺激）怎么……怎么……丽蓉，丽蓉，你真的……真的把我卖了？

丽　蓉　树仁，只有这样，你才得救了！

树　仁　是的……我是得救了……

丽　蓉　邓先生给我担保，这以后，你可以自由了！

树　仁　是的，我是自由了！

丽　蓉　邓先生，不是吗？

树　仁　告诉你，大佐的那最后一颗子弹……

丽　蓉　什么？你说什么？

树　仁　比邓先生可靠多了！

丽　蓉　什么？我不懂！

树　仁　到你懂了的时候，已经晚了……我希望你幸福，我希望你快乐……再见吧！

暗　探　（拦住他）不要动！

疯　子　放他去吧！

〔树仁下。

丽　蓉　树仁！——树仁！

疯　子　沈大嫂，我们快办事吧，迟了，那鬼东西又跑了！

丽　蓉　可是——树仁……

疯　子　他不要紧的！

〔四人下。

〔这时，有欢呼声，玛莉、晓仓、丁明、陈虹、花匠等提花篮上。

晓　仓　（埋怨的）这倒不错，跑来跑去，花篮还是在花匠的手里。

玛　莉　……

陈　虹　玛莉，你怎么还不献花啊？

丁　明　是啊！我的寒衣已经献过了，伤兵难童也献过金了，现在该轮到你了！

陈　虹　你献一束鲜花，一定比献寒衣还要受人欢迎呢。

丁　明　我晓得，玛莉是要像唱戏的一样唱大轴子，也该要等着人都散了才献给那英雄一个人呢！

陈　虹　那谈起心来，是更方便了……

丁　明　哈……

晓　仓　玛莉，我们走吧！回家去吧！再等下去倒不是献花，成了献丑了！

花　匠　夏先生的话不错，我……

玛　莉　不要你们管……不要你们管……你们都不要管我……

陈　虹　谁敢管你呢？我们是想开开眼界的！

丁　明　玛莉！你大概不会使我们失望吧？

玛　莉　躲开，躲开，你们这些鬼！我要献给你们看，就献给你们两个人看……爸爸，他怎么还不来呢？

晓　仓　这我怎么晓得？

丁　明　夏老伯，玛莉献花，你献什么？

晓　仓　我什么也不献！

陈　虹　连伤兵跟难童都献了金，你那末有钱……

晓　仓　谁说我有钱？我有钱，你怎么晓得？

丁　明　人家都说你是大富翁。

晓　仓　我一个钱也没有！

〔近处忽然有枪声，继续不断。

花　匠　（惊惶的）什么地方枪响？

晓　仓　出了乱子了！

〔枪声交杂着喧闹声。

丁　明　怎么好呢？

晓　仓　快走，快走！（他们正要分头逃走，群众嘈乱的拥上，内有伤兵，学生，工人，妇孺，救护队，军人，壮丁，把他们截住了，群众中有人喊："捉汉奸，捉汉奸……妈的，又是汉奸捣乱！"）

玛　莉　哪儿来的汉奸呢？

〔枪声仍继续不断。

〔范乃正、韦明、瑞姑等上。

乃　正　不要乱，大家不要跑！是捉汉奸！不要紧的！

〔仍有奔跑者。

韦　明　大家躲在这儿不要乱跑！小心流弹！

乃　正　静一点！静一点！

〔群众渐渐的静下来，只闻零碎枪声。

韦　明　枪声稀了！

伤兵甲　妈的，我提一个议，诸位，要是汉奸捉住，我们当场把他打死！

群　众　赞成，赞成！打死，打死！

乃　正　诸位不要乱，要是汉奸捉住，政府会办的！

伤兵乙　我们要求政府枪毙他们！

群　众　枪毙，妈的！卖国贼！

瑞　姑　（恐怖的）韦姐，我怕……

韦　明　枪声已经不响了！

瑞　姑　韦姐，我怕！我——

韦　明　好孩子静一点，事情会有结果的！

〔群众忽哗然，两个警察上。

警察1　让一让！让一让！诸位！

警察2　汉奸来了！

群　众　捉住了吗？

警察1　一个也没有跑！

群　众　（欢笑）

警察2　诸位让条路！让他们过去！

群　众　我们要看！我们要看！打倒汉奸，公审汉奸！公审汉奸！

警察1　（向周围）诸位要看汉奸吗？

群　众　要看！要看！

警察1　那末，静一点，静一点！

警察2　他们来了（后台声音）站好！不要动！

瑞　姑　哦！韦姐——

警察1　大家注意！汉奸上场了！

警察2　（点名）胡小辫子！

胡　有！（一探押胡上）

群　众　打呀！打呀！

警察1　静一点！

警察2　你是汉奸吗？

胡　（怪声的叫）哇！哇！哇！我是！

群　众　（哄笑）

警察2　你为什么做汉奸呢？

胡　哇！哇！哇！……我（打了一个大呵欠）

警察2　你抽鸦片烟吗？

胡　（鼻涕眼泪都流出来了）哇！哇！哇……希……希……

群　众　妈的，烟鬼子！哈！哈！哈！……

警察1　静！

警察2　黄有才！

〔黄有才上，上场就跪倒向群众磕头。

黄　饶命吧！饶命吧！妈妈……

群　众　（哄笑）一个脓包！

有人喊　你为什么做汉奸？

黄　没法子！没法子！老爷呀！我把祖产都输光了！都输光了！我给你们磕头！饶命吧！

群　众　一个赌鬼！哈！哈！哈！……

警察2　沈大发！

沈　（抢上，造作的笑）在这儿呢！在这儿呢！沈大发在这儿呢！希希！

群　众　打！打！打！

沈　（赶紧作揖）你别生气！别生气！希希！我沈大发是孙子！

希希！

群　众　哈！哈！哈！

沈　　　我是孙子！我不该跟日本人勾结，给他们买粮食！我也爱国！就不该爱钱！希希！

群　众　妈的！奸商！

沈　　　（连忙作揖）

警察2　田大涛！

田　　　（垂头丧气的上）

警察1　你为什么不讲话呢？

田大涛　……

群　众　叫他讲话！

田　　　有什么话讲呢？我不该花天酒地，把公款亏空了！受了日本人的利用，现在后悔也晚了！

群　众　你也晓得后悔？

田　　　……

群　众　枪毙他！

警察2　还有一个，杨兴福！

瑞　姑　哦！韦姐！

韦　明　孩子！静一点！

瑞　姑　韦姐！我不能，我不能！

〔兴福上，垂头无言。

乃　正　怎么？杨兴福，是你——

兴　福　范先生，我混蛋，我混蛋！

瑞　姑　（哭喊）爸爸！

兴　福　（含泪无语）

瑞　姑　哦，范先生，救救他！救救他！他是好人——

群　众　怎么回事？怎么回事？

乃　正　韦明，这里面——

瑞　姑　（再抢上去）爸爸——

暗　探　躲开！

玛　莉　杨兴福原来是汉奸！你说怪不怪？

瑞　姑　韦姐，你能看着——

韦　明　邓先生会告诉你的！

乃　正　他哪儿去了？

疯　子　（突跑上）我在这儿呢！

有人说　疯子！

疯　子　不错，我是疯子，今天疯子献给诸位一个礼物！

〔暗探，丽蓉，绑王喜贵上。

疯　子　就是他！一个日本鬼子！

〔群众哗然。王喜贵挣扎。

暗　探　别动！

群　众　怎么，他不是个难民吗？

喜　贵　是嘛！诸位！你们看我这末大年纪了，怎么能——

疯　子　他说谎！你还要说谎吗？

喜　贵　我是个道地的中国人，我是个难民啊！

疯　子　你真是个难民吗？

喜　贵　（不语）

〔疯子用力的把他的胡须扯掉。

疯　子　诸位请看，他就是这样的一个难民——

群　众　（疯狂的喊）日本鬼子呀！打！打！

暗　探　（立正）报告队长，他们带走吧？

疯　子　带到司令部去！

暗　探　是，队长，走……走……

〔推汉奸等下，群众有的也随下。

瑞　姑　（截着疯子）队长，求求你！

丽　蓉　队长，树仁怎么办呢？

疯　子　他吗？

玛　莉　（向韦明）队长？他是个什么队长呢？

韦　明　我给你介绍，这就是你心目里的那个英雄！

玛　莉　什么？

韦　明　你渴慕了很久的那个人，就是他！

玛　莉　啊？

晓　仓　这可该献花了！

丽　蓉　队长，你想树仁——

疯　子　他这个人很怪！

丁　明　怎么玛莉，你怎么愣住了？

陈　虹　大概是胃口倒了？

丁　明　你的花不献了吗？

玛　莉　我就献，我就献给你们看！

疯　子　沈大嫂，我想树仁也许——

玛　莉　队长！

疯　子　谁？玛莉！你呀？

玛　莉　队长，你……你是我们中国的第一个大英雄……

疯　子　你别拿我来开心了！

玛　莉　你是我们不出名的领袖……

疯　子　你别胡说八道了！

玛　莉　我敬佩你……

疯　子　见鬼吗？你简直是——

玛　莉　我敬仰你……

疯　子　你说句正经话好不好？

玛　莉　（流着汗）我爱慕你，我崇拜你，这一点点的花——

疯　子　你真把我气死了！

玛　莉　（实在不能忍受了）你这个疯子！原来你是个鬼！

疯　子　我本来已经告诉过你，是鬼吗？

玛　莉　疯……（窘极大哭）爸爸——

晓　仓　走吧！走吧！

〔耿杰满头大汗的跑上。

耿　杰　我来迟了！

韦　明　耿杰——

众　人　耿杰回来了！

乃　正　（急跑上）耿杰是你！

耿　杰　（握乃正的手）乃正，你大概等我等急了吧！

乃　正　我以为你——你到哪儿去了？

耿　杰　什么？你没有接到我的信？

韦　明　你有信吗？

耿　杰　这真怪！

瑞　姑　韦姐！信——在这儿——是我爸爸——

韦　明　（不暇辨别急抢过信来）

疯　子　我说这里面有鬼吗？

韦　明　（念信）"……我不能因为我的过错，让夏迈进他们五个孩子陷落在敌人手里，十二点一刻有一辆平汉车北上，计算时间，我大概可以在信阳以北追上他们，要没有意外，我三天以后准回来，详细情形，请问乃正，好了！匆匆！"啊！耿杰！

乃　正　那么，迈进他们怎么样了？

晓　仓　（非常关心地）迈进怎么样了？

耿　杰　现在已经通过了敌人的封锁线，平安的到达指定地点了！

韦　明　全是沈树仁这个汉奸！

晓　仓　什么？沈树仁是汉奸！

韦　明　这里面全是他捣的鬼！

晓　仓　这个混蛋！幸亏我的金——告诉我，迈进怎么样？有危险吗？

耿　杰　危险倒没有，就是物质条件太差，特别是军火，一点办法也没有。

晓　仓　那不要紧，算我的！

韦　明　什么？

晓　仓　我捐——十万块！

〔群众欢呼。

玛　莉　（兴奋的）爸爸，十万块呀！

〔有枪声。

群　众　哪儿又放枪！哪儿又放枪——

疯　子　不要乱！下去看看——

暗　探　是！

瑞　姑　韦姐，我爸爸——

〔前进号响进！

韦　明　前进号响了，我们的将士就是出发了，瑞姑，别再想着你爸爸了吧！

瑞　姑　可是！

〔又一阵前进号。

韦　明　去吧，去吧！你的爸爸，我会照顾他的！

〔瑞姑下。

〔探员上。

探　员　报告队长，那个姓沈的……

丽　蓉　姓沈的怎么样？姓沈的怎么样？

探　员　沈树仁自杀了！

丽　蓉　什么？

探　员　他自杀了！

丽　蓉　啊？（晕倒在疯子的怀抱中）

疯　子　他死的好，沈大嫂，醒醒吧，树仁是不值得哀惜的！他虽然死了，国家会永远记着你的！

〔群众欢呼中，闭幕。

——完

图书在版编目（CIP）数据

曹禺全集. 第五卷 / 曹禺著. — 北京 ：北京十月文艺出版社，2023.6

ISBN 978-7-5302-2255-3

Ⅰ. ①曹… Ⅱ. ①曹… Ⅲ. ①曹禺（1910–1996）—全集 Ⅳ. ①I216.2

中国版本图书馆CIP数据核字（2022）第162830号

曹禺全集 5

CAOYÜ QUANJI 5

曹禺　著

出　　版　北 京 出 版 集 团
北京十月文艺出版社

地　　址　北京北三环中路 6 号

邮　　编　100120

网　　址　www.bph.com.cn

发　　行　新经典发行有限公司
电话 010-68423599

经　　销　新华书店

印　　刷　北京盛通印刷股份有限公司

版　　次　2023 年 6 月第 1 版

印　　次　2023 年 6 月第 1 次印刷

开　　本　700 毫米 ×980 毫米　1/16

印　　张　41.25

字　　数　456 千字

书　　号　ISBN 978-7-5302-2255-3

定　　价　126.00 元

如有印装质量问题，由本社负责调换

质量监督电话　010-58572393

版权所有，未经书面许可，不得转载、复制、翻印，违者必究。